ADRIAN HOLDEREGGER

GRUNDLAGEN DER MORAL UND DER ANSPRUCH DES LEBENS

STUDIEN ZUR THEOLOGISCHEN ETHIK

ÉTUDES D'ÉTHIQUE CHRÉTIENNE

Herausgegeben vom moraltheologischen Institut
der Universität Freiburg Schweiz
unter der Leitung von

Adrian Holderegger (dt. Arbteilung) und
Roger Berthouzoz (franz. Abteilung)

55

ADRIAN HOLDEREGGER

Grundlagen der Moral und der Anspruch des Lebens

Themen der Lebensethik

UNIVERSITÄTSVERLAG
FREIBURG SCHWEIZ

VERLAG HERDER
FREIBURG–WIEN

Die Deutsche Bibliothek – CIP-Einheitsaufnahme

Holderegger, Adrian:
Grundlagen der Moral und der Anspruch des Lebens:
Themen der Lebensethik/Adrian Holderegger. – Freiburg, Schweiz: Univ.-Verl.;
Freiburg (Breisgau); Wien: Herder, 1995
(Studien zur theologischen Ethik; 55)
ISBN 3-451-23546-3 (Herder) brosch.
ISBN 3-7278-0911-6 (Univ.-Verl.) brosch.
NE: GT

Die vom Autor erfassten Textseiten wurden
vom moraltheologischen Institut
als reprofertige Vorlage zur Verfügung gestellt.

Paulusdruckerei Freiburg Schweiz

ISBN 3-7278-0911-6 (Universitätsverlag)
ISBN 3-451-23546-3 (Verlag Herder)

Inhalt

Teil II
Erster Themenkreis

Teil III
Zweiter Themenkreis

Vorwort

Die hier vorgelegten Fragmente zu einer Lebensethik sind in den letzten Jahren entstanden und fast ausnahmslos aus der Öffentlichkeits-, Gutachter- und Beratertätigkeit herausgewachsen. Einzig einige Kapitel aus der Grundlegung (Verfügungsmacht, Eschatologie und Normabweichung) stellen Arbeiten aus dem «Wissenschaftskontext» dar, die mir aber für Verständnis und Einordnung der nachfolgenden Kapitel wichtig erscheinen. Insofern stellt dieser Band also insgesamt weder eine geschlossene «Lebensethik» dar noch ist er eine Sammlung hochspezialisierter Aufsätze, die nur für einen kleinen Kreis eines Fachkollegiums bestimmt sind, sondern er dokumentiert eine theologische Ethik, die sich der gesellschaftlichen und politischen Öffentlichkeit stellt. Es ist in diesem Sinne eine theologische Ethik, die versucht, sich nicht bloß in das öffentliche Gespräch einzumischen, sondern auch versucht, vor dem Publikum in geduldiger Argumentation Rechenschaft abzulegen und so Orientierung zu vermitteln.

Was hier vorgelegt wird, kreist um das Thema Mensch – Leben – Verantwortung. Dieses Thema – jeweils auf eine spezifische Problemstellung hin fokussiert – zieht sich wie ein roter Faden durch die neu zusammengestellten und überarbeiteten Kapitel. Vieles mußte hier auch aus Platzgründen ausgelassen werden, so beispielsweise der Themenbereich Geschlechtlichkeit, Partnerschaft, Familie und Mensch/Umwelt. – An den einzelnen Themenstellungen wird deutlich, wie schnell sich auf der einen Seite moralische Grundeinstellungen und Überzeugungen innerhalb der Gesellschaft ändern und wie schnell die theologische Ethik in die Situation gerät, angesichts dessen für sich selbst, tastend, ausprobierend, verwerfend und revidierend Klarheit zu verschaffen. Nicht nur dies wird klar: Wenn es schon zusehends schwieriger wird, das Anliegen der Ethik in der (wissenschaftlichen), gesellschaftlichen und politischen Öffentlichkeit zur Geltung zu bringen, so ist es – wie mir scheint – darüber hinaus nochmals schwieriger geworden, ethische Anliegen aus dem *christlichen Zusammenhang* heraus zu formulieren. Insofern ist dieser Band ein Dokument für das Ringen um eine redliche, kritisch-theologische Zeitgenossenschaft.

Teil I

Grundlagen

I. Die Verfügungsmacht des Menschen

A. Geistesgeschichtliche Situierung der Verfügungs- und Selbststeuerungsproblematik

Punktuell ist die Ethik bei jeder technischen Neuerung, die verändernd in das Lebensgefüge des Menschen eingreift, und noch mehr bei jeder neu aufgehenden Möglichkeit der Selbststeuerung des Menschen, etwa auf dem Gebiet der Humangenetik, der experimentellen Medizin usw. auf den Plan gerufen. In mühevoller Arbeit muß sich der Ethiker zuerst das Problembewußtsein aneignen und ein adäquates ethisches Instrumentarium entwickeln. Insofern die Verfügungsmacht über menschliches Leben im technischen Sinne absolut geworden ist, steht die Ethik vor einer Problemsituation, wie sie wohl erst seit einigen Jahren gegeben ist. Doch was ist denn neu an dieser Situation? Die Folgen zu bedenken gehörte seit je zum ethischen Geschäft. Die Spanne der Vorhersicht war kurz, entsprechend des aus unserer Macht hervorgehenden Machbaren. Die Ethik konnte sich in der Regel auf vergangene Erfahrung berufen oder bestenfalls den ungefähren Ausgang einer das Leben betreffenden Handlung erraten. Und eben dies hat sich grundlegend geändert.

Die Größenordnung menschlicher Unternehmungen, welche die Grundlagen menschlicher Existenz und damit die Lebensqualität verändern, ist im Zeichen der Technik ins Unermeßliche gewachsen. Die Analogie zu vergangenen Erfahrungen reicht nicht mehr aus. Auf regenerative Kräfte, die von unserem eingreifenden Tun in Mitleidenschaft gezogen werden, ist kaum mehr zu bauen. Mit anderen Worten: Das verfügende Eingreifen unmittelbar in die Natur des Menschen und das verfügende Eingreifen mittelbar in die Lebensbedingungen, ist in seinen Folgen nur mehr schwer abzuschätzen. Und infolgedessen wird es auch schwierig, zu technischen und gesellschaftlichen Prozessen Stellung zu beziehen. Weniger schwierig sind vielleicht jene Grenzfälle, wo es um den Bestand menschlich-biologischen Lebens, über dessen Sein oder Nicht-Sein geht, da hier unmittelbar grundlegende Prinzipien angesprochen sind, wo es sich also weniger um eine *Folgeabschätzung* als vielmehr um eine *Grundsatzfrage* nach der Legitimität bzw. Illegitimität absoluter Verfügungsmacht handelt. Da die Ethik ebensosehr mit manipulativen Eingriffen konfrontiert wird, die unsere bisherigen sittlichen Vorstellungen von Geburt, Leben und Tod in Frage stellen – zu denken ist hier an die Vision der auswechselbaren Körperteile, die ein endloses Leben gewährleisten sollen, an die Vision der Steuerung und Beschleunigung der Evolution des Menschen, die bessere Generationen von Menschen schaffen sollen, zu denken ist auch an die Vision der Pharma-Medizin, welche ein schmerzfreies Leben verheißt –, da also die Ethik ebensosehr mit eben solchen, zum Teil bereits schon möglichen Eingriffen konfrontiert wird, steht sie vor ganz neuen Fragen, die sie nicht mehr nur im Aufgreifen üblichen Erfahrungsbestandes und nicht mehr nur im Aufgreifen üblicher Problemlösungen debattieren kann. Folgeabschätzung ist kaum mehr möglich, und dennoch ist eine Antwort gefragt.

Man erwartet eine Einmischung in die Auseinandersetzung gegensätzlicher Meinungen, die einerseits vertreten werden von Befürwortern, die versichern, im manipulativen Fortschritt läge die Lösung großer Probleme der Menschheit, Bedenken seien nicht angebracht, die andererseits vertreten werden von Gegnern, welche in der radikalen Selbstmanipulation des Menschen nicht bloß die größer gewordene Möglichkeit der Manipulation in die Katastrophe, sondern auch eine Verletzung der unantastbaren Würde des Menschen sehen. Man kann sich zwar über die Effizienz des ethischen Beitrages zu einer solchen Auseinandersetzung streiten; aber dennoch bleibt es das unausweichliche Geschäft der Ethik, das manipulative Handeln des Menschen an den Kriterien des guten und richtigen Lebens zu messen und das Handeln des Menschen auf dem Hintergrund der verdankten Sinnvorgaben zu bedenken. Angesichts dieser Situation weitet sich das Aufgabenfeld der Ethik aus, indem sie nicht dazu dient – wie die Wissenschaft der Natur, unsere Macht zu mehren – sondern sie zu überwachen und vor sich selbst zu schützen, letztlich also, um Macht über die zuvor in den Naturwissenschaften und der Technik gewonnene Macht zu gewinnen.

Den veränderten Status der Ethik hat der deutsch-amerikanische Gelehrte *H. Jonas* in einem seiner bahnbrechenden Bücher folgendermaßen umschrieben:

> «Bisher waren Wissen und Macht begrenzt, um die entferntere Zukunft in die Voraussicht und gar den Erdkreis in das Bewußtsein der eigenen Kausalität miteinzubeziehen. Statt des müßigen Erratens später Folgen im unbekannten Schicksal konzentrierte sich die Ethik auf die sittliche Qualität des sittlichen Aktes des Augenblicks, indem das Recht des mitlebenden Nächsten zu achten ist. Im Zeichen der Technologie hat es die Ethik mit Handlungen zu tun (wiewohl nicht mehr des Einzelsubjektes), die eine beispiellose kausale Reichweite in die Zukunft haben, begleitet von einem Vorwissen, das ebenfalls über alles ehemalige hin-

ausgeht. Dazu die schiere Größenordnung der Fernwirkung und oft auch die Umkehrbarkeit.»[1]

Dabei würde es dieser Ethik nicht bloß um Machtüberwachung gehen können, sondern ihre Effizienz würde sich dann ausweisen, wenn es ihr gleichzeitig gelingt, das von ihr Gewußte und die gewußten wahrscheinlichen Folgen in die Anschauung zu übersetzen, und zwar in jene Anschauung, die ein angemessenes Gefühl erzeugt, das zum Handeln bewegt. Danach hätte sich also die *normative Lebensethik* mit der *konkreten Anschauung* zu verbinden. Was heißt das? Die prinzipiellen und technischen Überlegungen der Ethik haben sich mit dem Wissen vom Menschen zu verschmelzen, mit konkreten Anschauungen über ihn. Indem Visionen vom ganzen Menschen, der nicht als technisches Perfektum zu leben hat, sondern als ein Wesen mit der Fähigkeit zur unverzweckten Liebe, in die Überlegungen miteingebracht werden, würden neue Hoffnungsbilder angeregt. Dem neuen Status der Lebensethik kann es nicht nur um eine angemessene Formulierung von Normen gehen, sondern ihr kommt es zu, Visionen vom unzerstückten, unverplanten und ganzheitlichen Menschen ins Spiel zu bringen. Wenn einzelne Wissenschaften nur ihren Teilbereich im Auge haben, und von daher naturwissenschaftlich-technisch in die Zukunft extrapolieren, so kommt es der Ethik dringlicher als zuvor zu, Lebensbilder zu evozieren, die vielleicht nicht so sehr die Rationalität ansprechen, sondern das Gefühl, etwas zu verspielen.

Man hat hier das Interesse an einem Dasein einzubringen, das nicht in den Funktionen für andere aufgeht, nicht aufgeht als bloßes Mittel für Zwecke, die von anderen gesetzt werden. Dasein ist der Titel, unter dem dieses nicht Zurückführbare, nicht Ableitbare, nicht Funktionalisierbare erscheint. Existenz ist das Grundwort einer Befreiungsphilosophie wie einer Befreiungstheologie, die eben die Funktionalisierung in den großen Apparaten bekämpft. «Ich existiere» bedeutet, ich bin nicht nur das Objekt anderer. Ich bin mehr, als sie von mir wissen, mehr als sie benutzen können. Auch wenn ich mich in jeder Hinsicht als bedingt erfahre, bleibt es mein Lebenssinn, Zweck zu sein, nicht einfach Mittel. Der «mythische» Grund des nicht machbaren und nicht dinglich gegebenen Lebens ist in der Vokabel Gott angesprochen. Hier scheint die Chance der Theologie zu liegen, das Unbedingte, den Unbedingten als Dezision für das Leben, gegen den Tod und gegen absolute Funktionalisierung ins Spiel bringen zu können.

Unabhängig von den auf uns zukommenden Problem- und Fragestellungen situiert sich das ganze Bündel der ethischen Anfragen bezüglich der Selbstverfügung und Selbststeuerung des Menschen in ei-

---

[1] Vgl. *H. Jonas*, Das Prinzip Verantwortung, Stuttgart 1984, 64.

ner bestimmten geistesgeschichtlichen Situation. Denn daß dem Menschen, vor allem dem Menschen der neueren Geschichte ungeahnte Möglichkeiten der Selbststeuerung, der Selbstgestaltung und der Selbstmanipulation zugewachsen sind, ist zwar zunächst dem Fortschritt der Humanwissenschaften zuzuschreiben. Die Ermöglichung dazu aber gründet in einer sie übergreifenden *geistesgeschichtlichen Lage*. Mit anderen Worten: Die Ermöglichung des humanwissenschaftlichen Zugriffs, die Ermöglichung der technischen Instrumentalisierung der Lebenswelt und schließlich die Ermöglichung des manipulativen Eingriffs in die eigene Natur liegt im Welt- und Selbstbild des Menschen begründet.

Nach *T. Kuhn* vollzieht sich der Fortschritt in den Wissenschaften nicht durch einen Wechsel der Optik Welt und Selbstbetrachtung. Innovatorisch und neue Möglichkeiten freisetzend hat allemal – immer nach *T. Kuhn* – ein neuer Zugang zur Weltwirklichkeit gewirkt.[2] Wenn dem so ist, lassen sich für die Neuzeit und die Moderne konstitutive, geistesgeschichtliche Grundströmungen ermitteln, die in diesem Sinne geradezu als Bedingung der Möglichkeit der wissenschafts-technischen Revolution bezeichnet werden können und damit für den Zuwachs an Selbstverfügungsmacht Bedeutung haben.

Im folgenden geht es nun darum, einige wesentliche Elemente bzw. Paradigmen der neuzeitlichen geistesgeschichtlichen Situation zu beschreiben. Damit wird aber keineswegs behauptet, es bestünde direkt ein kausaler Zusammenhang der einzelnen Wissenschaftszweige mit ihrer jeweiligen verfügenden Potenz. Es wird nur gesagt, daß dieses atmosphärische Umfeld ein Bewußtsein freisetzt, das einerseits den wissenschaftlichen Zugriff auf menschliche Natur und menschliches Leben ermöglicht, aber andererseits auch zur Zuspitzung alter, schon immer gegebener Themata verantwortlicher Selbstwerdung führt: Themen wie Krankheit und Tod, Selbsttötung und Euthanasie werden eben auch in diesem Horizont neu interpretiert.

B. Die neuzeitliche Aufwertung des Subjektes

Die Neuzeit, die in der Aufklärung kulminiert, bringt eine Aufwertung der Vernunft. Die Ratio wird immer mehr zum Instrument der Welt und Subjektinterpretation. Der Zerfall der universalen und über lange Zeit stabilen Ordnungsstruktur des Mittelalters hat die Thematisierung

---

2 Vgl. *T. Kuhn*, Die Entstehung des Neuen. Studien zur Struktur der Wissenschaftsgeschichte, Frankfurt a. M. 1976.

des Subjektes gefördert, ja sogar erzwungen. Denn die politische, religiöse und kulturelle Einheit stellte bis anhin den umfassenden Zusammenhang dar, aus dem heraus man sich selbst und die Welt interpretierte. Dieser Interpretationszusammenhang zerfiel mit den ökonomischen und gesellschaftlichen Veränderungen. Damit geriet eben jener Interpretationszusammenhang in Auflösung, welcher dem Menschen im Kosmos einen festen Platz zuordnete. Die metaphysisch fundierte kosmologische Strukturordnung wurde durch eine Veränderung der Basalverhältnisse unterlaufen, und zwar solcherart, daß eine neue Sinnorientierung nötig wurde. Diese nicht mehr rückgängig zu machende Krise hat die unvermeidliche Frage nach einer Instanz ausgelöst, die auf neue Weise die Sicherheit des Handelns und des Sich-in-der-Welt-Zurechtfindens zu gewährleisten vermochte. Nachdem alle äußere Ordnung zerfallen war, konnte diese Instanz bzw. der neue Interpretationszusammenhang nur das um sich selbst ringende und besorgte Subjekt sein. Es entspricht wohl einer immanenten Geschichtslogik, wenn gerade das Subjekt zum Referenzpunkt erhoben wird; denn, verlieren Handlungs- und Lebensstile ihre Selbstverständlichkeit, so wird man notwendigerweise und unvermeidlich auf das handelnde Subjekt zurückverwiesen. Das Subjekt ist ja jene Größe, durch dessen Erkennen und Handeln die Auslegung in Welt erst ihre Bedeutung erhält.

Die neuere Forschung[3] macht deutlich, daß der neuzeitliche Primat des Subjektes nicht als Werk einer sich absolut setzenden Subjektivität anzusehen ist, denn es entspringt nicht dem unbegrenzten Willen zur Macht. Nicht die Willkür des Subjektes, sondern der Zerfall der universalen Ordnung rief den Subjektivismus hervor. Mit dem Rekurs auf das Subjekt tritt an die Stelle der Tradition und Autorität, welche alles zu legitimieren schienen, die Legitimation durch Vernunft und Einsicht, also durch jene Fähigkeiten, welche das Subjektsein gerade auszeichnen. Für den Paradigmenwechsel im Interpretationszusammenhang ist das spätere Wort von *Hegel* geradezu bezeichnend: «Was jetzt gelten soll, gilt nicht mehr durch Gewalt, wenig durch Gewohnheit und Sitte, wohl aber durch Einsicht und Gründe.»[4]

1. *Der neue Schöpfungsmythos*

Im Übergang des Verfalls der kosmischen Weltordnung hat im Herbst 1492 *Giovanni Pico della Mirandola* den beginnenden Humanismus mit all

---

[3] Vgl. *H. Ebeling*, Das Subjekt in der Moderne. Rekonstruktion der Philosophie im Zeitalter der Zerstörung, Reinbek 1993.

[4] Grundlinien der Philosophie des Rechts, Par. 316.

seinen späteren abendländischen, auch nichtchristlichen Gestalten fast prophetisch im voraus gekennzeichnet, wenn er den Schöpfungsbericht folgendermaßen umdichtete:

> «Daher ließ sich Gott den Menschen gefallen als ein Geschöpf, das kein deutlich unterscheidbares Bild besitzt, stellte ihn in die Mitte der Welt und sprach zu ihm: Wir haben dir keinen bestimmten Wohnsitz, noch ein eigenes Gesicht, noch irgend eine besondere Gabe verliehen, Adam, damit du jeden beliebigen Wohnsitz, jedes beliebige Gesicht und alle Gaben, die du dir sicher wünschest, auch nach deinem Willen und nach deiner eigenen Meinung haben und besitzen mögest. Den übrigen Wesen ist ihre Natur durch die von uns vorgeschriebenen Gesetze bestimmt und wird dadurch in Schranken gehalten. Du bist durch keinerlei unüberwindliche Schranken gehemmt, sondern du sollst nach deinem eigenen festen Willen, in dessen Hand ich dein Geschick gelegt habe, sogar jene Natur dir selbst vorbestimmen. Ich habe dich in die Mitte der Welt gesetzt, damit du von dort bequem um dich schaust, was es alles in dieser Welt gibt. Wir haben dich weder als einen Himmlischen noch als einen Irdischen, weder als einen Sterblichen noch als einen Unsterblichen geschaffen, damit du als eigener, völlig frei und ehrenhalber schaltender Bildhauer und Dichter dir selbst die Form bestimmst, in der du zu leben wünschst.»[5]

Dieser umgedichtete Schöpfungsbericht, indem *Pico della Mirandola* dem Menschen fast absolute Omnipotenz zuspricht, ist nicht bloß übersteigerte Symbolik, sondern spiegelt exakt das Bewußtsein eines beginnenden Selbstverwirklichungsmythos'. Die Kehre hin zum Subjekt hat ein solches Selbstverwirklichungsideal ermöglicht. Und nicht nur das: Mit diesem Bewußtsein wird eine Naturbeherrschung inauguriert – nicht zufällig entstehen hier an dieser Umschlagstelle die Naturwissenschaften –, die, fortwirkend bis in unsere Zeit, fundamentale Lebensgrundlagen anzutasten beginnen.

2. *Die umfassende Selbstbestimmung*

Die Vernunft des handelnden Subjektes ist herausgefordert. Sie hat die neu aufbrechende Frage nach gelungener Praxis und nach gelingender Identität neu zu beantworten. Die Entdeckung, daß der Mensch selbst Ordnung entwerfen kann, eröffnet die Möglichkeit neuer Welt- und Handlungsgestaltung. Mehr noch: Insofern das Subjekt zum Referenz-

---

5 Über die Würde des Menschen, Leipzig 1940, 49f.

punkt wird, wird ein fundamentales Streben nach Selbstbestimmung und subjektiver Daseinsgestaltung eingeleitet. In dem Ausmaß nämlich als die eigenverantwortliche Selbst- und Weltgestaltung zum anthropologischen Schlüsselprinzip erhoben wird, erfährt der Mensch die soziale und naturale Welt und in letzter Konsequenz auch sich selbst als verfügbar, veränderbar und gestaltbar.

Aus der vorgegebenen Aufgegebenheit, die den Weg der Selbstauslegung im Modus der Unterordnung vorzuzeichnen schien, löst sich nun das Subjekt heraus. Das Subjekt beginnt die gesamte Wirklichkeit als eine auf sich hin orientierte zu begreifen. Die sinnverleihende Ordnung wird nicht mehr vorgefunden; sie wird zur Frage, sie wird selbst gestiftet. Die Rationalität, durch die sich das vernünftige Subjekt selbst erhält, wird zum *unabgeschlossenen* und *offenen* Prozeß. Im prüfenden und stellungnehmenden Akt gewinnt das Handeln die Qualität der Sittlichkeit als Selbstbestimmung. Primat des Subjektes heißt für den Bereich des Handelns nicht, daß Geltung allein und ausschließlich aus der Vernunft abgeleitet, sondern allein durch sie geprüft und begründet wird, und dies im Hinblick auf eine verantwortliche Selbstauslegung.

Auf diesem geistesgeschichtlichen Hintergrund, der hier allerdings nur stichwortartig erfaßt ist, wird denn auch deutlich, warum im neuzeitlichen Bewußtsein das menschliche Leben selbst zunehmend, als zur eigenen verantwortlichen Gestaltung aufgegeben, erfahren wird. Selbst wenn ein Kausalzusammenhang zwischen der «Kehre» hin zum Subjekt und den neu erstehenden Naturwissenschaften als zu gezwungene Rekonstruktion erscheinen mag, so inauguriert die Neuzeit doch ein Feld für die Wissenschaft, das nun dem Forschen einen enttabuisierten Zugang zu den Bedingungen des Menschseins eröffnet. Es wird schließlich unter *R. Descartes* möglich, den Menschen als «l'homme machine» zu begreifen. Allerdings wird diese geistesgeschichtliche Eröffnung erst nach und nach ratifiziert.

Ein besonderes Indiz für die «Kehre» hin zum Subjekt, der Betonung der Selbstbestimmung ist die Frage nach der Legitimität der Selbsttötung. In unverdeckter und offener Weise bricht sie allerdings erst im Umfeld der englischen und französischen Aufklärung auf. Das Problem der Selbsttötung ist nicht zuletzt der Prüfstein der neu erkannten Selbstbestimmungsmacht.[6] Wenn das Subjekt letztinstanzliches Maß allen Handelns ist, kann dann – so lautet die Frage – das Subjekt in einem totalen Akt über sich selbst verfügen? Auch wenn diese Detailproblematik nur ein Indiz für den Paradigmenwechsel ist, so wird damit doch deutlich, wie ernsthaft und konsequent nicht nur die Lebenswelt, son-

[6] Vgl. Zum Beispiel: *J. Donne*, Biothanatos, London 1646; *D. Hume*, Essays on Suicide an the Immortality of the Soul, London 1783.

dern auch die eigene «Natur» totaliter der Selbstbestimmungsfrage unterworfen wird.

C. Die «Reifizierung» der Bedingungen des Menschseins

Die Abkehr vom Kosmos hin zum Subjekt hat die Selbstmacht des Menschen gestärkt. Indem der Mensch immer mehr und entscheidender in die Mitte der Welt rückt – am eindrücklichsten ist dies wohl in der Aufklärung der Fall –, erfährt er sich nicht so sehr in einer Ordnung vorgegeben, sondern viel mehr als einer, der selbst Ordnung stiftet. Dies ist eine grundlegende Voraussetzung dafür, daß er schließlich sein Leben selbst als aufgegeben, gestaltbar und bis zu einem gewissen Grad auch verfügbar verstehen kann. Parallel zu dieser geistesgeschichtlichen Strömung läuft das Bestreben, die Bedingungen des Menschseins selbst zu reifizieren, d. h. dem naturwissenschaftlichen Denken zu öffnen. Dahinter steckt die Absicht, die konkreten Bedingungen des Menschseins dem Zufall, dem Geschick und dem Ungewissen zu entheben. Die fortschreitende Einsicht in die Gesetzlichkeiten menschlichen Lebens, menschlichen Gesellungsformen und Institutionen vermittelt nicht nur Instrumente, Methoden und Strategien, um selbst in dieses Gefüge eingreifen zu können, sondern sie vermittelt auch das Gefühl der zunehmenden Verfügbarkeit. Man muß diesen Reifizierungsvorgang etwas rekonstruieren, damit man sich dieses Vorganges etwas bewußter wird.

Die abendländische Geistes- und Kulturgeschichte kennt seit den Griechen nicht nur die denkerische Auseinandersetzung mit der Frage des «Woher und Wozu», also Natur-Theologie und Offenbarungstheologie, nicht bloß die Frage nach dem Ganzen des Seins bzw. nach dem Beziehungsverhältnis des Seienden zum Ganzen des Seins, also die Metaphysik, sondern auch die empirische Konfrontation mit der vorfindlichen Wirklichkeit, also Physik und die Wissenschaft von der Natur.[7] «Paradigma» für die empirische Auseinandersetzung war die Vorstellung eines geordneten Kosmos, der von Gesetzen durchformt ist, die, aufeinander abgestimmt, einen geordneten und harmonischen Ablauf garantieren. Die Erforschung der Naturkausalitäten (etwa bei *Aristoteles*) und der Naturgesetzlichkeiten eröffneten dem Menschen nicht bloß die Kenntnis eines Gesetzesgefüges, dem er selbst unterworfen

---

[7] Vgl. *J. Düring*, Aristoteles. Darstellung und Interpretation seines Denkens, Heidelberg 1966, 506ff.

war, sondern dies gab ihm gleichzeitig auch einen Maßstab für sein Sollen und Können.

Das «physei dikaion», das der Natur Gemäße, dem die wissenschaftliche Neugier galt, war Erkenntnis- und Handlungsprinzip. Und die Anwendung des erworbenen, praktischen Wissens wird so zum Nachvollzug und zur Ratifizierung der «sophia physei». Mit anderen Worten: Die Anwendung des aus der Natur gewonnenen Wissens wird zum Nachvollzug der eben dieser Natur innewohnenden Intentionalitäten. *J. Ritter* hat dies so formuliert:

> «Indem die Theorie praktische Wissenschaft wird, macht sie die Weltordnung als die Wahrheit und den Grund kund, deren Zugehörigkeit zum praktischen und schaffenden Dasein des Menschen in seiner Bildung durch Wissenschaft und Kunst vermittelt ist ... Der Mensch lebt als Mensch, indem er aufgrund von Einsicht und Wissenschaft handelt.»[8]

Also die Reifizierung des Kosmos bedeutet gleichsam die Ermittlung der Bedingungen des guten und richtigen Lebens. Dieser Vorgang bedeutet aber gleichzeitig auch die Entzauberung des Mythos von Welt und Mensch. Man kann wohl mit *J. Ritter* sagen, daß Aristoteles am eindrücklichsten diesen Mythos zerbrochen hat, um den Menschen wieder zu seiner Wirklichkeit, seinem menschlichen Dasein und seiner Welt zurückzuführen. Es ist hier nun nicht der Ort, um auf die neuerliche Diskussion um die Legitimität des Mythos, die gerade auf dem Hintergrund eines radikalen und in vielem auch zerstörerischen Eingriffes in Natur und Welt geführt wird, einzutreten.[9] Entscheidend ist die mit den Griechen gewonnene Einsicht, daß der Mensch zum Leben kommt, indem er lernend aus der Natur das Können erwirbt. Er lebt, indem er sein Sein in den ihn tragenden Wissenschaften findet. Wer nichts ergründet hat und nicht in den Wissenschaften gebildet ist, hat keinen Stand in der Gemeinschaft und bleibt ohne menschliche Geltung. So lautet präzise und pointiert die Theorie von *J. Wild* zur griechischen Techne.

Die Theologie des Mittelalters,[10] etwa in *Albert dem Grossen* und in *Thomas von Aquin* repräsentiert, erachtete diesen «naturwissenschaftlichen» Zugriff, so wie er von Aristoteles vorgezeichnet war, nicht als Widerspruch zu der ihr eigenen Weltinterpretation. Wenn sie den versachlichenden, objektivierenden Zugriff in die Welt mit in ihre Theologie aufnehmen konnte, dann liegt dies im Offenbarungsverständnis

---

[8] Die Lehre vom Ursprung und Sinn der Theorie bei Aristoteles, in: *J. Ritter*, Metaphysik und Politik, Frankfurt a. M. 1977, 27.

[9] Vgl. *K. Hübner*, Die Wahrheit des Mythos, München 1985.

[10] *M.-D. Chenu*, La théologie comme science au XIIIe siècle (= Bibliothèque thomiste 33), Paris 1957³.

selbst begründet. Indem nämlich die Gottheit Gottes, seine Andersheit im Vergleich zur Welt hervorgehoben wird, entleert sich die Welt von den Göttern, und die den Menschen umgebende, naturale Wirklichkeit verliert in diesem Entdivinisierungsprozeß den mythischen und magischen Charakter.[11]

Im Gegensatz etwa zu den Naturreligionen, für die die naturale Wirklichkeit immer ein magisches «Fascinosum et Tremendum» ausübt und einen entzaubernden Zugriff mit Sanktionen belegt, im Gegensatz also dazu hat die jüdisch-christliche Religion und ihre Theologie die Welt als Einweisungsort verstanden mit dem Auftrag, die Erde zu «beherrschen», zu gestalten und zu kultivieren. In einer solchen Perspektive braucht der Mensch, und gerade der gläubige Mensch, sein eigenes Denken und Handeln nicht selbstentfremdend in externe Entitäten auszulagern und die Welt als von ihm verschieden zu betrachten. Indem die systematische Theologie das «Paradigma» des *Aristoteles* mit der Andersheit Gottes, mit seiner Aseität, zusammenbringt, gelingt es ihr, die bereits bestehende naturwissenschaftliche *Methodik* und den bereits bestehenden «naturwissenschaftlichen» *Erkenntnisbestand* zu integrieren. Aber gleichzeitig war dies auch der Verstärkung fähig.

Obwohl die Freisetzung der Schöpfung zum theologischen Erkenntnisgut gehört, tat man sich schwer in der Entmythologisierung der entsprechenden biblischen Interpretamente. Zu erinnern ist in diesem Zusammenhang an die Entdeckungen von *Galilei* bis *Darwin*, welche Einblicke in die Gesetzmäßigkeiten des Kosmos und in die Entstehungsgeschichte der Menschheit brachten. Sie schienen dem biblisch fundierten, anthropozentrischen Weltbild und dem biblischen Schöpfungsbericht zu widersprechen. Der Entdivinisierungsprozeß, der schon in den biblischen Schriften eingeleitet wird, findet schließlich den Abschluß im Entmythologisierungsprogramm, das auf der Erkenntnisebene wohl mit *R. Bultmann* im 20. Jh. zu Ende ging. Dieser Prozeß macht eine eigenartige Dialektik deutlich: Obwohl auf der einen Seite die jüdisch-christliche Tradition und ihre Theologie durchaus für den analytischen, wissenschaftlichen und damit auch in etwa verfügenden Zugriff offen war, ja sogar eine starke Integrationsfähigkeit aufwies, geriet sie auf der anderen Seite in dem Augenblick mit sich selbst in Konflikt, als ihr eigenes Weltbild auf dem Spiele stand. Es bedurfte einer jahrhundertelangen Auseinandersetzung, um diese Spannungen auszuräumen, um die theologische Vorherrschaft über wissenschaftliche Zugänge zur Natur aufzugeben.

---

[11] Vgl. *W. Göbel*, Der Wille zu Gott und das Handeln in der Welt. M. Luther, Johannes v. Kreuz, I. Kant (= Studien zur theol. Ethik Bd. 51), Freiburg i. Ue. 1993, 14ff.

Die Heraufkunft der kritischen Vernunft mit dem Gedanken der Autonomie, der Emanzipation und des Rückbezuges auf das Subjekt ist die Voraussetzung für einen neu entstehenden Wissenschaftszweig, nämlich den der *Humanwissenschaften*. Allerdings, so kann man etwas verallgemeinernd sagen, bilden sie sich erst, beginnend mit dem 19. Jh. zu eigentlichen Wissenschaften aus. Wenn es in den Naturwissenschaften um die den Menschen umgebenden naturalen Gesetzlichkeiten geht, so geht es in den Humanwissenschaften um die Problematisierung, Versachlichung und Konkretisierung der Bedingungen des menschlichen Gelingens, des Gelingens seiner eigenen Existenz.

Mit wissenschaftlicher Methodik werden die Bedingungen des Menschseins der Versachlichung unterworfen. Der Begriff «Reifizierung»[12] kennzeichnet diesen geschichtsmächtigen Einschnitt gut, weil damit angezeigt wird, daß die bis anhin mehr oder weniger unangetasteten Bedingungen des Subjektseins und der Subjektgestaltung einem methodischen Versachlichungsprozeß unterworfen werden. Es braucht kaum darauf hingewiesen zu werden, daß mit der Heraufkunft der Humanwissenschaften dem Menschen ein enormes Potential an Selbstbestimmung und Selbststeuerung zuwächst, und daß sich mit dem gleichzeitigen Wachsen ihrer Anwendungsmöglichkeiten die lebensethischen Fragen zuspitzen. Das Spezifikum dieser auf praktische Universalisierung gerichteten Theoriebildung liegt darin, daß sie die Vernunft menschlichen Handelns an grundlegende empirische Bedingungszusammenhänge zurückbinden; Bedingungszusammenhänge, auf die man nicht bloß fallweise zurückgreift, sondern die man als generelle Strukturformen des Subjektes darzustellen versucht.

Historisch gesehen liegen die entscheidenden Grundansätze und Ausgangspunkte der Humanwissenschaften in einem phänomenologisch eindeutig erfaßbaren Wirklichkeitsbereich des Menschen begründet. Der empirische Zugriff und der damit verbundene *Denkhorizont* läßt sich zum Teil auch an bestimmten Persönlichkeiten festmachen:

- die Erfassung der Wirklichkeit als Natur im Evolutionsgedanken von *C. Darwin*
- die Erfassung der Wirklichkeit als Gesellschaft in der Ökonomiekritik von *K. Marx*
- die Erfassung der menschlichen Psyche mittels der Analytik von *S. Freud*
- die Erfassung des menschlichen Körpers durch die Medizin

---

[12] Den Begriff, den ich hier allerdings in einem etwas anderen Zusammenhang verwende, entnehme ich einer Überlegung von *W. Korff*, Wie kann der Mensch glücken? Perspektiven der Ethik, München/Zürich 1985, 84ff.

Darwins Evolutionstheorie[13] bedeutet für das Selbstverständnis des Menschen einen enormen Einschnitt.[14] Denn erstmals wird der gemeinsame Ursprung aller Organismen einschließlich des Menschen behauptet. Die Idee *Darwins*, alle Lebewesen ließen sich auf einen gemeinsamen Ursprung zurückführen und stellten entgegen der bis anhin geltenden Meinung keine getrennten und unentwickelbaren Schöpfungseinheiten dar, hat ähnlich wie die Entdeckungen Keplers und Galileis das anthropologische Interpretationsgefüge in Bewegung gebracht. Der Gedanke nämlich, daß die Evolution aufgrund einer natürlichen Auslese vor sich gehe, also, daß nur solche Arten bestehen könnten, die sich im «Kampf ums Dasein» behaupten und ihre Eigenschaften an die Umwelt anpassen («survival of the fittest»), hat die naturale Geschichtlichkeit des Menschen in Erinnerung gerufen. Hier wurde die für das Menschsein des Menschen wichtige Frage aufgegeben, inwieweit die Menschennatur an naturale Gesetzlichkeiten gebunden sei, die auch in der übrigen Lebenswelt herrschen. Denn, so wurde richtig angenommen, wenn der Mensch seiner Abstammung nach den anderen Lebewesen in einer bestimmten Abstufung verwandt ist, dann müssen sich auch Gemeinsamkeiten eruieren lassen.

Das Spektrum der Antworten ist groß, welche auf die Frage nach den biologisch-naturalen Gesetzlichkeiten für das menschliche Handeln eingehen. Sie reichen von liberalistischen, vulgären Deszendenztheorien bis zu rassistischen Vulgärdarwinismen. Sie sehen die Grundkraft aller menschlichen Entwicklung im «struggle of life». Der Entwicklungsgedanke in der darwinistischen Form traf sehr wirksam auf die herrschende Ökonomietheorie etwa von *A. Smith* und *D. Ricardo*, unter denen das Prinzip des Freihandelns und des Laissez-faire zu unbestrittener Geltung gelangt war.[15] Diese Theorien waren ursprünglich nichts anderes als der Versuch einer Darstellung der im wirtschaftlichen Leben der Völker waltenden Mechanismen, die sämtlich auf den Egoismus zurückgeführt wurden. Die Darwinsche Theorie vom «struggle of life» schien der ökonomischen Theorie die eigentliche Rechtfertigung zu geben.[16]

---

13 Vgl. *C. Darwin*, Vom Ursprung der Arten, London 1859.

14 Vgl. *A. Knapp*, Soziobiologie und Moraltheologie (= acta humaniora), Weinheim 1989.

15 Vgl. *K. Pribram*, Geschichte des ökonomischen Denkens, 2 Bde., Frankfurt a. M. 1992, Bd. I, 319ff.

16 Vgl. *F. Jodl*, Geschichte der Ethik, Stuttgart 1923, Bd. 2, 455f.

Nicht ohne Grund konnte *W. His* 1874 schreiben, die Abstammungslehre sei zu einem geschlossenen dogmatischen System geworden, nicht zuletzt deshalb, weil er die Verkehrung der Abstammungslehre in politische und soziale Theorien mit Unmut erlebt hat. Mahnend schreibt er, es «ist nicht unmöglich, daß in ferneren zwanzig Jahren die neue Generation die allgemeinen Lehren vom Ursprung der Arten mit so wenig Überlegung annehme, wie sie viele Zeitgenossen zwanzig Jahre zuvor verworfen haben. Die neue Ära vom Fortschritt wird größtenteils davon abhängen, ob die Nachfolger Darwins mit dessen Umblick und Selbstlosigkeit fortzuarbeiten vermögen.»[17] Dies wurde zurecht gesagt, denn nicht bloß Bismarks Kulturkampf ließ sich mit Schlagworten der neuen Abstammungslehre ausrüsten, sondern auch Sozialismus und Bürgertum trachteten auf eine biologische Abstützung. Und noch um 1900 ist die Frage geläufig, was man aus den Prinzipien der Abstammungslehre in Beziehung auf die innere Entwicklung und Gesetzgebung des Staates lernen könne.

Erst mit der Heraufkunft der modernen vergleichenden Verhaltenswissenschaften kann im Grunde die von der Evolutionstheorie gestellte Frage nach dem Antriebsgefüge des Menschen beantwortet werden. Die Frage nach den speziellen, natural-biologischen Antriebsgesetzlichkeiten war mit der Evolutionstheorie noch nicht gelöst. Erst die methodische Strenge der Verhaltensforschung hat dies ermöglicht. Als gesicherte Erkenntnis dieser noch jungen Wissenschaft kann festgehalten werden, daß die gleichen bio-psychischen Antriebsstrukturen, die sich bereits bei den höheren sozial lebenden Tieren aufweisen lassen, den inneren Aufbau der menschlichen Person wie auch die verschiedenen Spielarten menschlicher Vergesellschaftung disponieren.[18] So ist das Aggressionspotential eine notwendige Bedingung in der Profilierung sittlicher Entscheidungsvorgänge, wie auch eine notwendige Bedingung im Aufbau der gesellschaftlichen Realität. In der Natur wird der verankerte Bindungswille, gleichsam der Antagonist der Aggression, als konstitutive Komponente im Sozialisationsprozeß des Individuums erkannt. So wie sich der Darwinismus für bestimmte Sozialtheorien anbot, gewisse moralische Normen zu legitimieren, so scheint in einer gewissen Analogie dazu etwas Ähnliches mit der Verhaltensforschung zu geschehen. Die Verhaltensforschung – etwa in der Spielart von *K. Lorenz* – stößt in die Anthropologie und Ethik vor. Er konnte noch schreiben:

---

[17] Zit. nach *A. Portmann*, Von der Idee des Humanen in der gegenwärtigen Biologie, in: *Ders.*, Biologie und Geist, Frankfurt a. M. 1973, 127f.

[18] Vgl. *I. Eibl-Eibesfeldt*, Grundriß der vergleichenden Verhaltensforschung – Ethologie, 7. vollst. erw. Aufl. 1986.

> «Einer induktiven naturwissenschaftlichen Anthropologie bedürfen wir heute dringender denn je, und dringender als jeder andern Wissenschaft, denn die drängenden Probleme der Menschheit sind sozialer Art, und zwar solche, die nicht durch geisteswissenschaftliche Spekulation, sondern ausschließlich durch geduldige induktive Forschungsarbeit gelöst werden können.»[19]

In der Konsequenz wird hier die naturwissenschaftliche Methode auch für die Ethik gültig. Die weitere Grundfrage, die mit der Evolution des Menschen zusammenhängt, ist die Frage nach der biologischen Festgelegtheit des Wesens Mensch. Durch die unmittelbare Selbsterfahrung weiß der Mensch, daß er nicht völlig instinktgeleitet ist. Ihm gelingt der Überstieg von der Umweltgebundenheit zur Weltoffenheit. Im Gegensatz zum biologisch hochspezialisierten Tier erscheint der Mensch unter diesem Aspekt als ein Mängelwesen. Der Mensch ist das Wesen der Natur-Kultur-Verschränkung. Menschliches Dasein gelingt nur über Sprache und Institution. Mit dem Menschen übersteigt die Evolution die Grenzmarke, die zuvor wesentlich organisch bestimmt war. Der Mensch übersteigt die Evolution in eine Geschichte, die er immer stärker selbst in die Hand nehmen kann. Der Mensch erkennt sich zunehmend als ein selbstmächtiges, weltausgreifendes und zugleich zukunftsbezogenes Wesen. Er kann den Stand seiner jeweiligen Erkenntnisse und die Ordnungsgestalten provisorisch halten. Er kann ständig ausgreifen nach dem Noch-Nicht. Hiermit erhält die Zukunft in der Tat ein zentrales anthropologisches Gewicht.

Der Durchbruch des Evolutionsgedankens, aber auch der Durchblick in die basalen Determinanten und die Erfassung des nicht instinktfestgelegten Freiraumes, ermöglicht nicht bloß neue geschichtsphilosophische Entwürfe, sondern auch mehr oder weniger präzise Futurologien, Strategien zur Selbstmanipulation. Mit dem Aufkommen der poietischen Vernunft, die gerade die Zukunft als machbare in den Blick bringt, ist auch in der Theologie, wohl ausgelöst durch die säkulare Beschäftigung mit der Zukunft, eine Konjunktur in der Frage nach der eschatologisch-apokalyptischen Zukunft festzustellen, so sehr, daß die Eschatologie wenigstens eine Zeitlang zum formalen Prinzip aller anderen Themenbereiche werden konnte. Insgesamt scheint sich die Theologie in jene Diskussion einzumischen, um gerade die Unverfüglichkeit des Subjektes unter dem Vorbehalt der zugesagten Vollendung geltend zu machen. Die eschatologischen Handlungsmodelle verstehen sich als Korrektiv gegenüber einer eindimensionalen Zukunftsplanung. Gerade weil Theologie die Aufgegebenheit von Natur und Geschichte als not-

---

[19] *Ders.*, Vom Weltbild des Verhaltensforschers (= dtv 499), München 1965, 95.

wendige Konsequenz des Schöpfungsglaubens begreift, will sie sich nicht von einer gesellschaftlichen Verantwortung entbinden.

2. *Wirklichkeit als Geschichte der Selbstbefreiung*

In bezug auf das menschliche Bewußtsein und Selbstverständnis kommt der Darwinschen Evolutionstheorie eine nicht geringe Bedeutung zu. Die Neuerschließung der Naturwirklichkeit hat den Menschen einerseits in seiner geschichtlichen *Sonderstellung* entthront, andererseits hat sie den Menschen des 19. und 20. Jh.s gezwungen, seine Stellung gegenüber der nichtgeistigen Welt neu zu definieren. Aber gleichzeitig eröffnete der evolutionstheoretische Zugang zur Wirklichkeit des Menschen jene wissenschaftlichen Möglichkeiten, wodurch er instand gesetzt wurde, seine natural-biologischen Gesetzlichkeiten genauer zu untersuchen. In dem Maße als die Analytik in Humanbiologie, Verhaltensforschung und Genetik gelingt, wächst auch das Verfügungsinstrumentar. Und es wird in dem Maße zur Bedrohung des Menschen selbst, als es sich mit der zweck-rationalen, instrumentell-technischen Rationalität verknüpft. Diese Verknüpfung von bio-technischer Verfügungsmöglichkeit mit der instrumentellen Rationalität ist in der Moderne ein Novum und löst einen neuen technologischen Schub aus.

a) Ökonomische Determinante

Eine nicht weniger große Bedeutung kommt dem Konzept von *K. Marx* zu.[20] Deutet *C. Darwin* das Naturgeschehen als Evolutionsgeschehen und zwingt er damit, die Stellung des Menschen in der Welt neu zu definieren, so entwickelt *K. Marx* den Grundgedanken, daß die ökonomische Konstituante bzw. die jeweiligen Produktionsverhältnisse das Menschsein des Menschen und die jeweiligen Formen der Gesellschaft bestimmen. Kein Bereich der menschlichen und gesellschaftlichen Wirklichkeit bleibt davon unberührt und undisponiert. Diese Grundthese bringt nicht die natural-biologische Bestimmtheit und Determiniertheit in den Blick, sondern eine *ökonomisch-gesellschaftliche* Radikale, die den Aufbau der Gesellschaft und damit auch den Aufbau der Per-

---

[20] Karl Marx ist aus den politischen Diensten entlassen worden. Die Umwälzungen im «realexistierenden Sozialismus» seit Mitte der achtziger Jahre haben den politisch instrumentalisierten Marxismus zumindest in Europa seinem Ende entgegengebracht und Marx seinen Platz dort angewiesen, wo er seit langem hingehörte: in den Kreis der grossen, klassischen Denker des 19. Jh.s. Auch die öffentliche Meinung wird nunmehr akzeptieren, was aufgrund der Wirkungsgeschichte selbstverständlich sein sollte: daß nämlich das philosophische und sozialwissenschaftliche Problembewußtsein unseres Jahrhunderts durch die Züge dieses Denkens unausweichlich mitgeprägt wurde und weiterhin mitgeprägt wird.

sönlichkeit bestimmt. Mit der Rückführung der Gesellschaftsformen auf eine Wurzel gewinnt die Marxsche Theorie eine bestimmte Überlegenheit durch die empirisch-ökonomische Verankerung des geschichtlichen Humanums. Damit hebt sie sich von allen meta-empirischen Ansätzen ab, etwa vom Idealismus, aber auch vom Christentum. Sie alle weisen zwar einen Veränderungswillen auf, aber dennoch gelingt es ihnen nicht, «alle Verhältnisse umzuwerfen, in denen der Mensch ein erniedrigtes, ein geknechtetes, ein verlassenes, ein verächtliches Wesen ist».[21] Die Rückbindung aller Verwirklichung des Humanums an das ökonomische Bedingungsfeld, an das Empirische, ist gleichzeitig Stärke und Schwäche. Die *Stärke* liegt darin, daß die empirischen Lebensbedingungen als notwendige Bedingung der Selbstdarstellung des Menschen in Freiheit in letzter Radikalität gesehen werden. Die *Schwäche* liegt darin, daß in der totalen Reduktion der Bestimmungen des Menschen auf das Gattungswesen die Selbstzwecklichkeit des einzelnen untergeht.

Ziel aller Geschichte ist nach *K. Marx* die Veränderung der ökonomischen Verhältnisse und zwar derart, daß der Mensch als Gattungswesen möglich wird. Hier scheint sich aber gleichzeitig ein Widerspruch aufzutun: Indem durch ökonomische Verhältnisänderung die Freiheit des Gattungswesens Mensch erreicht werden soll, wird der einzelne auf dieses Ziel hin funktionalisiert. Aber solche Freiheit kann sich nun einmal nicht losgelöst von der Freiheit des Individuums realisieren, das selbst Träger des Fortschritts und kreativer Potenz ist. Mit anderen Worten: Das wahre Reich der Freiheit kann sich nur verwirklichen, indem man in der Anwendung der Mittel vorwegentwirft, was sein soll. Der Weg darauf hin muß bereits das anzeigen, was sein wird. Es ist nun hier allerdings nicht der Ort, diese Kritik im einzelnen zu entfalten. Dazu müßte man verschiedene Belegstellen aus dem Marxschen Werk selbst heranziehen und präzise analysieren. Der Hauptgedanke in unserem Zusammenhang zielt darauf ab, herauszustellen, daß *K. Marx* durch seine umfassende Fundamentalkritik der ökonomischen Organisationsformen einen Bereich theoretisch wie praktisch in den Griff bekommt, der bis anhin der theoretischen Vernunft nur in Teiltheorien zugänglich war. Gerade dieses einheitliche Konzept hat dem menschlichen Bewußtsein in aller Schärfe die Erkenntnis verschafft, daß die Vergesellschaftung des Individuums und die Bedingungen der Gesellschaft ökonomischen Grundverhältnissen unterworfen sind, die die Verwirklichung des Humanum radikal bestimmen und disponieren. Im denkerischen Zugriff der ökonomischen Organisationsformen schärft sich das

---

21 *K. Marx*, Kritik der Hegelschen Rechtsphilosophie, in: Gesammelte Werke, (= Studienausgabe der Wiss. Buchgesellschaft), Bd. 1, 497.

Bewußtsein, daß die zunächst als urwüchsig geglaubten wirtschaftlichen Verhältnisse der Verfügung, der Veränderung und damit der Verantwortung des Menschen unabdingbar in die Hände gelegt sind.

Betrachtet man den Ansatz von *K. Marx* unter einem geistesgeschichtlichen Gesichtspunkt, so wird die Frage nach dem Subjekt der Geschichte und die Frage nach dem Zugang zum geschichtlichen Geschehen erst mit ihm radikal und wirklich ausdrücklich gestellt. Die Antworten blieben deswegen im unklaren, weil die Geschichtskonzeptionen der Tradition wesentlich im Rahmen der Metaphysik verblieben waren. Indem das Subjekt hintergründig interpretiert wurde, wurde es gleichzeitig entsinnlicht. Es wurde zwar nie geleugnet, daß das Subjekt in der Geschichte tätig ist, aber Grenzen und Möglichkeiten blieben im unklaren. Diese Unbestimmtheiten schafften solange keine Schwierigkeiten, als die der Metaphysik vorgelagerte Ordnung als intakt erklärt werden konnte. In dem Maße als die konkrete Ordnung selbst als fragwürdig empfunden wurde, verloren auch die metaphysischen Begriffe wie Weltgeist, sittliche Mächte und geschichtliche Kräfte ihre Bedeutsamkeit.

K. Marx hat eindeutig und klar herausgestellt, daß die metaphysischen Geschichtskonzeptionen und die metaphysische Konzeption des Subjektes nicht mehr an der Zeit sind. Und deshalb hat er versucht, die beiden Fragen nach dem Subjekt und nach dem Zugang zum geschichtlichen Geschehen antimetaphysisch zu beantworten. «Die Philosophen haben die Welt nur verschieden interpretiert; es kommt darauf an, sie zu verändern.»[22]

Während sich bei *Hegel* das Selbstbewußtsein in einem geistigen Prozeß der Entfremdung und Selbstgewinnung herausbildet, fordert *K. Marx*, den wirklichen Menschen zu sehen, der sein Selbstbewußtsein durch den realen geschichtlichen Prozeß erst finden muß. An die Stelle der übersinnlichen Wirklichkeit hat der Mensch zu treten. Die Dimension dieser Geschichte ist die Auseinandersetzung des Menschen mit der Natur und den Mitmenschen, eine Auseinandersetzung, die wesentlich ökonomisch bestimmt ist. Und dementsprechend muß die Einstellung zur Geschichte über ein bloßes Verstehen hinaus als Praxis bestimmt werden. Es geht darum, die Verhältnisse grundsätzlich zu ändern, um einen positiven Endzustand herbeizuführen. Damit sind zweierlei Dinge klar: Der Primat der Praxis vor dem Verstehen. Es geht also darum, die Quellen der Entfremdung innerhalb der irdischen Geschichte zu eliminieren. Selbstbefreiung als Prozeß. Der Mensch muß sich erst zu seinem wirklichen Selbstbewußtsein befreien. Dies ereignet sich

---

22 *Ders.*, Elfte Feuerbach-These, in: Gesammelte Werke, (= Studienausgabe der Wiss. Buchgesellschaft), Bd. 2, 4.

nicht in einer Scheinbewegung, die im Grunde ungeschichtlich ist, sondern nur durch wirkliche Geschichte.

b) Subjekt der Leiblichkeit

Die Differenzen und Widersprüche, die *Hegel* noch in den Geist, in das bewußte und unbewußte Geschehen verlegt, werden mit *K. Marx* in den Menschen selbst verlegt. Das Subjekt muß mit ihnen fertig werden, und erst durch dieses Fertigwerden, das heißt, durch den Prozeß der Geschichte, kommt es zu seiner Wesensnatur. Wenn *Hegel* die Versöhnung der Differenzen im Geiste forderte, so verlangte *K. Marx* die Versöhnung in der Realität. Von diesem dialektischen Ansatz her wird deutlich, daß sich mit ihm eine neue anthropologische Grundvorstellung durchzusetzen beginnt. Die Wirklichkeit ist – im Gegensatz zu *Hegel* – das Konkrete, also das sinnlich Gegebene. Und eben diese Wirklichkeit kommt durch die praktische Selbsterzeugung des Menschen, d. h. durch sein veränderndes Eingreifen, zu sich selbst. Der Mensch ist ein sinnliches, mit natürlichen Kräften begabtes, leibliches Wesen. Die Lebensäußerungen erfolgen über die Gegenstände der Leiblichkeit, der Sinnlichkeit und nicht im Modus des Geistes. Der Mensch ist aber nicht bloßes Naturwesen, sondern menschliches Naturwesen, d. h. er ist gesellschaftlich verfaßt, «... ein für sich selbst seiendes Wesen, darum Gattungswesen, als welches er sich sowohl in seinem Sein als auch in seinem Wissen bestätigen muß.»[23] Damit unterliegt das Verhältnis zum Konkret-Sinnlichen einer doppelten Verhältnisstruktur: Der Bezug zur äußeren Natur ist nur als praktischer und als tätiger Bezug denkbar, und insofern er menschlich ist, ist er vermittelt durch die Gesellschaft.

Zusammenfassend können wir sagen, daß *K. Marx* in einem nichtmetaphysischen Sinne den Menschen als Subjekt der Geschichte einsetzt, und zwar als ein Subjekt, das sich erst gewinnt über die Sinnlichkeit und Leiblichkeit. Die Einheit des Subjektes wird erst dann gewonnen, wenn die Widersprüchlichkeiten und Differenzen innerhalb der materialen Wirklichkeit bereinigt werden. Damit erhält der Mensch nicht bloß die volle Verantwortung für den Gang der Geschichte, sondern ihm kommt es auch zu, die Verhältnisse zu «versöhnen», damit ein versöhntes Subjekt möglich wird. Die Selbstbefreiung erfolgt über die Sinnlichkeit. Indem der Mensch seine unerträgliche Gebundenheit an die falsche Sinnlichkeit erkennt, wird er aufgefordert, seine Lage zu ändern und seine Geschichte selbst mit Bewußtsein zu übernehmen. In geschichts-philosophischer Hinsicht gibt es vor *K. Marx* wohl kein Konzept, das den Menschen in eben dieser radikalen Weise zum Herrn der Geschichte einsetzt. Die Devise lautet: über die Geschichte verfügen,

---

23 *Ders.*, in: Gesammelte Werke, (Studienausg. der Wiss. Buchgesellschaft), Bd 1, 652.

damit das Fatum der Geschichte nicht über den Menschen verfügt. Hiermit kommt die Aufklärung in einem gewissen Sinne zur Vollendung, die zwar das Subjekt als autonomes inthronisiert hat, aber dessen Verknüpfung mit den materialen Bedingungen noch nicht mitbedacht hat. Spekulation wird hier Praxis, deklarierte Autonomie wird hier zur strategischen Autonomie.

3. Die überschrittene Schwelle

Für unseren Zusammenhang ist es zweckdienlich, von den Hochkulturen auszugehen, damit in Abgrenzung dazu die Industrialisierung mit ihren entsprechenden Mechanismen deutlicher ins Blickfeld rückt, und in etwa auch das, was ich den «ideologischen Gehalt» der Marxschen Optik nennen möchte. Man kann davon ausgehen, daß die vorindustriellen Gesellschaften technische Neuerungen und organisatorische Verbesserungen innerhalb einer bestimmten Grenze toleriert haben. Das hängt nicht nur damit zusammen, daß Innovationen an Handwerk und Landwirtschaft gebunden waren, sondern damit, daß der institutionelle Rahmen keinen Produktionsüberschuß in einem größeren Ausmaß erlaubte.

J. Habermas[24] machte schon sehr früh auf den Tatbestand aufmerksam, daß bis vor 300 Jahren kein großes Gesellschaftssystem mehr als das Äquivalent von 200 Dollar pro Kopf und pro Jahr produziert habe. Wie immer es auch mit dieser Angabe bestellt sein mag, so scheint sich die vorindustrielle Produktionsweise, die vorindustrielle Technik und die vormoderne Wissenschaft auf einem gewissen stabilen Niveau gehalten zu haben bzw. es nicht überschritten zu haben. Mit anderen Worten: Es schien ein bestimmtes eingependeltes Verhältnis von institutionellem Rahmen und technischen bzw. zweck-rationalen Sub-Systemen gegeben zu haben. Das angesammelte Wissen, das System gesellschaftlicher Arbeit, haben kaum jemals jenen Grad der Ausbreitung erreicht, von dem an die Zweck-Rationalität zur offenen Bedrohung des institutionellen Rahmens geworden wäre. *P. Berger* u. a. haben gezeigt, daß kulturelle und religiöse Überlieferungen jene Schranken gesetzt, die ein Übermaß an Produktion verhindert haben.[25] Die Überlegenheit dieses institutionellen Rahmens hat nicht etwa das Mehrprodukt, den Güterüberschuß verhindert, hat also insofern durchaus auch das Problem von Arm und Reich geschaffen, aber dies dadurch in Schach ge-

---

24 *Ders.*, Technik und Wissenschaft als Ideologie, Frankfurt a. M. 1968, 66f.

25 Vgl. *P. L. Berger*, Zur Dialektik von Religion und Gesellschaft. Elemente einer soziologischen Theorie, Frankfurt a. M. 1973.

halten, als sie die zweck-rationalen Sub-Systeme nicht zur Bedrohung haben heranwachsen lassen.

Die kapitalisierende Produktionsweise kann als permanente Erweiterung des zweck-rationalen Handelns begriffen werden. Das industrielle Wirtschaftssystem wird mit einem stetigen Wachstum der Arbeitskapazität ausgestattet. Der stete Fortschritt, die Einführung immer neuer Techniken wird institutionalisiert. Durch diese Ausweitung wird das traditionale, institutionelle Gefüge erschüttert. In der geschichtlichen Retrospektive muß man sagen, daß die westliche Gesellschaft im 19. Jh. weltgeschichtlich gesehen zum ersten Mal das wirtschaftliche Wachstum *institutionalisiert* hat. So wurde das, was wir heute Industrialismus nennen, hervorgebracht. Die Zweck-Rationalität wurde gleichsam etabliert, zunehmend ins Zentrum rückend hat sie sich dann auch der gesellschaftlichen Formen und auch des privaten Bereiches bemächtigt. Entscheidend ist nun nicht, daß die fortschreitende Ausweitung des zweck-rationalen Sub-Systems strukturell in Schwierigkeiten bringt, sondern entscheidend ist, daß zwei inhaltlich verschiedene Rationalitäten aufeinanderstoßen. Der institutionelle Rahmen legitimiert sich durch Tradition mit vornehmlich religiösem Inhalt. Dieser Legitimationszusammenhang folgt einer anderen Logik, nämlich der Logik des Sinnes, der Interpretation der Kontingenzen menschlichen Lebens. Dieser Interpretationszusammenhang beantwortet letztlich die Frage des «Woher» und des «Wozu» menschlichen Lebens; er gibt Antwort auf die zentralen Menschheitsprobleme des Zusammenlebens und der individuellen Lebensgeschichte: Seine Themen sind Gerechtigkeit und Friede, Gewalt und Unterdrückung, Glück und Befriedigung, Elend und Tod. Ihre Kategorien sind Sieg und Niederlage, Liebe und Haß, Erlösung und Verdammnis.

Das heißt: Die Logik dieses Legitimationszusammenhanges orientiert sich an der Kommunikation, an deren Gelingen und deren Entstellung. Und genau dieser Inhalt, an dem das Christentum wesentlich partizipiert, wird an der Schwelle der Moderne mit zweck-rationalen und strategischen Systemen des Wirtschaftens konkurrenziert. Wie auch immer: *K. Marx* hat diesen gesellschafts-geschichtlichen Bruch gesehen und feinsinnig realisiert, daß sich das Subjekt der neuerstehenden und um sich greifenden Zweck-Rationalität ausliefert oder sich deren Herrschaft unterwirft. Und hier liegt meines Erachtens auch der Grund, warum seit dem 19. Jh. *Religion zunehmend zur Privatsache wird, zu einer Sache, die sich kaum mehr mit dem zweck-rationalen System vereinbaren läßt*. Der Grund, warum sich Religion mit diesem System nur schlecht verträgt, liegt nicht nur am sogenannten schlechten Willen derjenigen, die die eigentlichen Träger dieser Systeme sind, sondern er liegt wesentlich darin, daß sich die Sinnkategorien wie Liebe, gegenseitige Annahme,

Solidarität, Erlösung usw. nur schwer vertragen mit den dem industriellen System immanenten zweck-rationalen Kategorien wie Effizienz, Produktion von Mehrwert und dergleichen. Jedenfalls gibt es hier Reibungsflächen, und der Konflikt scheint immer dann virulent zu werden, wenn Religion und Christentum aus ihrem Privatbereich heraustreten und sich in das zweck-rationale System einmischen.

4. Ökonomie und Lebenswelt

Wir sind zum Ergebnis gelangt, daß der ökonomische Mechanismus sich zusehends sämtlicher Lebensbereiche bemächtigt hat. Das ursprüngliche Sub-System der Zweck-Rationalität bemächtigt sich nach und nach des nicht verzweckbaren Lebens. Dieser Gedanke läßt sich auf einem anderen Niveau noch etwas weiter ziehen. Die Institution des Marktes mit ihrer Gerechtigkeit wird nun zunehmend auch zum gesellschaftlich vernünftigen erklärt. Private Eigentümer tauschen Waren – eigentumslose Privatleute tauschen als einzige Ware ihre Arbeitskraft. Diese neue, gesellschafts-plausible Gegenseitigkeit wird die Grundlage der gesellschaftlichen Prozesse überhaupt. Diese Plausibilität leitet sich nicht vom institutionellen Rahmen der Gesellschaft ab. Vielmehr gibt nun der ökonomische Bereich mit seiner Maxime der gerechten Tauschbeziehung des Marktes dem institutionellen Rahmen seine Legitimation. Mit anderen Worten: Der Rechtsstaat wird Überbau des kapitalisierenden Produktionssystems. Er hat die Eigentumsrechte, ja selbst das Produktionssystem zu garantieren. Als Gegenleistung erhält er für seine Nicht-Einmischung seine eigene Legitimität. *J. Habermas* behält wohl recht, wenn er sagt:

> «Dadurch werden die traditionalen Zusammenhänge zunehmend Bedingungen der instrumentalen oder der strategischen Rationalität unterworfen: die Organisation der Arbeit und des wirtschaftlichen Verkehrs, das Netzwerk des Transports, der Nachrichten und der Kommunikation, die Institute des privaten Rechtsverkehrs und, ausgehend von der Finanzverwaltung, die staatliche Bürokratie. So entsteht die Infrastruktur einer Gesellschaft unter Modernisierungszwang. Sie ergreift nach und nach alle Lebensbereiche: Militär, Schulsystem, Gesundheitswesen, selbst die Familie, und erzwingt, gleichviel ob in der Stadt oder auf dem Lande, eine Urbanisierung der Lebensform, die den einzelnen darin einüben, jederzeit von einem Interaktionszusam-

menhang auf zweck-rationales Handeln umschalten zu können.»[26]

Damit ist das von *M. Weber* so benannte Phänomen der «Säkularisierung» angesprochen. Und die Folgen der Säkularisierung werden damit aber auch deutlich. Die traditionalen Weltbilder verlieren als öffentliche Religion, als eingewöhnter Ritus, als fraglose Tradition ihre Macht und ihre Geltung. Sie werden statt dessen in subjektive Glaubensüberzeugungen und Ethiken umgebildet, welche die privaten Sinndefizite ausgleichen sollen. Und zudem helfen sie, das freigewordene Material nach Prinzipien des Tausches neu zu organisieren. Ich möchte hier auf diese These nicht weiter eingehen, die *M. Weber* mit aller Akribie und Subtilität entfaltet hat.[27]

Das sich ausweitende ökonomische Sub-System der Zweck-Rationalität mußte in seinem Bemächtigungsdrang früher oder später an seine Grenzen gelangen, spätestens dann, als die sozialen Folgen des Marktes unübersehbar wurden, als Massen im Elend verarmten und sich die Schere zwischen Arm und Reich noch weiter auftat. Und um genau diese Defizite zu kompensieren, tritt eine Ersatzprogrammatik des Staates in Kraft, welcher gewisse Wohlfahrtsminima durch Steuerausgleich, verschiedene Bezuschußungen, Sicherung der Arbeitsplätze und verschiedenes mehr garantiert, die die soziale Sicherheit und die Chancen des persönlichen Aufstiegs verbürgen. So werden in sozialpolitischer Hinsicht die gröbsten Mängel der Arbeitsgesellschaft aufgefangen. Die Leiden der benachteiligten einzelnen werden so erträglicher gemacht.

5. Rückwirkungen auf das Subjekt

In unserem Zusammenhang interessiert uns vielmehr die Rückwirkung dieses Kontextes auf das Subjekt. Es interessiert uns, wie sich das Subjekt selbst verändert hat, wie über das Subjekt verfügt wird. Mit diesen Einwirkungen und Veränderungen hat sich schon sehr früh der Anthropologe *A. Gehlen* auseinandergesetzt.[28] Darin finden sich luzide Analysen, die auch heute noch kaum übertroffen sind. Aus sozialpsychologischer Warte beschreibt er genauestens jene Veränderungen und Bedrohungen, die dem Menschen im Kontext der ausgeweiteten Zweck-Rationalität entstanden sind.

---

26 Ebd. 71.
27 Vgl. *W. Schluchter*, Religion und Lebensführung, 2 Bde., Frankfurt a. M. 1988.
28 Vgl. *A. Gehlen*, Die Seele im technischen Zeitalter, Reinbek 1957.

a) Veränderung der Erlebnisweisen
Mit dem Verlust öffentlicher, tragender Sinnwerte und gesellschaftlich wirksamer, anerkannter Verhaltensnormen, der sich offensichtlich in der technologischen Zivilisation zuspitzt, fällt der Mensch in den privaten Lebensbereich zurück. Der private Bereich soll diesen Verlust kompensieren. Damit wird er gleichzeitig auch überfordert. *A. Gehlen* meint zurecht, ein Mensch, aus den kraftvollen und sinnenhaften Kulturen in unsere Zeit versetzt, würde sich vor allem über eines wundern: über die massenhaft gedrängte physische, jedoch durchaus formlose, ungestaltete Nähe, in der die Menschen untereinander vegetierten und über die Ungreifbarkeit, Abstraktheit unserer Institutionen, die ganz überwiegend unsinnliche Tatbestände seien. Indem nun das öffentliche Leben von tieferen, symbolischen Gehalten entleert wird, indem die Institutionen zu Gesetzen verblassen, trennt sich die private Sphäre hiervon ganz. Die Personen begegnen sich in der ganzen Breite ihrer natürlichen Stärken und Schwächen. Sie haben die Konflikte, die sich aus der Distanzlosigkeit verzehnfachen, aus den geringen Reserven ihrer zufälligen Eigenschaften zu lösen.[29] Daß gerade auf dem Hintergrund einer arbeitsteiligen Gesellschaft der ausgeprägte Subjektivismus entstehen konnte, sei nur am Rande vermerkt. *A. Gehlen* hat dies in «Urmensch und Spätkultur» eindringlich genug dargestellt. Damit ist das Zurückgeworfensein auf sich selbst gemeint, das vor allen Dingen bedeutet, die Affekte könnten nicht mehr an der Außenwelt festgemacht werden, weil diese viel zu versachlicht und symbolentleert sind. Diese Subjektivierung einer vom Handeln abgefilterten Kultur sei das welthistorisch Neue, das sei die Luft, in der wir lebten.[30] Unter dem Druck des Instrumentellen werden emotionale Schematismen unvermeidlich und selbstverständlich. Es gibt im Emotional-Bereich jederzeit Topoi, Modellformen des Gefühls und der Empfindungen. Das liege daran, daß unser Seelenleben in hohem Grade durch das Verhalten reguliert und verpflichtungsgeordnet sei – und von daher würden zahlreiche Motivations- und Affektgruppen mitverpflichtet und mitgeformt. Nach *A. Gehlen* wird die subjektive Gefühlswelt durch die rationale Außenwelt kanalisiert, geprägt und in eindeutige Bahnen gelenkt.

Dadurch aber, daß die öffentliche Kommunikation über Werte und Normen des Zusammenlebens zunehmend ausfällt, wird der öffentliche Bereich als unbefragtes Faktum hingenommen – der Mensch paßt sich ihm an. Die gesellschaftlichen und wirtschaftlichen Verhältnisse hätten heutzutage eine Übermacht, die dazu nötigten, den Begriff der Anpassung einzuführen. Die großen Superstrukturen der neuen Zivili-

---

[29] Vgl. Ebd., 57.
[30] Vgl. Ebd., 57.

sation verselbständigten sich, sie zwängen das innere und äußere Verhalten der Menschen in die Form der Anpassung; ein Vorgang, der nur zum Teil willkürlich und kontrolliert vor sich ginge, zum größeren Teil aber unbewußt und dies vor allem dann, wenn er in der Veränderung der Auffassungsweisen, der Denkformen, ja der Bewußtseinsstrukturen selbst bestünde und nicht bloß im Zwang, immer neue Inhalte aufnehmen zu müssen. Das Verhalten in der sozialen Konformität wird begünstigt. Der einzelne erfährt dies vor allem durch die vielbeklagte, aber unmittelbar mit der technischen und *organisatorischen Differenzierung zusammenhängenden Spezialisierung seiner Arbeit*. Die spezialisierten Leistungen, die das industriell-bürokratische System so zahlreich benötigt, haben sehr oft nicht Gehalt genug, um «sich zur Selbstwertsättigung abzurunden»; sie sind nicht mehr nach allen Seiten offen und daher keine in sich selbst genußreichen Erfahrungen. So werden die gesellschaftlichen Funktionen von sehr vielen Menschen eigentlich weniger gelebt als geleistet, und dafür gibt es ein bezeichnendes Symptom: Die Person wird zum Träger oder Inhaber von Qualifikationen, Ansprüchen, Merkmalen, Leistungen, Rechten. Das sind abstrakte und kategorisierbare Bestimmungen.

Die Anpassung an die technologische Zivilisation geschieht als Selbstauslieferung an die wechselnden Umstände, als Flucht in die Unauffälligkeit oder in die passive Konsumentenhaltung. Die Konsumentenhaltung ist kein privater Hedonismus einzelner, sondern hängt unmittelbar mit der gesamthaften industriellen Mentalität zusammen. Seine Norm ist nichts anderes als die der modernen Industrialisierung, die sich nicht mehr damit zufrieden gibt, daß der Konsument konsumiert, sondern mit dem Anspruch auftritt, es dürfte keine andere Ideologie als die des Konsums geben. In der Tat: Die Attitüde des Konsums scheint nochmals in sich das zu wiederholen, was die Wirtschaftswelt prägt. Wie nie zuvor ergibt sich für den Zeitgenossen die Möglichkeit, *Warenangebote zu konsumieren* und sich so gleichsam der *Warenmentalität zu unterwerfen*. Hier verlieren Begriffe wie Freizeitkultur, Muße und Innerlichkeit ihren eigentlichen Gehalt. Der Tendenz nach wird der Realkontakt herabgesetzt bei zunehmender Beherrschung der Materie. Das Material des Umgangs ist nicht so sehr das, was man in der Symbolsprache als Welt bezeichnet hat, sondern die gefertigte Ware. Gewiß kann man sagen, dies alles sei von *A. Gehlen* bis hin zu zeitgenössischen Kritikern hypertroph gezeichnet; aber dennoch muß man solche Dinge in den Vordergrund heben, beim Namen nennen, damit die übergreifende Zweck-Rationalität deutliche Konturen erhält.

b) Gefährdung des sittlichen Subjektes

Die wissenschaftlich-technologische Zivilisation scheint – wiederum nach *A. Gehlen* – die sittliche Orientierungsfähigkeit zu überfordern. Denn die technische Rationalität hat die Gesellschaft durch Arbeitsteilung und Organisation differenziert und in autonome Bereiche aufgegliedert. Die Gesellschaft hat bei dieser Komplexität ihre ehemalige anschauliche Einheit verloren, die durch eine symbolische Sinnwelt garantiert war. Diese Tatsache erschwert oder verunmöglicht eine angemessene Orientierungsfähigkeit im Ganzen. Die Welt als gestaltete, erfahrungshaft erschlossene Anschauung zerfällt und wird atomisiert. Anthropologisch wird damit gesagt, daß es an stabilen Außenhalten für unsere Gesinnungen und Verpflichtungen fehlt, an einem invarianten Schatz von Einrichtungen, Symbolen und an kulturellen Immobilien. Statt dessen seien wir genötigt, in dauernd wacher Bewußtheit unser eigenes Handeln immerfort sachdiagnostisch und ethisch zu kontrollieren, und dies alles in einem Rahmen ständig wechselnder Bedingungen, Personen und Meinungen. Die Grundkoordinaten der Weltinterpretation sind zweifelhaft geworden. Mit dem Verlust an einer eindeutigen Sinnordnung müssen sich die Menschen diese selber suchen, sind aber damit oft genug überfordert. Viele behelfen sich in dieser Situation mit schematisierten Vorstellungen von Sachverhalten oder Kausalzusammenhängen. Monokulturen von Schlagworten und Gesinnungen, aber auch dogmatische Denksysteme sorgen für Entlastungswirkungen. Die Mündigkeit des sittlichen Gewissens wird damit nicht gefördert.

Auf diesem Hintergrund sind folgende Dinge von Bedeutung: Einmal korrespondiert damit eine moralische Nicht-Meßbarkeit der modernen Kultur. *A. Gehlen* eignet sich hier die These von *M. Weber* an, die rationale Eigengesetzlichkeit der Wirtschaft auf der Basis der Marktvergesellschaftung sei ethisch kaum regelbar und moralisch inkommensurabel. Derjenige, der die a-personalen ökonomischen und politischen Verhältnisse beurteile, hätte keine angemessenen Beurteilungskriterien zur Hand, weil dafür die herkömmlichen Begriffe, die grundsätzlich aus dem kommunikativen Bereich stammten, nicht reichten. Hierin sieht *A. Gehlen* richtig, daß de facto ein Bereich mächtig herangewachsen ist, der sich beharrlich der moralischen Rückbindung widersetzt und für den einzelnen damit keine übergreifende Sinnordnung mehr gegeben ist, in die er das Ganze einordnen könnte.

Erschwert schon allein dieser Umstand die Herausbildung der Orientierungsfähigkeit des einzelnen, so kommt diesem Umstand noch eine andere Tendenz entgegen:

> «Hat jemand das Gefühl, nur ein austauschbares und überhaupt etwas abgeschliffenes Rad in der großen Maschine zu sein; hat er übrigens die berechtigte Überzeugung, daß sie auch ohne ihn

läuft, und bekommt er die Folgen seines Handelns gar nicht zu spüren oder nur als Zahlen und Kurven oder bloß in Gestalt der Lohnabrechnung, so muß der Sinn für Verantwortlichkeit sich in demselben Verhältnis verengen, wie das Gefühl der Hilflosigkeit steigt.»[31]

Wenn schon die primären Sozialisationsformen im Kontext der wissenschaftstechnischen Zivilisation oft ungeeignet sind, dem Menschen zur sittlichen Urteilsfähigkeit zu verhelfen, so bleibt die menschliche Identität auch später gefährdet. Sie bleibt auf der Wanderung durch verschiedene soziale Welten eine offene und unabgeschlossene Identität. Durch den *Pluralismus der sozialen und wirtschaftlichen Welten* werden die Strukturen jeder einzelnen Welt als relativ labil und unverläßlich erlebt. Die moderne Identität des Menschen kann dann eigentlich nur als besonders reflektierte Identität bestehen, weil von ihr ein ständiger Wechsel der Lebenswelten verlangt wird. Auf der einen Seite werden von ihr Leistungen der Fertigkeit, der funktionalen Anpassung im Arbeitsprozeß und dergleichen mehr abverlangt, auf der anderen Seite werden im privaten Raum höchste Anforderungen an die kommunikativen Fähigkeiten verlangt. Doch wie soll dies gelingen, wenn der soziale Charakter des Menschen in seiner Alltagswelt geprägt ist, die ganz anderen Gesetzen unterworfen ist?

Die technische Rationalität hat die Gesellschaft durch Arbeitsteilung und Organisation auch in autonome Bereiche aufgegliedert. Dadurch wird ein hoher Anspruch an die Wendigkeit im Rollenwechsel formuliert: Vom Subjekt wird mehr äußere Elastizität als innere Konsistenz verlangt. Diese Ausdifferenzierung ist eine Folge der Arbeitsteilung und der damit verbundenen Abschottung einzelner gesellschaftlicher Bereiche voneinander (Wirtschaft, Verwaltung, Politik, Wohnraum).

Auf ethischer Ebene hat dies nicht bloß zur Herausbildung unterschiedlichster Moralen geführt, sondern auch zur Zersplitterung der Ethosformen. Gewiß braucht man nicht in romantischer Verträumtheit den untergegangenen Institutionen nachzuhängen, die ein Arsenal an Sinnangeboten für die eigene Lebensbewältigung und die Interpretation der eigenen Lebensgeschichte zur Verfügung stellen. Trotz aller Schwächung übergeordneter Sinnangebote hat der Verfall des gesellschaftlichen Rahmens für den einzelnen und für Gruppen gerade auch Möglichkeiten der autonomen, sprich selbstverpflichteten Gestaltung eigenen Lebens gebracht. Es gab wohl keine Zeit, die so viele alternative Lebensformen ermöglicht hat wie die unsrige. Nichtsdestotrotz bleibt dies ein Privileg für wenige, die sich einerseits ausreichend materiell versorgen können und die andererseits die notwendige Bewußtheit und

---

[31] Vgl. Ebd., 45.

Kompetenz haben. Für viele bleibt der entscheidungsoffene Rahmen eine Überforderung. Schematische Vorstellungen von Sachverhalten oder Kausalzusammenhängen, Monokulturen von Schlagworten und Gesinnungen, aber auch dogmatische Denksysteme sorgen für Entlastungswirkungen.

c) Subjekt und Identität

Es ist nicht von ungefähr, daß in diesem Kontext Dogmatismen religiöser und gesellschaftlicher Art entstehen, die zwar vorgeben, Orientierung in einer parzellierten Welt zu bieten, aber auf der anderen Seite die wahren Zusammenhänge verdecken. Man erinnert sich, daß hier Schlagworte wie staatlicher Protektionismus, Stärkung des intimen Privatraumes der Familie, Überwachung der Wirtschaftssysteme nicht viel weiter helfen, da sie Sachverhalte eher verschleiern als aufdecken. Den Grund, warum solche Parolen nicht greifen, hat im wesentlichen auch schon *A. Gehlen* erkannt: Es gibt eine Art moralische Nicht-Meßbarkeit der modernen technischen Kultur. Und er sieht auch richtig, daß wir uns in einer verwissenschaftlichten und hochtechnisierten Lebenswelt den Luxus geleistet haben, ethisch relevante Entscheidungen der subjektiven Rechtschaffenheit und der Kenntnis einiger ethischer Maximen überlassen haben. Aber hier spiegelt sich nur eine Entwicklung, die sich im letzten Jahrhundert angebahnt hat. Die Ausweitung des Sub-Systems der Zweck-Rationalität hat nicht im gleichen Sinne die ethische Vernunft herausgefordert, öffentliche Handlungsebenen mit den Lebensräumen zu verbinden. Mit anderen Worten, eine produktive Begegnung von Wirtschaft, Technik, Ethik und politischer Macht fehlte weitgehend. Und dies vor allen Dingen deshalb, weil die sich ihrem inneren Gehalt nach stark unterscheidenden Dimensionen nur schwer miteinander verbinden lassen; je subtiler sie sind, desto unüberschaubarer und weniger ethisch integrierbar sind sie. Diese Aufsplitterung macht auch deutlich, daß die Herausbildung der Konsistenz der sittlichen Person nur unter erschwerten Bedingungen erfolgen kann.

Das heißt, daß die menschliche Identität auf der Wanderung durch die verschiedenen sozialen Welten eine offene und unabgeschlossene Identität bleibt. Die spezifische Leistung des einzelnen besteht darin, den freigewordenen Raum durch nicht ökonomische Sinngebung zu verbinden. Die Frei-Zeit ist eine ökonomisch gewirkte Freiheit, und insofern ist sie nur ein Teilaspekt von Freiheit. Die Erfahrung zeigt, daß zwar die Dialektik von Arbeitszeit und Freizeit mehr Freiheit ermöglicht hat, daß sie aber ohne bewußte Sinngebung falsch verstandene privatisierte Zeit bleibt, gerade dadurch, daß man sich auch hier in den Zirkel von *Produktion* und *Konsumation* begibt. Die Balance zwischen ökonomisch bestimmter Arbeit und nichtökonomisch zu bestimmender

Freiheit zu finden, ist in diesem Sinne eine respektable Leistung des Individuums, die ihm nicht einfach vorgezeichnet ist, im Gegenteil, es muß sie durch Einsicht und Erfahrung finden. Geliehene Identität kann es kaum mehr geben, indem man auf bewährte vorgelebte Muster einfach zurückgreifen kann, Identitätsbildung wird zu einem langen Prozeß, in dem das vorausschauende Planen des Lebensentwurfes, das bewußte Setzen nichtökonomischer Sinnziele einen entschieden größeren Platz einnimmt.

6. Gefährdung und Chance

Gefährdungen bringen ihre eigenen Tugenden hervor. Defizite und Leiden, Mängel und Entbehrungen evozieren ihre eigenen Ethosformen. Die Geschichte der Menschen ist in diesem Sinne immer eine produktive Auseinandersetzung mit ihren spezifischen Zwängen gewesen. Wir haben bereits gesehen, daß sich an den Rändern unserer Gesellschaft Ethosformen herausbilden, die sich nicht so sehr an ökonomischen Wertsetzungen als vielmehr nach Sinngebungen richten, die sich nicht an der Quantität, sondern an der Qualität des Lebens orientieren. Vieles von dem ist initial, partikulär und bis zu einem bestimmten Grad auch esoterisch. Und dennoch wird unser Überleben zu einem guten Teil davon abhängen, wie weit es gelingt, die Einheit dieses verantwortlichen, sozialen Ethos' durchzusetzen. Man wird sagen können, das bringe nichts, weil der Lauf der Dinge sich schon am Abgrund bewege; dem halte ich aber entgegen: Wahrgenommene Verantwortung hat vor einer dunklen Zukunft nichts zu verlieren, aber Gleichgültigkeit, die den Dingen weiterhin ihren Lauf läßt, bringt auch nichts. Wie gesagt, wirkmächtige Ethosformen für die Zukunft scheinen sich erst in Konturen abzuzeichnen. Und es ist auch noch nicht gesagt, daß sie den Graben zwischen Handlungs- und Lebenswelten zu überwinden vermögen. Aber eines müssen wir deutlich sehen, daß sich diese zaghaften Versuche und Visionen mittlerweile noch in ein anderes Koordinatensystem eintragen. Indem wir gleichsam nochmals einen Schritt der Distanz zurücktun, wollen wir uns im folgenden dieses Koordinatensystem unter einer etwas anderen Perspektive vergegenwärtigen, und dies nicht zuletzt auch mit der Frage, was dies für eine theologische Lebensethik abwirft.[32]

---

[32] Ich lasse mich hierbei von Beobachtungen von H.-O. Apel inspirieren, die sich in den folgenden Veröffentlichungen finden lassen: Der Denkweg von C. S. Peirce. Eine Einführung in den amerikanischen Pragmatismus, Frankfurt a. M. 1967; *Ders.*, Diskurs und Verantwortung. Das Problem der Übergangs zur postkonventionellen Moral, Frankfurt a. M. 1990.

a) Differenz zwischen Tatsachen und Werturteil
Der entscheidende Schritt zur Positivierung der öffentlichen Lebenswelt und zur Privatisierung der Primärwelt der Person konnte im 19. Jh. unter zwei ideologischen Voraussetzungen erfolgen: Auf der einen Seite ist es dem großen idealistischen System nicht geglückt, zwischen Sein und Sollen, zwischen Tatsachen und Werten zu vermitteln. *Hegel* beispielsweise ist es nicht gelungen, die faktische Geschichte mit der Geschichte des Geistes zu vermitteln. Auf der anderen Seite schien nun im Gegensatz zu *I. Kant* eine Letztbegründung des Sollens und damit der Moral nicht mehr möglich zu sein. Zum einen deswegen, weil die Vernunft auf eine strategische Rationalität eingeschränkt wurde; und zum anderen hat der Historismus der Geisteswissenschaften die Überzeugung geschaffen, daß die letzten *Wertvoraussetzungen* der verschiedenen Kulturen und sogar der einzelnen Menschen rational unvereinbar sind.

Die hier angedeuteten Denkvoraussetzungen finden sich besonders ausgeprägt bei *M. Weber*, dem Begründer der verstehenden Soziologie. Für ihn war die Einsicht entscheidend, daß die letzten Voraussetzungen menschlicher Wertungen – auch und gerade moralische Wertungen – unüberbrückbar verschieden vom zweckrationalen Handeln sind. Solche Entscheidungen sind nur Gegenstand irrationaler Gewissensentscheidungen. Insofern war diese Einsicht für ihn das von jedem redlichen Denker zu akzeptierende Resultat des Entzauberungsprozesses, der mit dem neuzeitlichen Rationalisierungsprozeß untrennbar verbunden ist, der nun genau zwischen Tatsachen und Werten zu unterscheiden begann:

> «Die stete Vermischung wissenschaftlicher Erörterung der Tatsachen und Werte des Räsonnements ist eine der zwar noch immer verbreitetsten, aber auch schädlichsten Eigenarten von Arbeiten unseres Faches. Er meinte damit die Sozialwissenschaften überhaupt. Gegen diese Vermischung, nicht etwa gegen das Eintreten für die eigenen Ideale, richtet sich meine Arbeit ... Ob sich das urteilende Subjekt zu letzten (sittlichen) Maßstäben bekennen soll, ist seine persönliche Angelegenheit und eine Frage seines Wollens und Gewissens.»[33]

Mit dieser grundlegenden Trennung von Tatsachen- und Werturteilen ist *M. Weber* zu einer Schlüsselfigur des westlichen Komplementaritätssystems geworden. Neuere philosophische Strömungen, welche die Wertfreiheit der Wissenschaften und die Unvermeidlichkeit letzter, nicht begründbarer, existentieller Werteinsichten vertreten, sind in ihrem Grundmotiv bei ihm bereits schon vorgezeichnet. Dies gilt zum

[33] *M. Weber*, Gesammelte Aufsätze zur Wissenschaftslehre, Tübingen 1973^{4}, 492.

Beispiel für den von *K. Popper* begründeten «Kritischen Rationalismus». Ganz im Geiste von *M. Weber* soll die Begründung moralischer Wertungen und Normierungen durch rationale Verfahren ersetzt werden, die nur noch die innere Widerspruchsfreiheit im Hinblick auf die Folgen überprüfen sollen.

b) Die Verbindlichkeit des Moralischen

Viele liberale Denker, die einerseits für Toleranz, Pluralismus und Gewissensfreiheit eintreten, sind andererseits von einer rationalen Letztbegründung der Ethik, eines allgemeinen Orientierungsrahmens überzeugt. Sie halten das Orientierungssystem, in dem die Tatsachenwelt einer Verfahrens-Rationalität unterstellt wird und in dem Wertungen in den Bereich des Existentiell-Irrationalen zugeordnet werden, für die Grundbedingung einer freiheitlich-demokratischen Ordnung. Damit wird auch nahegelegt, daß die wissenschaftliche, wertneutrale Rationalität, mit deren Hilfe man ja Normsysteme auf ihre Widerspruchsfreiheit hin vergleichen kann, hinreichen, um die Gesellschaft wie den einzelnen zu verantwortlichem Handeln anzuleiten. Dabei stehen wir hier vor einer paradoxen Situation: Dieselbe Wissenschaft nämlich, die durch ihre technologischen Folgen eine Hauptursache für die praktische Notwendigkeit einer Ethik solidarischer Verantwortung darstellt, dieselbe Wissenschaft scheint durch den von ihr geprägten Rationalitätsbegriff im Sinne wertfreier Objektivität Grund der Unmöglichkeit rationaler Begründung einer intersubjektiv gültigen Ethik zu sein.

Und dennoch: Die Unzulänglichkeit des Komplementaritätssystems hat sich schon längst gezeigt. In dem Augenblick, wo die Moral zur Privatsache wird, das heißt, wo die subjektiven Gewissensentscheidungen ausschließlich private Verbindlichkeit besitzen, verlieren sie erstens ihre integrative Kraft aller anderen Bereiche und zweitens auch ihre eigene verbindliche Kraft, da es schwierig wird, seine moralische Identität in einer Gemeinschaft, die nicht gleichen Normen verpflichtet ist, aufrecht zu erhalten. Im Zeitalter, wo es ums Überleben geht, sollte die moralische Solidarität zumindest soweit gehen wie die gemeinsamen Überlebensinteressen. So scheint es, daß es eine Art innere Blockierung der ethischen Vernunft in der Gegenwart gibt, bedingt durch das Vorurteil im Sinne des Szientismus (d. h. durch die Verabsolutierung der wertneutralen, wissenschafts-technischen Rationalität). Dies ist gleichzeitig die innere Herausforderung an die ethische Vernunft. Diese Kompensation spitzt sich in extremer Form zu, seitdem der Fortschritt der wissenschafts-technischen Rationalisierung die Lebensbereiche bedroht, nicht nur in peripheren Bereichen, sondern auch in ihrer Substanz. Ein Rekurs auf Konventionen bzw. Institutionen, welche verhaltensregelnd eingreifen sollen, ist derzeit immer weniger als Lösung vorstellbar. Das spezifische Hindernis für das gestellte Problem einer allgemeinverbindlichen Ethik ergibt sich am Ende der Neuzeit aus dem Umstand, daß der Begriff der ethischen Vernunft durch den Begriff der wertneutralen Vernunft in Frage gestellt wird. Das, was herausgefordert wird, ist – wenn überhaupt – eine kommunikative Verantwortungsethik.

c) Existentialismus – wieder gefragt

Ich habe darauf hingewiesen, daß sich der Existentialismus gerade auf dem Hintergrund dieser Entwicklung herausbilden konnte. Ohne Zweifel kann man sagen, daß der Existentialismus einer der großen europäischen Versuche war, die philosophischen und religiösen Bedürfnisse nach Sinn, Absolutheit und Metaphysik inmitten einer nicht mehr vermittelbaren Welt zu artikulieren. In diesem Zusammenhang kann man bei *K. Jaspers* auf Sätze stoßen, die – würde man sie indikativisch formulieren – genau auf die heutige Zeit passen. In seinem 1931 erschienenen Buch «Zur geistigen Situation der Zeit» heißt es:

> «Wenn aber schließlich nichts mehr in der wirklich mich umgebenden Welt von mir hervorgebracht, geformt, überliefert würde, sondern alles nur als augenblickliche Bedürfnisbefriedigung hinzunehmen wäre, nur verbraucht und ausgewechselt würde, das Wohnen sich selbst maschinell gestaltete, kein Geist der eigenen Umwelt mehr bliebe, die Arbeit nur als Leistung für den Tag gälte und sich nichts aufbaute zu einem Leben, so würde der Mensch gleichsam weltlos.»[34]

Diese Sätze, lange vor der technologischen Revolution geschrieben, haben ihren konjunktivischen Sinn mehr und mehr verloren. Fragt man nun *K. Jaspers* danach, was den Menschen vor den Apparaten rette, was seine Welt wieder menschlich mache, so tauchen bei ihm formelhafte Wendungen auf, wie «zum Sein kommen», der «Aufschwung zum eigentlichen Menschsein», «die existentielle Unbedingtheit», welche den Anspruch der Existenz wachhält. Diese Formeln muten uns heute merkwürdig fremd an. Wo sie inhaltlich gefüllt werden, verkommen sie zu einer Kulturkritik, die sich nicht über die Kritik am Massendasein erheben kann. Ich vermute jedoch, daß hinter diesen Formeln mehr steckt als die Angst des hilflosen Bürgers vor der heraufkommenden Massenkultur der dreißiger Jahre.

Mit dem Wort «*existentielle Unbedingtheit*» wird mehr gesucht als die bloße Negation technischer Rationalität. Unbedingtheit heißt doch zunächst das Interesse an einem Dasein, das nicht in den Funktionen für andere aufgeht, das sich nicht erfüllt in den Zwecken, die von anderen gesetzt werden. Das Dasein ist etwas Unabgeleitetes, etwas, das nicht

---

[34] Ebd., 31.

auf Funktionen zurückgeführt werden kann. «Ich existiere» heißt doch, daß ich nicht bloß Objekt und Mittel anderer bin. Selbst wenn ich mich in verschiedener Hinsicht als abhängig erfahre, so bleibt es mein Lebenssinn, Zweck zu sein, nicht einfach Mittel. Der Anspruch, existieren zu dürfen, Zweck zu sein, ist ein tiefes menschliches Bedürfnis, das sich nicht einfach dadurch erledigt, indem man es der Irrationalität bezichtigt. Seine Wahrheit wird auch nicht einfach dadurch aufgehoben, indem man sich der Relativität vergewissert, von der schließlich jeder einzelne affiziert ist. Die Sache mit der Unbedingtheit und die unableitbare Sinnhaftigkeit menschlichen Lebens ist damit nicht einfach aufgehoben. Man kann zwar der Existenzphilosophie vorwerfen, sie hätte mit der Formel der Unbedingtheit menschlichen Daseins zu wenig die emanzipativ-humanisierenden Züge herausgestellt und sich zu sehr mit den Ängsten des arrivierten Bürgertums verbunden. Wie dem auch immer sei, auf jeden Fall scheint mir, daß mit dem Stichwort der existentiellen Unbedingtheit eine Wahrheit formuliert ist, die im Kontext des Eingespanntseins in die mächtigen Apparate neue Dringlichkeit erhält. Allerdings muß der Gedanke eine andere Sprache finden.

In *theologischer* Perspektive muß gesagt werden, daß die biblische Tradition die existentielle Unbedingtheit und den unbedingten Sinn nicht einfach in Abstrakta umschreibt, sondern eine expressive, metaphorische Sprache kennt, die viel evokativer und im gewissen Sinne auch praxisbezogener ist. Die Bilder und Erzählungen vom Auszug, der Kampf am Jabbok, das Bild vom Senfkorn, das Bild von den Jungfrauen, die dem Herrn entgegeneilen, zeigen, daß sich im biblischen Sinne die existentielle Unbedingtheit konstituieren muß; ich muß mich zur unteilbaren Unbedingtheit erst aufraffen und entscheiden. Das Leben in dem ganz emphatischen Sinne muß gewählt werden. «Ich habe euch Leben und Tod, Segen und Fluch vorgelegt, daß du das Leben erwählst und du und dein Same leben mögest» (Dtn 30,19). Die Unbedingtheit wählen, das ist das Entscheidungsmoment: «Sucht zuerst das Reich Gottes, so wird euch alles zufallen» (Mt 6,33). Das meint, daß man zuerst die entschiedene Ganzheit des Lebens suchen soll, bevor man sich in verschiedene Tätigkeiten und Dimensionen aufspaltet. Dies meint aber auch, daß man diese Ganzheit erwählen, verfehlen, verpassen und vertun kann. Hier wird eine Sprache verwendet, die eine Emphase für das Leben kennt, aber gleichzeitig auch an Gefährdung und Errettung erinnert.

Selbstverständlich gibt es in der biblischen Tradition auch die Aussagen über die endgültige Rettung, Aussagen, die von der Rettung über den Tod hinaus und damit von einem verbürgten Sinn sprechen. Dies ist aber nur die eine Hälfte der Sinnaussagen zur Unbedingtheit des Lebens. Die andere spricht davon, daß sich die existentielle Unbedingtheit nur für den ergibt, der seine Person im Auszug gewinnt, d. h. im Auszug aus dem Bereich der gefertigten Götter. Eines ist nun klar: Der Gehalt, der auf diese expressive Art zur Sprache kommt, läßt sich nicht als instrumentelles Argument bezeichnen. Dieser Gehalt hat die *Logik von Bildern*, die nicht einfach anzeigen, wie man etwas zu tun hat, sondern anstiften, das Erfaßte produktiv in den Verhältnissen umzusetzen. Metaphern, Bilder und Geschichten evozieren; sie leiten nicht an. Als Christen haben wir die Chance, solche Gehalte ins Spiel bringen zu können, die nicht in abstrakten Sätzen vom verbürgten Ganzsein reden, sondern in produktiven Bildern. Sie setzen gleichsam die ethische Phantasie frei, das ethisch Richtige mit der zureichenden Motivation zu suchen. Gerade im Vergleich zur biblischen Sprache wird die Formalisierung der existenz-philosophischen Rede deutlich: Vertreibung, Auszug, Reich Gottes, Mahl enthalten mehr, als man existenz-philosophisch auf den Begriff bringen kann. Sie bringen entschieden mehr als die Einschärfung der existenz-philosophischen Unbedingtheit. Gewiß ist es schwierig, über diese Sprache die bedrohte Existenzialität wieder zu gewinnen. Nicht einfach die Repetition der biblischen Hoffnungsbilder hält dazu an, sondern die übersetzten Bilder. Man darf hier vielleicht nicht vergessen, daß die Paradiesesgeschichte, die von der Einheit des Menschen mit sich selbst und mit der Natur spricht, visionär anstiftet, eben die verlorene Ganzheit wieder zu gewinnen. Selbstverständlich darf man sich auch hier keine Illusionen machen. Die Beschwörung der Erzählung hilft nicht weiter, sondern nur ihre produktive Umsetzung.

In der jüdisch-christlichen Tradition hat sich der Gedanke formuliert, daß das *Leben auf dem Spiele* steht, daß es sinnlos werden kann. Es ist möglich, das ganze Leben zu verfehlen, es wegzuwerfen, es als einen Wegwerfgegenstand zu behandeln. Man hat es nicht einfach, man kann es gewinnen oder verlieren. Ohne diese Angst um das Leben gibt es aber auch keine tiefere Liebe zum Leben, sondern nur eine oberflächliche Aggressivität. Die existentielle Unbedingtheit geht zusammen mit der existentiellen Angst, das Leben verfehlen zu können, d. h. daß es aufgeht in einem Warenwert. Lieben kann man nur etwas, das verschwinden und vergehen kann. Das emphatische Verständnis der Bibel vom Leben spricht vom Weiterwachsen, vom Sich-Entwickeln; auf dem Weg läßt sich das Leben verlieren. Diese Erfahrung hält eine traumatische Beziehung zum Tode aufrecht. Aus dieser Beziehung erwächst auch die Unruhe für das Leben.

«*Unverfügbarkeit*» ist das andere Wort der Existenzphilosophie, das nicht ohne Schaden vergessen werden kann. Wenn man in existentieller Unbedingtheit das Leben wählt, wenn man seine Integration und Entschiedenheit sucht, und wenn man sich auch in dieses Ja eingeübt hat, gleichsam gegen den Zynismus, dann stellt sich eine Erfahrung ein, die allem Glück zugrundeliegt. Man bemerkt, daß das, was den Menschen in diesen Zustand versetzt, nicht die eigene Leistung ist. Das Leben wird einem zugeschickt. Die christliche Tradition hat dafür den Begriff der «Gnade» geprägt und damit genau zum Ausdruck gebracht, daß sich die Ganzheit des Lebens nicht einfach herstellen und produzieren läßt, sondern daß es in ein Spiel von Empfangen und Nehmen, von Bekommen und Aneignen, von Machen und Geben eingelassen ist. «Alles Leben ist Gnade» ist nicht bloß frommes Beiwerk, sondern damit ist schließlich ein Mahnwort ausgesprochen, das Leben nicht in funktionalen Zusammenhängen aufgehen zu lassen, ja das Leben des Menschen nicht von daher zu definieren. Die existentielle Unbedingtheit scheint in den technischen Apparaten auf der Strecke zu bleiben. Die expressive Sprache, die diesem Anspruch zu genügen sucht, ist ein entschiedener Widerstand gegen Verdinglichung. Sie ist schöpferische Unterbrechung der herrschenden Mentalität.

In der Religion gibt es einen Erfahrungsschatz und Aussagen, die man wieder lesen müßte gegen die säkularistische Trivialität, gegen das bloße Funktionieren.[35] Die Bibel spricht vom Reich Gottes, von der Geborgenheit, in der der einzelne aufgehoben ist; sie spricht von Tod, Gerechtigkeit, von Leben und Verlust. Dies sind unverkäufliche Bestandteile des Lebens. Und gleichzeitig erlauben sie mehr zu sagen als die Sozialwissenschaften zu sagen erlauben. Sie überschreiten deren Aussagen zugunsten eines Versprechens von Leben an alle. Natürlich wissen wir nicht genau, wie dies zu realisieren ist, aber wir können solche Hoffnungsbilder in die überraschenden Wandlungen der Geschichte einbringen.

D. Sechs Thesen

1. Eine Lebensethik hat sich des Umstandes zu vergewissern, daß die Verfügungsproblematik über menschliches Leben nicht erst an Grenzfällen aufbricht, sondern angesichts der Globalbedrohung und der den Menschen schon immer manipulierenden Mächte universal geworden ist. In diesem Sinne gibt es kaum mehr eine vorrangige Eingrenzung der ethischen Perspektive nur auf Einzelprobleme. Die ethische Perspektive hat demnach von einem unteilbaren Wert des Lebens-

---

35 Vgl. *H.-J. Höhn*, Gegen-Mythen. Religionsproduktive Tendenzen der Gegenwart, Freiburg i. Br. 1994. Der Autor deckt unverhoffte Spuren des Religiösen auf in der Gegenwart, die sich weder ihrer Rationalität noch ihrer Säkularität mehr sicher ist.

schutzes auszugehen, der sich nicht bloß mit den Möglichkeiten der Beendigung und Zerstörung des eigenen und fremden Lebens befaßt, sondern auch mit der Tatsache, daß die vom Menschen gefertigten Instrumente in Technik und Produktion selbst noch einmal verfügend und verändernd auf den Menschen zurückwirken.

Hierbei haben wir von der kulturgeschichtlichen Situation auszugehen, daß die Unterwerfung der Natur in ihrem Übermaß des Erfolges – diese Unterwerfung erstreckt sich auch auf die Natur des Menschen selbst – zur größten Herausforderung geführt hat, die dem menschlichen Sein jemals aus eigenem Tun erwachsen ist. An diesem dem Menschen zugewachsenen Machtpotential ist alles neuartig, sowohl der Art wie auch der Größenordnung nach. Was der Mensch heute tun kann und gleichzeitig auch zu verantworten hat, findet keine Ähnlichkeit in vergangener Erfahrung. Die neuen Modalitäten der Macht, die technischen Schöpfungen, die Formen des Wirtschaftens haben solche Eigengesetzlichkeiten angenommen, daß sie sich teils bedrohend, teils verändernd, teils bereits zerstörend auf den Menschen selbst zurückwerfen. Wir stehen offensichtlich in einer «Achsenzeit» (*K. Jaspers*), in der eine kollektive Praxis substantiell ihren Schatten wirksamer denn je auf die Existenz menschlichen Lebens zurückwirft. Der Ausgangspunkt ethischen Reflektierens scheint nun der zu sein, daß dieses Neuland kollektiver Praxis noch keine äquivalente, angemessene Rückbindung an die ethische Verantwortung gefunden hat. In dieser Situation kann der bescheidene Beitrag einer Lebensethik nur in einer doppelten Funktion bestehen: erstens im Gewahrwerden der Gefahren; in der Entdeckung dessen, was auf dem Spiele steht und zweitens im Aufdecken dessen, was der Mensch ist, nicht nur etwa dessen, was zu seinem physischen Überleben gehört, sondern was zu seiner Unversehrtheit selbst gehört.

2. Die jetzige technologische Zivilisation ist nicht einfach das Ergebnis von äußeren und inneren Notwendigkeiten, sondern wurzelt letztlich in einer bestimmten Welt- und Selbstinterpretation des Menschen. Die entscheidende Umschlagstelle ist die Subjektivierung der Wirklichkeit mit der beginnenden Neuzeit. Damit ist gemeint: Welt und Wirklichkeit werden nicht mehr als fertiges Ganzes begriffen, als ordo, in dem sich der Mensch vorfindet und in dem seine Einordnung vorgezeichnet ist. Welt und Wirklichkeit werden als Geschichte begriffen, als Seiende, die dem Menschen zur Verfügung und zur Verwaltung anvertraut werden. Die Welt nicht mehr als Kosmos begreifen heißt, sie nicht mehr als selbst auslegende Natur begreifen, sondern als Geschichte, die vom Menschen her verstanden und auf ihn hin ausgelegt wird. Eine solche subjekt-interpretierte Welt, die den Menschen in den Mittelpunkt stellt, hat eine entsprechende Konsequenz: Der Mensch versteht sich nicht

mehr ausschließlich von einer «Objektivität» der Welt her bestimmt, sondern er erfährt sich in seiner geschichtlichen Freiheit überantwortet. Indem die Freiheit des Menschen als *schöpferische Gestaltungsfreiheit* entdeckt wird, wird die Welt als verfügbare und gestaltbare Umwelt des menschlichen Handelns, als Basis des freiheitlichen Selbstvollzuges interpretiert.

> «Mit der Neuzeit wird die sinnverleihende Ordnung nicht mehr vorgefunden, sondern, weil zur Frage geworden, selbst gestiftet. Die Rationalität, durch die sich das vernünftige Subjekt selbst erhält, wird zum unabgeschlossenen, offenen Prozeß der Exploration.»[36]

Exploration ist das Stichwort. In der frühen Neuzeit (um 1600) beginnt nun die systematische Erforschung der Natur mittels mathematischer Methoden, mittels der «neuen Wissenschaft» der Physik und der Mechanik. Damit wird der Mensch zum «Herrn und Eigentümer der Natur.»[37] Damit ist in der abendländischen Geschichte jene Umschlagstelle benannt, von der an das geschichtsmächtige Subjekt den verfügenden Siegeszug auch über die Natur beginnt.

3. Ein gesteigertes Verfügungspotential wächst dem Menschen dann und insofern zu, als ihm die Möglichkeit der «Reifizierung» der Bedingungen seines eigenen Subjektseins gegeben wird. Historisch gesehen liegen die entscheidenden Grundansätze und Ausgangspunkte der Humanwissenschaften im 19. Jh. Das heißt, die phänomenologisch maßgeblichen Wirklichkeitsbereiche, die das menschliche Dasein wesentlich bestimmen, werden einem neuen empirischen Zugriff unterstellt. Sie werden einerseits in einen anderen Deutehorizont eingerückt, andererseits verstärkt sich mit diesem Erkenntniszuwachs auch der Veränderungswille des Menschen.

Mit der Evolutionstheorie von *C. Darwin* wird nicht bloß die geistige Sonderstellung des Menschen erschüttert, sondern damit wird all jenes Forschen inauguriert, das die bio-physischen Bedingungen des Subjektseins des Menschen der empirischen Versachlichung unterwirft. Humanbiologie, Humangenetik und Gentechnik sind die konsequente Fortsetzung der Evolutionstheorie, die von ihrem Ansatz her die Frage nach den Instinktresiduen, der genetischen Kodierung noch nicht zu beantworten imstande war.

Mit *K. Marx* kündigt sich das Ende der metaphysischen Geschichtsdeutung an: Das Menschsein und dessen Gesellschaftsformen werden

---

36 *L. Honnefelder*, Die ethische Rationalität der Neuzeit, in: Handbuch der chr. Ethik, hrsg. v. *A. Hertz/W. Korff* u. a., Freiburg i. Br. 1993², 27.

37 Vgl. *R. Descartes*, Discours de la Méthode, ed. *E. Gilson*, Paris 1930², hier IV, 3.

durch die konkreten ökonomischen Verhältnisse interpretiert. Das Humanum wird gleichsam in einer methodischen Reduktion an das Empirisch-Ökonomische zurückgebunden. Veränderung ergibt sich demnach nur, indem man «alle ökonomischen Verhältnisse umwirft, in denen der Mensch ein geknechtetes, ein verlassenes, ein verächtliches Wesen ist.»[38] Dieses Grundverständnis bzw. diese methodische Perspektive, die aufs engste den Zusammenhang des Wirtschaftens mit der Wirklichkeit des Menschseins sieht, sollte in der Weiterentwicklung nicht bloß den Blick für die Instrumentalisierung in der industriellen Gesellschaft schärfen, wie in der «Kritischen Theorie», sondern auch Strategien zur Umformung von Gesellschaftsverhältnissen anstiften.

Mit *S. Freud* schließlich wird das psychische Kräftefeld freigelegt, das nicht bloß die bio-physische Antriebsstruktur des Menschen bestimmt, sondern auch das sozial-kulturelle Umfeld. Damit ist die Psychoanalyse zur therapeutischen Philosophie geworden, welche nicht nur jene durch die Ratio verdrängten Kräfte im Menschen wieder freilegt, sondern auch die irregeleitete Ratio von zwanghaft-entfremdenden Kräften befreit. Aus der Einsicht, daß der Mensch von unmittelbar empirisch nicht zugänglichem Unbewußten bestimmt wird, ergibt sich für *S. Freud* die Notwendigkeit, spezifisch psychoanalytische Methoden zu entwickeln, um dem von fremden inneren Mächten dominierten Ich die innere Freiheit und Selbstverfügung wieder zurückzugeben. Von hierher eröffnen sich nicht nur die Möglichkeiten, die Probleme von Schuld und Strafe, der frühkindlichen Prägung, des Gewissens, der Autorität usw. besser zu verstehen, sondern von hier her ergeben sich auch Möglichkeiten, in psychoanalytisch angereicherten Techniken menschliches Verhalten in Gruppen in einem bis anhin unbekannten Ausmaß zu steuern.[39] Damit sind seit dem 19. Jh. Felder benannt, die zusätzlich zu den Naturwissenschaften zu einem Verfügungspotential heranwachsen, die zwar Chancen sind, aber in dem Maße zur Gefährdung werden, als sie sich von der ethischen Frage des Dürfens entkoppeln.

4. Das heutige Wissenschaftsverständnis hat seine entsprechenden Rückwirkungen auf das freiheitliche Selbstverständnis des Menschen. Um diese Wechselwirkung zu verstehen, muß man sich klarmachen, daß die gegenwärtige Wissenschaft nicht darauf aus ist, eine vorgegebene Welt abzubilden. Der Wahrheitsbegriff der gegenwärtigen Wissenschaft besagt nicht mehr wie in der Tradition, unser Verstand habe

---

[38] *K. Marx*, in: Gesammelte Werke, (= Studienausgabe der Wiss. Buchgesellschaft), Bd. 1, 497.

[39] Vgl. *U. Rauchfleisch*, Psychoanalyse und theol. Ethik. Neue Impulse zum Dialog (= Studien zur theol. Ethik Bd. 15), 2. überarb. und erweit. Auflage 1994, bes. Kap. I.

sich dem vorhandenen Seienden anzugleichen. Das heißt, die maßgebliche Vorstellung der klassischen Tradition, es gebe eine in sich ruhende Welt, deren Wesensgesetze in der Wissenschaft erkannt werden können, ist heute in den Hintergrund getreten. Wissenschaft ist Forschung; dies ist ein Prozeß, der sich als dialektische Einheit von Theorie und Empirie vorwärtstreibt. Theorien fungieren hier als Modellvorstellungen, die an der Empirie überprüft werden müssen. Theorien sind notwendig, um die Empirie zu durchdringen. An die Stelle der räumlichen Vorstellung tritt der Aspekt der Zeit, die Idee des Prozesses, in dem Theorie und Empirie sich gegenseitig revidierend vorwärtstreiben. Nun ist aber das entscheidende, daß sich die Wissenschaft mit Technik verbindet. Dies besagt nicht nur, daß die Technik komplizierte Apparaturen braucht, sondern daß sie von Grund auf technologisch strukturiert ist. Die Technologie ist eine Methode, die eine bestimmte Struktur der Rationalität darstellt. Aufgabe und Sinn der Rationalität ist hier die Steigerung des Wissenspotentials als Könnenspotential. Berechnung und Prognose sind hier die maßgeblichen Verfahrensweisen.

Technologie und Wissenschaft unterstehen beide ihrem Wesen nach dem Gedanken der Planung. Sie sind von Grund auf planend. Theorien als Modell sind streng genommen bereits Planung, wobei kein Plan endgültig ist. Planung muß sich, so argumentiert man, gerade weil sie offen und nicht mehr unmittelbar gegenstandsgebunden ist, den sogenannten Sachzwängen unterstellen. Sachzwänge sind nicht Vorgegebenheiten von einer in sich ruhenden Welt her, sondern Verlaufszwänge; der technologische Prozeß verlangt als solcher, daß man sich seinen Gesetzen unterstellt. Der Tendenz nach ist nun der der Technologie adäquate Mensch eben gerade jener Typus, der seine eigentliche Auszeichnung, seine Freiheit als *rationales Entscheidenkönnen* versteht. Dieser Mensch ist dadurch ausgezeichnet, daß er sich dem Prozeß der Technologie anpaßt und eben diesem Prozeß keine von außen kommenden Bedingungen – etwa wertender Art – auferlegt, sondern sich rein rational zwischen den wissenschaftlichen Prävalenzen entscheidet. Das zweck-rationale, das instrumentell-strategische Handeln prägt nicht nur das private Handeln, sondern bestimmt auch weitgehend jene Wissenschaften, die sich mit dem Menschen selbst beschäftigen.

5. Auf diesem Hintergrund hat sich zumindest bei uns ein *Komplementaritätssystem* herausgebildet, das hinsichtlich der Gültigkeit von Orientierungssystemen zwischen dem öffentlichen und dem privaten Lebensbereich eine strikte Trennung herstellt. Im *öffentlichen Lebensbereich* (d. h. im Bereich der Wirtschaft, der Politik) soll es möglich sein, den moralischen Sinn durch eine wertfreie Verfahrensrationalität zu ersetzen. Moralische Wertungen sollen demgegenüber, ähnlich wie religiöse

Weltanschauungen, private Grundentscheidungen sein, die nur eine existentiell-subjektive Verbindlichkeit besitzen. Es ergibt sich eine wechselseitige Ausschließung und zugleich Ergänzung zwischen der moralisch wertneutralen Verfahrensrationalität des öffentlichen Lebensbereiches und den nur subjektiv verbindlichen Wertentscheidungen des privaten Lebensbereiches. Die *Privatisierung* der letzten Wertentscheidungen geht nun nicht einfach auf den Existentialismus zurück. Eine sehr wesentliche Wurzel liegt im politischen Liberalismus. Sie läßt sich bis ins 17. Jh. hinein verfolgen. So war beispielsweise *T. Hobbes* überzeugt, daß öffentlicher Friede und Toleranz angesichts der widerstreitenden Wahrheitsansprüche nur durch einen wertneutralen Staat gewährleistet werden können. In diesem Zusammenhang hat er das berühmte Diktum formuliert: «Auctoritas, non veritas facit legem.»

In diesem Sinne hat auch *I. Kant* durch seine Unterscheidung zwischen «Moralität» und «Legalität», zwischen Moralität aus sittlicher Pflichtgesinnung und der öffentlich erzwingbaren Legalität zur Entmoralisierung des positiven Rechts und damit zur Herausbildung des westlichen Komplementaritätssystems beigetragen. Freilich hat er die Privatisierung der Moral noch keineswegs gutgeheißen. Für ihn unterlag das positiv-rechtliche System noch der Rechtfertigung durch das Sittengesetz. Der entscheidende Schritt zu diesem Komplementaritätssystem ergab sich erst im 19. Jh. unter folgenden Bedingungen: erstens, als unter der Verbindung von Technik und Industrialisierung sich das zweckrationale Sub-System auszuweiten begann und in einem größeren Ausmaß alle Lebensbereiche miteinbezog; zweitens, als die Vermittlung von Sein und Sollen als fragwürdig erkannt wurde; und drittens, als man an einer Letztbegründung der Moral zu zweifeln begann.

Hierfür signifikant ist die Ethik selbst, die im Rahmen einer sprachanalytischen Wende die Ablösung der normativen Ethik und der Wertethik durch eine wertneutrale Metaethik vollzogen hat.

6. Auf dem Hintergrund dieser Situation spitzt sich die Notwendigkeit einer ethischen Kompensation zu, seitdem der Fortschritt der wissenschaftlich-technischen Rationalisierung selbst das menschlich-biologische Leben der totalen Manipulation aussetzt, seitdem die Wirtschaftssysteme den Graben zwischen Reich und Arm immer mehr bedrohen und seitdem die Ökosphäre das Überleben der menschlichen Gattung bedroht. Der homo faber muß zum homo sapiens werden. In dieser spezifischen Situation ist die Lösung weniger in Konventionen zu suchen. Denn mit der Rationalisierung der Lebensbereiche wächst auch das Bedürfnis nach *Kontrolle und Legitimation* der überkommenen Moral. Damit stellt sich an der Schwelle dieses epochalen Überganges erneut die Frage nach der Grundlage einer Ethik. Hierin steckt aber noch-

mals ein immanentes Hindernis, denn seit dem Ende der Neuzeit hat sich die Vernunft auf den Begriff der wissenschaftlich-technischen und technisch-strategischen Vernunft verengt. Wie wir aus dieser Verengung herauskommen können, stellt ein spezifisches Problem dar.

II. Selbstbestimmung und Handeln aus dem Glauben

A. Autonomie als Programm

Zusammenfassend und etwas pauschalisierend können wir feststellen, daß mit der Neuzeit das Menschsein des Menschen als die ethische Aufgabe ergriffen wird. Alle Aspekte des Handelns werden in den ethischen Kontext eingeordnet und programmatisch der Legitimationskraft der praktischen Vernunft unterworfen. Dementsprechend ist das Grundmotiv der neuzeitlichen Ethik die Suche nach der Selbstverwirklichung des Menschen, die in den Kategorien von Freiheit, Mündigkeit, Selbstbestimmung, Vernunft und Verantwortung greifbar wird. Für diese ideelle Tendenz steht das ethische Grundwort «Autonomie»[1], das weniger ein streng analytischer Begriff ist, sondern eher ein Programm anzeigt.[2] Demnach findet im Begriff der Autonomie die geistige, kulturelle und politische Entwicklung, welche die Epoche der Neuzeit konstituiert, ihren markanten und richtungsweisenden Ausdruck. Den unterschiedlichen inhaltlichen Ausprägungen dieses Begriffes gemeinsam dürfte sein, daß das Prinzip der Selbstbestimmung des Willens ins Zentrum rückt, daß der Mensch sich selbst aus Vernunft Gesetz ist, und

---

[1] Der Begriff Autonomie – zusammengesetzt aus der Wortbedeutung selbst und Gesetz – wird im Deutschen sinngemäß wiedergegeben mit Selbstbestimmung, Selbstgesetzlichkeit, Eigengesetzlichkeit. Obwohl der Begriff erst in der Neuzeit sein vollumfängliches Profil sowohl in politischer wie auch in erkenntnistheoretischer und praktischer Hinsicht gewinnt, findet er als politische Kategorie bereits in der griechischen Antike (5. Jh. v. Chr.) Verwendung und meint die gewährte, relative politsche Selbständigkeit einer politischen Entität (Stadtstaat) innerhalb vielfältiger Abhängigkeiten in einem größeren Ganzen und insbesondere das Recht, innere Angelegenheiten ohne äußere Mächte selbst regeln zu können. So scheint denn auch einiges dafür zu sprechen, daß das Wort Autonomie nicht vom Begriff «nomos», sondern eher von dem auch diesem Begriff zugrundeliegenden «nemein» (zuteilen) abgeleitet ist. Dieses Kapitel setzt sich aus zwei Veröffentlichungen zusammen: *A. Holderegger*, Selbstbestimmung und Handeln aus dem Glauben. Eine Problemskizze aus moraltheologischer Sicht, in: *R. Battegey/U. Rauchfleisch*, Menschliche Autonomie, Göttingen 1990, 65 - 78; *Ders.*, Art.: «Autonomie», in: Neues Lexikon der Moral, hrsg. v. *H. Rotter/G. Virt* (Hrsg.), Innsbruck 1990, 59 - 66.

[2] Vgl. *K. Hilpert*, Ethik und Rationalität. Untersuchungen zum Autonomieproblem und zu seiner Bedeutung für die theologische Ethik (= Moraltheologische Studien 6), Düsseldorf 1980, 583. Vgl. neuerdings auch: *K.-W. Merks*, Autonomie, in: *J.-P. Wils/D. Mieth* (Hrsg.), Grundbegriffe der christlichen Ethik, Paderborn 1992, 254 - 281; *Ders.*, Autonome Moral, in: Moraltheologie im Abseits? Antwort auf die Enzyklika «Veritatis splendor», hrsg. v. *D. Mieth*, Freiburg i. Br./Basel/Wien 1994, 46 - 68.

daß schließlich sittliche Normen dem Menschen nicht von außen im Sinne einer heteronomen Inpflicht-nahme auferlegt, sondern von ihm kraft seiner Vernunft entwickelt werden. Dies ist eine Provokation für den Glauben und scheint ein Widerspruch zum glaubensbestimmten Handeln zu sein, der denn auch meist mit dem Gegensatzpaar Autonomie/Theonomie gekennzeichnet wird.[3] In der Tat konnte in dem Augenblick ein Gegensatz zwischen Vernunft und Glauben entstehen, als die Vernunft sich selbst als Ursprung der von ihr erkannten Wahrheit glaubte, begreifen zu können, und dementsprechend ein eigenes «Wahrheits-Projekt» der ihr vorgegebenen mundanen und religiösen Welt als konkurrierendes Prinzip an die Seite stellte.

Die katholische Moraltheologie versucht nun seit den späten sechziger Jahren das ethische Grundwort «Autonomie» aufzunehmen und inszeniert auf breiter Front eine Auseinandersetzung mit der neuzeitlichen Freiheitsgeschichte, die mit dem emphatischen Begriff «Autonomie» gegeben ist.[4] Insgesamt ist die Diskussion von einem apologetischen Nachweis der Grenzen des hier zum Zuge gekommenen Autonomieverständnisses abgerückt. Vielmehr erfolgt eine konstruktive Vermittlung des Anspruches der Theologie mit der Autonomieforderung.[5] Davon soll im folgenden die Rede sein, indem ich erstens auf die Rezeption des Autonomiebegriffes eingehe und damit gleichzeitig die unterschiedlichen Akzentsetzungen verdeutliche, zweitens das gegenwärtige Konzept einer «autonomen Moral im christlichen Kontext» thesenartig vorstelle und drittens die sich daraus ergebenden Konsequenzen für die Theologische Ethik aufzuzeigen versuche.

B. Geschichtliche Rezeption des Autonomiebegriffes

Verschiedentlich wurde nachgewiesen, daß in der gesamten mittelalterlichen Latinität das Wort «autonomia» keine Verwendung findet.[6] Dies ist weiter auch nicht erstaunlich, weil Autonomie im Sinne einer globalen Einstellung erst mit der Aufklärung programmatisch wird. Aber

---

3 Vgl. *F. Böckle*, Theonome Autonomie, in: *J. Gründel* (Hrsg.), Humanum. Moraltheologie im Dienst des Menschen, Düsseldorf 1972, 17 - 42, hier 63ff.

4 Vgl. *A. Bondolfi*, «Autonomie» und «autonome Moral». Untersuchungen zu einem Schlüsselbegriff, in: Conc 20 (1984), 193 - 212, hier 167 - 173.

5 Vgl. *W. Kern/C. Link*, Autonomie und Geschöpflichkeit, in: *F. Böckle/F.-X. Kaufmann* u. a. (Hrsg.), Christlicher Glaube in moderner Gesellschaft XVIII, Freiburg i. Br./Basel/Wien 1982, 101 - 148, hier 104ff.

6 Vgl. *R. Pohlmann*, Art. Autonomie, in: *J. Ritter* (Hrsg.), Historisches Wörterbuch der Philosophie I, Basel 1971, 701 - 719.

dennoch kommt dem mittelalterlichen «Corpus» mit seinen ideellen Voraussetzungen für die Herausbildung des neuzeitlichen Autonomiegedankens eine eminente Bedeutung zu. Die höchst komplexe mittelalterliche Welt bildet für die nicht einheitliche Folgeentwicklung sowohl Grundlage wie auch Gegenfigur, an der sich kontinuierliche, kritische und radikale Elemente einer durch Selbstbestimmung geprägten, aufgeklärten Gesellschaft herausbilden konnten. Indem der Theologiehistoriker *M.-D. Chenu* vor allen Dingen die Kontinuitätsmomente hervorhebt, scheut er nicht davor zurück, das Wort «Autonomie» auch für mittelalterlich-theologische Programme anzuwenden.[7] Er kann Texte benennen, in denen auf die ausreichende Erklärung irdischer Vorgänge durch die ihnen eigene Rationalität verwiesen wird. Der Begriff der «Autonomie» besagt, wenn man ihn mit *M.-D. Chenu* auf das Mittelalter bezieht, daß der Ablauf irdischer Ereignisse und Entscheidungen nicht unmittelbar durch Eingriffe Gottes betroffen wird, daß darüber hinaus Gesetze der Natur, der Kultur und der Moral vom Menschen selbst gefunden und durchgesetzt werden. Die Schöpfungskraft Gottes wird in der Finalität geschichtlicher Entwicklung, aber nicht im Konkret-Gegenständlichen thematisierbar.

1. *Systematisch-theologische Einholung*

Diese Einsichten werden im 13. Jh., in seinem wohl prominentesten Vertreter *Thomas von Aquin*, systematisch-theologisch eingeholt.[8] Für ihn besteht das «bonum hominis» in der Freiheit und wird durch den vernünftigen Daseinsvollzug (durch das «secundum rationem» agere) verwirklicht. Dabei unterliegt die ethische Vernunft weder passiv einer Naturordnung noch einer heilsmetaphysischen Ordnung. Sie wird vielmehr verstanden als eine selbsttätige und aus sich selbst wirksame Ordnungsvernunft, die als Ebenbild Gottes in Vorsorge für sich und andere durchaus im Sinne der Selbstgesetzlichkeit ethische Ordnungen entwirft. Die ethische Vernunft – und dies ist der theologische Gedanke – ist gerade darin, daß sie für sich ethische Ordnung entwirft, Abbild der schöpferischen Ordnungsvernunft Gottes. Ihre Dignität besteht in der Teilhabe an der schöpferischen, planenden und vorausentwerfenden göttlichen Vernunft. Darin wird der Gedanke abgelehnt, daß die ethische Vernunft bloßes Ableseorgan statischer Strukturprogramme im Sinne des Naturrechtes sein soll. Vielmehr wird hier der Gedanke in

---

[7] Vgl. *M.-D. Chenu*, La théologie du XIIe siècle, Paris 1957, 29.

[8] Vgl. *O.-H. Pesch*, Thomas von Aquin. Grenze und Größe mittelalterlicher Theologie, Mainz 1988.

den Vordergrund gehoben, daß der Mensch ein sich selbst normativ entwerfendes Wesen ist, in Analogie zum göttlichen Schöpfungsvorgang. Dabei ist das Evangelium mit seinen hochethischen Forderungen und Ermahnungen «lex indita», also gerade nicht gesetzlich verarbeitbar, und in diesem Sinne Wegmarke für die menschliche Vernunft. Die Theologie des *Thomas* ist ein einzigartiges Zeugnis für die freie Selbständigkeit des Menschen, aber auch für die schöpferische Souveränität Gottes, die für die menschliche Freiheit nicht Bedrohung, sondern Begründung und Sicherung ist. Die Vernunft der Freiheit steht nicht im Gegensatz zur Logik des Glaubens; sie wird durch den Glauben freigesetzt, aber auch in ihrer Vernünftigkeit durch ihn in Pflicht genommen.

Leider hat sich diese Konzeption weder in der späteren Schultheologie noch in der Thomistenschule durchgesetzt.[9] Im spätmittelalterlichen Nominalismus setzte sich im Gegenteil gegenüber diesem von hoher Rationalität geprägten Entwurf eine Strömung durch, welche den Theonomiegedanken ins Unerträgliche überspannte. Es war nominalistische Lehre, Gott könne, wenn er nur wolle, dem Menschen auch Unwahres und Unmoralisches befehlen, das der Mensch dennoch in reinem Gehorsam zu tun gehalten sei. Es ist vielleicht tragisch, daß wesentliche Einsichten, die das neuzeitliche Autonomie-Verständnis prägen, zwar in der theologischen Systematik des *Thomas* präformiert, aber in der geschichtlichen Entwicklung innerhalb der Theologie nicht zum Zuge gekommen sind. Wenn auch nicht ausschließlich, so doch wesentlich provoziert durch das Konzept eines nominalistischen Willkürgottes konnte sich in der Aufklärung ein Autonomieverständnis entwickeln, das sich aus dem Kontext der Religion der Kirchen und der christlichen Kultur teilweise unter polemischen Vorzeichen emanzipiert hat.

2. Die Radikalisierung

Dementsprechend ist die theologische Auseinandersetzung im 19. Jh. mit dem Autonomie-Konzept der Aufklärung durch das Erschrecken über deren Radikalität gekennzeichnet. Dabei hat man allerdings schon Kant weithin mißverstanden. Wenn *J. Schwartländer* feststellt, daß Kants innermoralisch verstandene Autonomie nicht als eine absolute, sondern als eine transzendenz-offene zu verstehen sei,[10] dann hätte dem die

---

[9] Vgl. *W. Kasper*, Autonomie und Theonomie. Zur Ortsbestimmung des Christentums in der modernen Welt, in: *D. Mieth/H. Weber* (Hrsg.), Anspruch der Wirklichkeit und christlicher Glaube, Düsseldorf 1980, 17 - 41, hier 23f.

[10] Vgl. *J. Schwartländer*, Der Mensch ist Person. Kants Lehre vom Menschen, Stuttgart 1968, 204ff; vgl auch: *M. Welker*, Der Vorgang Autonomie. Philosophische Beiträge zur Einsicht in theologischer Rezeption und Kritik, Neukirchen 1975.

Theologie voll zustimmen können. Es hätte im Gefolge des Ansatzes eines *Thomas von Aquin* und ähnlicher Denkrichtungen (z. B. *Abailard, Ockham*) keine unüberwindliche Schwierigkeit bedeuten müssen, Kants Autonomievorstellung, nämlich die Vorstellung eines Willens, der sich selbst nach Maximen bestimmt, produktiv zu verarbeiten. Eine unbefangene Auseinandersetzung war offensichtlich nicht möglich. Zu sehr bewegt sich dieses Projekt in jenem Umfeld, das das «corpus catholicum» in seiner Geschlossenheit zu bedrohen schien. Geradezu unmöglich war es damaligem Denken, mit der Radikalisierung des emanzipatorischen Pathos bei *J. G. Fichte* zurecht zu kommen. Denn hier wird die «Selbstgesetzlichkeit» des Willens durch die Selbstsetzung, durch das sich selbst setzende Ich abgelöst; Autonomie bedeutet «absolute Unbestimmtheit durch irgendetwas außer dem Ich», also einen Ausschluß jeden Verweises menschlicher Freiheit auf ein Absolutes. Ganz abgesehen von der Frage, ob damit der Kern der Fichtschen Position getroffen ist oder nicht, jedenfalls haben gegen einen solchen radikalen Autonomismus christlich orientierte Philosophen (*Jacobi, Schlegel, Baader*) und die bedeutendsten Moraltheologen (*Sailer, Hirscher, Staudenmaier*) Front gemacht. Letztere wollten ethische Handlungsanleitungen gänzlich aus der Mitte der christlichen Botschaft entwickeln. Diese Tendenz einer Theologisierung der Moral, als Reaktion auf ihre Autonomisierung, hielt sich bis ins 20. Jh. durch, wie dies Handbücher eindrücklich belegen.

Damit hat die katholische Moraltheologie auf das Autonomie-Konzept der Aufklärung weitgehend negativ reagiert. Sie faßte dieses Konzept als Konkurrenzunternehmen auf, weil es mit dem Abbau von Alleinvertretungsansprüchen für die Ethik seitens Theologie und Kirche verbunden war. Statt von Autonomie sprach man daher mit Vorliebe von Theonomie, um gegen den Wissenschaftsanspruch der Ethik die Autorität des Glaubens zu verteidigen. Diese Art von Apologetik setzte sich bis in die Handbücher des 20. Jh. fort. Als Beleg soll eine Stelle aus einem 1959 in neunter Auflage erschienenen, also weitverbreitetem Handbuch dienen.

> «Kant beseitigt Gott aus der Grundlegung des Sittlichen; so wird ihm die Vernunft oberste Gesetzgeberin, die persönliche Vernunftwürde oberster Zweck der Ethik. Dadurch wird tatsächlich der Begriff des unbedingten Sollens herabgezogen und entleert; denn im wahrhaft sittlichen Sollen wissen wir unabhängig von einem höchsten, gebietenden Willen uns hingeordnet auf ein unendlich wertvolles, übermenschliches Gut.»[11]

---

11 Vgl. *J. Mausbach/G. Ermecke*, Katholische Moraltheologie I, Münster 1959^9, 88.

Hierbei hat die Theologie übersehen, daß es erstens zu ihrer guten Tradition gehört, Glaube und Moral zu unterscheiden, auch wenn sie aufeinanderbezogen bleiben und zweitens, daß die Glaubensinterpretation in praktischer Absicht die Ethik nicht ersetzen kann.

3. *Integrationsversuche*

Trotz dieser Schultheologie liegen die Anfänge einer expliziten theologischen Ratifizierung und Einholung der Autonomie-Vorstellung nicht erst in der Gegenwart. Sie reichen, eher als singuläre Erscheinung, ins 18. Jh. zurück.[12] Ein einzelner Moraltheologe, *S. Mutschelle*, scheint relativ früh erkannt zu haben, daß die Ethik nicht mit der Theologie zu begründen ist, sondern daß sie sich nur auf Theologie beziehen kann. Er vertrat die Ansicht, daß Theologie Ethik allenfalls nur interpretieren könne. Im Sinne Kants ist für ihn das Sittliche mit der praktischen Vernunft gegeben. Das Gesetz Gottes bestätige die autonom gegebenen Regeln. Der Glaube bringe Verheißung und Gericht als Motiv zum rechten Gebrauch der Ethik ins Spiel. Es mag sein – wie einige Kritiker vermerken –, daß bei diesem Versuch, eine über die Bestätigung autonom ermittelter Regeln hinausgehende Funktion des Glaubens (etwa der Gnadencharakter, wie immer man dies jetzt im einzelnen auch interpretieren müßte), vernachlässigt wird. Immerhin liegt hier ein Versuch vor, durch die Übernahme des Autonomiegedankens, die Mängel der herkömmlichen Moraltheologie, vor allem ihre fehlende spekulative Grundlegung und systematische Durchdringung sowie die kasuistische Ausrichtung zu beheben. Doch das spannungsreiche Verhältnis von Glaube und Autonomie ist wohl nicht hinreichend geklärt, wenn die Vernunft selbst «als Wort Gottes» bezeichnet und umgekehrt der biblischen Offenbarung nur bestätigende Bedeutung beigemessen wird.

Etwas erfolgreicher haben sich auf protestantischer Seite *P. Tillich*, auf katholischer Seite *T. Steinbüchel* mit dem Problem einer Autonomie im christlichen Kontext auseinandergesetzt. Beide Lösungen sehen dabei ziemlich ähnlich aus. Referieren wir hier nur die Lösung von *T. Steinbüchel*: Danach besteht für den Glauben die Gefahr des Supranaturalismus, wenn die eigenständige sittliche Humanität nicht gewahrt wird; wird die Christianitas nicht gewahrt, besteht für die sittliche Humanität die Gefahr des Moralismus, weil in totaler Eigenleistung sittliche Perfektion angestrebt werden muß. Die Eigenwertigkeit des Sittlichen gegenüber Religion und Glauben wird anerkannt, aber sie bleibt relativ: «Bedeutet Autonomie freie persönliche Selbstentscheidung, so

---

12 Vgl. *A. Auer*, Autonome Moral und christlicher Glaube, Düsseldorf 1984^2, 223ff.

ist sie vor Gottes Willen und Gebot sittlich unentbehrlich.» Von daher kann es denn auch «keine Autonomie der Werte und ihres Sollens im Sinne einer letzten eigenen Selbstbegründung» geben. Zweifellos hat damit *T. Steinbüchel* die Diskussion um die Eigenwertigkeit der verschiedenen Kulturbereiche entschieden vorangetrieben. Er hat dabei aber offensichtlich zu wenig gesehen, daß das Sollen eine methodisch eigenständige Erkenntnis braucht, selbst dann, wenn man es im letzten auf Gott bezogen sein läßt. Es ist daher nicht erstaunlich, daß sich für *T. Steinbüchel* das Thema Sittlichkeit oft in der Beschreibung moralischer Phänomene erschöpft. Allerdings wurde damit eine positive Anerkennung vom Glauben unabhängiger Kulturbereiche möglich, denen man innerhalb von Kirche und Theologie bislang eher mit Skepsis begegnete.

4. Autonomie als Eigengesetzlichkeit

Ganz in dieser Linie liegt schließlich das *II. Vatikanische Konzil*, das den Begriff Autonomie positiv, aber eher in einem unspezifischen Sinn aufnahm. Da heißt es:

> «Wenn wir unter der Autonomie der irdischen Wirklichkeit verstehen, daß die geschaffenen Dinge und auch die Gesellschaft ihre eigenen Gesetze und Werte haben, die der Mensch schrittweise erkennen, gebrauchen und gestalten muß, dann ist es durchaus berechtigt, diese Autonomie zu fordern. Das ist nicht bloß eine Forderung unserer Zeit, sondern entspricht auch dem Willen des Schöpfers. Durch ihr Geschaffensein selber haben nämlich alle Einzelwirklichkeiten ihren festen Eigenstand, ihre eigene Wahrheit, ihre eigene Gutheit sowie ihre Eigengesetzlichkeit und ihre eigenen Ordnungen, die der Mensch unter Anerkennung der den einzelnen Wissenschaften und Techniken eigene Methoden achten muß.» (Gaudium et spes Art. 36)

Mit der Integration des Autonomiebegriffes an zentraler Stelle beabsichtigte das Konzil zweierlei: Einmal wollte sich das Vaticanum II den Erfahrungen der Neuzeit öffnen. Es wollte ein tiefsitzendes Ressentiment abbauen, das insbesondere darin bestand, man könne nur glauben, wenn man vorher ein «sacrificium intellectus» brächte. Eine Dualität der kirchlichen und weltlichen Ordnung, sofern sie über die Schöpfungsordnung aufeinander bezogen bleiben, ist durchaus legitim und theoretisch wie praktisch einzufordern. Darüber hinaus wollte man damit aussagen, daß die mittelalterliche Einheitsordnung für die ganze Welt aufgegeben wird, daß man keine klerikale Kultur mehr will, und daß der Glaube nicht mehr das Erkenntnislicht für alles und jedes in der Welt darstellt.

Es wird ein Schlußstrich unter jenen «religiösen Integralismus» (*K. Forster*) gesetzt, der sich aus der mittelalterlichen Gesellschaftsordnung in die Neuzeit fortsetzte und des öftern als Gegenbild gegen die eigenständige wissenschaftliche Forschung und gegen die eigenständige Ausgestaltung von Kultur und Gesellschaft empfunden wurde. Das Wort Autonomie[13] hat hier also nicht bloß einen strategischen, sondern auch einen systematischen Sinn: Die Eigengesetzlichkeit der irdischen Wirklichkeiten wird also nicht mehr theologisch auf Kirche bezogen, sondern auf Schöpfung. Autonomie bedeutet damit ekklesiale Selbstbescheidung, nachdem z. B. in der Lehre des päpstlichen Lehramtes oft eine originale Zuständigkeit der Kirche für die Wahrheit des Heils und für die Wahrheit der Welt betont worden war. Es wird darauf insistiert, daß Wahrheit und Gutheit im irdischen Bereich nicht erkannt werden können, wenn man nicht die «Methode» achtet, nach der die einzelnen Wirklichkeitsbereiche zu erkennen sind. Autonomie ist hier also ein Programmwort, das einerseits das Ernstnehmen der immanenten irdischen Wirklichkeiten mit den dazu gehörigen Wissenschaften signalisiert, das andererseits aber auch die Bereitschaft zum Dialog markiert.[14]

In der Schwebe blieb allerdings, inwieweit auch die Ethik eine eigenständige Wissenschaft ist, und was die für die Praxis geforderte Relation zum Schöpfer bedeutet. Es erstaunt nicht, daß gerade über diese Frage nach dem Konzil in der christlichen Ethik weiter nachgedacht wurde.

C. Grundzüge einer «autonomen Moral im christlichen Kontext»

Damit gilt es im folgenden, einige programmatische Punkte einer «autonomen Moral im christlichen Kontext» herauszuarbeiten, wie sie gegenwärtig von einigen Moraltheologen artikuliert werden. Innerhalb dieser Position werden die Akzente von einzelnen Autoren unter-

---

[13] Dieser Autonomiebegriff schließt eher an das Konzept R. Descartes an, der zwar auch das erkennende Subjekt zum Zentrum der Wirklichkeit setzt und sie anthropozentrisch umorientiert, aber insbesondere in der methodischen Loslösung der Erkenntnis von der Religion den Blick für die Eigengesetzlichkeiten der Wirklichkeitsbereiche von Wissenschaft, Politik und Kultur stärkt, die ohne die ihnen eigenen Methoden nicht richtig erkannt werden können.

[14] Vgl. *A. Losinger*, «Iusta autonomia». Studien zu einem Schlüsselbegriff des II. Vatikanischen Konzils, Paderborn 1989, 82ff.

schiedlich gesetzt und ständig differenziert; doch lassen sich Gemeinsamkeiten herausschälen, die sich von jener Position, die plakativ und häufig mißverständlich als «Glaubensethik» bezeichnet wird, abheben.

Man kann das Selbstverständnis heutiger theologischer Ethik, insofern sie durch die Rezeption der Autonomie-Vorstellung geprägt ist, etwa in folgenden Thesen skizzieren:

1. *Ethische Rationalitas als Humanitas*

Grundsätzlich ist zu vermerken, daß bei der theologischen Begründung des Modells einer autonomen Moral als Modell für eine christliche Ethik nicht einfach der Autonomiebegriff Kants übernommen wird, der im Bereich der praktischen Vernunft in einem präzisen Sinn als Prinzip der Autonomie allein die Form des Willens, d. h. die mögliche Allgemeinverbindlichkeit einer Willensentscheidung, gelten läßt.[15] Zunächst freilich wird der Autonomiebegriff, dies ganz im Sinne Kants, von der Autarkievorstellung streng unterschieden. Es geht also nicht um menschliche Selbstverfügung im Sinne der Selbstherrschaft. Der Formalismus der Kantschen Gesinnungsethik (den allerdings nicht alle Interpreten teilen) wird durch eine inhaltliche Tradition der Werte, Güter und Haltungen aufgefüllt, die im wesentlichen um die Menschenwürde und den personalen Status des Menschen kreisen. Autonomie meint in diesem Sinne nicht so sehr den Willen, der nach Maximen handelt, sondern meint vielmehr, daß der damit allgemein verbundene Anspruch in kommunikablen (moral-)theologischen Aussagen, angereichert mit anthropologischen Erkenntnissen, vermittelt werden muß. Dies heißt insbesondere, daß ethische Aussagen – auch im Bereich des Glaubens – propositionalen Charakter haben, daß sie kritisier- bzw. verteidigbar sind und der Begründung offen stehen.

Referenzpunkt ist hier *Thomas von Aquin*, nach dem die Sittlichkeit in dem «secundum naturam rationis», also in dem der Vernunftnatur des Menschen Gemäßen liegt. Damit arbeitet die Theologische Ethik – und darin liegt auch die Problematik – über eine integrierende Anthropologie: Wissenschaftlich-sittliche Erkenntnis ereignet sich in der andauernden Zusammenschau der Erkenntnisse der Human- und Sozialwissenschaften und der Einsichten der philosophischen Anthropologie, der reflektierten Erfahrung und der faktisch gelebten Überzeugung.[16] Aus dieser Zusammenschau entstehende Dringlichkeiten werden in die

---

[15] Vgl. Grundlegung zur Metaphysik der Sitten, Akad. Ausg. Bd. 4, 440.

[16] Vgl. *D. Mieth*, Moral und Erfahrung. Beiträge zur theologisch-ethischen Hermeneutik (= Studien zur theol. Ethik 2), Freiburg i. Ue. 1977^3, 23ff.

Sprache der ethischen Verbindlichkeit übersetzt. Damit versteht sich die Theologische Ethik für die konkrete Wahrheitsfindung eingebunden in die ständige Kooperation mit den empirischen Wissenschaften und den reflexiven Deutungen des menschlichen Daseins. Zu dieser integrierenden Methode haben meines Erachtens zwei Veranlassungen wesentlich stimuliert:

Zuerst die Erkenntnis, daß mit vielen sittlichen Urteilen auch Sachurteile verbunden sind. Man braucht nur etwa an den Streit um die Definition des Lebensbeginns oder an die Bestimmung des Existenzminimums im Zusammenhang mit der Verteilungsgerechtigkeit zu denken, um dies zu verdeutlichen. Sittliche Urteile sind, je konkreter sie sind, mit Sachurteilen gemischt, die unter die Autonomie der wissenschaftlichen Erkenntnis fallen. Eine Wesensbegründung konkreter Normen aus dem Worte Gottes ist damit letztlich gar nicht möglich. Und von daher ist es auch verständlich, daß Normen mit zunehmender Konkretheit und Inhaltlichkeit ebenfalls notgedrungen zunehmend «säkularer» ausfallen, so daß theologische Gesamteinstellungen gleichsam in «weltlicher» Transformation erscheinen.

Ein weiterer Grund ist die humanwissenschaftlich geprägte Veränderung der Anthropologie. Die verschiedenen Zugänge empirischer, praktischer und therapeutischer Erfahrung verdrängen die Vorstellung einer festgefügten methaphysischen Ordnung. Was das geglückte Menschsein ausmacht, kann nicht mehr in einer metaphysischen Ordnung, noch in einer Naturtheologie festgemacht werden. Dies weist sich offensichtlich in dem aus, was de facto mehr Menschlichkeit, Freiheit und Gerechtigkeit freisetzt. Dies ist allerdings ein Streit, der sich am jeweiligen Vorverständnis entscheidet. Die Tatsache, daß katholische Ethik weitgehend auf der Basis einer integrierenden Anthropologie arbeitet, macht eigentlich bereits deutlich, daß das theologische Autonomie-Modell in der Ethik nicht im Sinne einer spekulativen Begründung der Ethik zu verstehen ist. Vielmehr wird damit die Absicht verfolgt aufzuzeigen, daß die christlich verstandene Humanität, die als vernünftig ermittelte Humanität nicht niederdrückt und vermindert, sondern in ihre Evidenz erhebt.

2. Intensität der Humanitas

Sie geht davon aus, daß Gott den Menschen nicht erst erschaffen und ihm dann zusätzlich Weisungen durch die Wortoffenbarung für sein sittliches Leben gegeben hat. Vielmehr geht man theologisch davon aus, daß der Mensch von Gott so in Freiheit gesetzt ist, daß er die sittlichen Weisungen in geschichtlicher Erkenntnis in der geschaffenen Wirklichkeit erkennen kann. Die Erkenntnis und der Vollzug des Sittlichen sind freilich durch die Entordnung von Schuld und Sünde verdunkelt. Die christliche Botschaft zeitigt keine konkreten material-ethischen Weisungen im Hinblick auf das menschliche Verhalten aus; deren Findung ist Sache der gesellschaftlich-geschichtlichen Vernunft des Menschen. Wohl aber stellt die christliche Botschaft den Menschen in einen neuen Sinnhorizont. Durch die Wortoffenbarung gerät der Weg zur Sittlichkeit in ein deutlicheres Licht. Die Heilsaussagen über den Menschen und die sittlichen Weisungen des Evangeliums sind Einsatzzeichen.

Die dem Glauben eigene Sensibilität beispielsweise für die Gerechtigkeit ruft die Reflexion über die Gerechtigkeit hervor, in der sich die theologische Grundeinstellung sozusagen zu bewähren hat. Ethik steht so nicht neben dem Wort Gottes, sondern insofern unter dem Wort Gottes, als sie eine der ersten Freigelassenen der Offenbarung darstellt. Dies verhindert geradezu, daß sich religiöse Ethik in dem Sinne als «supra-human» versteht, daß sie rationaler bzw. begründender Argumentation nicht mehr offen stünde. Mit anderen Worten wird die theologische Ethik so zu einem Typus religiöser Ethik, der prinzipiell gerade nicht auf Unterscheidung von «Humanität» Wert legen muß. Der Akzent liegt auf der Intensität von Humanität. *A. Auer*[17] formuliert dies so:

> «Der theologische Sinnhorizont wirkt sich in einer doppelten Richtung aus: Für das konkrete Handeln ergeben sich aus dem Glauben spezifische Grundhaltungen, wie Glaube, Hoffnung und Liebe, die gerade nicht gesetzlich zu fassen sind. Für den Prozeß der Normfindung bringt es einen integrierenden, kritisierenden und stimulierenden Effekt, d. h. die christliche Botschaft ordnet die Bemühungen um besseres Menschsein auf das nur im Glauben einsichtige Ziel hin; sie deckt utopische und pessimistische Irrwege dieser Bemühungen kritisch auf; und schließlich drängt sie den Glaubenden über das in den Normen formulierte ethische Minimum zu hochethischen Gestaltungen des Menschseins voran.»

Damit ist gemeint: So sehr die Einordnung der sittlichen Autonomie in den theologischen Bezugsrahmen von Erlösung und Befreiung erkenntnistheoretische Folgen hat, so wenig kann man von einer theologischen Letztbegründung sittlicher Einzelurteile sprechen im Sinne der Begründung einer zureichenden Verbindlichkeit. Das sittlich Richtige ist in sich selbst auch ohne theologische Motivation und ohne theologischen Bezugsrahmen verbindlich. Wenn die theologischen Überlegungen sittliche Verbindlichkeiten verschärfen, dann geht es einerseits um die voll-

---

[17] Vgl. *A. Auer*, Hat die autonome Moral eine Chance in der Kirche?, in: *G. Virt* (Hrsg.), Moral begründen – Moral verkünden, Innsbruck/Wien 1985, 9 - 45, hier 14.

ständige sittliche Gutheit des Subjektes, die sich in entsprechenden Motivationen und Haltungen artikuliert, andererseits um die entschiedene Bedrängnis, das sittlich Richtige zu entdecken.

Insofern das christliche Ethos ein geschichtliches Ethos mit bestimmten Konturen darstellt, wird es sich allerdings de facto immer wieder auf die eine oder andere Weise von anderen Ethosformen unterscheiden, die in anderen Bezugssystemen verankert sind. In diesem Sinne ist das christliche Ethos durchaus kategorial zu begreifen. Es kann und wird sich von anderen Ethosformen immer auch unterscheiden, indem etwa die Option für die Würde der Entwürdigten, die Option für die Friedfertigkeit als prioritär zu ihrem Kernbestand gehörend zu betrachten ist. Eine andere Frage ist jedoch der theoretische Anspruch, daß sich christlich-sittliche Normen, wenigstens in bestimmten Bereichen, von menschlich verallgemeinerbaren Normen zu unterscheiden hätten. Dies ist nicht zuletzt aus theologischen Gründen zu bestreiten. An der theologischen Reflexion über die Menschwerdung wäre dies zu verdeutlichen. Darauf will ich hier weiter nicht eingehen. Um es konkret zu sagen: Die christliche Ethik unterscheidet sich demzufolge gerade von anderen religiösen Ethiken dadurch, daß sie Humanität als Kriterium der Sittlichkeit akzeptiert. Der Inhalt konkreter Sittlichkeit kann daher «de iure» kein rein theologischer sein. «De facto» ist es allerdings möglich, daß unter bestimmten soziohistorischen Bedingungen Einzelnormen differieren.

Um die Ethik als solche explizit an den Glauben zurückzubinden und um das «Spezificum christianum» zu verdeutlichen, wird von einigen Theologen der Begriff «theonome Autonomie» verwendet.[18] Damit soll die unaufgebbare göttliche Beanspruchung der Autonomie und deren Sinndeutung durch den Glauben markiert werden. Nun scheint mir diese Begriffsbildung äußert mißverständlich zu sein. Autonomie in einem spezifischen Sinne besagt, daß sich der Wille, gelöst von den heteronomen Bedingungen menschlicher Existenz, zum Gesetz, das er sich selbst gibt, hinbewegt, und daß dieser Wille selbst unter dem Gesetz steht. Nun bedarf aber Gott weder dieses Reinigungsprozesses, noch muß bei ihm die Selbstverbindlichkeit als Sollen erkannt werden. Deswegen scheinen mir die Begriffe Theonomie und theonome Autonomie ungeeignet zu sein, um die göttliche Beanspruchung der Autonomie zu verdeutlichen. Es genügt eigentlich, von einer theologischen Begründung der sittlichen Autonomie zu sprechen. Denn damit würden auch die Aussageintentionen in ihrer Verschiedenheit gewahrt. Autonomie zielt auf Selbstbestimmung und die Findung begründbarer sittlicher

---

[18] Vgl. *F. Böckle*, Theonome Autonomie, in: *J. Gründel* (Hrsg.), Humanum. Moraltheologie im Dienst des Menschen, Düsseldorf 1972, 17 - 42.

Urteile ab. Die Beanspruchung von seiten Gottes zielt auf die Heilsbedeutsamkeit dieser Autonomie ab, und meint nichts geringeres, als daß sich an der Autonomie, die sich an die Kriterien der Humanität bindet, Heil und Unheil des Menschen entscheidet.

D. Konsequenzen für eine Theologische Ethik

Gewiß zielt das Hören und Verstehen des Wortes Gottes auf die Praxis des Glaubens, und diese Praxis des Glaubens kann ohne Ethos nicht zureichend gedacht werden. So wie Jesu «neue Humanität» ihre Plastizität in einer kontra-faktischen Praxis gefunden hat, so hat sich der Glaube in der Praxis zu inkarnieren und dies oft gegen herrschende Üblichkeiten. Dennoch wäre es ein Mißverständnis, Glaubenssätze gleichsam als Indikative zu verstehen, die in ihrer praktischen Verbindlichkeit in ethische «Imperative» umzuwandeln sind. Darüber läßt sich im übrigen mit den exegetischen Wissenschaften Einigkeit erzielen.[19] Die paulinische Umsetzung des Indikativs in den Imperativ beispielsweise setzt voraus, daß die inhaltliche Bestimmung des Imperativs bereits eingesehen ist, aber unter den Glaubensvoraussetzungen eine andere Zuschärfung in dem von der Gnade getragenen Mitwirken mit der Gnade erfährt. Daß die Erfahrung menschlicher Kontingenz als Geschaffensein, die Erfahrung der Schuld als Sünde, das Bedürfnis nach dem Ganzen als Wunsch nach endgültiger Erfüllung theologisch zu erschließen sind, setzt noch einmal voraus, daß eine Verständigung über die Ethik möglich ist, die dann als solche unter Kreuz und Auferstehung Christi gestellt wird. Insofern scheint die Redeweise von der «umgewandten Dogmatik» (*J. S. Drey*) geeigneter zu sein, den systematisch theologischen Ort der Moraltheologie zu bestimmen, als eine aus der Dogmatik begründete Anwendung im Sinne einer Moraldogmatik zu urgieren. Heute würde man angesichts der Gemeinsamkeit der fundamentaltheologischen und moral-theologischen Probleme vielleicht besser von «umgewandter» Fundamentaltheologie sprechen. Gerade die fundamental-theologische Notwendigkeit eines «vernünftigen» Nachvollzuges der in der Teilhabe an der geschichtlichen Offenbarung erkennbaren Voraussetzungen findet ihre Bewährungsprobe in der Moraltheologie.

---

[19] Vgl. *R. Schnackenburg*, Die sittliche Botschaft des Neuen Testamentes I, Freiburg i. Br./Basel/Wien 1986, 17ff.

Was verändert sich durch das theologische Bezugssystem der Ethik und die neue motivierende Kraft, wie sie etwa von den Einsatzzeichen der Bergpredigt ausgeht? Mindestens drei Perspektiven[20] sind zu nennen: Zunächst verändert sich unter dem Worte Gottes der geschichtliche Entdeckungszusammenhang für das sittlich richtige Verhalten, der freilich nicht mit dem Begründungszusammenhang verwechselt werden darf. Im Lichte des Evangeliums werden die Elemente der sittlichen Erfahrung verstärkt: Die Elemente der Kontrasterfahrung, der Sinnerfahrung und der unausweichlichen Motivationserfahrung.[21] Die dem Glauben eigene ethische Sensibilität, etwa im Umgang mit dem beschädigten Leben, ruft sozusagen aus der Erfahrung die Reflexion hervor, in der sich die Grundeinstellungen des Glaubens auf dem Felde ethischer Argumentation zu bewähren haben.

Im Zusammenhang damit ist zweitens die Überwindung des «garstigen Grabens» zwischen der der Vernunft offenstehenden ethischen Richtigkeit und der praktischen Gutheit des Menschen zu sehen. Erst durch die Lehre von der Vollendung des sittlichen Aktes wird die Ethik vom auferlegten Sollen ins neu ermöglichte Können transformiert. Die christliche Ethik ist in diesem Sinne letztlich keine Sollensethik, sondern eine Könnensethik. Indem Zuspruch und Verheißung der Ethik vorausgehen, geht es nicht um die Fabrizierung der moralischen Welt, sondern um Ratifizierung derselben, die zuvor – allerdings nur der Glaubensüberzeugung zugänglich – ermöglicht ist.

Schließlich wird der Stellenwert der Ethik unter dem Worte Gottes spezifisch bestimmt: Ethik ist nicht das Letzte des Humanen, sondern das Vorletzte. Die Versöhnung des ethisch kontingenten und schuldhaften Menschen setzt gerade da an, wo die Ethik ex negativo die Heilsbedürftigkeit des Menschen ausweist. Daraus ergibt sich auch ein spezifisch christlicher Umgang mit der Ethik, der eine ethische Wertbestimmung des Menschen nicht an die Stelle der Wahrheit über den Menschen setzt, sondern in dem von Gott versöhnten Menschen mehr sieht als das Subjekt moralischer Kompetenz.

Das vom Wort Gottes ausgehende Erkenntnislicht erhellt die ethische Dimension des Menschen und leuchtet den ganzen Raum ethischer Verantwortung aus. Sowohl Gegenstände wie vernunftgesetzliche Dringlichkeiten verlieren dabei ihre eigene Dignität nicht. Daher kann sich eine Theologische Ethik auch von ihren Voraussetzungen her an

---

20 Vgl. *D. Mieth*, Theologie und Ethik. Das unterscheidend Christliche, in: *J.-P. Wils/ D. Mieth* (Hrsg.), Grundbegriffe der christlichen Ethik, Paderborn 1992, 209 - 224; *P. Knauer*, Der Glaube kommt vom Hören. Ökonomische Fundamentaltheologie, Freiburg i. Br., 1991, 204ff.; *F. Ricken*, Allgemeine Ethik, Stuttgart 1989².

21 Vgl. *D. Mieth*, Moral und Erfahrung, a. a. O. 120ff.

ethischen Diskursen beteiligen; sie braucht sich dem Anspruch an plausible, einsichtige und herrschaftsfreie Argumente nicht zu verschließen.

III. Die Bedeutung der Eschatologie für einen sozialtherapeutischen Ansatz der Theologischen Ethik[1]

An den Anfang der Ausführungen sei die etwas pauschal klingende These gestellt, daß in der sogenannten traditionellen Moraltheologie die Eschatologie eher ein Randthema als ein zentrales Prinzip theologisch-ethischen Denkens darstellt. Wenn auch in anderer Form, so leidet die Eschatologie in der Moraltheologie an ähnlichen Ausfallserscheinungen wie in der traditionellen systematischen Theologie, die in doktrinaler Manier im Traktat «de novissimis» die endzeitlichen Ereignisse, zumindest der Tendenz nach, dinghaft-objektivierend beschrieb.[2] In Entsprechung dazu erscheint in der Moraltheologie, besonders im Typus des Spätthomismus und der Neuscholastik, die Eschatologie überwiegend als formalisiertes, handlungspraktisch wenig relevantes Handlungsziel, besonders aber als forensisches Vergeltungsprinzip von Gut und Bös.[3]

---

[1] Dieser Aufsatz wird in diesen Band aufgenommen, weil er eine wichtige Etappe der moraltheologischen Reflexion im Umfeld der «Integrierungs-» und der «Modellethik» markiert. Mit dem Begriff «sozialtherapeutisch» sollte programmatisch deutlich gemacht werden, daß die Ethik als eine *Handlungswissenschaft* zu verstehen ist, die sittliches Denken und Handeln so miteinander in Beziehung setzt, so daß vorrangig die Umstände des Handelns in den Blick kommen. Methodisch steht dabei nicht die Sinnorientierung und die Entscheidungshilfe imn Vordergrund, sondern die Überprüfung der Maßstäbe unter der Bedingtheit gesellschaftlicher Determiniertheit und unter den Möglichkeiten gesellschaftlicher Veränderung. Deshalb sind die Human- und Sozialwissenschaften die «induktive Basis» dieser Ethik, deren Ergebnisse im Hinblick auf eine «Meliorisierung» verantwortlichen bzw. freiheitlichen Handelns genutzt werden. – In der Retrospektive zeigt sich nicht bloß, daß der Begriff «sozialtherapeutisch» nur unzureichend aus der begrifflichen Nähe der Individualpsychologie und der Moralpädagogik gelöst werden konnte, sondern auch, daß Intuition, Absicht und Inhalt dieses Ansatzes in ganz anderen Zusammenhängen viel schärfer und entschiedener artikuliert werden konnten, nämlich im Kontext der *Befreiungsethik.* In einem gewissen Sinne ist der «sozialtherapeutische Ansatz» eine Antizipation des Anliegens der Befreiungsethik, deren Überzeugungskraft gerade in der «parteilichen Relecture» gesellschaftlicher Verhältnisse bestand. Heute drängt sich in der theologischen Ethik eine Rekonstruktion der hier wie dort vorgebrachten Anliegen unter dem Leitbegriff «befreiende Ethik» auf. Am klarsten hat dies für den europäischen Kontext vielleicht *E. Schillebeeckx* gesehen: Weil Politik nicht alles ist. Von Gott reden in einer gefährdeten Welt, Freiburg i. Br. 1987 (Kap.: «Jesus und die Ethik der Welt der Menschen»).

[2] Vgl. *G. Greshake/G. Lohfink,* Naherwartung, Auferstehung, Unsterblichkeit, Freiburg i. Br. 1978[3], 12f. Diese Typisierung trifft mit Einschränkung für die Eschatologie des Spätmittelalters bis ins 19. Jh. zu.

[3] Zum Verhältnis Eschatologie - Moraltheologie vgl. folgende Werke: *C. E. Braaten,* Eschatology and ethics: Essays on the theology and ethics of the kingdom of God, Min-

Wenn *H. U. v. Balthasar* feststellt, daß «die Orthodoxie mit ihrem Glauben an die Auferstehung Christi und ihrem Vorschielen auf die künftige Auferstehung der Toten und transzendente Veränderung von Himmel und Erde immer den orthopraktischen Zugriff und die immanente Veränderung der Welt gehemmt (hat)»,[4] dann trifft dies in etwa auch und besonders für die eben angesprochenen Typen von Moraltheologie zu. Die Zukunftsgerichtetheit, näherhin Dominanz und Bestimmung der zukommenden Zukunft auf die Gegenwart, wie dies im Grunde einer biblischen Ethik entspräche,[5] wurde tendenziell durch Traditionsgebundenheit unterlaufen, durch Verlagerung des Heiles in die Innerlichkeit, durch kasuistische Verengung der Moralität und durch Denken in engen Zeiträumen, auch wenn die Hoffnung auf ein Jenseits, allerdings im Modus der Erwartungshaltung, bestehen blieb.[6]

In verschiedenen Anläufen wurde zwar die verengte traditions- und gegenwartsbezogene Moralität mit dem heuristischen Prinzip «Reich Gottes»[7] und «Nachfolge»[8] aufgebrochen. Aus Gründen, die hier nicht

---

neapolis 1974; *A. Hertz*, Gottesreich und Zukunft des Menschen. Das Eschaton zwischen Ideologie und Utopie, in: *A. Hertz* u. a.; Gottesreich und Menschenreich, Regensburg 1971, 129 - 148; *B. V. Johnstone*, Eschatology and social ethics. A critical survey of the development of social ethics in the ecumenical discussion, in: Bijdragen 37 (1976) 47 - 85; *R. Koch*, L'Eschatologie dans la théologie contemporaine. Son importance pour la théologie morale, in: Studia Moralia, vol. VIII, 1970, 271 - 317; *B. Stoeckle*, Unter dem Anspruch der Hoffnung. Anmerkungen zu einer eschatologischen Grundlegung der christlichen Ethik, Salzburg 1968; *D. Wiederkehr*, Die Kategorie der Eschatologie, in: Handbuch christlicher Ethik, hrsg. v. *A. Hertz/W. Korff* u. a., Freiburg i. Br./Basel/Wien 1978, Bd. I, 440 - 458.

4 *H. U. v. Balthasar*, Klarstellungen. Zur Prüfung der Geister, Freiburg i. Br. 1971, 172.

5 Dies gesehen und für die Ethik fruchtbar gemacht zu haben, ist u. a. das Verdienst von *W. Pannenberg*, Das Problem der Begründung der Ethik und die Gottesherrschaft, in: *Ders.*, Theologie und Reich Gottes, Gütersloh 1971, 63 - 91, hier 70: «Im Begriff des Guten liegt immer schon ein Bezug seiner Zukunft auf die Gegenwart des Menschen und der Welt, die des Guten bedürftig sind und denen es in Zukunft zuteil werden soll. Indem Gott nicht in isolierter Jenseitigkeit, sondern in der Zukunft seiner Herrschaft das höchste Gut ist, wird das Streben nach Gott als dem höchsten Gut umgewendet zur Welt hin, so wie Gott selbst die Verwandlung der Welt durch seine Herrschaft intendiert.» Weil geschichtstheologisch gesehen die Gegenwart von der Zukunft Gottes definiert und bestimmt ist, hat die Gegenwartsmacht der Zukunft Gottes auch ihre Relevanz für das ethisch bedeutsame Handeln des Menschen: In Entsprechung zum Handeln Gottes in und an der Welt hat sich menschliche Selbst- und Weltgestaltung aus Zukunft zu vollziehen.

6 Vgl. *B. Stoeckle*, Unter dem Anspruch, a. a. O., 7f.

7 Vgl. *J. B. Hirscher*, Die christliche Moral als Lehre von der Verwirklichung des göttlichen Reiches in der Menschheit, Tübingen 1851[5], 3: «Die christliche Moral ist die Lehre und Wissenschaft von der durch Christus vermittelten wirklichen Wiederkehr und Wiedereinsetzung des Menschen in die Kindschaft Gottes.» Allerdings hat J. B. Hirscher die methodischen Probleme, die sich für eine formale Normbegründung und für eine materiale Normgewinnung aus dem theologischen Gehalt «Reich Gottes» ergeben, zu wenig bedacht.

zu untersuchen sind, vermochten diese Ansätze die Moraltheologie nicht zu einer dynamischen Öffnung auf geschichtliche Zukunft hin und zu einer innovatorischen Praxis aus utopischer Zukunft zu befreien.[9] Hierzu bedurfte es der Anstöße von außen durch die verschiedenen säkularen Zukunftsutopien und der Anstöße der benachbarten dogmatischen Disziplin, welche die Eschatologie nicht nur als ein Thema der Theologie neben anderen betrachtet, sondern als Verweis- und Zuordnungsebene fast sämtlicher Themen.[10] Doch allein mit der Sensibilisierung für die eschatologische Dimension und mit dem gelegentlichen Aufgreifen solcher Aussagen ist der Status der Eschatologie für eine Theologische Ethik noch nicht geklärt, wie sehr auch die sog. politische Theologie auf eine eschatologisch-kontrafaktische Pragmatik insistiert. Die folgenden Überlegungen sind als ein Beitrag zur Klärung des Verhältnisses von Eschatologie und Theologischer Ethik zu verstehen, im speziellen von Eschatologie und dem sozial-therapeutischen Ansatz der Theologischen Ethik.

A. Eschatologie als Teleologie und ihre Verfestigung in der Naturrechtsordnung

Es wäre sicherlich zu eilfertig, wenn man von einem völligen Ausfall der eschatologischen Dimension in der Tradition der Moraltheologie sprechen würde, insbesondere wenn man die klassische Tradition der Summa theologiae eines *Thomas von Aquin* im Auge behält.[11] Die Aus-

---

[8] Vgl. *F. Tillmann*, Der Meister ruft. Eine Laienmoral für gläubige Christen, Düsseldorf 1937, 26: «Erst die Auferstehung von den Toten macht den irdischen Jesus zum erhöhten Christus und Herrn, Phil 2,9ff, dessen neu verklärte Seinsweise und Rückkehr in die Herrlichkeit Gottes, wie sie dem eingeborenen Sohn gebührt, sein Sein in uns und unser Sein in ihm, überhaupt die Vorstellung vom ‹Leib des Herrn› erst möglich macht. Sie wäre unvollziehbar, wenn nicht für den Gläubigen der erhöhte Christus in das gottgleiche Sein zurückgekehrt wäre ...»

[9] Es ist allerdings auch zu erwähnen, daß die Moralverkündigung der Urkirche bis über die Väterzeit hinaus, und dann die Tübingerschule (mit ihrem Einfluß auf einige Moraltheologen) die Botschaft vom Reich Gottes zum Zentralthema der Paränese und der Moraltheologie gemacht hat. Vgl. *A. Hertz*, Gottesreich, a. a. O., 132.

[10] Vgl. *D. Wiederkehr*, Perspektiven der Eschatologie, Zürich/Einsiedeln/Köln 1974, bes. 27f.; vgl. auch den Bericht von *U. Ruh*, Perspektiven der Eschatologie. Zur neueren Diskussion in der katholischen Theologie, in: HerKorr 33 (1979) 249 - 253. Ferner: *J. Moltmann*, Theologie der Hoffnung, München 1964 u. ö.; *J. B. Metz*, Zur Theologie der Welt, Mainz 1968; *Ders.*, Glaube in Geschichte und Gesellschaft, Mainz 1977[2]; *E. Schillebeeckx*, Gott – die Zukunft des Menschen, Mainz 1970[2]; *G. Greshake/G. Lohfink*, Naherwartung, Auferstehung, Unsterblichkeit, a. a. O.

[11] Vgl. *D. Wiederkehr*, Die Kategorie der Eschatologie, a. a. O., 442.

richtung auf das Endziel ist hier geradezu Strukturprinzip der Ethik, insofern alle menschlichen Handlungen auf ein letztes, transzendentes Ziel hin finalisiert und auf den Gehalt der «beatitudo» bezogen erscheinen. Dabei bleibt der Bezugsgehalt nicht einfach ausständige Größe, sondern ermöglicht im Präsens dem Menschen in den theologischen Tugenden ein korrespondierendes Handeln.[12] Wie sehr hier christlich-eschatologischer Gehalt auf die ethische Gestalt gebracht wird, so sehr bleibt der Gedanke der eschatologischen Qualifizierung natürlicher Handlungspotenzen im allgemeinen stecken.[13] Die damit behauptete umfassende Intentionalität des Seins und Tuns und die gnadenhafte Ermöglichung konkreter Handlungen ist zwar so gewahrt. Doch die Ermittlung von Handlungsregulativen bzw. Normen blieb – zu Recht oder zu Unrecht, das sei hier nicht entschieden – dennoch an die normative Vernunft und ihren «ordo» verwiesen, weil die umfassende Ordnungsvernunft Gottes – dem Menschen als Grund und Ziel eingestiftet – ihm gemäß seiner Ebenbildlichkeit eine daraus bestimmbare verantwortliche Selbstauslegung aufträgt. Die Eschatologie ist so Teleologie, wobei die Verheißung des Anfangs und die Verwirklichung des Endes den Prozeß des Werdens durchlaufen müssen, aber gerade um darin ihre Identität zu finden.[14] Die Teleologie erhält zwar damit den Charakter einer für Vollendung offenen Protologie, doch die Zielgabe «visio beatifica» bleibt bildlos abstrakt an das Individuum und seinen Intellekt gerichtet[15] und ist so für die konkrete Lebenspraxis wenig bedeutsam. Von dieser abstrakt gefaßten Zielbestimmung, die in dieser Prägung die leibliche und sozial-eingebundene Ganzheit des Menschen eher vernachlässigt, konnte im Sinne von *K. Mannheim* kein universaler, aus starker Utopie erwachsender Wille zur Geschichte und zu sozialer Selbsterwirkung ausgehen.[16] Die formalisierende und das Bildhafte reduzierende Teleologie ermöglichte kaum mehr die Darstellung des Möglichen im Wirklichen, um daraufhin handeln zu können.

Die Finalitätsstruktur des Ethischen und die Auslegung des Naturrechtes als Vernunftrecht garantierte noch eine gewisse Dynamik des Handelns und eine gewisse Offenheit für geschichtliche Zukunft. Erst die weitere Naturrechtsentwicklung innerhalb der Moraltheologie mit der Tendenz zur metaphysischen Auslegung der Seinsordnung brachte

---

12 Vgl. STh II-II, qq1-46.

13 Vgl. *F. Böckle*, Unfehlbare Normen?, in: Fehlbar?, hrsg. v. *H. Küng*, Zürich/Einsiedeln/Köln 1973, 280 - 304, hier 295.

14 Vgl. *M. Seckler*, Das Heil in der Geschichte. Geschichtstheologisches Denken bei Thomas von Aquin, München 1964, 53ff.

15 Vgl. STh I-II, q3, a5c: «Respondeo dicendum quod beatitudo magis consistit in operatione speculativi intellectus quam practici.»

16 Vgl. *K. Mannheim*, Ideologie und Utopie, Frankfurt a. M. 1969, 224f.

eine definitive Fixierung auf die Schöpfungsordnung. Die zunehmende Abkehr von der Vernunfts- zur starren Schöpfungsordnung leitete etwa mit *F. v. Vitoria, F. Suarez* und *G. Vasquez* eine Hypostasierung und Divinisierung der Schöpfungsordnung ein. Die inhaltlich vorgegebene und auf Unveränderlichkeit hin interpretierte Ordnung wurde schließlich Basis, aus der göttlicher Anspruch im Vorgang der Spekulation abgelesen und in konkrete Normen verfestigt wurde. Diese metaphysisch-essentialistische Auslegung der Schöpfungsordnung stellt, wie *J. Arntz*[17] überzeugend nachweist, eine Spätentwicklung der thomistischen Tradition dar. Diese undynamische Sicht zieht folgerichtig eine Verengung des Gedankens einer «Schöpfung im Werden» nach sich, aber auch den Ausfall der eschatologischen Perspektive, die gerade vor einer Perennisierung der Ordnung und vor einer ungeschichtlichen Absolutsetzung der Normen bewahrt hätte. Fast notgedrungen mußte eine solche Statik zur Verkennung oder zumindest Verengung der eschatologischen Dimension führen, so daß schließlich in der Neuscholastik, etwa bei *A. Vermeersch* und *B. H. Merkelbach*, der eschatologische Gehalt nur noch als «objectum materiale» und «objectum formale» des vernünftigen, gnadenhaft erhöhten Handelns erscheint.[18] Eine Ethik, welche die «necessitas materiae» zur Auslegungsregel menschlichen Handelns nimmt, verträgt sich nicht mit einer eschatologischen Perspektive, die Freiheits-, Vernunfts- und Heilsgeschichte in eine dynamische Bewegung bringt und Erreichtes – gerade aus dem Wissen der unvollendeten Endlichkeit – immer wieder der Bewährung aussetzt und auf das je Bessere aufbricht.

B. Der methodologische Status der Eschatologie innerhalb der theologischen Ethik

Wie sehr die Eschatologie in der moraltheologischen Tradition insgesamt nur noch in unbedeutenden Fragmenten vorhanden war, so sehr haben wir uns zunächst zu vergegenwärtigen, daß die eschatologische

---

17 Vgl. *J. Arntz*, Die Entwicklung des naturrechtlichen Denkens innerhalb des Thomismus, in: Das Naturrecht im Disput, hrsg. v. *F. Böckle*, Düsseldorf 1966, 87 - 120.

18 Vgl. etwa: *B. H. Merkelbach*, Summa Theologia Moralis, Parisiis 1942, tom. 1, 458. Die Eschatologie erscheint auch hier im Zusammenhang mit den theologischen Tugenden. Die Finalitätsstruktur der Ethik hat sich hier aber im wesentlichen auf die theologischen Tugenden verengt.

«Virtutes theologicae sunt principia operativa quibus immediate ordinamur ad Deum ut finem supernaturalem, ita ut per earum actus animae Deum finem supernaturalem immediate attingat eique coniungatur.»

Dimension bzw. die Zukunftsausrichtung in der Theologie inzwischen zur Dominante herangewachsen ist, sowohl als Formalprinzip «Zukunft» wie auch als Materialprinzip «Verheißung».[19] Programmatisch hat *J. B. Metz* in seiner «Theologie der Welt» formuliert:

> «Eschatologie darf in einer christlichen Theologie nicht nur regional sein, sie muß radikal verstanden werden: Als Form aller theologischen Aussagen.»[20]

Diese neugewonnene Dimension wirkt sich vor allem auf die theologische Anthropologie aus, insofern die ausständige Vollendung des Menschen und die zukommende Zukunft Gottes in den Blick kommen. Im Vordergrund steht der Mensch in seiner faktischen, geschichtlichen Situation unter dem Aspekt der ihm verheißenen Vollgestalt. Aus dieser Perspektive wird der in seiner Ganzheit erlöste und vom Tode befreite Mensch anvisiert. Die Erfüllung seiner interpersonalen Dimension, aber auch die Überwindung der sozialen Unrechts- und Unfreiheitsverhältnisse werden konkrete Ziele. Diese Optik profiliert die eigentliche, dem Menschen zukommende Bestimmung aus der verheißenen Zukunft für die Gegenwart, im geschehenen Heilsereignis Jesu Christi. Doch wie sehr christliche Welt- und Selbstdeutung und Gestaltung auf Zukunft ausgerichtet ist, so wenig weiß christliche Eschatologie über diese noch ausstehende Zukunft. Zumindest läßt sich das eine sagen: Insofern sich die Eschatologie über die Zukunft des Menschen ausspricht, in die er vom unbegreiflichen Gott selbst gerufen wird, meint sie den freien Menschen als Person, das raum-zeitliche, konkret-vernünftige, sozialgeschichtlich determinierte Wesen.[21] Obwohl zwar das Alte und Neue Testament und die kirchliche Lehrverkündigung vieles über diese Zukunft aussagen, kann damit nur der in all seinen Dimensionen zur Vollendung gelangende Mensch gemeint sein. Diese Vollendungsgestalt ist aber nach *E. Schillebeeckx*, *J. B. Metz* u. a. eher in einer «theologia negativa» zu ermitteln, d. h. aufgrund der Negation der Negativität und aufgrund der Steigerung der Positivität der christlichen Gegenwart. So heißt es etwa bei *E. Schillebeeckx*:

> «In seinem eschatologischen Glauben weiß (der Christ), daß der Gott der Verheißung das (voll und ganz Menschenwürdige) zugesagt hat, wenn er auch den Inhalt dieser Zusage nicht positiv formulieren kann.»[22]

Damit steht christliche Eschatologie in der Verlegenheit, Verheißungen vom ganzen und unzerstückten Menschen ins Spiel bringen zu müssen,

---

[19] Vgl. *D. Wiederkehr*, Perspektiven, a. a. O., 10.

[20] *J. B. Metz*, Zur Theologie der Welt, a. a. O., 83.

[21] Vgl. *K. Rahner*, Grundkurs des Glaubens. Einführung in den Begriff des Christentums, Freiburg i. Br./Basel/Wien 1976, bes. 414ff.

[22] *E. Schillebeeckx*, Gott – die Zukunft des Menschen, a. a. O., 163.

die entweder nur sehr formal oder in metaphorischen Vorstellungsbildern vom universalen Frieden, von universaler Gerechtigkeit und von der Zeit «ohne Trauer noch Klage noch Mühsal» (Offb 21,4) sprechen. Dieses voll und ganz Menschenwürdige, dieses «souhaitable humain», wie es *P. Ricoeur*[23] formuliert, kann nur als auslegende Antizipation in der Form der Steigerung dessen verstanden werden, was der Mensch von sich und seiner Gegenwart im Heil weiß. Dies erhielt allerdings seine Legitimation in der realen Vorwegnahme des endgültigen Heil-Seins in der Person Jesu, in der das Reich der uneingeschränkten Freiheit und Gerechtigkeit proklamiert und inauguriert wurde. Gehen wir hier von der Voraussetzung aus – sie ist für den Fortgang der Überlegungen nicht unwichtig –, daß christliche Eschatologie die Vollendung des einzelnen wie der Menschheit glaubt und die Rettung der Lebenden wie der Toten behauptet.[24] Die Probleme, die sich in bezug auf Vollendung und Verwirkung des Heiles, in bezug auf individuelle und universale Heilsvollendung usw. ergeben, können wir hier übergehen. Wenn dieses Theologumenon zum Zentralsten der Theologie gehört, dann muß es auch zum Zentralsten der Theologischen Ethik gehören. Damit stellt sich die Frage nach der ethischen Relevanz dieser Glaubensaussage.

Zunächst müssen jedoch einige methodische Überlegungen vorangestellt werden. Es ist das Verdienst der analytischen Ethik, so wie sie in der Theologischen Ethik rezipiert wurde, aufgezeigt zu haben, daß normative Sätze, welche die sittlich-verantwortliche Auslegung des Menschen verbindlich regeln, univoken Charakter aufzuweisen haben.[25] Handlungsregulative und damit deren Geltungsbereich müssen eindeutig und präzise formuliert werden. In einer analogen Fassung normativer Sätze würde erstens das Wesen der Sittlichkeit verkannt, insofern der Sollensanspruch zur verantwortlichen Auslegung des Humanum nicht mehr eindeutig in die geschichtliche Konkretheit hinein vermittelt werden könnte, und zweitens würde im Sinne von *I. Kant* der Anspruch der Universalisierbarkeit von Grundsätzen der Moralität verletzt, insofern die dem Tun und Lassen zugrundeliegende Willensbestimmung nicht mehr als streng allgemeines und universales Gesetz universaliter zustimmungsfähig wäre.

---

23 Zit. nach ebd. 162.

24 In diesem Rahmen kann diese eschatologische Aussage nicht weiter differenziert und begründet werden. Dies müßte in Auseinandersetzung mit den verschiedenen, teils divergierenden, teils konvergierenden Modellen (v. Balthasar, Rahner, Moltmann, Metz u. a.) geschehen. Vgl. dazu: *G. Greshake/G. Lohfink*, Naherwartung, Auferstehung, Unsterblichkeit, a. a. O.

25 Vgl. etwa: *B. Schüller*, Die Begründung sittlicher Urteile. Typen ethischer Argumentation in der katholischen Moraltheologie, Düsseldorf 1973, bes. 182ff. (im Zusammenhang mit dem Tötungsverbot); *F. Böckle*, Fundamentalmoral, München 1977, 292ff.

Ein Beispiel: Niemand wird bestreiten, daß die in den biblischen Zeugnissen dokumentierte Liebe Gottes zu den Menschen den Christen nicht auffordere, sich dem Nächsten gegenüber ebenso zu verhalten. In dieser Aussage wird das Wort «Liebe Gottes» im Vergleich zu menschlicher Liebe gebraucht, d. h. der richtige Umgang mit dem von Gott angenommenen und geliebten Menschen muß erst argumentativ erschlossen werden, denn es ist nicht von vornherein ausgemacht, worin soziale Liebe besteht und wie sie sich im sozialen Kontext auszulegen hat. Konkrete Normativität, die im transzendenten Zuspruch der Liebe Gottes gründet, muß demnach mit entsprechenden ethischen Methoden ermittelt werden, beziehe sie sich nun auf Förderung und Achtung der einzelnen Person oder auf Förderung und Herstellung humaner Sozial-Strukturen. Damit wird schon allein aufgrund einer formalen Überlegung deutlich, daß aus analogen Aussagen keine eindeutig-normativen Forderungen ableitbar sind. Dies schließt allerdings den Umstand nicht aus, daß solche Aussagen über das Wertfeststellungsurteil, in Rangierung und Zuordnung einzelner Werte zueinander nicht doch einen entscheidenden Einfluß ausüben können.[26]

Wir stehen mit der christlichen Eschatologie vor einem ähnlichen Dilemma: Erstens haben wir nie die abgeschlossene Totalität der Geschichte, sondern nur eine Rekonstruktion in Totalität vor uns. Die christliche Eschatologie steht bestenfalls unter dieser Bedingung geschichtlicher Rekonstruktion und ist so nicht imstande, einen konkreten Zukunftsentwurf zu eruieren. Und selbst wenn die Eschatologie um die in die Gegenwart drängende absolute Zukunft weiß und vielleicht die Armut ihres Wissens um die Zukunft gerade zu beteuern hat, bleibt diese absolute, geglaubte Zukunft doch Glaubensmysterium. Und zweitens: Auch wenn das eschatologisch Neue nicht bloße und leere Imagination ist, sondern sich in der Perspektive des Glaubens in Kreuz und Auferweckung Jesu legitimiert, so ist die in diesem Heilsereignis antizipierte Form der Totalität nur analog aussagbar. Daraus folgt, daß – selbst bei Annahme der eschatologischen Vollendung als Realutopie – aufgrund der glaubensmäßigen Analogie eschatologischer Aussagen aus der eschatologischen Perspektive keine Handlungsregulative direkt deduzierbar sind. Dies hat auch *A. Hertz,* allerdings ohne solche formalen Überlegungen anzustellen, gesehen, wenn er schreibt, «daß sich die moraltheologische Relevanz der Eschatologie nicht im Sinne von Geboten und Pflichten und damit nicht durch ein ‹System› sittlicher Normen ausdrücken läßt. Jeder Versuch, das radikale Anderssein ... der Botschaft vom Gottesreich ... in einen wie immer gearteten

[26] Diese These soll hier nicht weiter begründet werden. Vgl. dazu: *F. Böckle,* Fundamentalmoral, a. a. O., 294ff.

Pflichtenkreis einzubauen, muß notwendig scheitern ...»[27] Haben wir hier zu kapitulieren und der Eschatologie jegliche Bedeutung für eine Theologische Ethik abzusprechen? Wohl kaum. Denn dies widerspräche der ntl. Orthopraxie, welche das sittliche Handeln gerade an die Eschatologie zurückbindet.[28]

C. Die Funktion der Theologischen Ethik: Normbegründung und Ermöglichung verantwortlicher Lebenspraxis

Um auf diese Frage genauer eingehen zu können, muß vorgängig die Aufgabe der Theologischen Ethik genauer bestimmt werden. Man wird davon auszugehen haben, daß die Hauptaufgabe der Theologischen Ethik in der Begründung des Sittlichen «secundum naturam humanum»[29] besteht. Das Sittliche ist demnach die Verpflichtungsseite humaner Wirklichkeit, deren aufdrängende Dringlichkeit die normative Vernunft in ethische Verbindlichkeit erhebt. Weil und insofern es der Ethik in der Statuierung von Normen und im Vorgeben sittlicher Handlungsanleitungen um die Garantie und um die Evokation des Humanum geht, kann dies nur in der Rekonstruktion naturaler Bedingungen menschlicher Selbstauslegung geschehen. Normative Ethik ist deshalb geschichtliche und empirische Hermeneutik. Unter der Voraussetzung der These der relationalen Autonomie des Sittlichen beansprucht das Sittliche seine Eigenständigkeit gegenüber dem Glauben, bleibt ihm gegenüber aber nicht verschlossen, insofern seine Sinninterpretation die Aufdeckung und Begründung von Normativität ausübt. Hier wäre nun das Verhältnis von Eschatologie und normativer Ethik, etwa nach den Regeln der Theologischen Ethik, die sich als «Integrierungswissen-

---

27 *A. Hertz*, Gottesreich und Zukunft des Menschen, a. a. O., 138.

28 Vgl. *H. Merklein*, Die Gottesherrschaft als Handlungsprinzip. Untersuchung zur Ethik Jesu (= Forschungen zur Bibel Bd. 34), Würzburg 1978, 295: «Die eschatologische Begründung der Ethik Jesu bestimmt ihren radikalen Anspruch und ihren radikalen Inhalt. Der Wert menschlichen Handelns ergibt sich ausschließlich und allein aus seinem Ausgerichtetsein auf die Basileia ...» – Kritisch ist m. E. allerdings anzumerken, daß die Basileia nicht so sehr als Handlungsprinzip (= Norm) verstanden werden kann, sondern vielmehr – und dies gerade auch im Sinne von H. Merklein – als Sinn- und Motivationshorizont menschlichen Handelns, es sei denn, man verwende den Begriff «Handlungsprinzip» in der eher ungebräuchlichen Form der Meta-Norm. Dies wäre allenfalls bei der Begriffsbestimmung zu präzisieren, um Mißverständnisse auszuschließen.

29 Vgl. STh I-II, q18, a5c: «... bonum hominis est secundum rationem esse»; vgl. *A. Auer*, Die Autonomie des Sittlichen nach Thomas von Aquin, in: Christlich glauben und handeln, hrsg. v. *K. Demmer/B. Schüller*, Düsseldorf 1977, 31 - 54, hier 32ff.

schaft»[30] versteht, genauer zu bestimmen. Doch dies ist in diesem Zusammenhang nicht das unmittelbare Erkenntnisinteresse. Es sei vielmehr von der Feststellung ausgegangen, wie immer auch Sittlichkeit und Glauben einander zugeordnet werden, daß es der normativen Ethik um das sittlich Richtige geht. Das sittlich Richtige indiziert das Seinsollende und markiert das vor dem Menschen und für den Menschen verantwortete Orientierungsmaß sittlichen Handelns. Insofern die im Vorgang vernünftiger Argumentation ermittelten Normen über die Richtigkeit bzw. Falschheit ethischen Handelns befinden, zielen sie weniger auf die Lebenspraxis und deren Ermöglichung als vielmehr auf Einsicht und Befolgung ab.

Wenn nun die Hauptaufgabe der Theologischen Ethik in der Begründung des Sittlichen «secundum naturam humanam» besteht, dann ist ihre «Praxis die Ermöglichung des sittlichen Personseins, der verantwortlichen Trägerschaft».[31] Normative Gehalte richten sich an einen bereits schon entfalteten sittlichen Bewußtseinsstand. Ebenso sehr muß es der Ethik an der Ermöglichung der Befolgung und an der Ermöglichung der Korrektur der Wirklichkeit im Hinblick auf die Entfaltung des sittlichen Bewußtseins gelegen sein. Dieses Interesse liegt der normativen Fragestellung voraus, denn für ethisches Handeln muß oft erst durch Veränderung sozialer Dispositionen die Bedingung geschaffen werden. Beispielsweise haben die Forschungen von *J. Piaget*[32] über *E. Erikson*[33] zu *L. Kohlberg*[34] deutlich gezeigt, daß sich ein autonomes moralisches Bewußtsein erst dann herausbilden kann, wenn Handlungs- und Urteilskompetenz im Prozeß der Entfaltung auf einer nächst

---

[30] Vgl. dazu: *A. Auer*, Autonome Moral und christlicher Glaube, Düsseldorf 1971. A. Auer vertritt im Bereich der katholischen Theologischen Ethik die Integrierungsmethode am stärksten; *J. Gründel*, Die Bedeutung einer Konvergenzargumentation für die Gewißheitsbildung und für die Zustimmung zur absoluten Geltung einzelner sittlicher Normen, in: Wahrheit und Verkündigung (FS M. Schmaus), hrsg. v. *L. Scheffczyk* u. a., München/Paderborn/Wien 1967, Bd. 2, 1607 - 1630; *Ders./H. v. Oyen*, Ethik ohne Normen?, Freiburg i. Br. 1970. J. Gründel bezeichnet die Integrierungsmethode als Konvergenzargumentation. Die Tendenzgleichheit der Argumente ergibt die Basis für die Konstituierung ethischer Weisungen; *H. Ringeling*, Ethik als Integrationswissenschaft, in: Gesellschaft und Entwicklung 3 (1974) 84 - 94. Bei H. Ringeling wird die Theologische Ethik zur Integrationswissenschaft mit besonderer Kommunikationskompetenz; *D. Mieth*, Moral und Erfahrung. Beiträge zur theologisch-ethischen Hermeneutik (= Studien zur theologischen Ethik Bd. 2), Freiburg i. Ue./Freiburg i. Br. 1977, 23ff. Theologische Ethik ist hier Integrierungswissenschaft, insofern sie in einer kritischen Relation Teilbereiche in den Totalitätsaspekt des Glaubens einordnet.

[31] *D. Mieth*, Glaube, Dichtung und Moral. Studien zur Begründung einer narrativen Ethik (= Tübinger theol. Studien Bd. 7), Mainz 1976, 113.

[32] *J. Piaget*, Das moralische Urteil beim Kinde, Zürich 1954.

[33] *H. E. Erikson*, Identität und Lebenszyklus, Frankfurt a. M. 1966; *Ders.*, Kindheit und Gesellschaft, Stuttgart 1973[5].

[34] *L. Kohlberg*, Zur kognitiven Entwicklung des Kindes, Frankfurt a. M. 1974.

höheren Stufe zugemutet werden. Der Sozialisierungskontext und damit das Ensemble der Bedingungen für die Herausbildung selbständigen sittlichen Bewußtseins muß den Charakter der Begünstigung aufweisen. Eine Ethik, die nicht am Perfekten ansetzt und die moralische Wirklichkeit nicht am Prinzipiellen mißt, sondern vom Noch-nicht-Möglichen und vom Defekten ausgeht, unterscheidet sich grundsätzlich von einer normativen Ethik. Ihr Interesse ist sozial-therapeutisch, insofern sie auf Verbesserung und Meliorisierung der Bedingungen der Einwirkung des sozialen Selbst abzielt. Ihr Anliegen ist Steigerung des Geschehens, das nicht nur auf die Verbesserung des handelnden Subjektes, sondern auch auf seine Bedingungen eingeht. Verbesserung ist Steigerung und, im Sinne von *H. Rombach*, Hebung der Potenzen, Förderung eines Wachstums, mit dem gleichzeitig auch die Vorhaben zunehmen.[35]

Der sozial-therapeutische Ansatz der Theologischen Ethik, der hier nur in groben Umrissen vorgestellt werden kann,[36] läuft darauf hinaus, das Noch-nicht-Mögliche, das Defekte und das Versagen als Ort der Transformation zu sehen. Mit Defekten sind nicht so sehr Defekte der stigmatisierten sittlichen Person gemeint, sondern vielmehr Defekte der sozialen Interaktion, beschädigter und unterbundener menschlicher Möglichkeiten sozialer Strukturen, die sich der Genese des Personseins in den Weg stellen. Es ist nicht zu verkennen, daß diese Optik innerhalb der Entwicklung der Moraltheologie der letzten Jahre mit dem Akzent auf methodischer Klärung der Normbegründung und des moral-logischen Status sittlicher Urteile weitgehend ausfiel.[37] Wenn man jedenfalls die Strukturgenese der sittlichen Person beachtet, müßte sich die Theologische Ethik vielmehr als Möglichkeitsethik denn als Tatbestandsethik begreifen; im Vorgang der bewußten Erinnerung an beschädigte Lebenspraxis, an defiziente sozialmoralische Bedingungen und in

---

35 *H. Rombach*, Strukturontologie. Eine Phänomenologie der Freiheit, München 1971, 245ff. Am Entfaltungsgeschehen der Genese der Arbeit zeigt H. Rombach exemplarisch, worin Steigerung und Hebung der Potenz besteht. Auf diesen strukturontologischen Ansatz kann hier nicht weiter eingegangen werden, obwohl anhand dieser Theorie der sozial-therapeutische Ansatz entfaltet werden könnte.

36 D. Mieth hat diesen Ansatz in einem Grenzgebiet, nämlich dem des ethischen Modells aus der Dichtung thesenartig erarbeitet (vgl. *Ders.*, Dichtung, Glaube und Moral, a. a. O., bes. 219ff.) und dann auf das Feld der Moralpädagogik übertragen (vgl. *Ders./G. Stachel*, Ethisch handeln lernen. Zu Konzeption und Inhalt ethischer Erziehung, Zürich 1978, 158ff., 170ff., 178f.). In einer Studie zur speziellen Ethik habe ich diesen Ansatz weiter entfaltet und an einem Paradigma durchgeführt; vgl. *A. Holderegger*, Suizid und Suizidgefährdung. Humanwissenschaftliche Ergebnisse – anthropologische Grundlagen (= Studien zur theologischen Ethik Bd. 5), Freiburg i. Ue./Freiburg i. Br. 1979.

37 Dies ist keineswegs erstaunlich. Mit dem Zerfall der «alten Moral» und mit dem Geltendmachen des spezifisch Christlichen erfolgte innerhalb der Theologischen Ethik eine Verlagerung auf Legitimitätsfragen.

der Anwendung konkreter Strategien der Humanität müßte es ihr um die Hebung jenes Potentials gehen, das sich für die soziale Selbsterwirkung des sittlichen Personseins favorisierend auswirkt. Unter methodologischem Aspekt wäre davon auszugehen, daß Veränderung, Steigerung und Hebung unterdrückter Chancen in der sozialen Wirklichkeit im Hinblick auf die Moralitätsfähigkeit des Menschen zunächst Sache sozial-empirischer Analysen ist (etwa der Sozialpsychologie, Ethologie usw.). Sie haben die eingeprägten und angeborenen Bedingtheiten des Sittlichen zu ermitteln. Entsprechend ihrer Kompetenz benennen zwar die Erhebungen dieser analytischen Wissenschaften Ausfallserscheinungen und Bedingungen der Möglichkeit humaner Selbstentfaltung, aber nicht verbindliche Prioritäten derselben. Wenn die Theologische Ethik mit ihrem sozial-therapeutischen Ansatz Voraussetzung und Entfaltung freier Praxis intendiert, dann muß sie erstens die Analyse der Defizienzerscheinungen aufgreifen, zweitens mit Hilfe der verschiedenen sozial-empirischen und anthropologischen Zugänge die in der Praxis enthaltenen Möglichkeiten der Meliorisierung erkennen, und schließlich muß sie diese Chance als Förderungsgestalten konkreter Handlungsvoraussetzungen formulieren. Insofern sie im Durchgang durch Empirie und Anthropologie Werte feststellt, argumentativ begründet und sie endlich als verbindliche Prioritäten sittlicher Praxis wie normativer Überlegungen voranstellt, wird sie in einem eminenten Sinn sozial-therapeutisch wirksam.

Diese formalen Bestimmungen lassen sich leicht auf Themen der speziellen Moral anwenden. Beispielsweise wird bezüglich der Problematik des Schwangerschaftsabbruchs deutlich, daß normative Appelle an der Wirklichkeit vorbeigehen, wenn die Ethik nur am Erkennen des Richtigen und nicht auch an den Voraussetzungen des Tuns des Guten (an der vollendeten Moralität) orientiert ist. Diesen doppelten Gesichtspunkt haben einige evangelische Theologen in der Diskussion um den Schwangerschaftsabbruch exemplarisch berücksichtigt.[38] Auf einem anderen Feld, beispielsweise der suizidalen Lebensproblematik, läßt sich verdeutlichen, daß die vorrangige Aufgabe der Theologischen Ethik nicht in der Begründung des sittlichen Urteils gegenüber der Suizidhandlung bestehen kann. Weil in der Regel das sittlich richtige Handeln aufgrund eines eigengearteten psychischen Kräftespiels, angesichts der fast zwanghaft erscheinenden Unsinnigkeit und Sinnlosigkeit des Lebens eingeengt ist, hat die Theologische Ethik zu sehen, wie sie Werteinsichten dennoch plausibel vermitteln kann. Indem sie die suizi-

---

[38] Vgl. den Beitrag von *E. Jüngel/E. Käsemann/J. Moltmann/D. Rössler*, Annahme oder Abtreibung – Thesen zur Diskussion über § 218 StGB, in: Das Abtreibungsverbot des § 218, hrsg. v. *J. Baumann*, Darmstadt/Neuwied 1972², 135 - 148.

dale und im wesentlichen als soziale Beziehungsstörung interpretierbare Lebensproblematik aufgreift, Sinnerfahrungen des Glaubens von kritisch verstandener Solidarität und tätiger Hoffnung einbringt, stellt sie ihren sozial-therapeutischen Effekt unter Beweis.[39]

D. Der Vorgriff auf das richtige und gute Leben

Nun haben wir uns nach dem Beitrag der christlichen Eschatologie für einen sozial-therapeutischen Ansatz der Theologischen Ethik zu fragen. Um dieses Zueinander genauer klären zu können, muß kurz auf die neueren kommunikations-theoretischen Ansätze innerhalb der praktischen Philosophie zurückgegriffen werden. Diese Richtungen, etwa das konstruktivistische Modell der transsubjektiven Beratung (*Lorenzen, Schwemmer*), ferner *J. Habermas'* Theorie der herrschaftsfreien Kommunikation oder *K. O. Apel*s Modell der idealen Kommunikationsgemeinschaft, versuchen in der Form der Kommunikation normative Grundsätze von Recht und Moral zu begründen. Kommunikation gilt als Grundstruktur der Normbegründung. Die gemeinsame Überlegung mit dem erklärten Ziel, unter idealen Bedingungen einen Konsens zu finden, ist das normative Kriterium der sittlichen Richtigkeit für Forderungen von Moral und Recht. Dabei ist hier nicht zu entscheiden, ob diese Kommunikationstheorien als Begründungs- oder nur als Geltungs- und Konstitutionstheorien anzusehen sind.[40] Das eine dürften sie wohl gezeigt haben – und damit greife ich einen bestimmten Aspekt aus der ganzen Diskussion heraus –, daß erst die formale Vorwegnahme des idealisierten Gesprächs als einer in Zukunft zu realisierenden Lebensform Kommunikation und Konsensus ermöglicht.[41] Diese formale Vor-

---

[39] Vgl. *A. Holderegger*, Suizid und Suizidgefährdung, a. a. O., 254ff.

[40] Vgl. *O. Höffe*, Sind Moral- und Rechtsbegründung kommunikations- (konsens-, diskurs-)theoretisch möglich? – Einige Thesen, in: *Ders.*, Ethik und Politik. Grundmodelle und -probleme der praktischen Philosophie, Frankfurt a. M. 1979, 243 - 250, hier 245.

[41] Vgl. *J. Habermas*, Der Universalitätsanspruch der Hermeneutik (1970), in: *Ders.*, Kultur und Kritik, Frankfurt a. M. 1973, 264 - 301, hier 245; vgl. auch die vorbereitenden Bemerkungen zu einer Theorie der kommunikativen Kompetenz, in: *J. Habermas/N. Luhmann*, Theorie der Gesellschaft oder Sozialtechnologie, Frankfurt a. M. 1970, 101 - 141. – Wir wollen hier nicht entscheiden, ob sich die Theorien idealer Kommunikation, insbesondere in bezug auf den Vorgriff richtigen und guten Lebens in einem Begründungszirkel befinden. Es scheint, daß zumindest ein Teil der normativen und maßgebenden Momente, die zuallererst geprüft werden müßten, schon als gültig vorausgesetzt werden. Selbst wenn man zusätzlich ein Verfahren zur Begründung der Bedingungen idealer Kommunikation einführt, wie dies *O. Höffe* (a. a. O., 248f.) vorschlägt, so behalten m. E.

wegnahme ist eine regulative Idee, welche die Vorstellung richtigen und guten Lebens impliziert. Sie basiert auf einem kontrafaktischen Einverständnis, das die zu gemeinsamem Agieren Entschlossenen vorgängig verbindet. Diese Idee ist zwar nicht so sehr Antizipation konkret normativ geregelten Lebens, sondern vielmehr hermeneutischer Fixpunkt, der zu ständiger Korrektur der Verstellungen von Normativität und der Lebenspraxis anhält.[42] Es scheint, daß sittliche Lebenspraxis ohne diesen formalen Vorgriff überhaupt nicht möglich ist. Erstens entfiele sonst der generelle Maßstab, an dem wenigstens in allgemeinster Form falsches Einverständnis und falsche Praxis, sofern sie falsch sind, gemessen werden können. Zweitens verflachte schließlich die Permanenz des Willens zur Transformation. «Insofern muß sich kritisches Sinnverstehen» – so meint *J. Habermas* – «die formale Antizipation richtigen Lebens zumuten».[43] Diese hermeneutische Grunderfahrung ist für jedes Verstehen und Verändern geradezu konstitutiv, soll Erkenntnis und der daran gebundene Veränderungswille nicht selbst vom Faktischen, von Verblendungen und von Defizienzen vereinnahmt werden.

Von hierher ergibt sich ein Brückenschlag zur Eschatologie und zum sozial-therapeutischen Ansatz der Theologischen Ethik. Christliche Eschatologie behauptet ebenfalls einen Vorgriff auf richtiges und gutes Leben. Hier ist an das vorhin Gesagte zu erinnern. Der Unterschied besteht allerdings in der geglaubten Realität des in der Antizipation Behaupteten. Unter den Voraussetzungen der Richtigkeit kommunikations-theoretischer Überlegungen muß demnach in Entsprechung von eschatologischen Vorstellungen vom «neuen Himmel und der neuen Erde», vom geglückten Leben, das sich in den Hoffnungsbildern von der neuen Gottesstadt, dem himmlischen Jerusalem, wo Gerechtigkeit und Frieden herrschen, dem Gastmahl, das alle Menschen brüderlich vereint und alle Herrschaft von Menschen über Menschen entmachtet, ebenfalls ein Impuls ausgehen, ein Impuls, der auf das Gesamt der Lebenspraxis im Sinne der Hebung der Möglichkeiten der sittlichen Lebenspraxis abzielt. Es gilt nun, diese Funktion genauer zu bestimmen. Damit wird gleichzeitig das Verhältnis von Eschatologie und Sozialtherapeutik präzisiert. Dabei haben wir uns nochmals in Erinnerung zu rufen, daß die eschatologischen Gehalte in Analogie zur formalen Antizipation als hermeneutische Standpunkte verstanden werden müssen, von denen zwar keine konkreten Strategien der Humanität abzuleiten

---

die Theorien idealer Kommunikation zumindest als Konstitutionstheorien konkret zu regelnder Lebenspraxis dennoch ihre Gültigkeit.

[42] Vgl. *J. Habermas*, Der Universalitätsanspruch, a. a. O., 298.

[43] Ebd. 297.

sind, von denen aber effektivierende Momente auf Praxis und Strategie ausgehen.

E. Funktionen der Eschatologie

1. Die Eschatologie in ihrer maieutischen Funktion

Die Grundfrage der Hebung zurückbehaltener oder verschütteter Möglichkeiten in der vorfindlichen Wirklichkeit, die Grundfrage einer wie immer gearteten Lebensproblematik ist zunächst nicht eine Frage nach den richtigen Normen, sondern eine Frage nach den anthropologischen Leitbildern und Gesamtentwürfen. Zielvorstellungen menschlicher Identität haben produktiven und vorwärtsweisenden Einfluß auf die gesamte individuelle wie soziale Lebenspraxis, die nicht in der Einhaltung eines Normenkodex aufgeht. Hier wäre an *K. Mannheims* Utopiekonzept zu erinnern.[44] Gesamtentwürfe entbergen verschüttete und (noch) nicht praktizierte Möglichkeiten des Menschseins: Mangel und Chancen an Freiheit, Gerechtigkeit und Solidarität, und zwar durch die Herausforderung der spontanen Kreativität und der innovatorischen Kraft des sittlichen Willens und der praktischen Vernunft. Damit kommt einem integrativen Daseinsverständnis eine maieutische Funktion zu, im Modus der perspektivischen Freilegung des Besseren, aber auch durch die Aufbrechung festeingefahrener Verhaltensmuster. Christliche Eschatologie geht über den Weg der Theologie der Annahme des Menschen durch Gott, die in der Erlösungs- und Befreiungstat Christi ihren sichtbaren Ausdruck findet. Darin ist die Vollendung des einzelnen wie der Geschichte verbürgt. Wenn diese verbürgte und in der Person Jesu bereits vorweggenommene Vollendung nicht nur leere Imagination ist, dann erweist sich dieses Theologumenon als Erschließungsfaktor und als Sensibilisierungsmoment für Formen der Negation in der Wirklichkeit.

---

[44] *K. Mannheim*, Ideologie und Utopie, a. a. O. Es wäre lohnend, die verschiedenen Utopiekonzepte mit dem sozial-therapeutischen Ansatz zu verknüpfen. Anregungen wären zu gewinnen aus: *O. Bayer*, Rationalität und Utopie, in: WPKG 66 (1977) 140 - 153; *M. Demaison*, Die Wege der christlichen Utopie, in: Conc 6 (1970) 617 - 626; *G. Friedrich*, Utopie und Reich Gottes. Zur Motivation politischen Verhaltens, Schrobenhausen 1974; *H. J. Gerhards*, Utopie als innergeschichtlicher Aspekt der Eschatologie. Die konkrete Utopie Ernst Blochs unter dem eschatologischen Vorbehalt der Theologie Paul Tillichs, Gütersloh 1973; *W. Kasper*, Politische Utopie und christliche Hoffnung, in: Reformatio 21 (1972) 620 - 624; *H. Schneider*, Eschatologie und Politik, in: WoWa 28 (1973) 213 - 235.

«Korrektive übertreiben, um das als Gefahr oder auch als Not Gefühlte bzw. Gesehene zu verdeutlichen.»[45] Die praktischen Sozialwissenschaften, wie Psychiatrie und Sozialarbeit, wie überhaupt jedes individual- und sozial-therapeutische Engagement halten sich mit Recht an die als Mangelsituation empfundene Wirklichkeit im Hinblick auf die in ihr erkennbaren fruchtbaren Potenzen. Hierzu ist Fachkompetenz erforderlich. Im christlichen Kontext erscheinen jedoch verschuldete und unverschuldete Entfremdung als Kontrasterfahrungen zu den in der Gestalt Jesu neu eröffneten menschlichen Möglichkeiten. Jesu eschatologische Praxis ist eine Zumutung utopischen bzw. prophetischen Charakters, welche die Differenz von Faktischem und Möglichem besonders deutlich hervortreten läßt. Nicht der «totale Sprung» in die Existenz des eschatologischen Menschen, sondern die Konkretheit menschlichen Mißlingens und sozial unterdrückter Potenzen ist der Einstiegspunkt für verändernde und korrigierende Erinnerung unbeschädigten Lebens. Das Wissen um diese Wirklichkeit verhindert eine übereilte Versöhnung und Abfindung mit den «Verhältnissen». Solche Erinnerung durchbricht das herrschende Bewußtsein, das individuelles wie soziales Leid gern als Preis einer gesellschaftlich-geschichtlichen Evolution auf Kosten des Humanum zu zahlen bereit ist. Sie verhindert auch eine schleichende Anpassung des Lebensstils an schlecht und recht praktizierte Verhaltensmuster, die der Tendenz nach, und normativ vielleicht nicht faßbar, auf eine Einebnung des Subjektseins hinauslaufen. Der eschatologische Vorgriff hat sich überall da als Korrektiv zu bewähren, wo das Menschsein niedergehalten oder in Leidsituationen belassen wird. Die messianische Zukunft, die gerade mit radikal Neuem rechnet, müßte sich in einer eschatologischen Praxis und damit in einer höchst ethisch relevanten Haltung niederschlagen, die sich gegen eine vorgefaßte bürgerliche Zukunft und gegen eine Bestätigung der Zukunftsreichen dieser Welt richtet.[46]

3. Eschatologie und Motivbildung

Die normative Ethik hat Handlungsregulative diskursiv bzw. argumentativ zu begründen. Dabei sei mit *J. Habermas*[47] bezweifelt, ob in der ge-

---

[45] *J. B. Metz*, Glaube in Geschichte und Gesellschaft, a. a. O., 149.

[46] Vgl. *Ders.*, Messianische und bürgerliche Religion, in: Conc 15 (1979) 308 - 315.

[47] *J. Habermas*, Legitimationsprobleme im Spätkapitalismus, Frankfurt a. M. 1973^{3}, 162ff.

genwärtigen komplexen Gesellschaft die Motivbildung tatsächlich noch an rechtfertigungsbedürftige Normen gebunden ist. Das Recht, dies zu bestreiten, scheint mir nicht nur in der geistesgeschichtlichen Situation zu liegen, in der die «réalité morale» von den sozialintegrativen Bestandteilen der Gesellschaft weitgehend abgekoppelt ist, sondern das Recht, dies zu bestreiten, scheint mir auch mit einem methodischen Umstand gegeben zu sein, der eine Trennung von Normbegründung und Motivbildung nahelegt, allerdings unter einer bestimmten Voraussetzung. Die Legitimation von Normen ist im Kern eine Spezialisierung und Verfestigung von allgemeinen Motiven und Vorverständnissen, und sei es auch nur das allgemeinste und abstrakteste moralische Vorverständnis, daß der Mensch sich selbst verwirklichen soll. In Gesellschaften mit einem immanenten Wahrheitsbezug von Weltbild, Ordnungsformen und Herrschaftsordnungen ist der Motivbezug offensichtlich.

Die ungebrochene Dialektik von Gesamtsinn und geronnenem Teilsinn in konkreter Normativität reproduziert den Motivkomplex immer wieder neu. Und genau dieser Vorgang scheint heute nicht mehr gegeben zu sein. Zum Beispiel: Die Verarbeitung der Grundrisiken menschlicher Existenz (Einsamkeit, Krankheit, Tod), die grundsätzlich an Sinndeutung gebunden bleibt, ist vom normativen Angebot nicht zu leisten. Christliche Eschatologie ist ein Angebot, gerade aufgrund ihres integrativen Daseinsverständnisses, Kontingenzen, auch und gerade wenn sie nicht beseitigt werden können, zu deuten. Sinnversprechen ist Trostversprechen, das Beschädigtes nicht bloß ins Bewußtsein hebt, sondern auch erträglich macht. Am Feld der Grundrisiken menschlicher Existenz wird deutlich, daß es der Theologischen Ethik auch an der Motivbildung, an der Gewinnung von Haltungen gelegen sein muß, die nicht nur Kontingenzen des Lebens bewältigen helfen, die gleichzeitig auch die Stoßkraft bilden, Beschädigtes zu beheben. Starke Motivation kann schließlich im Sinne von *D. Sölle* zum einzig denkbaren Ziel heranwachsen, die Fesseln jeglicher Form der Verknechtung zu lösen.[48]

4. Eschatologie und Identitätsgarantie

Handlungs- wie Sozialtheorien gehen im allgemeinen davon aus, daß das Individuum Person ist und in einem intersubjektiven Beziehungs-

---

48 *D. Sölle*, Annäherung an ein christliches Verständnis des Leidens, in: Merkur 27 (1973) 392 - 403. Sie geht «von der Voraussetzung aus, daß die Aufhebung der Zustände, in denen Menschen durch Mangel und Herrschaft zum Leiden gezwungen werden, das einzig human denkbare Ziel ist», hier 393.

geflecht zu seiner Identität findet.[49] Christliche Eschatologie greift diese Zielbestimmung auf und betont den prozessualen Werdecharakter der Person, die sich als soziales Selbst konstituiert. Dabei weist sie aber gerade darauf hin, daß diese Identitätsfindung aufgrund des ursprünglichen und aller menschlichen Identitätssuche und -erwirkung vorausgehenden Zuspruches der Vollendung von seiten Gottes ermöglicht wird. Dies bedeutet zunächst, daß der allem menschlichen Handeln vorausliegende, göttliche Identitätszuspruch den Menschen durch Gefährdungen, Leid und Krankheit in seiner Würde und Einmaligkeit erhält, gerade weil die Identität ihm vor jeder Selbsterwirkung zugesprochen ist. Der Mensch ist in dieser Sicht nicht so viel wert, wie er durch eigene Leistung erbringt, sondern so viel, wie ihm an Eigenwert aufgrund der Annahme von seiten Gottes gegeben ist. Diese hier weiter nicht zu entfaltende Glaubenseinsicht eschatologischer Anthropologie ist im christlichen Kontext die eigentliche Motivation, das Subjektsein des Menschen nicht unterdrücken zu lassen, sondern das immer Bessere des Menschseins zu provozieren.

Wenn im christlichen Daseinsverständnis, durch die eschatologische Perspektive stimuliert, die unverlierbare Einmaligkeit des Subjektes im Zentrum steht und wenn dies nicht ein abstraktes Diktum bleiben soll, dann muß sich dieser Gedanke als höchst praktisch erweisen, indem er das gesellschaftlich-geschichtlich verfaßte Menschsein nicht überspielt, sondern in Situationen von Gefährdung und Bedrohung, von Defizienz und Mißlingen Bedingungen des Personseins hervortreibt. Der Gedanke der Einmaligkeit menschlicher Person, ihre vom Menschen nicht selbst herstellbare Garantie, kann sich so nur als Förderungsmotiv für humane Strategien auswirken, die sich um das Gelingen des Menschseins bemühen.[50]

---

[49] Vgl. etwa *K. Raiser*, Identität und Sozialität. G. H. Meads Theorie der Interaktion und ihre Bedeutung für die theologische Anthropologie (= Gesellschaft und Theologie. Abteilung sozial-wissenschaftlicher Analysen Bd. 4), Mainz/München 1971.

[50] In einer letzten Überlegung müßte hier vom handelnden Subjekt in der Perspektive einer eschatologisch orientierten Ethik gesprochen werden. Denn der universalen eschatologischen Vollendung entspricht eine universale Verantwortung, die in der qualitativen Neubestimmung des Subjektes der Freiheit gründet. Sittliche Verantwortung hat sich so nicht bloß im individuellen Feld der sittlichen Bewährung zu realisieren, sondern mehr noch in den komplexen Strukturen gesellschaftlicher Wirklichkeit (erinnert sei etwa an die politisch-ökonomischen Probleme, die sich aus dem Nord/Süd-Gefälle ergeben). Eine zeichenhaft, fragmentarisch-antizipatorische Verwirklichung der eschatologischen Verheißung ist nur möglich über ein Subjekt, das sich seiner Bestimmung und Verantwortlichkeit bewußt ist. Dieses Subjekt darf aber wiederum nicht in seiner Vereinzelung gesehen werden, denn es kommt erst in der Gemeinschaft der Glaubenden, der Kirche, zu seiner vollen Geltung. Damit wird der einzelne in Gemeinschaft und die Gemeinschaft im einzelnen zum Träger eschatologischer Zeugenschaft und Veränderung. Von hierher gesehen ist es denn auch richtig und notwendig, von der Kirche als «gesellschaftskritischer

Damit ist der Kreis der Überlegungen geschlossen. Ich bin von den eschatologischen Ausfallserscheinungen in der Moraltheologie ausgegangen. Im Fortgang der Überlegungen wuchs die Einsicht, daß sich Theologische Ethik nicht allein mit Legalitätsfragen zufrieden geben kann. Sie muß auch an den Bedingungen des Tuns von Moralität interessiert sein. Diese Einsicht führte zur ansatzweisen Begründung des sozial-therapeutischen Status der Theologischen Ethik. Ihre Aufgabe kann nicht so sehr in der Konstituierung eigener therapeutischer Konzepte bestehen. Im Aufgreifen von Defekten liegt ihre Stärke, im Vermitteln von Werteinsichten ihre Effizienz, im Vermitteln der eschatologischen Vorstellung vom guten und richtigen Leben ihre Evokation.

> «Ich glaube, daß alle Vorschriften unserer Moral Zugeständnisse an eine Gesellschaft von Wilden sind. Ich glaube, daß keine richtig sind. Ein anderer Sinn schimmert dahinter. Ein Feuer, das sie umschmelzen sollte. Ich glaube, daß nichts zu Ende ist. Ich glaube, daß nichts im Gleichgewicht steht, sondern daß alles sich aneinander erst heben möchte. ... Die Moral, die uns überliefert wurde, ist so, als ob man uns auf ein schwankendes Seil hinausschickte, das über einen Abgrund gespannt ist ... und uns keinen anderen Rat mitgäbe als den: Halte dich recht steif! Ich bin, wie es scheint, ohne mein Zutun mit einer anderen Moral geboren worden. Du hast mich gefragt, was ich glaube! Ich glaube, man kann mir tausendmal aus den geltenden Gründen beweisen, etwas sei gut oder schön, es wird mir gleichgültig bleiben, und ich werde mich einzig und allein nach dem Zeichen richten, ob mich seine Nähe steigen oder sinken macht. Ob ich davon zum Leben geweckt werde oder nicht.»[51]

R. Musil bestreitet hier nicht das Recht einer Vernunftmoral. Er fordert nur, daß Religion und Moral den hebenden und bewegenden Charakter der Lebenserweckung enthalte. Müßte es der Theologischen Ethik nicht gerade auch darum gehen?

Instanz» (J. B. Metz) zu reden, unter dem Vorbehalt, daß sich die Kirche selbst immer wieder unter die Krisis eschatologischer Entschiedenheit stellt. Vgl. *D. Wiederkehr*, Die Kategorie der Eschatologie, a. a. O., 456ff.

51 *R. Musil*, Mann ohne Eigenschaften, hrsg. v. *A. Frisé*, Sonderausgabe, Hamburg 1970, 770.

IV. Der theologisch bestimmte Mensch

A. Die Eigenart theologischer Aussagen

Fragt man in der systematischen Theologie nach dem Menschen, so stößt man jedenfalls in der katholischen Tradition nicht auf einen geschlossenen und in sich abgerundeten Traktat über den Menschen, sondern auf eine Vielzahl von Aussagen über den Menschen. Sie sind auf einzelne Traktate der Schöpfungslehre, der Gnadentheologie, der Eschatologie usw. verstreut. Auf den ersten Blick erscheint dieser Umstand um so befremdlicher, als seit der Neuzeit in den Wissenschaften im letzten der Mensch nach dem Menschen fragt, insofern die Selbstaufklärung des Menschen als erkenntnisleitendes Interesse im Hintergrund allen Forschens und Wissens steht. Während also die Anthropologie im Laufe der Neuzeit mit dem Zusammenbruch der geistigen und politischen Ordnungen immer deutlicher als eigentliches Thema in den Vordergrund rückt,[1] scheint die Theologie nicht an diesem Prozeß zu partizipieren.[2]

Wie richtig zwar diese Feststellung zu sein scheint, wir finden in der theologischen Tradition immer wieder Grundformeln, welche die theologische Wahrheit über den Menschen auf den Begriff bringen. *M. Luther* etwa erkennt in der «Disputation über den Menschen» in der Formel: «Der Mensch ist ein gerechtfertigter» den Kern aller theologischen Wahrheit über den Menschen.[3] Und in einer leicht abgewandelten Form kennt die katholische Theologie die Formel: «Der Mensch ist Ebenbild Gottes» und bringt damit zum Ausdruck, daß der Mensch ein Gott Bedürftiger, ein durch Gott Ausgestatteter und ein zu Gott Berufener ist. Obwohl an diesen Grundformeln unterschiedliche Akzentsetzungen deutlich werden, ist ihnen aber dennoch eines gemeinsam: Es sind keine Sachaussagen, welche das faktische Wissen um den Men-

---

[1] Vgl. *H.-G. Gadamer/P. Vogler* (Hrsg.), Neue Anthropologie, 7 Bde., 1972 - 1975; *H. Rombach* (Hrsg.), Die Frage nach dem Menschen (FS für M. Müller), Freiburg i. Br./ München 1966; *M. Landmann*, Fundamental-Anthropologie, Bonn 1984².

[2] Vgl. *W. Kasper*, Das theologische Wesen des Menschen, in: *Ders.* (Hrsg.), Unser Wissen vom Menschen, Düsseldorf 1977, 95ff. Ein Versuch, dieses Defizit aufzuholen, ist: *K. Rahner*, Grundkurs des Glaubens. Einführung in den Begriff des Christentums, Freiburg i. Br. 1976 u. ö.; hierzu vgl. *P. Eicher*, Du sollst dir kein Bildnis machen. Möglichkeiten und Grenzen theologischer Anthropologie heute, in: *G. Bitter/G. Miller* (Hrsg.), Konturen heutiger Theologie, München 1976, 21 - 44.

[3] Vgl. *G. Ebeling*, Lutherstudien, Bd. II, Disputatio de homine, Tübingen 1982.

schen erweitern, sondern Sinnaussagen, die verdeutlichen wollen, was den Menschen unbedingt angeht, oder klassisch formuliert: Die Aussagen versuchen auf das: Woher, Wohin und Wozu des Menschen eine Antwort zu geben. Mit anderen Worten: Sie thematisieren die Frage nach dem Menschen über alle Sach-Dimensionen hinaus. Indem jene Grundformeln das sachhafte Verstehen des Menschen in den großen Zusammenhang des Woher und Wozu stellen, sind sie in ihrem Grundgehalt nicht als zusätzliche Aussagen zu verstehen, die einfach additiv zu den Aussagen der profanen Anthropologie und Erfahrung hinzukommen.[4]

Hier zeigt sich gleich noch eine Eigentümlichkeit. Insofern diese Grundformeln die theologische Wahrheit über den Menschen zum Ausdruck bringen wollen, beziehen sie sich auf Texte, ohne die solche Aussagen nicht möglich wären. Sie orientieren sich an einem menschlichen Selbstverständnis, wie es in den Texten der Bibel ursprünglich zur Sprache gekommen ist. Damit ist für die christliche Theologie ein innerer und notwendiger Zusammenhang gegeben, der konstitutiv in das theologische Reden über den Menschen eingeht. Eine theologische Bestimmung über den Menschen gibt es nur, wenn und insofern sie sich in ihrer Sachgemäßheit an der Schrift selbst ausweist. Aber gerade die Geschichtlichkeit und die Vielfalt dieser Aussagen selbst hält an, das Verhältnis Gott-Mensch für die je eigene Zeit verständlich und verbindlich zu formulieren. So wie die angeführten Grundformeln in äußerster Kürze und Prägnanz auf dem Hintergrund der biblischen Tradition den Menschen für ihre Zeit theologisch definieren, so müssen auch wir für uns heute Verdeutlichungen finden, die unserem Verständnishorizont entsprechen.

B. Die theologische Grundthese

Das fundamentale Interesse des Menschen an sich selbst, d. h. das Interesse, das Ganz- und Heil-Sein zu finden, ist theologisch nicht belanglos. Das Christentum versteht sich selbst als eine Botschaft vom Heil des Menschen, denn es zielt gerade dahin, daß Gott in seiner unbezüglichen Souveränität Inhalt und Mitte menschlicher Existenz ist. Insofern hebt die Geschichte Gottes mit den Menschen auf den ganzen und unzerstückten, geglückten und in sich ungeteilten Menschen ab. Seit der christliche Glaube die Inkarnation, also das Bekenntnis, daß Gott sich

---

[4] Vgl. *K. Rahner*, Ansatz einer theologischen Anthropologie, in: CGG, Bd. 24, 14 - 55.

den Menschen in seinem Sohn zu eigen gemacht hat, ins Zentrum gerückt hat, kommt die Theologie gar nicht mehr umhin, die Frage nach dem Menschen als fundamental zu betrachten. Gerade weil die Theologie damit zu verstehen gibt, daß es bei der Sache Gottes unmittelbar immer auch um die Sache des Menschen geht, ergibt sich eine Notwendigkeit, dies zu tun. «Es zeigt sich also: Will man von Gott reden, so muß man offenbar von sich selber reden.»[5] Dieser Bultmannsche Programmsatz weist nachdrücklich auf die innere und notwendige Verknüpfung von Theologie und Anthropologie hin.

Am entschlossensten und konsequentesten hat dieses Programm *K. Rahner* durchgeführt. Nach ihm gibt es «keinen Gegenstandsbereich (mindestens seit der Menschwerdung des Logos), der nicht formell (und nicht bloß indirekt und reduktiv) in die theologische Anthropologie hineingezogen wäre. Das macht die Eigenart einer solchen Anthropologie aus: Sie ist auch das Ganze der Theologie.»[6] Dort, wo es um die Sache des Menschen geht, ist auch der umfassende Ort aller Theologie. Die Gründe, die *K. Rahner* zu einer solchen Konzeption geführt haben, sind unschwer zu erkennen. Es gibt dafür äußere und innere Gründe: Er ist zunächst der Überzeugung, daß heute eine Theologie «von oben», die keine Anknüpfungspunkte beim Menschen selbst hat, nicht mehr möglich ist und nicht mehr genügt. Der Anspruch und die Bestimmung des Glaubens muß dem Menschen menschlich vermittelt werden, weil nicht unvermittelt auf überzeitliche Wahrheiten zurückzugreifen ist, denn es muß zu dem im Glauben Gemeinten hingeführt werden. Dahinter verbirgt sich auch die theologische Grundüberzeugung, daß die heutige weltliche und pluralistische Welt nicht einfach als Abfallsgeschichte vom Christentum zu betrachten ist. Sofern in ihr Heil und Befreiung am Menschen geschieht, ist es immer auch schon Verwirklichung der Intention Gottes mit dem Menschen. Wo immer in der konkreten Geschichte Unheilssituationen beseitigt werden, geschieht dies im Bannkreis der Offenbarung. *K. Rahner* ist weit davon entfernt, in einer Falschmünzerei die Tradition des Glaubens nach dem Zeitgeschmack umzuprägen. Denn das theologische Interesse, welches die Vision des Glaubens zu verstehen sucht, ist nicht von der neutralen Frage geleitet: «Wer ist der Mensch?» oder «Was ist der Mensch?», sondern von der Betroffenheit der Erfahrung: «Wer ist der Mensch, daß du seiner gedenkst?» (Ps 8,5): Es ist der Mensch in Relation zu seinem Gott. Und hier kommt das umfassende Vorverständnis ins Spiel. Die Menschwerdung Gottes geschah und erfolgte um des Menschen willen – nicht zum Zweck der Vermehrung des Wissens, sondern zur Ziel-

---

5 *R. Bultmann*, Glauben und Verstehen, Bd. I, Tübingen [7]1972, 28.
6 *K. Rahner*, Art. «Theologische Anthropologie», in: LThK[2], 618.

bestimmung seiner Existenz. Deshalb gehört der Mensch in den Bereich und Horizont der Offenbarung, und zwar nicht zufällig und äußerlich, sondern ursprünglich und von ihrer Mitte her und nicht als auswechselbarer Inhalt, sondern als umfassende Bestimmung. Wenn die Offenbarung, wie sie in den biblischen Schriften bezeugt ist, einen so umfassenden und einen so existenzbestimmenden Bezug zum Menschen hat, dann gibt es notwendigerweise einen wesenhaften und existentiellen Bezug des Menschen zur Offenbarung. Offenbarung ist um des Menschen willen.

Damit sind theologischerseits zwei materiale, inhaltliche Entscheidungen gegeben: Erstens geht die Rede vom gottentsprechenden und gottbezogenen Menschen über das hinaus, was der Mensch durch Analyse seines Daseins über sich selbst in Erfahrung bringen kann. Diese Rede ist angewiesen auf einen Gott, der sich nicht in Schweigen hüllt, sondern sich mitteilt. Die Rede vom Menschen, der auf Gott bezogen sein soll, schließt in sich bereits eine materiale Entscheidung über das Wesen des Menschen ein, der, noch bevor er selbst redet, ein zum Hören bestimmtes Wesen ist.

Der Mensch ist über das hinaus, was er sich selbst zu sagen hat, zum Hörer einer möglichen Mitteilung Gottes definiert.[7] In einer noch sehr formalen Bestimmung des theologischen Wesens des Menschen wird also gesagt, daß über die Selbsterfahrung hinaus, die der Mensch mit sich selbst macht, noch einmal eine Erfahrung, d. h. eine mit Gott, dem Menschen zugemutet wird. Es ergeht an ihn die Zumutung der Erfahrung, daß er angesprochen wird. Dies ist vor aller inhaltlichen Bestimmung des theologischen Wesens vom Menschen eine grundlegende Definition: Der theologische Mensch ist grundsätzlich bereit, nicht bloß das als Antwort entgegenzunehmen, was er aus sich, aus Erfahrung und aus der Analyse seines Daseins weiß, sondern auch das, was möglicherweise der sich mitteilende Gott an ihn heranträgt und verlauten läßt. Auf dieser Ebene ist allerdings über das Faktum und den Inhalt einer möglichen Botschaft noch nichts ausgesagt.

Eine zweite inhaltliche Entscheidung ist gegeben: Wenn und insofern die Offenbarung mit dem konkreten Menschen zu tun hat, dann ist die christliche Botschaft, die auf den hörenden Menschen auftrifft, nicht etwas Fremdes und Äußeres, sondern die Erwartung und Interpretation des Innersten der menschlichen Existenz. Wenn also diese Botschaft nichts Fremdes an den Menschen heranträgt, sondern ihn in der letzten Tiefe seiner Existenz treffen soll, dann muß sie ihm in der Suche nach einer neuen Menschlichkeit eine Antwort geben, die es allen erlaubt, unbeschädigter und besser zu leben. Die Antwort Gottes schreibt sich

---

[7] Vgl. *K. Rahner*, Schriften zur Theologie, Bd. XII, Zürich/Einsiedeln/Köln 1975, 403.

in den Rahmen konkreter Unheilserfahrungen und Unheilserwartungen ein. Die Antwort nach Heil und Befreiung und nach Menschlichkeit, die es erlaubt zu leben, muß in jene Situation auftreffen, die gezeichnet ist von Desintegration, von Entfremdung und vielen Formen menschlicher Verletzung und Schädigung.

Diese Forderung ergibt sich nicht bloß auf dem Hintergrund der drängenden Zeichen der Zeit, sondern sie entspricht zutiefst der biblischen Botschaft: Denn schon für das Alte Testament ist es wesentlich, daß Gottes heilvolle Selbstmitteilung an den Menschen sich welthaft-konkret, d. h. in sichtbaren Zeichen und Kontexten vermittelt. So wird z. B. die Erwählung Israels durch Gott im Exodusgeschehen sowie in den übrigen geschichtlichen Heilsereignissen zeichenhaft erfahrbar. Ähnliches gilt auch für das Leben und Wirken Jesu. Das Reich Gottes, das Jesus verkündigt hat, hat nicht das individualistische und spirituelle Verhältnis des Menschen mit seinem Gott zum Inhalt, nicht die verborgen-intime Erfahrung der Seele mit Gott, sondern es bedeutet: Freiheit der Gefangenen, Freude für die Trauernden, Hoffnung für die Kranken, Einsamen und Verzweifelten. Das heißt: Das «vertikale» Kommen Gottes in diese Welt wird in veränderten, gelingenden Beziehungen zeichenhaft-sichtbar und konkret-wirklich. Die Einheit von Gottes- und Nächstenliebe, von der in der Verkündigung Jesu die Rede ist und so wie sie in seinem Verhalten sichtbar wird, weist auf das Gleiche hin: Die heilvolle Beziehung zu Gott, die Liebe von Gott her konkretisiert sich wesentlich in der Bekehrung und in der Hinkehr zum Nächsten, im neuen versöhnten Verhältnis mit den anderen.

Ziehen wir hier eine kurze Zwischenbilanz. Das Christentum versteht sich selbst als Botschaft vom Heil des Menschen, nicht eines Heils, das dem Menschen innerlich und jenseitig zugesagt ist, sondern das konkret-welthaft ist. Hier bleibt allerdings noch nachzutragen, daß diese Sicht der Theologie so nicht immer gegeben war, sondern insbesondere erst in den letzten Jahrzehnten diese Verdeutlichung erfuhr. Etwas vereinfachend läßt sich nämlich sagen, daß in der Vorneuzeit der wesentliche Rahmen für Heils- und Unheilserfahrungen die unmittelbare Beziehung des Menschen zum transzendenten Gott war, denn das Unheil wurde primär und vor allem in der Verfehlung gegen Gott oder als Zurückbleiben hinter der wahren Bestimmung des Menschen im Leben mit Gott gesehen.[8] In diesem Horizont sind die meisten Begriffe der Sünden-, aber auch der Heilslehre entstanden und formuliert worden: Knechtschaft durch Sünde, Schuld gegen Gott, Verlust der Anwartschaft auf den Himmel, Teilhabe an der göttlichen Natur usw. Diese Be-

---

[8] Vgl. *G. Greshake*, Gottes Heil – Glück des Menschen. Theologische Perspektiven, Freiburg i. Br. 1983, 50ff.

griffe verdeutlichen, daß der unmittelbare Gottesbezug der Rahmen der unmittelbaren Heils- und Unheilserfahrung war. Für den neuzeitlichen Menschen ist aber dieser Bezugsrahmen problematisch geworden, insofern unmittelbarer Gegenstand seiner Erfahrung die raum-zeitliche Welt geworden ist; die konkret erfahrene, erlittene und reflektierte Wirklichkeit von Gelingen und Mißlingen, von Entfremdung und Glück.

Wir haben es hier mit einem Paradigmenwechsel zu tun: Von der ausschließlichen und unmittelbaren Gottesbeziehung zur vermittelten Erfahrung Gottes in den Strukturen der Welt und der konkreten menschlichen Welterfahrung. *W. Pannenberg* hat diesen Wechsel so verdeutlicht:

> «Die göttliche Wirklichkeit, auf die der religiös wache Mensch sich in der Struktur seiner Subjektivität verwiesen findet, begegnet als Wirklichkeit nur im Zusammenhang der Welterfahrung, indem Freiheit im Zusammenhang der geschichtlichen Welt eines Menschen in jeweils bestimmter Weise Ereignis wird und so die göttliche Wirklichkeit ... im Ereignis der Freiheit sich als Macht über den Weltzusammenhang und damit als Wirklichkeit erweist.»[9]

Mit anderen Worten: Eine Konzeption von Heil, die sich in den Strukturen der Welt nicht zeigt und derer man nicht in der konkreten Erfahrung ansichtig wird und die diese nicht prägt, hat notwendigerweise den Charakter des Subjektiven und des Fiktiven.

Doch dieses Heil ist noch nicht vollendet. Es verwirklicht sich erst ansatzhaft, noch ist es gefährdet; noch ist der Tod nicht überwunden, noch lauert der Tod darauf, wieder Raum zu gewinnen, noch trägt die Wirklichkeit die Signatur des Widerspruchs. «Auf Hoffnung hin sind wir gerettet» (Röm 8,24). Dieses noch Ausstehende hebt aber die Heilserfahrung im Ansatz, im Beginn und im Vorschein nicht auf. Es sei nur am Rande vermerkt, daß hier eine theologische Auseinandersetzung fällig wäre. Denn im schärfsten Gegensatz dazu hat *K. Barth* formuliert:

> «Es bleibt dabei, daß alles, was wir sind, gegen Gott ist und es gibt keine Stufe in unserm Leben, wo wir andere würden, es kommt nicht dazu, daß irgendwo in unserer Existenz ein Winkel entdeckt wird, wo wir sagen könnten: So gefährlich ist es jetzt nicht mehr, nun bin ich für Gott. Sondern das rechte Ermahntsein

---

[9] *W. Pannenberg*, Gottesgedanke und menschliche Freiheit, Göttingen 1972, 26; vgl *H.-M. Barth*, Anthropologie von gestern. Anthropologie für morgen? Zur Auseinandersetzung mit W. Pannenberg und O.-H. Pesch, in Pth 75 (1986) 399 - 413; *Ders.*, Die religiöse Dimension des Menschen. Gedanken zu W. Pannenbergs Anthropologie, in LM 24 (1985) 53 - 55.

besteht gerade darin, daß wir es uns endgültig gesagt sein lassen:
Du bist gegen Gott.»[10]

Es wäre zu zeigen, daß hier die Kommunikation mit dem Menschen subtil abgebrochen und der Streit um den Menschen sistiert wird. Die Frage an *K. Barth* bleibt eben doch die, ob dann noch, wenn alle Kommunikation mit dem Menschen, wie er sich erfährt und in den Wissenschaften reflektiert, gezeigt und verifiziert werden kann, daß Gottes Bestimmung über den Menschen etwas mit seiner Lebenswelt zu tun hat. Diese innertheologische Kontroverse will ich nun nicht weiter verfolgen, sondern einige Konsequenzen aus dem Gesagten ziehen:

1. Theologie ohne Rede vom Menschen spricht nicht vom menschgewordenen Gott. Diese Rede vom Menschen fügt allerdings zum Sachwissen, das der Mensch aus eigener Daseinserfahrung und aus den über ihn reflektierenden Wissenschaften haben kann, *nichts Neues* hinzu. Die theologische Frage nach dem Menschen ist zwar identisch mit allen Dimensionen des Menschen, auf die sich seine Erfahrungen beziehen und auf die die profanen Wissenschaften blicken, sofern sie in Beziehung stehen zu seinem Selbstverständnis und seiner gelingenden oder mißlingenden Selbstauslegung; doch indem die Theologie die menschlichen Dimensionen aus dem geschichtlichen Verhältnis Gott-Mensch zu interpretieren versucht, gibt sie dadurch zu verstehen, daß sie auf einer anderen Ebene diese Aussagen und Erfahrungen radikalisiert und damit als die Sache Gottes thematisiert.[11]

2. Wenn mit der Sache Gottes immer auch der konkrete Mensch auf dem Spiele steht, dann ist es auch eine theologische Angelegenheit, ja sogar eine Pflicht, jenes «Vorfeld» zu erkunden, über das man nachher etwas Christliches aussagen will. Wenn aber die Theologie sich mit Ursachen, Gesetzmäßigkeiten und inneren Strukturen menschlichen Handelns und Seins beschäftigt, dann ist dies ein notwendiges und indispensables «Vorfeld». Eine solche Erkundung, oder sagen wir die strenge Beobachtung des Materialobjekts, auch wenn dabei auf die sogenannten profanen Wissenschaften zurückgegriffen wird, ist noch keine formal-theologische Tätigkeit, aber insofern notwendig, als sie sonst in der Luft hinge. Wenn die Theologie sich mit diesem Vorfeld beschäftigt, muß sie zuerst sorgfältig die konkreten Erfahrungen von Menschen, besonders ihre Kontrasterfahrungen und das, was andere Wissenschaften dazu zu sagen haben, ernst nehmen und darauf Bezug nehmen. Schon

---

[10] *K. Barth*, Vom christlichen Leben, München 1926, 14; *Ders.*, Kirchliche Dogmatik, III/1 und III/2, Zollikon/Zürich 1945ff.; vgl. *E. Brunner*, Der «neue» Barth. Bemerkungen zu Karl Barths Lehre vom Menschen, in: ZTHK 48 (1951) 89 - 100.

[11] Vgl. *E. Jüngel*, Der Gott entsprechende Mensch. Bemerkungen zur Gottebenbildlichkeit des Menschen als Grundlage theologischer Anthropologie, in: *Ders.*, Entsprechungen: Gott – Wahrheit – Mensch. Theol. Erörterungen, München 1980, 290 - 317.

die klassische Theologie sagte: Multa praecognoscere (theologum oportet). Bevor die Theologie als Theologie auftreten und arbeiten kann, muß sie zuvor vieles erkundet haben. Auf dieser Ebene ist es höchst notwendig, auf Menschen und auf das, was sie an Menschlichkeit verwirklichen wollen, zu hören.

3. Die Theologie betritt aber erst dann ihr eigenes Gebiet, wenn sie das zuvor Erkundete auf die Ebene eines anderen Sprachspieles bringt, andere Fragen an es heranträgt, nämlich mit Hilfe der Glaubenssprache, in der auch von Heil und Unheil die Rede ist. Es handelt sich dann nicht um ein Reden über eine andere Wirklichkeit, sondern es wird anders von derselben Wirklichkeit geredet, die zuvor schon «menschlich» befragt und untersucht worden ist. Hier geht es also um zwei verschiedene Sprachebenen. Die zuerst von der menschlichen Vernunft analysierten Gegebenheiten der Wirklichkeit werden in einem weiteren Schritt «entziffert», so daß das ursprüngliche Material der menschlichen Erfahrung zu einem Text wird, der nach der Grammatik der christlichen Hoffnung und des Glaubens an Gott, als Ursprung und Ziel des umfassenden und endgültigen Heils interpretiert werden kann. Die Frage, die sich der Theologie als die eigentliche theologische Frage stellt, heißt dann: Darf man in einem bestimmten, konkreten Handeln von Menschen, bestimmten Verhältnissen, ein Kommen oder Nahen des Reiches Gottes sehen? Wenn und insofern die theologische Bestimmung über den Menschen gilt, daß ihm das zugesagte Ganzsein nicht einfach äußerlich und jenseitig ist, dann zeigt sich die Rede über dieses Absolute immer auch im Relativen, nämlich in der historischen Praxis des Menschen, die nur allzu oft eine Angelegenheit von Leben und Tod ist. Die Theologie bringt das, was in einer historischen Praxis von Menschen der transzendente und letzte entschiedene Einsatz ist, zur Sprache. Für jemanden, der sich in der Glaubenstradition stehend weiß, steht alles konkret Menschliche und jedes Lebensverhältnis in einer positiven oder negativen, niemals aber in einer neutralen Beziehung zum Kommen des Reiches Gottes.[12] Jedenfalls hat die theologische Bestimmung des Menschen von ihrem Wesen her mit der menschlichen Integrität zu tun. Dies ist nicht einfach eine Reduktion des christlichen Gehalts auf das Menschliche, sondern eine Folge der Tatsache, daß das Christliche nur in der Konkretheit der Geschichte Gestalt annehmen kann. Der Glaube an die Absolutheit der Vollendung des Menschen erscheint notwendigerweise in partikularer, historischer und relativer Ge-

---

12 Vgl. *J. Moltmann*, Mensch. Christliche Anthropologie in den Konflikten der Gegenwart, Gütersloh 1983^2; *H. Gollwitzer*, Das Bild des Menschen im theologischen Denken, in: ZdZ (1960) Heft 7/8.

stalt. Eine theologische Definition über den Menschen geschieht nicht in theoretischer, sondern in praktischer Absicht.

C. Die Nichtdefinierbarkeit des Menschen

Von Gott, sagte *Thomas von Aquin* einst, können wir nicht wissen, was er ist, sondern höchstens, was er nicht ist. Deus definiri nequit. An die Stelle der Nichtdefinierbarkeit Gottes ist die Nichtdefinierbarkeit des Menschen getreten. Die Detailforschung in der Objektivierung, das System in der Funktionalisierung, die Gesellschaft in der Verfügung hat den Menschen zu einem unbekannten Wesen gemacht. Und so muß es keineswegs überraschen, wenn immer mehr vom «Ende des Menschen» die Rede ist. Nicht zuerst auf theoretischer Ebene, sondern vielmehr unter dem Druck der Regionalisierung des Wissens vom Menschen hat sich die Unmöglichkeit ergeben, den Menschen abschließend zu definieren. Und dennoch – so scheint mir – ist folgender Umstand zu beachten: Die Vorstellungen und Erwartungen, die sich auf das menschliche Glück beziehen, entstehen aus der konkret erfahrenen und erlittenen Wirklichkeit. Sie entstehen aus der gespeicherten Erfahrung des Gelingens und Mißlingens. Sie entstehen aus Teilerfahrungen vieler Generationen, aus Erfahrungen unerfüllter Erwartung, Erfahrungen von Defiziten und Mängeln. Daraus entsteht – wie es scheint – auf die Dauer und trotz aller kulturellen und geographischen Unterschiede eine allgemeine Auffassung und Vision von dem, was man für den einzelnen Menschen und für die Gesellschaft als das wahre und glückliche Menschsein bezeichnet. Das von den Tatsachen immer wieder angefochtene visionäre Bild von Freiheit und Gerechtigkeit bekommt die intensive Form der Erwartung der «Befreiung von». *E. Bloch* beschreibt es als «dasjenige, was man zwar nicht weiß, was es ist, doch wissen kann, was es, als sich entfremdet, sicher nicht ist und deshalb so falsch nicht bleiben kann, wenigstens nicht soll». In der Tat scheint das, was sein soll, eher in den Elementen auf, die nicht sein sollen als in positiven Entwürfen. Das hat auch damit zu tun, daß wir bescheidener geworden sind, in der Natur, in der Schöpfungsordnung und in der Evolution nach Kriterien zu suchen, die uns angeben, wie lebbare, wahre und gute Menschlichkeit zu finden, zu fördern und zu leben ist. Das kann ebensowenig eine sogenannte «universale menschliche Natur» sein, die ähnlich wie Tiere und Pflanzen von innen her bestimmt ist, noch ein allgemeines Substrat von Vernünftigkeit, das allen Menschen zukommt.

Der Mensch ist ein Wesen, das in die Geschichte verstrickt ist. Sein Wesen ist selbst eine Geschichte, ein historisches Geschehen; es ist nicht einfach vorgegeben. Und gerade diese Geschichte fertigt aus Erlittenem und Getanem, aus Gesehenem und Erfahrenem Sinngehalte an, die nicht fixieren, sondern offen sind und auf eine gehaltvolle Realisierung hindrängen.[13] Man könnte darauf hinweisen, daß die Idee der Gerechtigkeit, also letztlich das Prinzip der gegenseitigen Achtung, aus der Negativerfahrung erlittenen Unrechts entstanden ist. Daran knüpft sich über den Wechsel der Geschichte hinweg die Idee, daß es keine Bevorteilte und Benachteiligte geben soll. Wie sehr sich dieser visionäre Sinngehalt als offen erweist, läßt sich daran ablesen, daß er heute zumeist unter einem anderen Namen, nämlich unter dem der Solidarität erscheint. Damit wird meines Erachtens gerade deutlich, daß ein abstraktes Festhalten an einer Idee, allenfalls noch die juridische Durchsetzung einer Formel nicht genügt, sondern daß sie im Handeln immer wieder verlebendigt werden muß.

Man mag sich nun fragen, was dies alles mit der Theologie zu tun hat. Zunächst einmal negativ: Die Theologie partizipiert an der aporetischen Situation der Nichtdefinierbarkeit des Menschen in dem Sinne, daß sie «sub ratione Dei» gleichsam als rettender Engel auch keine definitiven Antworten geben kann, jedenfalls nicht Antworten solcherart, die dem Menschen definitiv den Weg des konkreten Gelingens und Glückens vordenken. Es gibt auch in dieser Hinsicht keine vorgefertigten Rezepte, die ihm in einer Heilsautomatik das Gelingen garantieren würden. Auch wenn sich aus der Perspektive der Theologie in bezug auf die Frage des Menschen keine bis ins Detail gehenden Orientierungen, so doch offene Sinngehalte[14] angeben lassen, die in geschichtlicher Konfrontation auf Plastizität und jeweilige Konkretisierung hindrängen. Und dies ist genau im Sinne der Geschichte Gottes mit den Menschen, wie sie im Alten und im Neuen Testament beschrieben wird. Hier läßt sich ablesen, daß in der leidenschaftlichen Auseinandersetzung, im Hadern und im Zaudern, im großen Schweigen und im wortreichen Aufbegehren das Bild des Menschen sich immer wieder verändert hat. Im Zuge der geschichtlichen Selbsterkenntnis und im Kontext der Glaubenspraxis hat sich das Bild des Menschen stets als offener

---

13 Vgl. *W. Pannenberg*, Was ist der Mensch? Die Anthropologie der Gegenwart im Lichte der Theologie, Göttingen 1976[5]. Allerdings auch die Kritik: *P. Eicher*, Du sollst dir kein Bildnis machen, a. a. O. 26f.; *K. Rahner*, Schriften zur Theologie, Bd. XII, a. a. O. 402.

14 Vgl. *D. Mieth*, Das «christliche Menschenbild» – eine unzeitgemäße Betrachtung?, in: ThQ 163 (1983) 1 - 15; *E. Schillebeeckx*, Menschen. Die Geschichte von Gott, Freiburg i. Br. 1992. Gerade Schillebeeckx hat schon sehr früh auf das unabgeschlossene, dialektisch sich weiterentwickelnde Menschenbild und die sich daraus ergebende Normativität hingewiesen.

Sinngehalt erwiesen, und zwar in dem Sinne, als das gewonnene Bild vom Menschen der Überprüfung, der Revision auf reichere Sinngrundlagen und dem Experiment offen stand. Denn die biblische Geschichte versucht den Menschen nicht von vornherein wesensmäßig zu beschreiben und zu fixieren. Trotz aller Variabilität und Offenheit nach vorne enthält diese Veränderung eine Kontinuität, nämlich die durchgehaltene Frage nach den konstitutiven Bezügen des Menschen zu seinem Urgrund, zu sich selbst, zu seinem Nächsten und seiner Umwelt. Hierin liegt auch die Legitimität, die christliche Bestimmung des Menschen «regional» zu fassen, d. h. den je eigenen kulturellen Bedingungen auszusetzen. Eine «Uniformisierung» des Menschenbildes würde der biblischen Intention gerade entgegenlaufen, die ja den Menschen nicht unter der metaphysischen Wesensfrage, sondern von seinen konstitutiven Bezügen her zu begreifen versucht. In diesem Sinne muß es kontextbedingte Zugangswege zum christlichen Menschenbild geben, in dem sich aber unaufgebbare Sinninhalte entfalten können und müssen.

In der eingangs zitierten Disputation über den Menschen fordert *M. Luther*: «Den Glauben ins Leben ziehen»[15], denn – so müßte man hinzufügen, erst dadurch wird menschliches Leben und Zusammenleben heil. Im Anschluß daran können wir sagen, daß die Sinngehalte, welche die theologische Bestimmung des Menschen ausmachen, ins Leben zu ziehen sind. Dabei haben diese Sinngehalte den Vorteil, daß sie den Menschen nicht rückwärtsgewandt auf etwas fixieren, sondern daß sie zu Indikatoren von Widersprüchen werden. Nun erscheint es leicht, diese Momente an Widersprüche anzusetzen. Die Frage ist nur, wie diese Indikatoren auch wirksam werden können. Dies geschieht wohl am besten dadurch, daß man zunächst einen Disput der Wissenschaften über den Menschen und einen politischen Diskurs über das für den Menschen Erforderliche inszeniert, ohne daß man es von allem Anfang an ins Überzeitliche hineinzieht. Diese Vermischung hat sich immer schon unheilvoll ausgewirkt, da allzu leicht religiöse Kultur, geschichtlich Gewordenes mit ursprünglichen Gehalten verwechselt worden ist. Indem wir methodisch von religiös-metaphysisch fixierten Menschenbildern abstrahieren, werden wir zuallererst von Vorurteilen frei, damit wir das Vorurteil des Glaubens um so besser zur Geltung bringen können.

15 Vgl. *G. Ebeling*, Lutherstudien, a. a. O. 35.

V. Gerechtigkeit und Menschenwürde

A. Problemstellung

Vor nicht allzu langer Zeit hat der Sozialethiker *W. Dreier* die Meinung geäußert, Notwendigkeit und Möglichkeit gesellschaftlicher Reformen gerieten zusehends in einen sich verschärfenden Widerspruch.[1] Auf der einen Seite wüchse zwar die Einsicht in die Notwendigkeit von umfassenden Reformen nicht nur in bezug auf soziale Institutionen, sondern auch – und vor allem – in bezug auf das wirtschaftliche, weltweit verflochtene System. Auf der anderen Seite aber würden die politisch-strategischen Möglichkeiten von Reformen und Veränderungen abnehmen. Dieser Sachverhalt wird auch von anderer Warte aus bestätigt.[2] Die Scherenbewegung von Notwendigkeit und Möglichkeit liegt im Kausalzusammenhang von Wirtschaftsentwicklung und Reformbereitschaft begründet. Das heißt: Die wirtschaftliche Situation, mit den sie begleitenden Hintergrundängsten und mit der sie begleitenden Konzentration der Kräfte auf ökonomische Bewahrung und Behauptung, begrenzt auch die Möglichkeiten humaner Strategien und bindet sie an die sozioökonomischen Bedingungen zurück. Strategien und Programme, denen es um die Humanisierung der Lebensverhältnisse geht, stehen in fester Funktion zu Wohlfahrt und gesamtgesellschaftlichem Nutzen.

Selbst wenn man bei diesem Tatbestand etwa das erklärte Engagement der Politik aus wertethisch gebundenen Überzeugungszusammenhängen oder die an der Basis stehenden Bürgerinitiativen mit ihrem zwar begrenzten Veränderungseffekt in Rechnung stellt, so ist dennoch nicht in Abrede zu stellen, daß in den westlichen Industriegesellschaften für die Sozial- und Wirtschaftspolitik weithin ein utilitaristisches Prinzip als Hintergrundtheorie gilt. Dies meint, daß Politik am *Wohlergehen* aller Betroffenen orientiert ist, daß Politik das als rechtens bezeichnet, was als unabdingbar zum Gedeihen des gemeinsamen Daseins plausibel gemacht werden kann. Indem das Wohlergehen aller als Leitbild fungiert, erfolgt eine Hinordnung des dem einzelnen Zukommenden auf das Überleben des Systems. Zweifellos ist die utilitaristische Forderung, eine am Wohlergehen orientierte Politik einzurichten,

---

1 *W. Dreier*, Gesellschaftliche Reformen über praxisverändernde Bildung, Münster 1977², 7f.

2 *R. Dahrendorf*, Die Chancen der Krise. Über die Zukunft des Liberalismus, Stuttgart 1983.

ein höchst ansprechendes Unterfangen, da dies doch als ein Verfahren erscheint, das gegenüber Dogmatismus und Ideologie gefeit ist. Strategien, Veränderungen und Eingriffe in das System können damit einer rationalen Kalkulation unterworfen werden, sofern das Wohlergehen, in Werten meßbar, als Vorgabe akzeptiert wird. Dieses Vorgehen kommt denn auch ohne fragwürdige Autoritäten, ohne diskutable Wertpräferenzen aus und deckt sich darüberhinaus mit einem Grundzug menschlichen Strebens nach Glück, das sich immer auch im Sichern und Erreichen materieller Grundlagen artikuliert.

Auf diesem Hintergrund ist denn auch ersichtlich, warum Sozial- und Wirtschaftspolitik faktisch in die Abhängigkeit von sozioökonomischen Bedingungen geraten. Nun wird man zwar kaum in Abrede stellen können, daß reale Bedingungen eine notwendige Voraussetzung für eine effiziente Politik darstellen; aber dennoch erhebt sich die Frage, inwieweit die Zielorientierung am Wohlergehen, d. h. am Paradigma der Nutzenkalkulation, als umfassendes Leitprinzip vertretbar ist. Man wird bei dieser leitenden Frage zunächst von der Voraussetzung auszugehen haben, daß Politik in gewissem Sinne als eine Pragmatik zu verstehen ist, der es daran gelegen sein muß, die Zielorientierung angemessen zur Konkretion zu bringen. Wenn sie aber als Pragmatik ein rationales Verfahren bestimmt, das jede Übersetzung in die geschichtliche Praxis leitet, dann erscheinen nur jene Leitvorstellungen anwendbar, die im Horizont der Pragmatik als anwendungsfähig befunden werden.

Es ist eine Errungenschaft der Neuzeit, daß man die gesellschaftlichen Prozesse nicht mehr dem urwüchsigen Prinzip der Selbsterhaltung und der sich von daher herausbildenden automatischen Regulierungen überlassen will, sondern die Prozesse selbst nochmals einer rationalen Verfügung unterwirft. Die Aufgabe, die sich mit diesem neuzeitlichen *Rationalitätsanspruch* stellt, besteht dann darin, Orientierungsmaßstäbe zu ermitteln, die für Entscheidungsprozesse hilfreich und praktikabel sind und gleichzeitig die Möglichkeit bieten, mit Hilfe dieses allgemeinen Kriteriums die zu erwartenden Folgen negativer und positiver Art abzuschätzen.

In der Tradition hat sich eine Richtung, die vielleicht mit dem mißverständlichen Begriff Utilitarismus bezeichnet wird, herausgebildet. Sie greift diesen Rationalitätsanspruch auf, erhebt das Wohlergehen aller Betroffenen zum letzten Kriterium moralischen Handelns und formuliert gerade darin nicht nur ein höchst einsichtiges Kriterium, sondern auch eine Maßgabe, die gleichzeitig einem rationalen Kalkül unterworfen werden kann. Ohne Zweifel verdanken die modernen Industriestaaten vor allem dieser pragmatischen Optik ihren Fortschritt, aber auch – allerdings eher ex post – ein kaum je erreichtes Ausmaß an Chancen der Selbstdarstellung von Freiheit. Allerdings hat schon *R. Jo-*

chimsen klar die Forderung erhoben, daß solche operationablen Zielsetzungen, die gewissermaßen die «Technologien» für sozial- und wirtschaftspolitische Entscheide bereitstellen, durch normative Prämissen angereichert werden sollten, um gerade über das richtige soziale und wirtschaftliche Funktionieren hinaus ein «menschenwürdiges Zusammenleben der Gesellschaft in ihrem Wirtschaften»[3] zu garantieren.

Was hier als programmatische Forderung erhoben wird, scheint nun seit einer Reihe von Jahren unter dem Stichwort «Rehabilitierung der praktischen Philosophie»[4] verhandelt zu werden. Im Zwang der Grenze von Fortschritt und Wohlergehen, aber auch im Zuge des Legitimationsdefizits der fortgeschrittenen industriellen Gesellschaften stellt sich die Frage nach dem guten und rechten Leben (nach dem «eu zän» des *Aristoteles*) und nach den guten und gerechten gesellschaftlichen Grundordnungen neu. Darin bekundet sich das fundamentale Interesse, das Feld der Gesellschaftsordnungen und der Politik wieder in den Kompetenzbereich der Ethik zurückzugewinnen und die Zielpräferenzen von umfassenden Gesichtspunkten her zu formulieren.

Freilich ist die normativ-kritische Kompetenz der praktischen Philosophie in dieser Hinsicht nicht unumstritten. Dies mag einerseits im Umstand liegen, daß derzeit die praktische Philosophie selbst noch vor vielen ungelösten Fragen der Normbegründung steht, andererseits im Umstand, daß ein bestimmtes Traditionsgefälle durchbrochen werden muß. Denn seit der Neuzeit (etwa mit *Machiavelli* und *Hobbes*) vollzieht sich eine Trennung von Ethik und Politik, die nicht nur eine Herauslösung der Ethik aus dem Bereich der politischen Philosophie mit sich brachte, sondern auch eine eigenständige Entwicklung der beiden Bereiche anbahnte. Bekanntlich führte diese Entwicklung zur Institutionalisierung der politischen Philosophie als einer exakten Wissenschaft und zur Moralphilosophie als einer spekulativen Wissenschaft mit mehr oder weniger fragwürdigen Voraussetzungen. Eine zunehmende Sensibilität für das Humanum und für das gute und rechte Leben scheint nun die beiden emanzipierten Bereiche wieder zunehmend zu einer Annäherung und Verschränkung zu bewegen, von der die Öffentlichkeit berechtigterweise eine Durchdringung des Politisch-Sozialen mit dem Anspruch des unbedingt Sittlichen erwartet.

Auf diesem Hintergrund formuliere ich die These, daß das normative Kriterium der Gerechtigkeit ein letzter, rational-ethischer Maßstab darstellt, um politisch-soziale Prozesse, aber auch deren Institutionen beurteilen, begründen und rechtfertigen zu können. Mit dieser These

---

[3] *R. Jochimsen*, Ansatzpunkte der Wohlstandsökonomie, Basel/Tübingen 1961, 96.

[4] Vgl. die programmatischen Bände: *M. Riedel* (Hrsg.), Rehabilitierung der praktischen Philosophie, Bd. I und II, Freiburg i. Br. 1972.

wird gleichzeitig auch behauptet, daß politische Steuerungs- und Herrschaftsprobleme nie adäquat auf rein technologisch-rationale Planungsprobleme reduziert werden können, daß politische Entscheide selbst – durch ihre berechtigte technologische Rationalisierung hindurch – an ethischen Kriterien orientiert bleiben müssen. Freilich, unter dieser Voraussetzung, die hier nicht weiter begründet werden soll, ist nach Kriterien zu suchen, welche eine Chance auf Anerkennung und Befolgung aufweisen. Das Prinzip der Gerechtigkeit scheint diese Bedingungen zu erfüllen. Dies gilt es im folgenden zu begründen.

B. Gerechtigkeit – eine fragwürdige Kategorie

Begriff und Inhalt der Gerechtigkeit sind allerdings alles andere als eindeutig festlegbar. Man wird sich hier an das Wort von *H. Kelsen* erinnern:

> «... in der Tat, ich weiß nicht und kann nicht sagen, was Gerechtigkeit ist, die absolute Gerechtigkeit, dieser schöne Traum der Menschheit. Ich muß mich mit einer relativen Gerechtigkeit begnügen und kann nur sagen, was Gerechtigkeit für mich ist. Da Wissenschaft mein Beruf ist und sohin das wichtigste in meinen Leben, ist es jene Gerechtigkeit, unter deren Schutz Wissenschaft, und mit Wissenschaft Wahrheit und Aufrichtigkeit gedeihen können.»[5]

Mit diesen Worten ist ein Verdikt über die Gerechtigkeit gesprochen und ihr mit aller Entschiedenheit eine objektive Begründungs- und Regulativ-Funktion aberkannt. Gerechtigkeit scheint im Sinne von *H. Kelsen* viel eher eine subjektive Kategorie zu sein und bestenfalls mit dem liberal-demokratischen Prinzip der Toleranz zusammenzufallen. Gerechtigkeit ist offensichtlich keine objektivierbare Kategorie, sondern für das Individuum ein je neu zu formulierender Anspruch, subjektspezifische und berechtigte Bedürfnisse zur Geltung bringen zu können. Diese Position zeigt im Grunde jenen neuzeitlichen Bruch an, der Gerechtigkeit in den transzendentalen Raum verflüchtigt, wo letztlich auch kein anderer Weg bleibt, als das konkret Rechte positivistisch festzulegen. Nicht ohne Berechtigung läßt sich dann unter dieser Voraussetzung die klassische Formel, jedem das Seine zu geben, als Leerformel bezeichnen, wenn und insofern das legitim Zukommende nicht mehr in der konkret-geschichtlichen Inkooperation der praktisch-menschlichen

---

5 *H. Kelsen*, Was ist Gerechtigkeit?, Wien 1953, 43.

Vernunft festgemacht wird. Oder anders gewendet: Da nämlich, wo im Sinne *Hegels*,[6] geschichtliche Ordnungen von der abstrakten «Bedürfnisnatur» des Menschen getrennt werden, kann es denn auch kein «von Natur Rechtes» geben. Wird diese Entzweiung vollzogen, dürfte die Frage nicht auszutragen sein, was es für die Gesellschaft und für den einzelnen bedeutet, daß es ein objektivierbares «Rechtes» gibt. Hier scheint denn auch der Grund zu liegen, warum der etwa rechtspositivistischen Richtung keine andere Wahl bleibt, als Gerechtigkeit in den Bereich der Dezision abzuschieben.

Ganz im Gegensatz dazu bestimmt die philosophisch-aristotelische Tradition Gerechtigkeit als «erste Tugend der sozialen Institutionen».[7] In der Tat ist in dieser Tradition der höchste Anspruch, der an politisch-soziale Ordnungen gestellt werden kann, die Gerechtigkeit. Dieser Anspruch läßt sich weder durch konkurrierende Ansprüche außer Kraft setzen, noch gegen sie aushandeln. Gerechtigkeit bezeichnet eine unbedingte sittliche Forderung. Gerechtigkeit gilt zwar nicht als zureichende, aber doch als notwendige Bedingung. Damit stellt sich die Frage, wie diese sittliche Forderung begründet werden kann. Die aristotelische Lehre, daß in der Polis ein «von Natur Rechtes» der Begründungszusammenhang des Gerechtigkeitsprinzips ist, konnte davon ausgehen, daß dieses allgemeine Prinzip in den ethischen Ordnungen der Polis gegenwärtig ist.[8] Als Theorie bringt sie das auf die Natur des Menschen gegründete Gerechtigkeitsprinzip aus der Polis als ihrer gegenwärtigen politisch-ethischen Wirklichkeit hervor. Dies ist möglich, weil erstens die menschliche Natur nicht unbestimmt, sondern in ihrer Verwirklichung ein aktuales Sein ist, das zur Substanz einer politischen wie rechtlichen Ordnung wird, und weil zweitens menschliche Natur nie nur biologische Vorgegebenheit ist, sondern immer schon als vernunftgeleitete und auf die Polis hingeordnete Natur begriffen wird.

Ziel allen ethisch bedeutsamen Handelns ist es, «das Glück und dessen Komponenten für das Gemeinwohl hervorzubringen und zu erhalten»,[9] also jenen Zustand zu erzeugen, der ein Zu-sich-selber-Kommen der menschlichen Natur garantiert. Gerecht kann demnach jenes Handeln bezeichnet werden, das die Eudaimonie der Polis und jeden Bürgers in ihr fördert und erhält. Gerechtigkeit ist dann in dieser Hinsicht tatsächlich jenes *Kriterium*, welches nicht nur das einzelne Handeln, sondern auch die Institution selbst darauf hin prüft, ob sie in einer Angemessenheit zur Eudaimonie stehen. Das Gerechtigkeitsprinzip wird

---

6 Rechtsphilosophie, § 182.

7 Vgl. *J. Ritter*, Metaphysik und Politik. Studien zu Aristoteles und Hegel, Frankfurt a. M. 1977, 133ff.

8 Vgl. ebd., 166.

9 NE V, 3, 1129b.

damit zu einem letzten Beurteilungs- und Begründungsmaßstab der individuellen Handlung, sofern sie auf Gemeinschaft ausgerichtet ist, aber auch der geschaffenen und von diesem Handeln selbst hervorgebrachten Institutionen.

Im Unterschied zu jedem Positivismus aber ist die Eudaimonie, das gemeinsam hervorzubringende Glück, nicht eine willkürliche und durch eine mehr oder weniger zufällige Vereinbarung getroffene Setzung. Sie ist vielmehr ein Status, welcher der ursprünglichen vernünftigen und naturalen Intention der menschlichen Natur entspringt, das Niveau eines Gemeinwesens zu gewinnen, in dem nicht die Selbstbehauptung durchgesetzt werden soll, sondern die freie Verständigung. Insofern dieser Zustand durch Gesetze, Bräuche und Sitten abgesichert ist, wird er nicht der unspezifischen Intention der menschlichen Natur überlassen, sondern an Regulativen festgemacht, mittels derer sich die menschliche Natur authentisch auslegt. Man kann diesen Befund neuzeitlich formulieren, um zugleich – über den ausdrücklichen Gedankengang Aristoteles' hinausgehend – die Sprengkraft dieses normativ-anthropologischen Ansatzes zu pointieren. Zunächst negativ: Gerechtigkeit hat ihr Kriterium nicht in einem System, in dem sich Gerechtigkeit bewegt, auch nicht in einem Verfahren, das Gerechtigkeit kontrolliert, sondern positiv: in der menschlichen Vernunftnatur. Vernunftnatur kann im Sinne dieser Tradition nicht als metaphysisches ein für allemal definiertes Wesen begriffen werden, sondern als die menschliche Vernunft, die je neu in ihren naturalen, sozialen und geschichtlichen Vorgegebenheiten ihre Auslegung erfährt. Kriterium der Gerechtigkeit ist der Mensch als das vernünftige Bedürfniswesen bzw. als das bedürftige Vernunftwesen. Die Vernunftnatur, die als geschichtlich offenes und kulturell vermitteltes Wesen ausgelegt wird, stellt den Begründungszusammenhang jenes Prinzips dar, welches das äußere Zusammenleben der Menschen grundsätzlich in ihrer Richtigkeit regelt.

Gewiß lassen sich aus der so begriffenen menschlichen Natur unmittelbar keine konkreten Zwecke ableiten, aber auch noch keine konkreten Gerechtigkeitsstrategien. Aber immerhin ist damit schon zum Ausdruck gebracht, daß Gerechtigkeit inhaltlich nicht beliebig ist, und daß sie ihre eigentliche Qualifikation erst dann erhält, wenn sie auf die Vernunftnatur des Menschen hin ausgelegt wird. Gerechtigkeit ist somit *Menschengerechtigkeit* und keine Sachgerechtigkeit. Aber auch ein zweites ist gewonnen: Sofern die Vernunftnatur des Menschen als vernünftiges Bedürfniswesen definiert werden kann, das in seiner Vernünftigkeit immer auch in eine individuelle und soziale Bedürfnisstruktur eingebunden ist, ist damit auch schon der Weg angezeigt, wie diese Vernunftnatur noch weiter konkretisiert werden kann, nämlich in ihrer

Vernünftigkeit und in ihrer Bedürftigkeit. Dies wird uns noch beschäftigen.

Man muß sich zunächst an den Gedanken gewöhnen, daß Gerechtigkeit ein letztes, sittliches Kriterium gesellschaftlicher und sozialer Institutionen sein soll. In unserem Gedankengang erscheint diese Idee beinahe als eine Selbstverständlichkeit. Man muß sich dazu aber in Erinnerung rufen, daß Gerechtigkeit – insbesondere in der christlichen Tradition – unter dem Stichwort der Tugenden verhandelt wurde.[10] Die Tugend ist aber in sich kein sittliches Begründungskriterium, sondern eine sittliche Qualität des Subjektes, die zur Haltung geworden, das Handeln zwar sittlich bestimmt, aber ihr Maß doch an vorgegebener Sittlichkeit nimmt. So ist Gerechtigkeit als Tugend eine persönliche Lebenseinstellung, d. h. jene sittliche Grundhaltung im Verhältnis zu den Mitmenschen (pros heteron), nach der man die Forderungen der objektiven Gerechtigkeit aus Überzeugung und freiwillig verfolgt. Diese Dimension darf nicht unterschätzt werden, da erst damit, soweit die Gerechtigkeit nicht vom Gesetz her erzwingbar ist, die Verwirklichung der Gerechtigkeit garantiert wird. Es kommt ein weiterer Umstand hinzu. Die katholische Soziallehre greift zwar mit *Thomas von Aquin* die aristotelische Gerechtigkeitstradition auf, allerdings nur deren partikulare Gerechtigkeitsprinzipien: Die Form der *iustitia commutativa*, der *iustitia distributiva* und der *iustitia legalis*.[11]

Dies sind jedoch bereits nähere Bestimmungen der Gerechtigkeit und setzen ein System voraus, innerhalb dessen die materialen und sozialen Ressourcen nach diesen Kriterien effizient und angemessen zur Verteilung kommen und innerhalb dessen verschuldete Schäden in der Höhe des Schadens eine Vergeltung erfahren sollen. In der Konkretheit dieser partikularen Prinzipien liegt auch ihre Problematik. Beispielsweise ist mit der Tauschgerechtigkeit die Forderung gegeben, die getauschten Dinge hätten den gleichen Wert aufzuweisen. Wie soll der gleiche Wert festgestellt werden? Richtet sich der Wert nach der investierten Arbeit, nach dem Gebrauchswert oder nach dem Marktwert? Allein dieses Beispiel macht deutlich, wie wenig solche Kriterien operationabel sind, auch wenn ihnen eine gewisse moralische und appellative Funktion nicht abzusprechen ist. Was aber hier bedeutend mehr ins Gewicht fällt, ist die Tatsache, daß nur mehr die Moralität, die dem Anspruch von geltenden Ordnungen und Gesetzen zu genügen sucht, unter die Forderung der Gerechtigkeit fällt und nicht auch die moralische Vernunft dieser Institutionen und Ordnungen selbst. Die umfassende Idee, die ursprünglich mit Gerechtigkeit verbunden war, nämlich, daß sie die der

---

10 Vgl. *Thomas von Aquin*, STh II-II, qq58ff.

11 Vgl. etwa: *J. Höffner*, Christliche Gesellschaftslehre, Kevelaer 1962, 63ff.

bestehenden Ordnung und dem bestehenden positiven Recht zugrunde liegende Wirklichkeit auf das hin auslegt, was sie in sich als Verwirklichung menschlichen Seins ist, geht damit weitgehend verloren. Sie ist aber auch – und dies sei nur nebenbei vermerkt – aus der Naturrechtstheorie, mit der nach *J. Ritter* die praktische Philosophie zu Ende geht, verschwunden.[12] Und genau hier gilt es, den Anschluß wieder zu gewinnen.

C. Gerechtigkeit als Menschengerechtigkeit

Wir sagten, die menschliche Natur in ihrer Vernünftigkeit und Bedürftigkeit ist der Begründungskontext der Gerechtigkeit, deren Aufgabe genau darin besteht, ihr zur eigentlichen Geltung zu verhelfen und sie zu schützen. Freilich haben wir nun zu sehen, wie Gerechtigkeit aus der Vernunftnatur, aus der natura humana rationalis, im eben umschriebenen Sinn abzuleiten ist. Die Axiome, die uns instand setzen, die Gerechtigkeit von «Natur aus Rechtem» abzuleiten, sind im Grunde sehr knapp zu fassen:[13] 1. Der Mensch hat ein Unterscheidungsvermögen zwischen Gut und Bös oder im Hinblick auf unser Thema zwischen Gerecht und Ungerecht. Ohne dieses Urvermögen könnte es überhaupt keine gerechten Handlungen geben. 2. Der Mensch muß sich über seine Vernunft aufklären und diese Vernunft widerspruchsfrei anwenden. Insofern ist Gerechtigkeit immer Vernunftgerechtigkeit. Zu diesen formalen Bestimmungen kommen zwei inhaltliche Sätze hinzu. 3. Da der Mensch das höchste Gut innerhalb der vorfindlichen Güter ist, gehört er nicht in die Relation von Zweck und Mittel. Und 4. Es gibt generell gültige empirische Bedingungen, welche die Realisierung der menschlichen Person erst ermöglichen.

Mit diesen aus der menschlichen Vernunftnatur herleitbaren a-priori-Prinzipien – man erinnert sich hier berechtigterweise an die thomasische Naturrechtslehre – sind gleichzeitig auch schon spezifizierte Grundrechte (Anerkennung der Menschenwürde und Garantierung der empirischen Bedingungen zur Selbstentfaltung) gefunden, die Maßstab für die Gerechtigkeit überhaupt sind. Die neuzeitliche Tradition der Menschenrechte hat nun bei genauem Hinsehen präzise versucht, diese beiden Grundrechte im Ausgang von der Vernunftnatur des Menschen

---

[12] Vgl. Metaphysik und Politik, a. a. O., 177.

[13] Vgl. *D. Mieth*, «Rechtfertigung und Gerechtigkeit», in: Gerechtigkeit, hrsg. v. *T. Fleiner/G. Gaudard*, u. a., Freiburg i. Ue. 1977, 64 - 89, hier 70ff.

in einen Katalog von Grundfreiheiten auszudifferenzieren, die in ihrem Bestand den Anspruch der Vernünftigkeit und Bedürftigkeit abdekken.[14] Beispielsweise: Das Recht auf freie Erziehungs-, Gewissens-, Glaubens- und Meinungsentfaltung, das sogenannte Eigentumsrecht, das Widerstandsrecht, die Gleichheit der bürgerlichen Grundausstattung vor dem Gesetz und als soziale Tugend die Anerkennung des anderen in seinem Anderssein, d. h. die Legitimierung der Ungleichheit auf der Basis der Gleichheit. In dieser konkreten Ausgestaltung und Auslegung der «natura humana» sind diese sittlichen Grundsätze der politisch-sozialen Welt der direkte Gegenstand der Gerechtigkeit selbst, wenn man die Vernunftnatur des Menschen als qualifizierendes Moment der Gerechtigkeit betrachtet.

Wir wollen die mit dieser These gegebenen methodischen Schwierigkeiten der Herleitung übergehen, aber grundsätzlich daran festhalten, daß es sich dabei um eine ethisch verbindliche Ausbuchstabierung der Würde des Menschen handelt, die aber gleichzeitig auch die naturale und geschichtliche Verfassung des Menschen, in der er sein mitmenschliches Dasein vollzieht, in den Status des Rechtes mit aufnimmt. Das Zentrum dieser Überlieferung ist der Gedanke der Selbstentfaltung der Freiheit unter günstigen und eben dieser Freiheit förderlichen Verhältnissen. Macht nun nicht gerade die Freiheitsidee den Rang der Gerechtigkeit streitig?[15] Wird so nicht die Freiheit zum letzten Kriterium? Sofern man als Freiheit mit der Philosophie und Politik der Neuzeit den politisch erlaubten Handlungsspielraum von Individuen und Gruppen meint, ist auch die Verteilung der Freiheit auf Individuen und Gruppen dem Anspruch der Gerechtigkeit unterstellt. Sofern man die Erkenntnis von *I. Kant* aufgreift und Freiheit als Prinzip der praktischen Vernunft denkt, sind Gerechtigkeit und Freiheit nicht zwei sich konkurrierende Kriterien. Während Gerechtigkeit ein sittlich-politischer Begriff ist, ist Freiheit ein transzendentaler Begriff, durch den die Gerechtigkeit ihr Profil und ihre Begründung erfährt. Die Freiheit einer politisch-sozialen Ordnung realisiert sich in ihrer Gerechtigkeit.

Eine in rechtlich-sittliche Normen ausgegliederte, sozial bestimmte Freiheit zeigt eine absolut andere Sinnorientierung als die, welche das Wohlergehen, das Glück oder die naturalistisch gedachte Selbsterhaltung direkt zur Aufgabe der Politik und ihrer Strategien macht. Wo immer dieses letztere geschieht, handelt es sich um einen Naturalismus, der, wenn er zum Prinzip der Politik erhoben wird, notwendig zur Funktionalisierung der Person führen muß. Das kann auch durch die

---

[14] Vgl. *O. Höffe*, Politische Gerechtigkeit, in: Studia Philosophia 38 (1979) 107 - 134.

[15] Vgl. *J. Schwartländer*, Staatsbürgerliche und sittlich-institutionelle Menschenrechte, in: *Ders.* (Hrsg.), Menschenrechte, Tübingen 1978, 77 - 95, hier 80f.

humanitaristische Verkleidung solcher Ansprüche unter dem Titel der Menschenrechte nicht verdeckt werden.[16] Allerdings wird die davon unterschiedene Sinnorientierung erst in dem Maße geschichtlich wirksam, wenn sie von einer Politik aufgegriffen und garantiert wird. Bloß verbale Deklamationen genügen nicht. In dieser Sinnorientierung ist denn auch eine moralische Dynamik, die dazu herausfordert, sie als feste normative Leitprinzipien der Gerechtigkeit zum festen Bestandteil der Rechts- und Gesellschaftsordnung zu machen.

D. Konkrete Gerechtigkeit in einer komplexen Wirklichkeit

Die so definierte Gerechtigkeit gebietet nur zum Teil unmittelbar ein Tun und Lassen, denn als normative Leitprinzipien müssen sie erst bereichsspezifisch und situationsbezogen aufgearbeitet werden. Sie haben aber grundsätzlich den methodischen Status allgemeiner normativer Kriterien, nach deren Maßgabe die entsprechenden wirtschaftlichen, gesellschaftlichen, kulturellen und politischen Verhältnisse wahrzunehmen, zu beurteilen, zu entwerfen und einzurichten sind, ohne daß sie auch angeben, wie konkrete, humane Strategien zu gestalten sind. Dies läßt sich an einem Beispiel verdeutlichen.

Die herkömmliche Steuerbemessungstheorie beruht auf dem Äquivalenzprinzip, d. h. Leistungen des Staates fordern äquivalente Leistungen der Bürger, und auf dem Leistungsfähigkeitsprinzip, d. h. nach individuell-ökonomischem Vermögen hat der Bürger die Ausgabenlasten des Staates mitzutragen. Das Äquivalenzprinzip geht von der Voraussetzung aus, daß der Bürger die staatlichen Leistungen zu tragen hat. Zudem ist der quantitative und qualitative Umfang staatlicher Leistungen pragmatisch bestimmt durch operationable Faktoren wie Stabilität, Funktion der öffentlichen Dienste, Lastenausgleich usw. Selbst wenn die pragmatisch ermittelten Zwecke durch ihren sozialpolitischen Charakter ausgewiesen sind, müssen sie einem ethischen *Legitimationsverfahren* unterworfen werden, was nicht schon allein mit dem Rückgriff auf die Kategorie der allgemeinen Wohlfahrt geschehen kann. In der herkömmlichen Steuerbemessungstheorie geht man ebenfalls von der Voraussetzung aus, daß mit zunehmendem Einkommen der Einkommensnutzen abnimmt, wobei der Nutzwert ein aus psychologischen Erfahrungskategorien gewonnener Transformationswert darstellt. Die Nutzwertbestimmung erfolgt aufgrund bestimmter Erfahrungsmomen-

[16] Vgl. ebd., 93.

te, die aber sehr interpretationsoffen sind. Aus der Grundannahme, daß mit zunehmender Nutzenmenge der Nutzwert abnimmt, wird die Steuerprogression ökonomisch legitimiert bzw. der Grundsatz, wer mehr hat, kann und soll auch mehr geben.

Warum nun allerdings dieses Können auch ein Sollen impliziert, ist nicht mehr eine volkswirtschaftliche, sondern eine ethische Fragestellung. Der Besteuerungsvorgang ist damit nicht bloß eine Angelegenheit des technisch-rationalen Verfahrens, ein Kalkül aufgrund operationabler Kriterien, sondern grundsätzlich auch ein Vorgang, der einem ethischen Legitimationsprozeß unterworfen werden muß. Das ethische Begründungsverfahren scheint aber in seiner deduktiven Form an die ihr immanent gegebenen Grenzen zu gelangen, da ihre Prämissen empirisch nicht abgedeckt und mithin auch nicht operationalisierbar sind. Kaum jemand wird bestreiten, der Besteuerungsvorgang hätte nicht gerecht zu sein, aber dennoch besteht die Schwierigkeit gerade darin, das Maß der Gerechtigkeit zu bestimmen.

Die nutzenkalkulatorische, utilitaristische Richtung geht zunächst von der These aus, die Gesellschaft sei dann recht und gerecht geordnet, wenn ihre Hauptinstitutionen so beschaffen sind, daß sie die größte Summe der Befriedigung für die Gesamtheit ihrer Mitglieder hervorbringen. Maxime ist also das optimale Wohlergehen aller Betroffenen. Es scheint vernünftig und einsichtig, daß jeder einzelne, soweit andere nicht unmittelbar betroffen sind, auf die Verfolgung der ihm als vernünftig erscheinenden Ziele aus ist. Und es scheint weithin ebenfalls einsichtig und vernünftig zu sein, daß eine Gruppe bzw. die Gesellschaft die bestmögliche Förderung des Gesamtwohles verfolgt, in weitgehender Befriedigung der Bedürfnisse, die sich aus den Einzelbedürfnissen der Einzelmitglieder zusammensetzen. Hieraus kann das Nutzenprinzip gefolgert werden, das besagt, eine Gesellschaft ist dann richtig beschaffen, wenn sie als Institution die Summe aller Nutzen zu maximieren imstande ist. In diesem Theoriekontext ist dann der Besteuerungsvorgang eine Funktion der Nutzenmaximierung.

Auf der Basis des Vorranges der Freiheits- und Menschenrechte vor dem Gesamtwohl kann aber die Gerechtigkeit so konkretisiert werden, daß sie einerseits unter dem Gesichtspunkt der Sicherung der Freiheit und andererseits unter dem Vermeidungsimperativ steht, daß diese Sicherheit nicht zur sozialen Benachteiligung wird. Der bekannte zeitgenössische Theoretiker *J. Rawls* kommt aufgrund dieses Vorranges zu zwei Regeln:

«- Jedermann soll gleiches Recht auf das umfangreichste System gleicher Grundfreiheiten haben, das für alle möglich ist.
- Soziale und wirtschaftliche Ungleichheiten sind so zu gestalten, daß vernünftigerweise zu erwarten ist, daß sie zu jedermanns Vorteil dienen.»[17]

Weil und insofern diese beiden Regeln unmittelbar aus der Vorgabe menschlicher Freiheit gefolgert werden und somit auch die Indikation für die Gerechtigkeit darstellen, kann nicht die Nutzenmaximierung zum Prinzip erhoben werden, sondern nur die Maximierung des geringsten Nutzens, weil erst so das in den beiden Regeln grundgelegte umfangreiche Recht vollumfänglich garantiert wird. Die so vermittelte Gerechtigkeit ist zwar ein notwendiges, aber kein zureichendes Prinzip und kann nur unter Berücksichtigung weiterer Kriterien technischer, wirtschaftlicher und sozialer Natur konkretisiert werden. Damit scheint auch eine größere Gerechtigkeit im Besteuerungsvorgang gegeben zu sein.

Dieses Beispiel macht deutlich, daß die Gerechtigkeitsprinzipien weder als idealer Plan noch als Vorbild zu betrachten sind, die schrittweise ihre Abbildung erfahren. Die Gerechtigkeit ist, da sie eine Qualität der Allgemeinheit besitzt, vielmehr ein normativer Maßstab, der in der Zusammenarbeit mit den empirischen Wissenschaften in entsprechende Strategien eingehen kann. Die Zielorientierung an einer so verstandenen Gerechtigkeit und nicht am Wohlergehen und am gesamtgesellschaftlichen Nutzen scheint mir die Möglichkeitsbedingung für größere und bessere Humanität zu sein.

Wenn eine Sozial- und Wirtschaftspolitik der Menschengerechtigkeit und ihrer Auffächerung als Menschenrechte dienen und wenn sie die Verwirklichung nicht dem Zufall überlassen will, dann braucht es Strategien, die sowohl am Prinzip der Gerechtigkeit orientiert als auch durch die Bedingungen der wissenschaftlichen Rationalität und der herrschaftsfreien Kommunikation bestimmt sind. Durch die Verbindung der Elemente: Sinnorientierung, Wissenschaftsbezug und Kooperationsbeziehung zur Politik erhalten die Strategien eine Chance, Gerechtigkeit durchsetzen zu können. Damit dürfte nicht zuletzt auch wieder eine Chance gegeben sein, daß die praktische und politische Philosophie nach einer langen Phase der Entzweiung erneut instand gesetzt wird, ihre kritische, normative und deliberative Funktion wahrzunehmen, wie dies in der aristotelischen Tradition der Fall war, und dies im Dienste an der Gerechtigkeit, am Menschen selbst.

---

[17] *J. Rawls*, Theorie der Gerechtigkeit, Frankfurt a. M. 1975, 81.

Man kann hier mit Recht die Frage anbringen: Und die Theologie? Wenn im Sinne von *P. Stuhlmacher*[18] die Gottesgerechtigkeit (die «Dikaiosynä tou Theou») ein Schöpfungsvorgang ist, der den Menschen in und durch die Verfremdungen und die nur partiell herstellbare Gerechtigkeit in seinem unbedingten Sinn erhält, dann ist diese Gerechtigkeit Gottes gerade eine Motivation zur Menschengerechtigkeit, um darin den Sinn des Menschen zu retten. Eine Motivation allerdings, die einen eigenen Impetus beinhaltet, der aber auch nur wieder in den Sinnstrukturen und in den Sinnkriterien der menschlichen Gerechtigkeit wirksam werden kann.

---

18 *P. Stuhlmacher*, Gerechtigkeit bei Paulus, Göttingen 1966, 257ff.

VI. Perspektiven der Normabweichung

A. Blick auf das Phänomen

Die tatsachenwissenschaftlichen Beiträge machen deutlich, daß vorwissenschaftlich und auf einer alltagssprachlichen Ebene mit dem Begriff der Abweichung, im speziellen mit Außenseitertum, Marginalität, Subkultur und Kriminalität intuitiv gewußte Inhalte verknüpft werden.[1] Dies hängt damit zusammen, daß der Mensch die Zugehörigkeit zur Gesellschaft durch tätige Übereinstimmung gewinnt und sich dadurch einen mehr oder weniger bewußten Beurteilungsraster für eigenes und fremdes Verhalten aneignet. Die wissenschaftliche Theoriebildung aber, die das vom sozialen Kräfteparallelogramm abweichende Verhalten in eindeutige Konzepte und operationalisierbare Aussagen zu fassen versucht, steht vor nicht unerheblichen Schwierigkeiten. Dies zeigt sich in dreierlei Hinsicht:

1. *Die Relationalität der Abweichung*

Geht man mit der Mehrzahl sozialwissenschaftlicher Ansätze[2] davon aus, daß abweichendes Verhalten nur im je gegebenen sozialen Kontext verstanden werden kann, der wiederum nur auf dem Hintergrund angenommener Werte und Normen deutbar wird, dann zeigt sich, daß

---

[1] Vgl. *W. Wiswede*, Soziologie abweichenden Verhaltens, Stuttgart/Berlin/Köln/Mainz (1979²) 1993⁵.

[2] Vgl. *G. S. Becker*, Der ökonomische Ansatz zur Erklärung menschlichen Verhaltens, Tübingen 1993²; *A. Bellebaum*, Abweichendes Verhalten. Kriminalität und andere soziale Probleme, Paderborn 1984; *R. Driebold*, Teilnahme statt Ausgrenzung. Ein anderer Umgang mit Devianten, Bielefeld 1990; *B. Hildenbrand*, Alltag und Krankheit. Ethnographie einer Familie, Stuttgart 1983; *H. Hoffman/D. Kramer* (Hrsg.), Anderssein, ein Menschenrecht. Über die Vereinbarkeit universaler Normen mit kultureller und ethnischer Vielfalt, Weinheim 1994; *H. J. Kagelmann*, Modellvorstellungen psychisch abweichenden Verhaltens in der Unterhaltungsliteratur, Berlin 1982; *H. Kury* (Hrsg.), Prävention abweichenden Verhaltens – Maßnahmen der Vorbeugung und Nachbetreuung, Köln 1982; *K. Lüderssen/F. Sack* (Hrsg.), Abweichendes Verhalten, 4 Bde., Stuttgart 1975ff.; *U. Rauchfleisch*, Dissozial. Entwicklung, Struktur und Psychodynamik dissozialer Persönlichkeiten, Göttingen 1981; *H. Rosemann*, Abweichungs- und Bewältigungsverhalten, Lüneburg 1994; *P. E. Schnabel*, Krankheit und Sozialisation. Vergesellschaftung als pathogener Prozeß, Wiesbaden 1988; *H. Wessling*, Außenseiter wollen leben. Verfemte und Ausgestoßene fordern ihr Recht, Leutesdorf 1980²; *L. Wilk*, Familie und «abweichendes» Handeln, Weinheim 1987; *R. Wurr/H. Trabandt*, Abweichendes Verhalten und sozialpädagogisches Handeln, Stuttgart 1993³.

Abweichung immer nur in Interaktion und in ihrem historisch-gesellschaftlich bedingten Definitionsmuster gegeben ist. «Abweichung» ist demnach ein Relationsbegriff, der sich nur vom jeweiligen sozialen Bezugssystem her definieren läßt. Nun ist aber das Gesamt an konkretnormativer Vorgegebenheit, die Sitte, Brauchtum, Recht und moralischethische Handlungsorientierung umfaßt, ein vielschichtiges Gebilde.[3] Dessen beschreibende Ausdifferenzierung in Geltungsbereich, Gültigkeitsanspruch und Dringlichkeitshöhe verläuft äußerst komplex. Das vielschichtige Ineinander der normativen Ansprüche, aber auch die flexiblen Toleranzgrenzen bringen es mit sich, daß die Handlungswirklichkeit nicht einfach mit dem Gegensatz-Paar Abweichung/Konformität erfaßt werden kann. Demnach stellt sich die Handlungswirklichkeit als ein «Kontinuum zwischen Konformität und Abweichung» dar.[4] Wiewohl dessen Aufteilung in einen Toleranz- bzw. in einen Ablehnungsbereich durch unterschiedliche Mechanismen erfolgt (etwa durch Sanktion, Etikettierung, Ächtung usw.), ist im Einzelfall die Beurteilung des Verhaltens im Vergleich zur sozialen Normativität, insbesondere im Toleranz- und Grauzonenbereich schwierig. Der Grund liegt nicht nur in der unterschiedlich gewichteten Erwartungsanforderung des Normenkomplexes, sondern auch beim Individuum selbst. Der einzelne, der sich im sozialen Kontext Handlungs-, Rollen- und Sprachenmuster erwirbt, hat nicht nur die Integration von Erwartung und Forderung zu leisten, sondern auch die biographisch und umständebedingten Möglichkeiten mit einzubeziehen. Daher kann die «Normalität» bzw. die «Abweichung» menschlichen Verhaltens nicht ausschließlich nur von der Norm her bestimmt werden. Abweichung entsteht aus dem Wechselverhältnis von normativer Vorgegebenheit und individueller Möglichkeit. Die ethische Fragestellung hat daher die sozial-normative Determinante, wie auch die davon betroffene Subjektivität zu bedenken.

2. *Die Analogizität der Abweichung*

Es zeigt sich weiter, daß der Begriff Abweichung analog gehandhabt wird: Die Absetzung von Sitte und Brauchtum, der Verstoß gegen die Rechtsnorm oder die Verletzung einer moralischen Norm sind von unterschiedlicher Bedeutung, sowohl für den einzelnen wie auch für die Gemeinschaft und die Gesellschaft. Offensichtlich gibt es auf der Skala der Abweichungsmöglichkeiten Dringlichkeitsstufen, die für Besitzstandwahrung und Aufbau der Identität des einzelnen wie auch für Be-

---

3 Vgl. *H. Popitz*, Soziale Normen, in: Archiv für Soziologie, Bd. 2, 2 (1961) 185 - 198.
4 *S. Lamnek*, Theorien abweichenden Verhaltens, München 1979, 53.

stand und Funktion des Sozialgefüges von unterschiedlicher Wichtigkeit sind. Dies bedeutet auf der ethischen Ebene, daß der Bereich der Verhaltens- und Handlungsweisen, die auf Wahl beruhen, viel weiter reicht als das Phänomen des Ethischen. Obwohl zwar jeder willentlich-abweichende Akt im Horizont des Ethischen steht, muß er noch nicht moralisch bedeutsam sein (z. B. Tischsittenabweichung). Hier erhebt sich die Frage nach den ethischen Kriterien, womit abweichendes Verhalten nach seiner Moralität qualifiziert werden kann.

3. *Die Kulturspezifität der Abweichung*

Und schließlich ist der Inhalt der Abweichung kultur-, zeit- und epochenspezifisch bedingt.[5] Interkulturelle Vergleiche weisen darauf hin, daß dieselben Sachverhalte (z. B. Fragen des Eigentums, der Sexualität) widersprechenden Einschätzungen unterliegen. Damit ergibt sich eine kulturspezifische Relativität der Normsetzung und der inhaltlichen Ausgestaltung von Normen. Es scheint aber, daß die unbestreitbaren Grundkonstanten menschlichen Daseins (materielle Daseinssicherung, kulturelle Ausstattung des Individuums und der Gesellschaft, Ausgestaltung des sozialen Kräftefeldes) zwar ihre Beständigkeit insbesondere in den Problemen haben, die sie erzeugen, aber nicht so sehr in ihren Lösungen. Und selbst für ein und denselben Kulturkreis erkennt man in einem gewissen Umfang eine Variabilität von Normen, insofern sie sich den gesellschaftlichen Verhältnissen anpassen und sich damit auch wandeln. Hier eröffnet sich der weite Bereich der Ethik, welche die verbindlichen Formen menschlicher Vergesellschaftung und die Regeln für die Herausbildung der Individualität dem Sittlichkeitskriterium zu unterwerfen hat.

Mit dieser Problemskizze sind nun die ethischen Fragestellungen angesprochen; diese problematisierenden Hinweise müssen im folgenden weiter aufgegriffen werden.

---

[5] Vgl. *G. Newmann*, Comparative deviance. Perception and law in six cultures, New York/Oxford/Amsterdam 1976; *G. H. Mead*, Geist, Identität und Gesellschaft aus der Sicht des Sozialbehaviorismus, Frankfurt a. M. 1968; *R. Benedict*, Urformen der Kultur, Reinbek 1955.

B. Die Funktionalitäten der Abweichung und ihre moralische Bedeutung

Das Phänomen der Devianz läßt sich am besten unter einem pragmatischen Gesichtspunkt, nämlich über den Stellenwert und die Funktionalität der Abweichung auf seine sittlich-moralische Bedeutsamkeit hin erhellen, fortschreitend zu der allgemeinen Frage einer ethischen Kriteriologie.

1. Anthropologische Begründung

In anthropologischer Hinsicht scheint die Annahme sinnvoll, abweichendes Verhalten als Ausdruck der ambivalenten, strapaziösen und bedingten menschlichen Lebenssituation (der condition humaine) zu verstehen, insofern mit der menschlichen Existenz immer auch die Möglichkeit des Zurückbleibens hinter den eigenen Chancen, des Handelns wider bessere Einsicht gegeben ist. Devianz – und hier zeigt sich gleichzeitig deren menschliche Dignität und Gebrochenheit – ist so grundsätzlich Ausdruck einer Zuständigkeit des Menschen, der in Mündigkeit und Verantwortung sein Leben wagen, verfehlen oder vertun kann. Nur weil der Mensch wissentlich-willentlich handeln kann, ist er im eigentlichen Sinne Subjekt, nur deswegen gibt es Gelingen und Mißlingen, das er mitverdankt. Diese seine Zuständigkeit ist aber nochmals bestimmt durch Situationsbelastungen bis hin zu psychischen und physischen Belastungsausfällen, wofür der Mensch nicht mehr zuständig ist. Abweichung im weitesten Sinne des Begriffs als nichtkorrespondierende, von sich aus eingenommene Verhaltensweise mit einer entsprechenden Verhaltensanforderung ist also zunächst ein Phänomen, das mit der Willens- und Freiheitsfähigkeit selbst gegeben ist. Und dies heißt damit auch, daß jede Verhaltensweise, sei es im Modus des Gelingens oder im Modus der Devianz, ihre moralische Qualifikation aus der Verbindlichkeit des Menschlichen erhält.[6]

---

[6] Vgl. *I. Kant*, Grundlegung zur Metaphysik der Sitten, in: *Kant*, Werke IV, hrsg. v. *W. Weischedel*, Darmstadt 1968.

2. *Vorethische Zuschreibungsprozesse*

Es scheint zu den «moralischen Verfallsmöglichkeiten»[7] des Menschen zu gehören, daß er sich das zutage tretende Böse vergegenständlicht, als ein sich Fremdes definiert und sich damit entlastet. Diese Tendenz der Verobjektivierung zeugt sich offensichtlich in jenem Prozeß fort, der sich den Außenseiter wider Willen schafft, durch Zuschreibungsprozesse, Etikettierungsvorgänge und vorurteilsbeladene Verdachtsmethoden. Zweifellos haben die «Zuschreibungstheorien»[8], welche in erster Linie das Prädikat Abweichung von Reaktionen und Sanktionen der Gesellschaft her erklären, in bezug auf das abweichende Verhalten breitere Erkenntnismöglichkeiten gebracht. In der Tat schafft sich die Gesellschaft durch Zuschreibung ihrer «outcasts», ihre Bemakelten und ihre Bösewichte, sozusagen in der Form der «sekundären Devianz»[9]. Andersartigkeit, Auffälligkeit der Sitten, die Fremdheit ethnischer Herkunft sind Verdachtsmomente. Sie bieten sich an, um im ohnehin schon sozial wirksamen Gefälle der Trennung in In- und Outgroups[10] Personen mit dem endgültigen Stigma abweichender Identität zu belegen. Wie wäre es sonst möglich, daß sonst in sich geschlossene Gruppen wie Juden, Zigeuner oder Bewohner von Armenvierteln den Nimbus des Anrüchigen, Verdächtigen erhalten? Hier herrschen vorethische Stigmatisierungsmechanismen, die in ihrem Effekt dennoch von moralischer Qualität sind, weil sie durch Verfremdung abweichendes Verhalten erst schaffen, verstärken oder verlagern und durch Zuschreibung die Übernahme abweichender Rollen begünstigen. Die Problematisierung des institutionellen und professionellen Verhaltens angesichts der bleibenden und ständigen Gefahr der Verdächtigung ist eine bleibende Herausforderung an die Moralkritik.

3. *Der Aspekt des Ethischen*

Das Thema der Abweichung erhält erst da seine eigentlich ethische Brisanz, wo jemandem nicht einfach «von außen» das Stigma der Abwei-

---

[7] Vgl. *W. Korff*, Außenseiter. Zur ethischen Beurteilung abweichender Identität, in: Theolog. Quartalschrift 155 (1975) 3 - 16.

[8] *F. Tannenbaum*, Crime and Community, London 1953; *E. M. Lemert*, Der Begriff der sekundären Devianz, in: *K. Lüderssen/F. Sack* (Hrsg.), Seminar abweichendes Verhalten I. Die selektiven Normen der Gesellschaft, Frankfurt a. M. 1975, 433 - 476; *H. S. Becker*, Außenseiter. Zur Soziologie abweichenden Verhaltens, Frankfurt a. M. 1973.

[9] Vgl. *H. S. Becker*. Außenseiter. Zur Soziologie abweichenden Verhaltens, Frankfurt a. M. 1973.

[10] Vgl. *W. G. Summer*, Folkways. A Study of the Sociological Importance of Usage, Manners, Customs, Mores and Morals, Boston 1940.

chung aufgezwungen wird, sondern wo sich jemand bewußt von sozialen Verhaltensforderungen absetzt. Die so aus Überzeugung gelebte Nonkonformität umfaßt jene Bandbreite moralischen Verhaltens, das selbstzerstörerische bzw. gesellschaftsgefährdende Momente aufweist bis dahin, wo das Verhalten selbst zum Träger der Innovation eines humaneren Ethos wird. Wenn die soziologischen Wissenschaften nicht vorhinein Devianz mit sozialer Desorganisation gleichsetzen, dann machen sie auf jenen Umstand aufmerksam, daß Devianzen in einem gewissen Ausmaß und unter bestimmten Bedingungen einen positiven Beitrag zur Lebensfähigkeit und Wirksamkeit eines sozialen Systems leisten. So kann Abweichung (Rebellion, Kriminalität usw.), die eindeutig aus moralisch verwerflichen Motiven erfolgt, einen «Kontrasteffekt»[11] hervorrufen, der die Kritik an verdichteten, geltenden Handlungsformen provoziert oder gar die geltenden Verkehrsformen und Handlungsorientierungen auf größere Gerechtigkeit hin stimuliert, nebst der Stützung der Norm und der Stärkung des Gruppenzusammenhangs.

Selbst wenn man davon ausgehen muß, daß extreme Nonkonformität illegitim und mit dem Gefälle auf Selbstzerstörung und Gefährdung des gesellschaftlichen Zusammenlebens erfolgen kann, so mag hier zwar die ethische Beurteilung eindeutig ausfallen, doch ist hier der ethische Impuls auf den «signifikant Anderen» weitaus schwieriger abzuschätzen. Folgt man einem von *E. Durkheim* gegebenen Hinweis, daß abweichendes Verhalten auch Indiz einer das Gegenwärtige überholende Neuerung sein kann, dann wird deutlich, daß der Devianz unter bestimmten Bedingungen ein authentischer Normvorstoß nicht abgesprochen werden kann. Eine Geschichte des «schöpferischen Ungehorsams», die den Ketzer wie den Rebellen, den Revolutionär wie den Märtyrer umfaßte, könnte belegen, daß in der Verneinung des Gegebenen neue Sittlichkeit entdeckt wurde.

> «Die Gedankenfreiheit, deren wir uns heute erfreuen, wäre niemals proklamiert worden, wenn die sie verbietenden Normen nicht verletzt worden wären, bevor sie noch feierlich außer Kraft gesetzt wurden.»[12]

Aber gerade hier stellt sich nochmals die Frage nach jenem Kriterium, das abweichendes Verhalten als moralische Verfallsform denunziert oder dann als moralischen «Fortschritt» aufdeckt.

Eine notwendige, aber nicht zureichende Bedingung ist das von *W. Korff* benannte Prinzip, daß erst die faktisch gelebte Überzeugung,

---

11 Vgl. *A. K. Cohen*, Abweichung und Kontrolle, München 1970^2, 25.

12 Vgl. *E. Durkheim*, die Regeln der soziologischen Methode, hrsg. v. *R. König*, Neuwied/Berlin 1965^2, 160f.

«die auf soziale Anerkennung drängt»[13], normative Kraft aufweist. Nicht allein schon der Tatbestand, daß soziale, juridische und moralische Normbestände nicht eingehalten werden, wirkt unmittelbar normverändernd und innovatorisch, sondern wohl erst die Tatsache, daß eine dem Handeln innewohnende Überzeugung auf soziale Verbindlichkeit drängt. Dies heißt aber gleichzeitig, daß diesem Verhalten jene ethische Vernunft innewohnt, die auf Verallgemeinerung als einer wesentlichen Voraussetzung von Sittlichkeit überhaupt hinsteuert (vgl. Kants kategorischen Imperativ). Wiewohl eine auf allgemeine Anerkenntnis ausgehende Überzeugung, die einem abweichenden Verhalten motivierend beigegeben ist, ein Hinweis auf neues Ethos und neue Sittlichkeit sein kann, müssen dessen Verbindlichkeitsgründe im Einzelfall eigens vernünftig ausgewiesen werden. Dazu hat die philosophische wie die theologische Ethik unterschiedliche Methoden entwickelt.

C. Sittlichkeit als Grund verantwortlichen Handelns

Nach der ethischen Tradition markiert der Begriff der Sittlichkeit jene vorgegebene Verbindlichkeit, mittels derer das Handeln des Menschen gegenüber dem anderen, gegenüber sich selbst und gegenüber der Natur auf seinen Sinn und auf seine Verantwortlichkeit hin geprüft wird.[14] Die Sittlichkeit bzw. das Kriterium, womit das Handeln des Menschen, aber auch seine von ihm ausgestalteten Institutionen auf ihre Richtigkeit und Gutheit hin befragt werden, ist nach der Tradition insbesondere der Moraltheologie nicht irgendeine Konvention oder ein durch die staatliche, gesellschaftliche oder andere Autorität festgelegtes Richtmaß, sondern eine dem Menschen selbst immanente Verbindlichkeit. Die Sittlichkeit zielt – und dies gilt auch im Zusammenhang des Glaubens – «auf die optimale Entfaltung des Menschen in der konkreten Situation des einzelnen, der Gesellschaft und der Menschheit im ganzen».[15] Diese These wollen wir hier einmal voraussetzen.

Nun ist aber ein abstrakt gefaßtes Humanum mit dem Anspruch, menschliche Praxis als ganze vor das Forum der Verbindlichkeit, ver-

---

[13] Vgl. *W. Korff*, Norm und Sittlichkeit. Untersuchungen zur Logik der normativen Vernunft, Tübinger Theolog. Studien 1, Mainz 1973, 137f.

[14] Vgl. *O. Höffe*, Sittlichkeit, in: Handbuch philos. Grundbegriffe V, Studienausgabe, hrsg. v. *H. Krings/M. Baumgartner/C. Wild*, München 1974, 1344.

[15] Vgl. *A. Auer*, Absolutheit und Bedingtheit ethischer Normen, in: Unterwegs zur Einheit (FS H. Stirnimann), hrsg. v. *J. Brantschen/P. Selvatico*, Freiburg i. Br./Freiburg i. Ue. 1980, 350.

nünftigen Argumentation und Rechtfertigung zu ziehen, zur Beurteilung und zur Lebensführung nur wenig hilfreich. Dazu bedarf es der inhaltlich konkretisierenden Sollensforderungen, welche die Unbedingtheit des sittlichen Anspruchs in die Lebenswelt und in die wechselnden Lebenssituationen ausdifferenzieren. In einem grundsätzlichen Verständnis erfüllen die ethischen Normen diese Funktion, insofern sie das umfassend Sittliche in Handlungsanleitungen auslegen und in präziser, vorschreibender sprachlicher Fassung das Handeln verbindlich ausrichten.

In diesem Sinne kennt die (theologische) Ethik die Notwendigkeit allgemeiner sittlicher Normen, die den Menschen in Pflicht nehmen. Wie feststehend diese Normwelt auch sein mag, die Moraltheologie hat immer auch um die Einmaligkeit und Unwiederholbarkeit des Individuums gewußt, das heißt, um die grundlegende Spannung zwischen allgemeinen Sollensforderungen, der konkreten Bestimmtheit einer Praxis und den individuellen Verwirklichungsmöglichkeiten. Diese Spannung wurde nicht einfach zugunsten der dem Individuum vorgeordneten Norm nivelliert. Aufs ganze gesehen wurde vielmehr eine eindrucksvolle Kriteriologie entwickelt, wie der generelle Anspruch der Normen in den Bereich des von besonderen Umständen bedingten Individuellen vermittelt und gleichzeitig auch der geschichtlichen Entwicklung Rechnung getragen werden kann.[16] Damit eröffnete sich die traditionelle Moraltheologie selbst einen Weg, abweichendes Verhalten zu beurteilen, und sie eröffnete dem einzelnen die Möglichkeit, den sittlichen Anspruch auch gegen den geltenden Maßstab des Rechts und gegen die jeweils geltenden sozialethischen Erwartungsnormen einzulösen.

Die traditionsreiche Lehre von den Umständen, von der Epikie, von den Handlungen mit doppelter Wirkung, des ethischen Kompromisses und der Probabilität will gerade darauf hinweisen, daß der einzelne im Rahmen der übergreifenden Normordnung, angesichts seines Reichtums und der Gebrochenheit seiner Möglichkeit zu seinem Menschsein finden muß. Diese Lehrstücke, die nun nicht einfach Einbrüche in ein perfektes System darstellen, wollen exakt jenen Umstand reflex einholen, daß sich die Sittlichkeit nur im Vollzug des Lebens selbst, angesichts der besonderen Lebensbereiche und in den jeweiligen sozio-kulturellen Zusammenhängen gehaltvoll realisieren kann. Dabei gilt hier das norm-logische Strukturgesetz, daß der situationsspezifischen Anwendung ethischer Normen in dem Maße Grenzen gesetzt sind, als sie selbst den Grundbestand des Humanum bzw. der Selbstzwecklichkeit des Menschen schützen wollen. Denn je weiter man von den allgemei-

---

16 Ebd. 348f.

nen sittlichen Verbindlichkeiten zu konkreten Handlungsnormen fortschreitet, desto mehr gilt das Gesetz der abnehmenden «Treffsicherheit»[17]. Das heißt nun aber gleichzeitig, daß dem einzelnen gerade dadurch ermöglicht wird, in konkreter Situation, im Kontext je eigener Umstände und auf dem Hintergrund eigener biographischer Möglichkeiten Abwägungsurteile zu treffen. Ein solches Urteil kann sich gegen die positive Norm richten, in Berufung auf die höhere Gerechtigkeit, wobei die evozierte Handlung ihre sittliche Qualifikation von den gesetzten Wirkungen und Konsequenzen erhält. Ausschließend gilt demnach die ethische Regel, daß jenes abweichende bzw. normverstoßende Handeln sittlich nicht gerechtfertigt werden kann, das einem niederen Wert vor einem höheren den Vorzug gibt (z. B. Eigentum vor Freiheitsrechten). So darf das sittliche Gut bzw. das Recht auf Freiheit des Gewissens den anderen Gütern, die das Gesetz schützen will, nicht vorgezogen werden. Dieses sittliche Gut ist allein durch die Gegenseitigkeitsforderung begrenzt, die in der Unantastbarkeit der Person selbst begründet liegt.[18]

1. Die politisch-soziale Sittlichkeit

In einem ersten – noch undifferenzierten Zugang – läßt sich sagen, daß sich die Sittlichkeit in den überindividuellen und über den Augenblick hinausdauernden Handlungsmustern niederschlägt, die ursprünglich die ungeschiedene Einheit von Gutem und Richtigem, Recht und Sitte, Brauchtum und Geziemendem bilden.[19] Diese Einheit konstituiert die politisch-soziale Wirklichkeit des Menschen. In ihr kristallisieren sich der Willkür des einzelnen weitgehend entzogene Handlungsregeln, Wertmaßstäbe und ethische Maximen. Was sich ursprünglich als eine ungetrennte Einheit erwiesen hat, hat sich entwicklungsgeschichtlich in einzelne, relativ eigenständige Bereiche ausgegliedert. Vieles an normativen Verbindlichkeiten ist in dem Raum der persönlichen Lebenswelt, in die Sub-Systeme menschlicher Vergesellschaftung von Familie, Gruppe oder dann ganz allgemein in das Großsystem Gesellschaft ausgewandert, das einem vorstaatlichen, sozialen und wirtschaftlichen Kräftespiel unterworfen ist. Der moderne Staat als eine Funktion der Gesellschaft umfaßt dagegen nur noch jene demokratischen Rechtsord-

---

17 Vgl. Thomas STh I-II, q94, a4c: «ut in pluribus»; *F. Scholz*, Wege, Umwege und Auswege der Moraltheologie. Ein Plädoyer für begründete Ausnahmen, München 1976, 154f.

18 Vgl. *B. Schüller*, Die Begründung sittlicher Urteile. Typen ethischer Argumentation in der Moraltheologie, Düsseldorf 1980².

19 Vgl. *O. Höffe*, Sittlichkeit als Horizont menschlichen Handelns, in: Philosophisches Jahrbuch 87 (1980) 297ff.

nungen, die darauf abzielen, Freiheit, Verantwortung und Gerechtigkeit im Hinblick auf die selbstzugelastete Lebensführung zu schützen. Dies bringt es mit sich, daß die Bewältigung ethischer Probleme zunehmend der Kompetenz des Subjektes aufgetragen ist.

Diese Tatsache eröffnet eben im Rahmen der Rechtsordnung die Möglichkeit einer Vielfalt von Moralen, die denn auch faktisch nebeneinander existieren, teils in Konkurrenz und teils in Übereinstimmung. Die Breite der Divergenzen scheint sich allerdings in Grenzen zu halten, vor allem, wenn man zwischen den einzelnen Intentionen und den Bedingungen der Realisierung unterscheidet. Deshalb stellt sich im Zusammenhang des freien und humanitären Rechtsstaates, der die Pluralität der Anschauungen ermöglicht und ihnen in der Gewissensfreiheit eine Rechtsbasis schafft, das Problem der wissentlich-willentlichen Abweichung anders. Während der Tatbestand der kriminellen Rechtsverletzung juristisch klar umschreibbar bleibt, läßt sich die soziale Abweichung im wesentlichen nur noch im Hinblick auf das «moralische Milieu»[20] bestimmen, dem sich der einzelne zugehörig weiß.

Auf der einen Seite gibt es in den weltanschaulichen pluralen Gesellschaften einen im Recht fixierten Grundbestand an Sittlichkeit, der im Prinzip jenen Freiheitsraum offenhält, der als Voraussetzung der sittlichen Selbstentfaltung anzusehen ist. Die Verletzung der Maßstäbe, die strafrechtlich sanktioniert sind, wird denn auch als Angriff auf die Gesellschaftsordnung und in ihrem Kern als illegitime Abweichung eingestuft. Auf der anderen Seite schafft der rechtsgeschützte minimale Bestand der Sittlichkeit einen Raum für Gruppen und Institutionen mit spezifischen Moralüberzeugungen. Abweichung kann und muß darüber hinaus im Kontext des jeweiligen Lebenszusammenhanges, dem man sich verpflichtet weiß, bestimmt werden. Gruppen und Institutionen mit einem hochethischen Engagement, wie etwa die kirchlichen Gemeinschaften, definieren deshalb Konformität und Abweichung anders als jene Gesinnungsgenossenschaften, die sich an einem sittlichen Minimum orientieren. Wenn es also den Tatbestand der pluralen gesellschaftlichen Moralüberzeugungen mit je ihren eigentümlichen Verhaltensanforderungen gibt, und wenn demnach auch unterschiedliche Abweichungsformen existieren, so stellt sich hier nochmals die Frage nach einem übergreifenden ethischen Kriterium.

---

[20] Vgl. *W. Korff*, Außenseiter. Zur ethischen Beurteilung abweichender Identität, in: Theolog. Quartalschrift 155 (1975) 9.

Bei der Suche nach diesem Kriterium gehen wir hier in Erweiterung der «institutionstheoretischen»[21] und «systemtheoretischen» Handlungstheorie[22] davon aus, daß die politisch-soziale Sittlichkeit die subjektive Sittlichkeit gerade herausfordert. Das heißt nun nichts anderes, als daß es sich immer um ein Subjekt handelt, das in Gesellschaft und Beziehungsgruppen agiert. Aufgrund der Erkenntnis-, Vernunfts- und Freiheitsfähigkeit kann sich das Subjekt nochmals zu den vorgegebenen Lebensbedingungen ins Verhältnis setzen. Es kann sie aufnehmen, verwerfen oder annehmen und schöpferisch verarbeiten. Hierin gründet die vom Subjekt abhängige Möglichkeit des Gelingens und Verfehlens. Jene hier geforderte Instanz, welche die Beziehung zwischen der Lebens- und Normenwelt und den Handlungen herstellt, ist die Verantwortung.

Sie bezeichnet die Zuständigkeit einer Person für das Tun und Lassen, für Abweichung und Verfehlung, für Handlungsgrundsätze, Lebensformen und deren subjektive Befestigung im Charakter. Verantwortlich sein oder jemanden zur Verantwortung ziehen heißt, sich Gründe nennen oder vorhalten lassen, durch die das Handeln als gelungen oder mißlungen, als gut oder böse erscheint. Die Eigentümlichkeit der Verantwortung liegt aber gerade darin, daß sie sich nicht auf partielle Bereiche, auf pragmatische, soziale und rechtliche Richtigkeit einschränken läßt, sondern den gesamten Handlungsbereich mitsamt den Handlungsmaximen und Einstellungen umfaßt. Wenn sich die Verantwortlichkeit auf die Gutheit und Richtigkeit der Handlung als solcher bezieht, dann hat sich allenfalls auch abweichendes Verhalten vor dem Forum der argumentativen Vernunft, der Verbindlichkeit und der Rechtfertigung auszuweisen. Dies setzt ein grundlegendes Vertrauen voraus, das aufgeklärt werden kann, welche Verbindlichkeiten, Pflichten, Vorlieben und Einstellungen im Spiele sind. Der Abweichung haftet nur dann ein Zug zur sozialen und moralischen Versöhnung an, wenn die Handlungspartner angesichts der Widersprüchlichkeit bereit sind, sich auf ihre Verantwortlichkeit hin befragen zu lassen, und wenn sie auf dem Hintergrund der verschiedenen Vorerfahrungen und Rollenverpflichtungen auch zugestehen, die Vernünftigkeit von Hand-

[21] Vgl. *A. Gehlen*, Probleme einer soziologischen Handlungslehre, in: Studien zur Anthropologie und Soziologie 26 (1963) 196 - 231.

[22] Vgl. *T. Parsons*, Gesellschaften, Frankfurt a. M. 1975; *N. Luhmann*, Das Phänomen des Gewissens und die normative Selbstbestimmung der Persönlichkeit, in: *F. Böckle*/*E. W. Böckenförde* (Hrsg.), Naturrecht in der Kritik, Mainz 1973, 223 - 243.

lungsverbindlichkeiten zu diskutieren. Dies ist die Voraussetzung dafür, daß die ausgetauschten Identitätssignale als wahr oder falsch erkannt werden können.

VI. Schuld und Schuldbewältigung aus moraltheologischer Sicht

A. Gewandeltes Schuldverständnis

Wer als Theologe im Anschluß an die Psychoanalyse der Frage nachgeht, was im christlichen Verständnis Schuld bedeutet und wie man aus christlicher Sicht mit Schuld umgehen soll, begibt sich auf ein weites und dunkles Feld.[1] Denn diese Frage ist eng mit anderen Fragen verflochten. Zu nennen sind hier einige wichtige, mit unserem Thema zusammenhängende Problemkomplexe:

- Was ist das Böse? Nach ethischem Verständnis ist Schuld das moralisch Böse.
- Was ist Sünde? Nach theologischem Verständnis ist Schuld sündiger Widerspruch zu den Intentionen Gottes.
- Was sind Normen und gibt es allenfalls objektiv verbindliche Normen? Nach unserer Alltagsintuition hat Schuld etwas mit Abweichung und Mißachtung von bestimmten Norm- und Wertvorstellungen zu tun.
- Was ist das Gewissen? Im Gewissensspruch wird Schuld wahrgenommen, eingeklagt und subjektiv real.

Wir brauchen hier nicht eigens hinzuzufügen, daß für viele Menschen von diesen Inhalten einiges fragwürdig geworden ist. Und viele mögen auch bedauern, daß es in diesen Bereichen keine festgefügten Antworten mehr gibt wie vielleicht noch vor Jahrzehnten. Mit dem Schwinden fixer Antworten ist manches unsicher geworden, was gestern noch als Schuld und Sünde galt. Noch vor jeder Diagnose müssen wir darauf hinweisen, daß alle Antworten auf unsere Fragen dem Wesen nach dunkel bleiben müssen. Eingängige Definitionen und plausible Sätze dürfen nicht darüber hinwegtäuschen, daß unser Thema in eine Dimension hineinreicht, in der unsere gedankliche Anstrengung das Gemeinte nicht mehr vollumfänglich und angemessen ins Wort fassen kann.

So sagt die Theologie in ihrer großen Tradition, das Böse sei ein «mysterium iniquitatis», ein unergründliches Geheimnis, das sich letztlich

---

[1] Dieser Text geht zurück auf ein Korreferat in Reaktion auf: *U. Rauchfleisch*, Psychoanalyse und theologische Ethik. Neue Impulse zum Dialog (= Studien zur theol. Ethik Bd. 18), Freiburg i. Ue./Freiburg i. Br. (1986) 1994[2], bes. das Kapitel: Schuld und Schuldgefühle, 83ff.

unseren Verstehenskategorien entzieht. Vom Gewissen sagt die Theologie, daß hier das Höchste, Eigentlichste und Unergründlichste der menschlichen Person gemeint sei. Und vom Menschen sagt sie, er sei in seiner Abgründigkeit ebensowenig zu definieren wie Gott selbst. Insofern die Theologie um dieses undefinierbare Rätsel Mensch weiß, besteht ihre Aufgabe gerade darin, die wesenhafte Unauslotbarkeit all jenen Versuchen entgegen zu halten, die den Menschen endgültig verstehen wollen. Worauf ich hier abziele ist der Umstand, daß wir – sofern wir unser Geschäft als Theologen genügend ernst betreiben – in der Frage dessen, was Schuld ist, zu keiner vordergründigen Gewißheit und zu keiner voreiligen Klarheit kommen können, die alles auflösen. Denn Schuld und Sünde partizipieren im christlichen Verständnis am dunklen Geheimnis, das der Mensch selbst ist.[2] Diese einleitenden Bemerkungen sollen nun kein Freipaß sein, der uns vom Nachdenken dispensieren soll. Auch hier gilt das Wort der Schrift, daß wir von unserem hoffenden Glauben Rechenschaft ablegen sollen (vgl. 1 Petr 3,15).

Schon ein flüchtiger Blick in die Geschichte des Christentums belegt, wie sehr das Schuldverständnis und die Schulderfahrung einem historischem Wandel unterworfen sind.[3] Es gab Zeiten, in denen man Krankheit für Schuld hielt, an der sich die Strafe Gottes zeigt. In calvinistischen Ländern galt materielle Armut nicht nur als Schande, sondern sogar als Schuld, Reichtum dagegen als Bevorzugung von seiten Gottes. Ebenso galt Kinderlosigkeit bis weit in unsere Gegenwart hinein als Schandmal, sozusagen als Konsequenz persönlichen oder familiären Fehlverhaltens und als «Fingerzeig» des Himmels. Mit Recht sind solche Fehlinterpretationen korrigiert und geläutert worden, denn letztlich haben sie Menschen nicht aufgerichtet, sondern entwürdigt und diskriminiert.[4] Tatsächlich hat man in der konkreten Christentumsgeschichte oft vergessen, daß das erste Wort des Glaubens Erlösung, d. h. Befreiung, lautet, und daß erst im Zusammenhang mit Freiheit, Gerechtigkeit und Würde gleichsam in einem zweiten Wort von Schuld, vertanen Chancen, Gleichgültigkeit usw. die Rede sein kann.

Manche sind nun der Meinung, in unserer Zeit hätte sich der Abbau des Schuldbewußtseins weiter vollzogen, nicht bloß in Hinsicht auf die falschen und irrigen Seiten. Es gäbe Ausfallserscheinungen des morali-

---

[2] Vgl. *P. Ricoeur*, Die Fehlbarkeit des Menschen. Phänomenologie der Schuld I., 2. unveränd. Aufl., Freiburg i. Br. 1989; *Ders.*, Symbole des Bösen. Phänomenologie der Schuld II., 2. unveränd. Aufl., Freiburg i. Br. 1988.

[3] Vgl. *E. Drewermann/M. Helfer/G. Höver*, Freispruch für Kain? Über den Umgang mit Schuld, 4. Aufl., Mainz 1992; *M. Sievernich/K. P. Seif* (Hrsg.), Schuld und Umkehr in den Weltreligionen, Mainz 1983.

[4] Vgl. *B. Dieckmann*, Judas als Sündenbock. Eine verhängnisvolle Geschichte von Angst und Vergeltung, Stuttgart 1991.

schen Bewußtseins, in dem das Gefühl des Schuldigwerdens und des Schuldigseins überhaupt keinen Platz mehr habe. Nun wäre es allerdings zu leichtfertig, ohne weitere Differenzierung von einem allgemeinen Abbau des Schuldbewußtseins in unserer Zeit zu reden. Die jüngsten Erfahrungen mit unserer Umwelt, aber auch die neuere Literatur[5] bestätigen jedenfalls eindrucksvoll, daß wir Menschen vom Phänomen der Schuld nicht so leicht loskommen. Nur – und hier hat sich mit Bestimmtheit ein Wandel vollzogen – wird Schuld nicht mehr so sehr als Verstoß gegen Verhaltensregeln der Allgemeinheit, sondern gegen Moral und Üblichkeiten der Öffentlichkeit und Gebote der Kirche erfahren. Als Schuld wurde vorwiegend das empfunden, wo man in seinem persönlichen Verhalten hinter dem konkret Gebotenen zurückblieb. Diese Schulderfahrung, die gleichsam ein Abbild des Normenkatalogs war, hatte zweifellos einen legalistischen Zug, den wir zu Recht kritisieren. Nicht ohne Grund meint *E. Fromm*,[6] daß dies eine Schuldmoral hervorgebracht habe, die ein Klima der Sündenangst und des Kleinmutes aufkommen ließ. Wie auch immer: Diese Schuldmoral scheint durch andere Schuldvorstellungen unterlaufen zu werden:

1. Schuld wird stattdessen als schlechte Bedingung der menschlichen Existenz erfahren. Schuld ist demnach nicht so sehr eine individuell zurechenbare Tat, sondern anonymes Verhängnis, das die eigene Entwicklung und Entfaltung behindert. Die Zusammenhänge, in denen Menschen leben, werden als unheilvoll erfahren. Sie werden nicht einfach als Schicksal hingenommen, das von einer anonymen Macht verfügt ist. Auch wenn z. B. die ökonomischen und ökologischen Zusammenhänge im einzelnen nicht durchschaut werden, so artikuliert sich das Bewußtsein immer vernehmlicher, daß ganze Generationen, Interessengruppen und einzelne durch ihr kurzsichtiges, sehr oft nicht einmal böswilliges Tun am Teppich konkreter Verhältnisse mitgewoben haben. Wir erfahren diese Situation als eine unheilvolle *Befindlichkeit* gerade deswegen, weil wir die Ursachen im einzelnen nicht kennen und als einzelne noch viel weniger in der Lage sind, Unrechtszustände zu beseitigen.

2. Noch bevor Menschen ihr persönliches Handeln reflektieren, sehen sie sich mit *institutionalisiertem Unrecht* konfrontiert. Sie empfinden es als eine schuldhafte gesellschaftliche Verweigerung, wenn nicht entschlossen am Abbau von Beengungen und Unfreiheiten gearbeitet wird. Wer würde nicht hinter dem massiven Armutsgefälle vom Nor-

---

[5] *U. Baumann/K. J. Kuschel*, Kann denn ein Mensch überhaupt schuldig werden? Literarische und theologische Perspektiven von Schuld, München 1990; *G. Kaufmann* (Hrsg.), Schulderfahrung und Schuldbewältigung. Christen im Umgang mit der Schuld, Paderborn 1982.

[6] *E. Fromm*, Haben oder Sein, in: Gesamtausgabe, hrsg. v. *R. Funk*, Stuttgart 1981ff., Bd. II, 196.

den zum Süden eine Art von Schuldgeschichte erkennen wollen? Es ist nicht das blinde Schicksal, das solches inszeniert hat, sondern es sind die Spuren, die Menschen in ihrem Eroberungsdrang, in ihrer Expansionslust hinterlassen haben. Man kann und muß es als einen Fortschritt betrachten, wenn ungerechte Strukturen, seien sie ökonomischer oder politischer Art, als Schuld empfunden werden. Denn wenn wir so reden und empfinden, signalisieren wir gleichzeitig, daß sie in die Verantwortung des Menschen gegeben und daher grundsätzlich auch änderbar sind.

3. Außerdem ist nicht zu leugnen, daß es ein Zurücktreten persönlichen moralischen Schuldbewußtseins gibt. Sicherlich wird niemand die Entlarvung einer repressiven Schuldmoral und die Entlarvung falscher Schuldgefühle beklagen wollen. Mit ihrer Enttarnung wird darum eine Chance für mehr Menschlichkeit und damit auch für echte Schuldbewältigung gegeben. Ich denke aber, daß es gerade hier eine eigenartige Zwiespältigkeit gibt. Das Würzburger Synodendokument spricht von einem «heimlichen Unschuldswahn, der sich in unserer Gesellschaft ausbreitet und mit dem wir Schuld und Versagen, wenn überhaupt, immer nur bei anderen suchen, bei Feinden und Gegnern, bei der Vergangenheit, bei der Natur, bei Veranlagung und Milieu. Ein Entschuldigungsmechanismus ist in ihr (der Gesellschaft) wirksam: Die Erfolge, das Gelingen und die Siege unseres Tuns schlagen wir uns selbst zu; im übrigen kultivieren wir die Kunst der Verdrängung, der Verleugnung unserer Zuständigkeit, und wir sind auf der Suche nach immer neuen Alibis angesichts ... der Nachtseite der von uns selbst betriebenen und geschriebenen Geschichte.»[7] – Ich halte diese Diagnose für richtig. Der Schluß daraus wäre aber falsch, wenn man meinte, Versagen, Mutwilligkeit, ja Bosheit würde überhaupt nicht mehr gefühlt und erfahren. Doch wird nicht solches persönliches Versagen auf eine anonyme Ebene gehoben? Ist unsere Sprache hier nicht verräterisch, wenn wir etwa sagen: Die Kommunikation hat nicht geklappt; von Anfang an war die Beziehung belastet; das Milieu ist schuld; die Familie hat ihm schlechte Startchancen gegeben. Sicherlich dürfen wir hier nicht vereinfachen. Aber ist es nicht doch signifikativ, wenn in solchen Wendungen die Personalpronomen, die ja für Subjekte stehen, zugunsten versachlichender Sprachformeln ausfallen? Macht uns die Sprache selbst auf Verdrängungs- und Entschuldigungsmechanismen aufmerksam?

---

[7] Offiz. Gesamtausgabe, Freiburg i. Br. 1976, 93.

Schuldverständnis und Schulderfahrung unterlagen einem historischen Wandel. Dazu haben insbesondere die Wissenschaften vom Menschen – die Medizin, die Psychologie, die Soziologie – beigetragen.[8] Sie haben uns nicht bloß Zusammenhänge verständlich gemacht, die ehedem noch mythisch gedeutet wurden, sondern sie zeigen auch die Bedingungen menschlichen Gelingens und Glückens auf. Sie haben im Laufe der Geschichte z. B. psychische Abartigkeiten verständlich gemacht. Denken wir nur an die Rehabilitierung psychisch Kranker, deren Auffälligkeiten auf dämonische Kräfte zurückgeführt wurden. Sie haben menschliche Verhaltensweisen objektiviert und dadurch besseres Handeln, oder sagen wir lieber neue Orientierungen, insbesondere in den unterschiedlichsten Therapieformen ermöglicht. In diesem Sinne ist die Geschichte der Wissenschaft als eine große *Entschuldungsgeschichte* aufzufassen. Niemand wird im Ernst daran denken, diese Entwicklung zurückzunehmen und Schuldkategorien dort wieder einzuführen, wo sie besseren, rational begründeten Einsichten gewichen sind. Nur wird die Theologie dort ihr Veto einlegen, wo es in diesen Wissenschaften vom Menschen darum geht, die Wirklichkeit des sittlich Bösen und die authentische Schulderfahrung in psychopathologische Motivationszusammenhänge und rein biologische Verhaltensmuster aufzulösen. Ihr kann es aber nicht daran gelegen sein, gegen die Psychologie oder gegen die Verhaltensforschung bestimmte Inseln der Schuldfähigkeit aufrecht erhalten zu wollen. Denn im einzelnen dürfte es unentscheidbar bleiben, wie viel subjektive Schuld einen Menschen trifft und wie viel Einschränkung und Eingrenzung das jeweilige Verhalten bestimmt.

Was aber prinzipiell geltend gemacht werden kann, ist die grundsätzliche Schuldfähigkeit des Menschen. Das heißt, daß die Theologie für einen aufgeklärten Menschen einsteht, für die Aufklärung über ihn, und nicht für ein angepaßtes Wesen, das ohne Schuld und Schuldgefühl und möglichst ohne Gewissen lebt. Sie plädiert für einen ich-fähigen Menschen, der, weil er sein Leben verantwortlich gestalten soll, auch als schuldfähig angesehen werden muß. Die zentrale Aussage der Theologie lautet: Der Mensch ist ein *schuldfähiges Wesen* und seine Würde besteht gerade auch darin, daß er schuldig werden kann. Wenn er nur nach bestimmten Gesetzen funktioniert, tritt er in die Unschuld der Tiere zurück. Es liegt eine Verachtung darin, wenn man von jemandem

---

[8] Vgl. *A. Kaufmann*, Das Unrechtsbewußtsein in der Schuldlehre des Strafrechts, Aalen (Neudr. der Ausg. 1949) 1985; *H. M. Baumgartner/A. Eser* (Hrsg.), Schuld und Verantwortung. Philosophische und juristische Beiträge zur Zurechenbarkeit menschlichen Handelns, Tübingen 1983.

sagt: Laßt ihn – er kann nicht anders. Es zeigt sich etwas Menschenverachtendes, wenn man Menschen Verantwortung, die Fähigkeit zur Selbstentscheidung und damit das Wagnis, aus Vertanem zu lernen, abspricht.

Was ich hier meine, möchte ich anhand eines Beispieles verdeutlichen, das *M. Buber* einmal beschrieben hat. Er berichtet von einer Frau namens Melanie. Sie hat sich in eine Liebesbeziehung gedrängt, diese zerstört und ihre Rivalin an den Rand des Todes gebracht. Als ihr dasselbe geschah, erkrankte sie an einer schweren Neurose, wobei sie sich ihrer Schuld voll bewußt war. Sie begab sich in die Behandlung eines Psychoanalytikers. Dieser vermochte sie in kurzer Zeit von ihren Gefühlen der Enttäuschung und der Schuld zugleich zu befreien. Er brachte sie zur Überzeugung, daß sie eine volle Kompensation in einer neuen Beziehung finden werde. Die Umstellung glückte, und Melanie ergab sich einer ausgiebigen Geselligkeit, die sie als eine Freundschaftswelt empfand, wobei sie die Menschen, mit denen sie in ihrer Berufsarbeit zu tun hatte, quasi zu Objekten der Betrachtung und des Dirigierens machte. Das Schuldgefühl meldete sich nicht mehr. *M. Buber* fährt fort: «Der Apparat, der an die Stelle des schmerzenden und mahnenden Herzens eingesetzt worden war, funktionierte mustergültig.» Mit dem Verstummen des Schuldgefühls entschwand für Melanie die Möglichkeit, in ein echtes Verhältnis zur Umwelt zu kommen, in dem sie zugleich ihre besten Eigenschaften hätte entfalten können. Für die Vernichtung des Stachels sei als Preis die endgültige Vernichtung der Chance bezahlt worden, das Wesen zu werden, zu dem es bestimmt gewesen wäre.[9] Vermutlich würde der Psychoanalytiker hier einen Einwand erheben und darauf hinweisen, dies sei eine schlechte Therapie gewesen sei oder die Frau habe die in der Neurose liegenden Chancen nicht genutzt.

Dies ist jedenfalls genau ein Beispiel dafür, wie Schuldfähigkeit und reale, wenn auch noch so übertriebene Schuldgefühle wegrationalisiert werden. Doch mit diesem Beispiel renne ich vermutlich offene Türen ein, denn in der grundsätzlichen These der Theologie, daß an der Schuldfähigkeit des Menschen festgehalten werden muß, würde die Psychoanalyse wohl zustimmen, weil hier sich die Meinung findet, daß das Ideal darin besteht, nicht ein Leben frei von jeglichen Schuldgefühlen zu führen. Vielmehr besteht das Ideal für einen Menschen in der Fähigkeit, ein befriedigendes Leben im Wissen um die eigene Schuld zu führen. Die Theologie kann daher alle Vorgänge nur unterstützen, die Schuldzusammenhänge verstehbar machen und falsche Einschätzungen des Verhaltens abbauen helfen. Die Einsicht in das Entstehen von

---

[9] *M. Buber*, Schriften Bd. I, Darmstadt 1981, 483.

Schuldzusammenhängen kann auch dazu benutzt werden, dem Leben eine neue Orientierung zu geben.[10] Dies ist offensichtlich der Frau in unserem Beispiel nicht vollumfänglich gelungen. So gesehen ist die Unterstellung abwegig, die Aufarbeitung der Schuldgefühle innerhalb eines psychoanalytischen Prozesses wolle den Menschen von seinem Gewissensspruch entbinden. Denn indem die Gewissensregungen auch in ihrem falschen Bewußtsein erkannt werden, wird das Erlebnis der Verantwortung nicht unbedingt zur Illusion. Die Psychoanalyse spricht vom reifen Menschen, der in der Lage ist, in einer realistischen Konfrontation mit der Wirklichkeit ein Leben konsequent führen zu können. Dies heißt in der ethischen Sprache nichts anderes, als ein Leben danach zu führen, was man in seinem Gewissen in der Auseinandersetzung mit der Wirklichkeit als verbindlich erfährt.

C. Die verschiedenen Dimensionen von Schuld

Selbst wenn wir nun einen wichtigen gemeinsamen Punkt zwischen Psychoanalyse und Theologie feststellen, nämlich, daß der Mensch ein schuldfähiges Wesen ist und daß seine Aufgabe darin besteht, Schuld nicht zu verdrängen, sondern mit ihr produktiv umzugehen, so bleiben doch noch eine Menge Fragen. Wofür ist man verantwortlich? Entlasten schlechte Vorbedingungen eines Handelns die Verantwortung? Gibt es nicht so etwas wie strukturelle Schuld, von der der einzelne mitbetroffen ist? Am besten kommen wir der Beantwortung dieser Fragen näher, indem wir die verschiedenen Dimensionen unterscheiden.[11]

Der Begriff der Schuld ist zunächst in der Ethik beheimatet. Er sagt etwas über das Subjekt aus, das Träger von Schuld sein kann, aber auch etwas über objektive Gegebenheiten und Schuldigkeiten, die uns aus dem zwischenmenschlichen Leben und Zusammenleben heraus erwachsen. Über solche Schuldigkeiten wissen wir im allgemeinen Bescheid, ohne daß wir langwierige Überlegungen anstellen. Intuitiv wissen wir, was wir dem Nächsten schulden; z. B. verbinden wir mit Gerechtigkeit Vorstellungen, von denen wir meinen, sie müßten eingelöst

---

[10] *H. Fischerdick*, Aufbrechen. Schuld als Chance erleben, Freiburg i. Br. 1994; *J. Imbach*, (K)ein Weg aus der Sackgasse. Schuldgefühle – Schuldbewußtsein – Schuldbewältigung, Nettetal 1991.

[11] *M. Sievernich*, Schuld und Sünde in der Theologie der Gegenwart, hrsg. v. *H. Bacht/ F. Lentzen-Deis/O. Semmelroth*, 2. Aufl., Frankfurt a. M. 1983; *L. Wachinger*, Gespräche über Schuld, Mainz 1988; *P. Lapide*, Von Kain bis Judas. Ungewohnte Einsichten zu Sünde und Schuld, Gütersloh 1994.

werden. Natürlich gibt es viele Sachbereiche, in denen diese Schuldigkeiten oder Verbindlichkeiten nicht so klar auf der Hand liegen. Darüber genau zu reflektieren, gehört in den Zuständigkeitsbereich der Ethik und der Moraltheologie.

Nun machen wir die Beobachtung, daß es in allen Kulturen diesen Zusammenhang von Schuldigkeiten und Schuld gibt. Es gibt Regeln, die sowohl die Gesinnung wie auch die Tat der Menschen einfordern. Und es gibt die Tatsache, daß Menschen gegen solche Übereinkünfte, welche das Zusammenleben vernünftig und gerecht ordnen wollen, verstoßen und schuldig werden. Angesichts objektiver Erfordernisse kann der einzelne auch persönlich schuldig werden. Solche persönlich-moralische Schuld setzt jedoch ein Mindestmaß an Einsicht und Freiheit des Betreffenden voraus. Ohne die Fähigkeit, sich seiner Schuldigkeiten bewußt zu werden, d. h. Verantwortung zu übernehmen und Fehlentscheidungen erfassen zu können, gibt es keine subjektive Schuld. Moralische Schuld ist also im eigentlichen Sinne etwas Subjektives, weil sie dem Menschen nur dann zurechenbar ist, wenn er für etwas zuständig sein und Verantwortung übernehmen kann. Wollte man diese Möglichkeit dem Menschen absprechen, würde man grundsätzlich die Freiheitsfähigkeit des Menschen in Frage stellen.

Gewiß sind unsere Verhaltensweisen auf vielfältige Art durch das Erbe und Milieu, durch physische und psychische Kräfte gesteuert. Sie mögen im einzelnen dunkel gegeben oder aber auch durchschaut werden. Natürlich läßt sich Freiheit nicht so zwingend beweisen, daß wir ihr immer gewiß sein können. Doch scheint es ebenso schwierig zu sein, Freiheit grundsätzlich zu bezweifeln. Gehen wir für unseren Zusammenhang von jenem Verständnis von Freiheit aus, das jene Fähigkeit meint, die imstande ist, auch Vorgegebenes auf eine einheitliche Lebenskonsequenz bringen zu können. Mit diesem Freiheitsverständnis werden keineswegs physische Festgelegtheiten, soziale Beeinflussung und psychische Mechanismen geleugnet. Der Fähigkeit zur Freiheit wird aber unterstellt, daß sie in der Lage ist, zwar Vorgegebenes bis zu einem gewissen Grad verändern, vielmehr aber noch Vorgegebenes auf eine einheitliche Lebenskonsequenz bringen zu können. Wo dies nicht mehr gegeben ist, würden wir denn auch von Pathologien sprechen. Manch wichtige Lebensentscheide werden aufgrund von Voraussetzungen getroffen, deren Tragweite uns wahrscheinlich in den wenigsten Fällen voll bewußt wird. Aber dennoch besitzen wir normalerweise die Fähigkeit, dieses Vorgegebene zu gestalten und im nachhinein in unsere Persönlichkeit zu integrieren. Von daher gesehen scheint man der Würde des Menschen gerade nicht gerecht zu werden, wenn man Verhaltensweisen nur oder fast ausschließlich mit Determinationen, d. h. mit schlechten Bedingungen erklärt. Wer also jemandem eine persönliche Schuld zuweist, setzt ein Doppeltes voraus: Einsicht, Verantwortungs- bzw. Schuldfähigkeit und eine vorgegebene Schuldigkeit, der der Betreffende nicht gerecht wird.

Was den subjektiven Erlebnisbereich betrifft, pflegt man zwischen Schuldgefühlen, Schuldbewußtsein und Schulderfahrung zu unterscheiden: Ein Schuldgefühl bezieht sich zunächst nur auf den emotionalen Bereich; es kann auch durchaus ohne Schuld bestehen. Es findet seinen Ausdruck in sog. Gewissensbissen, im Gefühl, jemandem Unrecht getan zu haben. Unecht, aber für den Betreffenden durchaus real, sind Schuldgefühle dann, wenn sie nicht der Wirklichkeit entsprechen, z. B. wenn aufgrund von Überängstlichkeit oder einer neurotischen Verfassung bereits bei kleinsten Verstößen Schuldängste aufbrechen. Traditionell sprach man von Skrupulanten. Dieser heute etwas verächtlich klingende Begriff meinte ursprünglich, daß sich jemand bereits am Steinchen (scrupulum) stößt. Die Psychoanalyse beschäftigt sich nun insbesondere mit Schuldgefühlen vor allem dann, wenn sie Menschen unter einen Leidensdruck zwingen, ein geordnetes Leben verunmöglichen und Eigenständigkeit beeinträchtigen. Schuldbewußtsein aber besagt, daß sich der Betreffende einer Schuld bewußt ist. Hier geht man davon aus, daß diesem Bewußtsein auch eine objektive Schuld entspricht. Normalerweise wird beim Wissen um Schuld auch der emotionale Bereich betroffen und so ein Schulderleben provoziert. Wo beides gegeben ist, Bewußtsein der Schuld und Erleben dieser Schuld, die bis in die Tiefe des Personseins hineinragen, kann man von Schulderfahrung sprechen. Eine Erfahrung geht tiefer als nur ein vordergründiges Gefühl oder ein «Wissen um». Sie macht betroffen. Wenn es darum geht, mit Schuld umzugehen, so scheint diese Betroffenheit gerade eine Voraussetzung für den Umgang mit Schuld zu sein. Wissen allein vermittelt offensichtlich noch zuwenig jene Motivation, aus Defiziten zu lernen und eine neue Orientierung zu suchen.

Nun könnte leicht der Eindruck entstehen, als wären wir Menschen durch und durch schuldbeladen. Ich denke, daß man dies ins rechte Licht rücken muß. Der ethische Anspruch an uns Menschen lautet, unsere eigenen menschlichen Möglichkeiten wahrzunehmen und auszuschöpfen und den anderen nicht zu bloßen Mitteln herabzuwürdigen. Die Schrift selbst hat diesen ethischen Anspruch in Maximen gekleidet: «Alles nun, was ihr wollt, daß es euch die Menschen tun, das sollt auch ihr ihnen tun» (Mt 7,12).

Dieser allgemeingültige ethische Grundsatz fordert uns auf, Sensibilitäten für uns und die anderen zu entwickeln; unser Handeln so auszurichten, daß wir jederzeit annehmen können, der andere möchte auch so behandelt werden. Zunächst gilt es, sich an der Vorstellung auszurichten, man möchte nur so handeln, wie der andere auch behandelt sein möchte. Erst wenn man solche Sensibilitäten entwickelt hat, wenn man sich darin einübt, wird Schulderfahrung möglich. In solchen Versuchen zeigt sich, was Schuld sein könnte. Nun macht aber gerade die christliche Tradition darauf aufmerksam, daß die ständige Durchkreuzung zur existentiellen Erfahrung gehört. Paulus hat es schon ausgedrückt: «Ich tue Böses, was ich nicht will, und nicht das Gute, wie ich will» (Röm 7,19). Schulderfahrung gehört wesentlich zur menschlichen Existenz. Wird dies nicht gesehen, so vergibt man die geschichtliche Verantwortung; in Entschuldigungsmechanismen wird in der Folge Versagen und Scheitern am anderen festgemacht. Hier muß man allerdings die Reihenfolge beachten. Am Anfang steht die Annahme von seiten Gottes, die allen und jedem gilt. Sie wird vor die Erfahrung der Schuld gesetzt. Auch wenn sie im konkreten menschlichen Leben immer auch gegeben sein mag, so ist sie nicht das letzte Wort.

D. Ethische Schuld und menschliche Sünde

Mit dieser Aussage treten wir in eine neue Dimension ein, nämlich in die Dimension des Glaubens. Schuld – so sagte ich – ist eine ethische Kategorie. Sie äußert sich im Gewissensspruch. Und dieser Gewissensspruch markiert, wo man hinter der menschlichen Wirklichkeit zurückbleibt und wo man dem Anspruch, der von dieser Wirklichkeit an den Menschen gestellt wird, nicht gerecht geworden ist. Der Glaube thematisiert nun die Wirklichkeit als ganze, d. h. er bringt auch die Wirklichkeit des personalen Gottes ins Spiel. Für den Glauben ist diese Wirklichkeit bei jeder ethischen Entscheidung nicht auszuklammern. Die ethische Schuld unterscheidet sich auf der Tatbestandsebene nicht von der theologischen Sünde, wohl aber im Sinn, der ihr gegeben ist. *Thomas von Aquin* sagt: Gegen Gott versündigen wir uns ausschließlich dadurch, daß wir gegen unser eigenes Gut handeln.[12] Sünde ist also dann gegeben, wenn wir die sittliche Entfaltung der Person hemmen und schlechte Folgen für unsere Umwelt, Mitwelt und Nachwelt schaffen. Zur Sünde wird solches Handeln insofern, als wir hier gegen die Vision verstoßen, die Gott vom Menschen hat. Zur Sünde wird unser Handeln dadurch, daß wir die Macht des Bösen verstärken, die Gott gerade überwinden will. Sünde hat also immer mit einsehbaren schlechten Folgen für uns und andere zu tun. Und dadurch geraten wir in Wider-

---

[12] Vgl. hierzu: *A. Auer*, Ist die Sünde eine Beleidigung Gottes? Überlegungen zur theologischen Dimension der Sünde, in: Theol. Quartalschr. 155 (1975) 53 - 68.

spruch zu Gott, der das Glücken und Gelingen aller will. Theologisch gesprochen könnten wir sagen: Der Fortgang der Vermenschlichung und damit der Fortgang der Erlösung wird behindert. Sünde ist also in der Sicht des Glaubens nicht bloß eine «Befindlichkeit», die mich angeht, sondern auch eine Befindlichkeit, die das Engagement Gottes mit dieser Welt betrifft.

Nun macht aber die Tradition eine feine Unterscheidung, indem sie zwischen Übel und Sünde differenziert. Denn es gibt Defekte, Ereignisse, Blockierungen, Naturereignisse, an denen der Mensch leidet, die aber dennoch nicht die Folge eines freiheitlichen Tuns sind. Die Theologie hält gerade an diesem Umstand fest, daß die individuelle und universelle Leidensgeschichte nicht einfach von vornherein Schuldgeschichte ist. Es gibt – richtig verstanden – durchaus auch eine christliche Entschuldungsgeschichte in bezug auf den Menschen, indem daran festgehalten wird, daß nicht alles und jedes auf freiheitliche Taten der Menschen zurückzuführen ist. Natürlich ist es im konkreten schwierig auszumachen, welche Ereignisse, Taten und Verhältnisse auf Freiheitsentscheide und welche auf Verhängnisse und Geschicke zurückzuführen sind. Doch will diese feine Unterscheidung eines nicht, nämlich den Menschen davon befreien, die Vision vom befreiten, gerechten und mit seiner Natur versöhnten Menschen zu realisieren.

Vom Sündenverständnis her, wie ich es kurz beschrieben habe, ist es durchaus sinnvoll, von «struktureller Schuld oder Sünde» zu sprechen. Dieser Begriff stammt aus der Theologie der Befreiung. Damit ist gemeint: Das Böse, Ungerechtigkeit, Abhängigkeit, Ausbeutung – sie verdichten sich in den Strukturen. Sie behindern Solidarität und ein befreites Leben. Glauben und Leben gehören aber zusammen. Gerade weil dem so ist, bedeutet Sünde nicht bloß die schlechte Folge des Handelns, sondern auch Störung des Zusammenlebens durch Strukturen. Als innergeschichtliche, gesellschaftliche Wirklichkeit hemmen sie menschliches Leben und Zusammenleben in seiner Entwicklung. Sie stehen der aufgetragenen Befreiung, die Gott für den Menschen will, entgegen. Wo immer Ungerechtigkeit, Armut und Unterdrückung vorliegen, wo Völker nach Befreiung aus dem kollektiven Elend schreien, mögen zwar auch natürliche Ursachen für dieses Elend verantwortlich gemacht werden können. Sie sind aber insbesondere Ergebnisse wirtschaftlicher, sozialer und politischer Strukturen, hinter denen menschliche Verantwortung steht. Dabei läßt sich im einzelnen persönliche Verantwortung und Schuld nur schwer fassen. Es ist ein Ineinander von bestehenden Gewohnheiten, geschichtlicher Entwicklung, von Egoismus einzelner und von Verblendung ganzer Gruppen. Darum ist hier «Sünde» in einem übertragenen Sinne gemeint; es wird dadurch aber doch kenntlich gemacht, daß, auch wenn der aktuelle Zustand in seinen Ursachen unentwirrbar bleibt, er dennoch in die Zuständigkeit Verantwortlicher gegeben bleibt, damit sie alles daran setzen, Ungerechtigkeiten zu beseitigen.

Das Verhältnis zwischen Personen und gesellschaftlichen Strukturen läßt sich nicht einseitig nach dem Modell «Ursache-Folge» denken. Die Person in ihrer Freiheit ist Ursache des Handelns und im weitesten Sinne auch Ursache gesellschaftlicher Strukturen; zugleich handelt der Mensch in einer konkreten geschichtlichen Wirklichkeit. Er wird von diesen gesellschaftlichen Strukturen wesentlich mitbestimmt. Das personalistische Schema, das Schuld nur an einzelnen festmacht, greift im wahrsten Sinne des Wortes zu kurz; denn es gibt Situationen, die wir nicht einfach einzelnen zuschreiben können, die aber in ihren Auswirkungen dennoch unheilvoll sind und Unrecht und Ungerechtigkeit fortzeugen. Sie widersprechen der Geschichte Gottes mit den Menschen. In der Tat wurde der Begriff von Schuld und Sünde traditionellerweise allzusehr auf das Individuum eingeschränkt, auf persönliche Lebensverhältnisse und auf persönliches Versagen. Das Böse umfaßt so viele Dimensionen, daß die traditionellen Definitionen von Schuld und Sünde nicht ihren vollen Umfang einholen. Wir haben auch in der Kirche zu lernen und zu sehen, wo solche kollektiven Verblendungen und Machtstrukturen am Werk sind, die den Menschen darniederhalten. Schuld und Umkehr erhalten so notwendigerweise auch eine politische Dimension. Eine Verflüchtigung des Glaubens nur in die Gesinnung würde einer Halbierung des Glaubens gleichkommen. Es muß eigentlich schon nachdenklich stimmen. Wenn wir laut den Gerichtsreden danach beurteilt werden, ob wir Dürstenden ein Glas Wasser gereicht haben, dann heißt dies doch: Wir werden auch daran gemessen, ob und wie konstruktiv wir mit ökonomisch, politisch und strukturell verursachter Schuld umgegangen sind.

Teil II

Erster Themenkreis

I. Was macht den Menschen zum Menschen? Zur Anatomie der menschlichen Würde

Das ethische, philosophische und theologische Bemühen um Verständnis und Definition des menschlichen Lebens setzt in der Regel in aller Schärfe erst dann ein, wenn die Definition entweder ihre selbstverständliche Geltung verliert, oder wenn sie in den immer wiederkehrenden oder in neuen Konfliktsituationen keine Auskunft mehr zu geben imstande ist.[1] Angesichts vieler umstrittener Fragen im Umgang mit dem menschlichen Leben, vornehmlich im Bereich der Bio- und Medizin-Technik, ist das öffentliche und politische Bedürfnis an der Frage gewachsen, was denn die *Würde des Menschen* ausmache. Noch mehr ist die Öffentlichkeit an einer daraus erwachsenden normativen Orientierung interessiert, die verbindliche Hinweise für den Umgang mit menschlichem Leben gibt. Auf den ersten Blick könnte man meinen, der Begriff «Menschen-Würde» sei in sich klar genug, um Verbindlichkeit und Grenze der Schutzwürdigkeit menschlichen Lebens zu markieren. Doch der inflationäre und recht unterschiedliche Gebrauch des Begriffes «Menschen-Würde» mahnt zur Vorsicht, denn offensichtlich besitzt er nicht jene scharfen Konturen, die uns helfen könnten, in Konfliktfällen Auskunft darüber zu erhalten, was hinsichtlich der Lebensförderung und des Lebensschutzes moralisch vertretbar bzw. unvertretbar ist.[2]

Hier läßt sich eine weitere Beobachtung anschließen: Je öfter dieser Begriff gleichsam beschwörend gebraucht wird, desto mehr scheint parallel dazu die Gefährdung und Verletzung der Menschenwürde zu wachsen. Dies deutet darauf hin, daß damit offensichtlich kein gemeinsam verpflichtender Inhalt über alle Gesellschaften hinweg (mehr) gegeben ist, der den Verletzungen Einhalt gebieten könnte. Wir müssen uns angesichts der Übergriffe auf die Menschenwürde – auf die wir uns ständig berufen – fragen, ob sie bloß noch eine *Leerformel* ist, einzig und allein dazu geeignet, ein vermeintliches, gemeinsames Erbe zu be-

---

[1] Vgl. stellvertretend: *E. Schockenhoff*, Ethik des Lebens. Ein theologischer Grundriß (= Welt der Theologie), Mainz 1993, bes. 168ff.

[2] Zur *geschichtlichen* Herkunft der Menschenwürde-Vorstellung vgl. die einzelnen Beiträge, in: *E.-W. Böckenförde/R. Spaemann* (Hrsg.), Menschenrechte und Menschenwürde. Historische Voraussetzungen – säkulare Gestalt – christliches Verständnis, Stuttgart 1987; *K. Hilpert*, Die Menschenrechte. Geschichte – Theologie – Aktualität, Düsseldorf 1991, 66ff.; zur *normativen* Diskussion der Menschenwürde vgl. vor allem: *W. Wolbert*, Der Mensch als Mittel und Zweck. Die Idee der Menschenwürde in normativer Ethik und Metaethik (Münsterische Beiträge zur Theologie 53), Münster 1987.

schwören. Oder ist diese Formel einem trojanischen Pferd vergleichbar, um im Schein der Einheitlichkeit unterschiedlichste Vorstellungen von der Würde des Menschen in Praxis und Gesetzgebung einzuschmuggeln? Wir finden z. B. im Grundsatzprogramm der «Christlichdemokratischen Volkspartei» der Schweiz den Satz:

> «Wir setzen auf den Schutz menschlichen Lebens insbesondere in Forschung und Medizin, namentlich in der Gen- und Fortpflanzungsforschung, auf ein Gesundheitswesen, welches der Würde des Menschen Rechnung trägt.»[3]

In der gleichen Problematik finden wir kirchlicherseits ebenfalls einen analogen Rückbezug auf die Menschenwürde in der päpstlichen «Instruktion der Kongregation für die Glaubenslehre: Die Unantastbarkeit des menschlichen Lebens» von 1987. Dort heißt es:

> «Eingriffe in die Fortpflanzung und in den Ursprung menschlichen Lebens sind deshalb abzulehnen, weil sie künstlich sind und der Würde der menschlichen Person widersprechen.»[4]

Trotz des gemeinsamen Referenzpunktes sind sowohl die Stützargumentation für die Menschenwürde wie auch die daraus gezogenen praktischen Folgerungen recht verschieden. Um nur auf das Erstere einzugehen: In der «Instruktio» ist offensichtlich die Natürlichkeit bzw. Künstlichkeit ein wichtiges Kriterium, um das der Würde des Menschen Gemäße und Angemessene zu definieren. Auch im anderen Zitat ist von der Würde des Menschen die Rede, hingegen gehört dort der Respekt der Natürlichkeit nicht bedingungslos zum Respekt der Menschenwürde. Die Beispiele ließen sich beliebig vermehren, in denen zwar einerseits ein affirmativer Bezug zur Menschenwürde vorliegt, in denen aber andererseits recht unterschiedliche normative Inhalte gegeben sind. Es zeigt sich offensichtlich, daß der *semantische Gehalt* des Begriffes Menschenwürde so offen ist, daß unterschiedliche weltanschauliche, philosophische und ethische Vorstellungen und Überzeugungen daran geheftet werden können. Es zeigt sich aber auch, daß er – sofern der Begriff inhaltlich nicht gefüllt wird – ungeeignet ist, ethische Auskunft in Konfliktsituationen, vor allem am Anfang und am Ende menschlichen Lebens zu geben.

So wird mit Verweis auf die Verletzung der Menschenwürde oft gesagt, der Mensch sei keine Sache, über die beliebig verfügt werden dürfe; die menschliche Natur dürfe weder der Instrumentalisierung noch der Ökonomisierung unterworfen werden. Jedes verbrauchende Expe-

---

[3] Zukunft für alle! Programm 1991 - 1995 der Christlichdemokratischen Volkspartei, 1991, 5.

[4] Johannes Paul II., Die Unantastbarkeit des menschlichen Lebens. Zu ethischen Fragen der Biomedizin. Instruktion der Kongregation für Glaubenslehre. Mit einem Kommentar von R. Spaemann, Freiburg i. Br. 1987, hier Einführung.

riment am menschlichen Embryo sei ein Verstoß gegen die Menschenwürde. Menschliches Leben dürfe der wissenschaftlichen Neugier nicht als bloßes Mittel dienen. Oder die Produktion von Überschuß-Embryonen zum Zwecke späterer Implantierung sei eine Herabsetzung der Menschenwürde. Ähnlich wird die Teilung von Embryonen zum Zwecke der Genbestimmung im Hinblick auf eventuelle Erbkrankheiten beurteilt: Hier werde ein Embryo erzeugt – gleichsam als identisches Gegenstück –, der nur als diagnostische «Sonde» gedacht sei, und die Experimente schließlich würden ihn auf die Stufe von Versuchstieren degradieren, was an und für sich schon äußerst fragwürdig sei. Ferner wird etwa gesagt, daß hierfür im Labor erzeugte Menschen reine Versuchsmenschen seien, was jeder Menschenwürde spotte.

Sobald wir die Probleme verschärfen, stellen sich in aller Dringlichkeit folgende Fragen:

- Was ist Würde?
- Welcher Wert macht es, daß der Mensch zum Menschen wird?
- Können wir von allem Anfang an dem menschlichen Leben Würde zuschreiben?
- Wie verhält es sich mit den Begriffen Menschenwürde und Person? Sind dies unterschiedliche Kategorien?

Dies sind zentrale, aber nicht die einzigen Streitpunkte innerhalb der Lebensethik. Wir wollen uns dieser Problemstellung in einigen Schritten, die jeweils logisch aufeinander folgen, zuwenden.

A. Der spezifische Richtungssinn der Frage

Wir müssen zuerst einige Bemerkungen vorausschicken, um den spezifischen Richtungssinn der Frage: «Wer ist Mensch?» oder «Was macht den Menschen zum Menschen?» zu verstehen. Wir dürfen die Frage nicht mit der ganz anderen Frage – und darauf kommt es hier in erster Linie an – verwechseln: «Was ist der Mensch?» Die Beantwortung dieser Frage verlangt Menschenkenntnis und erfordert empirische und anthropologische Kenntnisse, zu deren umfassenden Beantwortung spezielle Wissenschaften erforderlich sind. Die Beantwortung der Frage: «Was ist der Mensch?» erfordert Kompetenzen anthropologisch-fachwissenschaftlicher Spezialität, nicht aber in der gleichen Art die Fragen: «Was macht den Menschen zum Menschen?», «Worin besteht seine spezifische Würde?» Dies erfordert eine spekulative Beantwortung, eine Reflexion auf die Kriterien der Definition des Menschlichen, die in sich konsistent sein müssen. Dies ist in erster Linie eine analytische und nicht eine empirische Problematik. Es handelt sich hier zuallererst um ein *Identifikationskriterium*, damit der Mensch, das Menschliche, von einem anderen Wesen unterschieden werden kann, das nicht Mensch ist. Und in zweiter Linie handelt es sich hier um ein Orientierungskriterium, das uns angibt, wie wir verantwortet miteinander umgehen sollen, im Verfügen über uns selbst und andere, im Eingriff in die Existenz menschlichen Lebens. Wir erwarten also sehr viel von einem solchen Kriterium. Ob wir die Erwartungen einlösen können, wird der Gang der Überlegung zeigen.

Die Frage: «Was macht den Menschen zum Menschen?» weist zunächst einmal auf einen *doppelten* Gebrauch des Wortes Mensch hin. Je nach dem wird von diesem Wort ein deskriptiver bzw. morphologischer oder normativer Gebrauch gemacht. Wer sagt: Dem äußeren Wesen nach sei dieses Individuum ein Exemplar der Spezies Mensch, macht eine morphologische Aussage. Ob diese deskriptive Beschreibung schon eine normative Forderung enthält, ist eine andere, noch abzuklärende Frage. Wer hingegen behauptet, der Mensch ist ein der Sittlichkeit fähiges Wesen, macht eine eindeutig normative Aussage, weil damit zum Ausdruck gebracht wird, wie der Mensch sein soll. Und darüber hinaus kann eine Sinnaussage über den Menschen gemacht werden, die ganz entschieden über eine simple Beschreibung und offensichtlich auch entschieden über das Ethische hinausgeht. Dies läßt sich an einer theologischen Beschreibung des Menschen sehr schön zeigen:

> «Die volle Menschwerdung des Menschen setzt die Menschwerdung Gottes voraus; erst in ihr ist der Rubikon vom Animalischen zum Logischen definitiv überschritten und jener Anfang zu einer höchsten Möglichkeit geführt, der begann, als erstmals ein Wesen aus Staub und Erde ... Du zu Gott zu sagen vermochte.»[5]

Solche Aussagen machen selbstverständlich einen Sinn im Rahmen einer theologischen Anthropologie, denn sie sagen etwas aus über die theologische Dignität des Menschen; im Kontext der Ethik sind sie aber vorerst wenig hilfreich, da sie uns vor allem keine Auskunft in lebensethischen Konflikten, und insbesondere auch keine Auskunft darüber geben, ab wann dem menschlichen Individuum diese Qualität zugesprochen werden kann. Theologische Sinnaussagen ergeben noch nicht eo ipso normative Aussagen.

---

5 *J. Ratzinger*, Einführung in das Christentum, München 1986, 190.

Damit wollen wir uns den verschiedenen Ebenen zuwenden und sie nach möglichen Kriterien, die über die Menschlichkeit des Menschen entscheiden, befragen.

1. *Das morphologisch-naturale Kriterium*

Dieses Kriterium versucht ein eindeutiges «principium dijudicationis» (Identifikations- und Orientierungskriterium) anzugeben, nach welchem erstens Menschen von Wesen, die es nicht sind, unterschieden werden können, und nach welchem zweitens zumindest ein verbindlicher Hinweis erfolgt, wie mit menschlichem Leben würdig umzugehen ist. Welches ist – so fragt dieser Ansatz – unter Geborenen diese Norm? Es muß sich – so wird gefordert – um ein Kriterium handeln, das zuzusprechen oder abzusprechen weder Rekurse auf ein Spezialwissen noch Rekurse auf Weltanschauungen nötig macht. Es müßte sich auch um ein Kriterium handeln, das möglichst umfassend zustimmungsfähig ist. Die Antwort lautet: Es ist das *Kriterium der Zugehörigkeit* eines Wesens zur biologischen Spezies «homo sapiens». Es handelt sich hier um das sog. Speziesismus-Argument. Was vom Menschen abstammt, ist als Mensch zu behandeln, ob in seinem Anfangsstadium, ob in seinem verlöschenden Stadium, immer partizipiert der Mensch und das menschliche Leben an der gleichen Würde; eine Gradualität gibt es nicht.[6]

In diesem Argument wird der Mensch naturalisiert, d. h. zurückgeführt auf seinen Naturstatus. Diese Naturalisierung ist auf der einen Seite die entscheidende Voraussetzung, um die Subjekte in ihren Rechten zu schützen, auf der anderen Seite aber hält es dazu an, den Lebensschutz möglichst extensiv zu verstehen. Weder ein Entwicklungsstand noch die Praxis einer besonderen Moral noch die Zugehörigkeit zu einer bestimmten Klasse oder Rasse macht den Menschen zum Menschenrechtssubjekt, sondern einzig und allein das naturale Faktum der Zugehörigkeit zum Menschengeschlecht. Und dies ist gewiß kulturinvariant, gesellschafts- und zeitunabhängig. Diese Norm tendiert dahin, die *Identität des Menschen* zuallererst als *naturale* zu verstehen, wonach also eine Bewertung des Menschen ausgeschlossen ist, ob er nun den gängigen gesellschaftlichen Vorstellungen des Menschseins entspricht oder nicht. Geistig wie körperlich Behinderte haben aufgrund der Spezieszugehörigkeit den gleichen Anteil an der Würde der Gattung

[6] Zwei Vertreter: *H. Lübbe*, Religion nach der Aufklärung, Innsbruck 1986, 304ff.; *R. Spaemann*, Über den Begriff der Menschenwürde, in: Scheidewege 15 (1985) 6.

Mensch wie alle anderen. Natürlich läßt die Naturalisierung des Kriteriums eine kulturgeschichtliche, höchst komplexe Entfaltung zu; die Entfaltung in kulturell höchst differente Lebensstile, die spezifische Ausfaltung der Menschenrechte in Anspruchs- und Verpflichtungsrechte und dgl. mehr. Aber es gilt nach *H. Lübbe*:

> «Diese die Menschenrechte im Trivialen sichernde Ordnung ist es, auf deren ideologiezersetzende Wirkung wir gegen die hochideologisch verfassten Formen der modernen Gegenaufklärung angewiesen sind, und nicht auf irgendwelche ideologiepolitisch gegenbietende Heilsgeschichtsphilosophien.»[7]

Wenn wir dieses Argument etwas weiter ausziehen, dann erhält es eine sympathische Komponente: Diese Naturalität ist nur möglich im Zusammenhang einer lebendigen Natur, die eine entscheidende Voraussetzung intakter menschlicher Naturalität ist. Der Mensch wird hier als überhebliche Krone der Schöpfung entmachtet, weil hier in erste Linie die naturale und nicht die geistige Morphologie zählt.

Es stellt sich allerdings die Frage: Ist der reduzierende Rückbezug auf das Kriterium der Naturalität ein genügend festes, normatives Fundament, um Auskunft auf die Fragen zu erhalten, die wir anfangs gestellt haben. Es gibt eine ganze Reihe von Autoren, welche diese Frage verneinen; unter ihnen nicht zuletzt auch Theologen.[8] Denn es wird grundsätzlich bezweifelt, ob wir damit eine genügend begründete Auskunft erhalten, ob menschliches Leben in allen Fällen und auf allen Entwicklungsstufen ein absolut unverfügbares Gut darstelle, oder ob in bestimmten Fällen zugunsten anderer Güter darüber verfügt werden dürfe.

2. *Das mitleidethische Kriterium*

A. Schopenhauer hat besonders scharf die inflationäre Verwendung der Worte «Würde» und «Menschenwürde» kritisiert.[9] Für ihn kann weder die Pflege der eigenen Würde noch der Respekt vor der Würde anderer ein Motiv moralischen Handelns sein. Nur Gefühle, Empfindungen, Erfahrungen anderer und ganz besonders ihre Leiden sind es, die uns zu selbstlosen Regungen des Mitleids und zu entsprechend angemessenen

---

[7] S. 306.

[8] Das Speziesismus-Argument wurde zuletzt von P. Singer kritisiert. Vgl. zu dieser Diskussion: *W. Lienemann*, Das Wohl des Anderen. Zur Kritik der utilitaristischen Ethik bei Peter Singer, in: Das Ethos der Liberalität (FS für H. Ringeling), hrsg. v. *H.-U. Germann/H. Kaiser* u. a., Freiburg i. Ue. 1994, 231 - 254, bes. 236ff.

[9] Vgl. *J.-C. Wolf*, Schopenhauers Entwurf einer asketischen Tugendethik, in: Conceptus 24 (1990) 99 - 113.

Handlungen veranlassen können. Das einzige Motiv, das unseren sittlichen Handlungen echten sittlichen Wert verleiht, ist das Mitleid. Obwohl dies für *A. Schopenhauer* letztlich ein «Mysterium» darstellt, glaubt er, daß dieses *Mysterium der Mitleidsfähigkeit*, der Identifikation mit Leiden anderer oder des Einfühlens in bezug auf Schmerzen, Ängste, Verlassenheit, Bedrücktheit, Enttäuschung usw. anderer wenigstens teilweise durch eine metaphysische Deutung zu erhellen sei.

> «Wenn man überhaupt früge, worauf denn diese angebliche Würde des Menschen beruhe, so würde die Antwort bald dahin gehen, daß es auf seiner Moralität sei ... Daher möchte ich, im Gegensatz zu besagter Form (des Kantischen Moralprinzips) folgende Regel aufstellen: Bei jedem Menschen, mit dem man in Berührung kommt, unternehme man nicht eine objektive Abschätzung desselben nach Werth und Würde, ziehe also nicht die Schlechtigkeit seines Willens, noch die Beschränktheit seines Verstandes und die Verkehrtheit seiner Begriffe in Betrachtung ..., sondern man fasse allein seine Leiden, seine Not, seine Angst, seine Schmerzen ins Auge; – da wird man sich stets mit ihm verwandt fühlen, mit ihm sympathisieren und, statt Hass und Verachtung, jenes Mitleid mit ihm empfinden, welches allein die agape ist, zu der das Evangelium aufruft. Um keinen Hass, keine Verachtung gegen ihn aufkommen zu lassen, ist wahrlich nicht die Aufsuchung seiner angeblichen Würde, sondern, umgekehrt, der Standpunkt des Mitleids der allein geeignete.»[10]

Abgesehen davon, daß *A. Schopenhauer* in diesem Zitat den Begriff Würde als «Leistungs- und Erfolgsbegriff» versteht, ist für ihn menschliche Würde in keinerlei Weise ein Wertbegriff, der zu einem entsprechenden moralischen Verhalten sich selbst und anderen gegenüber anhalten würde. Da die Vernunft (die Auszeichnung des Menschen) ebensosehr zur Verstellung, zur egoistischen Berechnung und zur bedachten Bosheit anhalte wie zu höchsten moralischen Leistungen, sei sie kein verläßliches Kriterium. Viel verläßlicher sei die *Empathie*, das mitleidende Einfühlen, das Grundkriterium jeglicher Moral.

Ich will hier nun nicht weiter untersuchen, ob diese Mitleidethik in ihrem Ansatz den Anforderungen einer normativen Ethik entspricht.[11] Ich bin aber der Überzeugung, daß dieses Motiv ein notwendiges und für die Praxis sogar ein entscheidendes Element für das Verhalten sein kann, aber kein zureichendes Kriterium für die Beurteilung von Lebenskonflikten darstellt. In der Tat: *A. Schopenhauer* macht uns darauf

---

[10] Vgl. *A. Schopenhauer*, Parerga und Paralipomena II, § 110.

[11] Dieser Frage ist in neuerer Zeit nachgegangen: *K. Hamburger*, Das Mitleid, Stuttgart 1985. Vgl. auch: *E. Tugendhat*, Vorlesungen über Ethik, Frankfurt a. M. 1993, 177ff.

aufmerksam, daß die bloße Deklamation von Menschenrechten ins Leere läuft, wenn diese nicht von einer einfühlenden Empathie begleitet wird, daß das hehre Hochhalten von Lebensschutzformeln ins Zynische umkippen kann, wenn sie in der menschlichen Gemeinschaft nicht immer wieder durch die entsprechenden Empathie-Gefühle gestützt und abgesichert werden.

3. Die Fähigkeit zur Sittlichkeit: ein normatives Fundament

Wenn im Rahmen der Verfügungsproblematik zwischen dem Leben des Menschen und dem des Tieres unterschieden wird, so pflegt die philosophische wie theologische Tradition dem Leben des Menschen einen vorrangigen Wert zuzubilligen. Dieser Wert ergibt sich – so sagt die Tradition – aus der Tatsache, daß der Mensch Person ist. Nun ist freilich der Personbegriff ebenso umstritten wie der Begriff der Menschenwürde.[12] Folgen wir der Kantschen Definition, dann ist der Mensch insofern Person als er ein sittliches, der Moral fähiges Wesen ist, ein Wesen, das zwischen gut und böse zu unterscheiden vermag.[13] Dadurch ist der Mensch von unbedingtem Wert, d. h. nicht definiert nach Werten, die außerhalb seiner liegen. In der Rede vom Menschen als Person steckt also ein Werturteil: über seinen unbedingten Wert als sittliches Wesen. Wenn wir *I. Kant* folgen, heißt dies: Zwischen bedingtem und unbedingtem Wert gibt es einen ausschließenden Gegensatz. Alle Wesen, denen ein solch unbedingter Wert nicht zukommt, heißen bei *I. Kant* deshalb «Sachen»; und Sache heißt so viel wie «Nicht-Person». Dann gibt es hier kein Mittleres. Im übrigen ist diese Disjunktion ein entscheidender Grund, warum die Tiere bis in unsere Tage unter dem Sachenrecht figurieren ... Diese Unbedingtheit des Wertes des Menschen bezeichnet *I. Kant* als Selbstzwecklichkeit.[14] Was macht nun genau diese Selbstzwecklichkeit des Menschen, und wenn man will, die Würde des Menschen aus? Lassen wir *I. Kant* selbst zu Worte kommen:

---

[12] Vgl. *L. Honnefelder*, Der Streit um die Person in der Ethik, in: Phil. Jahrbuch 100 (1993) 246 - 265; *Ders.*, Person und Menschenwürde. Zum Verhältnis von Metaphysik und Ethik bei der Begründung sittlicher Werte, in: *G. Mertens/W. Kluxen/P. Mikat* (Hrsg.), Markierungen der Humanität. Sozialethische Herausforderungen auf dem Weg in ein neues Jahrtausend, Paderborn u. a. 1992, 29 - 46.

[13] Vgl. die sehr aufschlußreiche Studie: *W. Wolbert*, Wann ist der Mensch ein Mensch? Zur Frage nach dem Beginn und Ende personalen Lebens, in: *V. Eid/G. W. Hunold* (Hrsg.), Moraltheol. Jahrb. 1: Bioethische Probleme, Mainz 1989, 15 - 33. – Nach Thomas von Aquin ist es der Besitz von Vernunft und freiem Willen sowie das Ursprungsein des eigenen Handelns, die das Menschsein bzw. die Gottebenbildlichkeit ausmachen (vgl. STh I-II prol).

[14] Vgl. hierzu: *O. Höffe* (Hrsg.), Grundlegung zur Metaphysik der Sitten. Ein kooperativer Kommentar, Frankfurt a. M. 1989, 234 - 252.

> «Nun ist die Moralität die Bedingung, unter der allein ein vernünftiges Wesen Zweck an sich selbst sein kann ... Also ist Sittlichkeit und die Menschheit, so fern sie derselben fähig ist, dasjenige, was allein Würde hat.»[15]

Wir müssen hier genau beachten, daß das, was den Menschen auszeichnet, seine Moralfähigkeit ist, d. h. das, was den Menschen zur Selbstzwecklichkeit macht, ist seine Moralfähigkeit. Nach *I. Kant* besteht also die Spezifizität des Menschen in seiner Verantwortungsfähigkeit, und nicht so sehr in irgend einer morphologischen, natürlichen oder geistigen Auszeichnung. *Die Würde des Menschen besteht nicht in irgend einer sichtbaren Eigenschaft, sondern in seiner Relation zum unbedingten Wert der Sittlichkeit.* Oder anders formuliert: Die Würde des Menschen ergibt sich aus der Tatsache, daß ihm die sittliche Forderung vorgegeben ist und daß er zwischen gut und böse zu unterscheiden hat. Wenn wir diese Definition kurz in unserem heutigen ökologischen Zusammenhang bedenken, dann müssen wir festhalten, daß es sich hier um eine Bescheidenheitsformel handelt. Gerade dadurch, daß die Spezifizität des Menschen durch die Fähigkeit zur Verantwortung definiert wird, finden wir hier kein Überheblichkeitsmoment, das den Menschen in einen unendlichen Abstand zur übrigen Kreatur setzen würde. Im Gegenteil, der Mensch wird in die Stellung eines fürsorglich-verantwortlichen Wesens eingewiesen. Dies ist das Entscheidende und nicht etwa ein morphologisches Kriterium wie der aufrechte Gang, die Naturzugehörigkeit usw. Oder anders formuliert: Der unmittelbare Grund der Schutzwürdigkeit eines menschlichen Wesens liegt nicht im Besitze einer bestimmten biologischen Eigenschaft, sondern allein in seinem Status, «Subjekt von ihm selbst verantworteter Zwecke zu sein, oder anders ausgedrückt, seine Freiheit als Bedingung der Möglichkeit einer Selbstbindung an das Gute».[16]

Die Frage, die in unserem Zusammenhang interessiert ist jedoch, ob der Mensch in jedem Entwicklungsstadium im eben beschriebenen Sinne als Person zu bezeichnen ist? Ist es auch der Fötus, der erst ursprünglichster, menschlicher Regungen fähig ist? In Anlehnung an *W. Wolbert*[17] können wir von Fähigkeit in einem doppelten Sinne sprechen: Erstens von Fähigkeit im Sinne einer geistig-praktischen Anlage

---

[15] *I. Kant*, GMS, BA 65; Insofern der Mensch ein freies und der Verantwortung fähiges Wesen ist, kommt die Achtung dem «uns möglichen Wille(n) in der Idee» (GMS, BA 67) zu, also nicht erst dem moralischen Menschen, sondern dem der Moral fähigen Menschen, also demjenigen Wesen, das unter moralischen Gesetzen steht bzw. auf moralische Gesetze bezogen ist.

[16] Vgl. *L. Honnefelder*, Der Streit, a. a. O. 264.

[17] Vgl. a. a. O. 15.

und zweitens von Fähigkeit im Sinne des Imstande-Seins, des In-der-Lage-Seins.

Für die Selbstzwecklichkeit des Menschen muß das erstere genügen. Es kann und darf nicht die aktuelle Fähigkeit, Moralität verwirklichen zu können, gefordert werden. Denn sonst müßten wir einem Unzurechnungsfähigen, einem schwerst geistig Behinderten die Menschenwürde bzw. das Personsein absprechen. Das bedeutet, daß als Voraussetzung der Menschenwürde «nur» die Anlage zu fordern ist. Wenn wir den Gedankengang bis hierher akzeptieren, dann ergibt sich auch die Folgerung, daß es unsinnig ist, von einer «potentiellen» Person zu reden. Entweder ein Embryo hat diese Anlage oder nicht. Der Embryo mag eine potentielle Politikerin, ein potentieller Arzt sein; er mag die potentielle Befähigung dafür besitzen oder nicht. Von einer potentiellen Anlage zu sprechen, macht wenig Sinn; entweder man besitzt sie oder nicht. Hingegen macht es Sinn, von einer potentiellen Befähigung zu sprechen.[18]

Eines ist klar: Daß der Beginn neuen menschlichen Lebens im morphologischen Sinn gegeben ist, bedarf keiner Diskussion mehr. Die alte These, daß das individuelle Leben zuerst alle Stufen des Lebendigen zu durchlaufen habe, wird heute von kaum jemandem mehr aufrechterhalten.[19] Die Frage ist nur, ab wann der Mensch Person ist, bzw. ab wann die Fähigkeit dazu im Sinne der geistig-praktischen Anlage gegeben ist. Mit anderen Worten: Ab wann müssen wir davon ausgehen, daß ein menschliches Wesen die Würde des Menschen als eines sittlichen Wesens besitzt. Genau hier gehen nun die Meinungen auseinander. Ich will nun einige beschreiben und diskutieren.

C. Der Personbegriff und der Beginn des Lebens

Es stellt sich die Frage, wie weit wir die Zuschreibung des Personstatus auszudehnen haben. Obwohl die naturwissenschaftlichen Befunde nicht schon eine Antwort geben, so sind sie doch Hinweise, die allerdings wiederum der philosophischen (und theologischen) Deutung be-

---

[18] Vgl. hierzu die Überlegungen von *L. Viefhues* in seinem Artikel: Rechtfertigung des Schwangerschaftsabbruches, in: Stimmen der Zeit 115 (1990) 752 - 762, hier 760. Vgl. auch: *R. Hare*, Essays in Bioethics, Oxford 1993, 84ff.

[19] Vgl. *R. O'Rahilly/F. Müller*, Human Embryology. Teratology, New York 1992. Vgl. auch die sehr aufschlußreiche Studie von *G. Rager*, Menschsein zwischen Lebensanfang und Lebensende. Grundzüge einer medizinischen Anthropologie, in: *L. Honnefelder/ G. Rager* (Hrsg.), Ärztliches Urteilen und Handeln. Zur Grundlegung einer medizinischen Ethik, Bern 1994, 53 - 103, hier 77ff. Allerdings wäre zu wünschen, daß der Begriff «Mensch» in unserem Sinne eindeutig definiert würde.

dürfen. In dieser Interpretationsbedürftigkeit, die den jeweiligen Vorverständnissen unterworfen ist, liegt denn auch der Grund unterschiedlicher Positionen.

1. Lebensfähigkeit als einziges Kriterium

1973 nannte der Oberste Gerichtshof der USA in der Entscheidung «Roe gegen Wade» als Beginn des Lebensschutzes den Zeitpunkt, von dem an der Fötus die «Fähigkeit zu einem sinnvollen Leben außerhalb des Mutterleibes» erreiche.[20] Als moralisch bedeutsam wird hier also nicht die Würde im Sinne eines sittlichen Wesens angesehen – wohl aus der Überzeugung heraus, dieser Definitionsstreit könnte nie entschieden werden. Als moralisch bedeutsam gilt hier ein morphologisches Kriterium, nämlich die Lebensfähigkeit außerhalb des Mutterleibes. Gegen diese Festlegung läßt sich – mit *P. Singer* – zu Recht einwenden, daß der Zeitpunkt der Lebensfähigkeit stark vom jeweiligen Stand medizinischer Technologie abhängt. Im Durchschnitt liegt er heute etwa in der 22. Woche; vor zwanzig Jahren hätte aber ein Siebenmonatskind nicht überleben können. Ob dieses Recht durchzusetzen ist, kann natürlich von den verfügbaren Mitteln abhängen, nicht aber das Recht selbst. Oder anders formuliert: Der *Zeitpunkt der Lebensfähigkeit* sagt also eher etwas aus über die medizinische Technologie als über das Recht auf Respekt und Lebensschutz. Man könnte natürlich argumentieren, aus der völligen Abhängigkeit des Fötus' von der Mutter folge, daß dem Fötus kein Selbststand zukomme, sein Lebensrecht auch von den Wünschen der Mutter mitdefiniert werde. Dies ist ein problematisches Argument, da wir in vielen anderen Fällen auch nicht der Meinung sind, daß die Abhängigkeit von einer anderen Person das Lebensrecht mitdefiniere. So sind unter Umständen kranke und pflegebedürftige Menschen völlig auf andere angewiesen. Die Festlegung, menschenwürdigen Schutz erst mit der Lebensfähigkeit außerhalb des Mutterleibes beginnen zu lassen, ist also willkürlich und unbegründet. Dies ist eine Festlegung in praktischer Absicht, damit der Streit um die Definition des Menschen umgangen werden kann. In rechtlicher Hinsicht muß zwar Eindeutigkeit erreicht werden; sie wird aber dann problematisch, wenn an rechtlich fragwürdigen Postulaten Eindeutigkeit über Würde und Lebensrecht herbeigeführt wird.

---

20 Zitiert nach *P. Singer*, Praktische Ethik, Stuttgart 1984, 149ff.

Der Medizin-Ethiker *H.-M. Sass* stellt fest:

> «Für die ethische Bewertung und den rechtlichen Schutz des beginnenden menschlichen Lebens haben wir zur Zeit keinen der Hirntoddefinition für das Ende des Lebens vergleichbaren allgemeinen Konsens. Vielmehr benutzen wir eine Vielzahl unterschiedlicher Parameter, deren gleichzeitige Existenz und Akzeptanz große ethische und rechtsphilosophische Schwierigkeiten mit sich bringt.»[21]

Um zu einer einheitlichen Grundlage für die Bewertung beginnenden menschlichen Lebens zu gelangen, überträgt *H.-M. Sass* die Kriterien der Hirntoddefinition auf die Frage nach dem Beginn (personal-) menschlichen Lebens. Diese Kriterien beruhen auf einer Unterscheidung zwischen biologisch-menschlichem Leben und personal-menschlichem Leben; dessen Manifestationen seien im wesentlichen kommunikative und selbstkommunikative Fähigkeiten, also Sprache und Selbstbewußtsein. Das Substrat hierfür seien die Hirntätigkeiten.

Für seine Übertragung stützt sich *H.-M. Sass* auf folgende medizinische Befunde: Am 57. Tag nach der Konzeption liegen die ersten hirnspezifischen Zellen vor. Aber erst nach dem 70. Tag entwickelt sich allmählich funktionierendes Hirngewebe, das später die Steuerung der Organe, Kommunikation und Selbstkommunikation ermöglicht. Irgendwann nach dem 70. Tag nach der Konzeption entwickeln sich die Funktionen, deren Versagen in der Hirntoddefinition als Kriterium für die Todfeststellung gilt. Um allerdings eine zusätzliche ethische Sicherung menschlichen Lebens einzubauen, setzt *H.-M. Sass* schon den 57. Tag als Beginn des vollen Lebensschutzes an.[22] Diese Festlegung hätte nach ihm den Vorteil, daß sie den Lebensschutz nicht willkürlich

---

[21] Medizin und Ethik, Stuttgart 1989, 167.

[22] Der Embryologe G. Rager macht auf eine Reihe von fragwürdigen Annahmen in der Position von Sass aufmerksam. So ist die Synapsenentwicklung, die Reifung der Neuronen, der Verbindungen der Neuronen und der Synapsen (also die hirnspezifische Zellentwicklung) ein langandauernder Prozeß, der zu unterschiedlichen Zeiten in unterschiedlichen Teilsystemen erfolgt und damit kaum auf einen bestimmten Tag zu lokalisieren ist. Vgl. a. a. O. 90. – Auf der anderen Seite bestreitet Rager die These, daß zwischen genetischer Einzigartigkeit und ontologischer Individualität des menschlichen Lebewesens unterschieden werden dürfte, denn der mit der Gametenverschmelzung einsetzende Prozeß kenne zwar Realisierungsstufen, aber keine Zäsuren, und infolgedessen dürfe zwischen genetischer Einmaligkeit und numerischer Individualität nicht unterschieden werden. Die Mehrlingsbildung stelle eine «Art Vermehrung» dar. Schon die analogische Sprechweise zeigt, daß damit die Probleme um Ontologie und Individualität des Embryos nicht zufriedenstellend gelöst sind.

festlegt, sondern an Merkmale des personalen menschlichen Lebens bindet, diese Merkmale aber extensiv interpretiert.

Das Auftreten von Merkmalen personalen Lebens – als Übertragung der Hirntoddefinition – ist das moralisch relevante Kriterium seiner Argumentation. Die Schwäche dieses Argumentes besteht aber darin, daß nach dem 70. Tag – und erst recht nicht nach dem 57. Tag – keine Merkmale personalen Lebens (also kommunikative und selbstkommunikative Fähigkeiten) nachzuweisen sind, sondern allenfalls nur Merkmale für die «Bedingung der Möglichkeit» personalen Lebens. Deshalb ist es nicht schlüssig, wenn Sass den Beginn personal-menschlichen Lebens – und damit verbunden – den Lebensschutz erst auf den 57. Tag festlegt. Denn auch das embryonale Gewebe vor dem 57. Tag ist die Bedingung der Möglichkeit für die Entwicklung personalen Lebens. – Letztlich ist auch die Definition von *H.-M. Sass* eine Definition in praktischer Absicht und folglich mit Vorverständnissen und Voraussetzungen behaftet, die noch der eigentlichen Begründung bedürfen. In der Tat können damit die Interessen vieler berücksichtigt werden: Diejenigen der Forschung, die das sog. prä-embryonale Stadium gerne für Experimente frei haben möchten, und diejenigen der Rechtssprechung, die sich davon im Bereiche Abtreibung und Lebensschutz eine einvernehmliche Regelung erhoffen.

Ob nun allerdings die Konsensfähigkeit ein ausreichendes Kriterium darstellt, ist eine andere Frage. Gleichsam als Stützargument behauptet *H.-M. Sass*, eine solche Festlegung sei mit den meisten kulturellen und religiösen Traditionen unserer pluralistischen Gesellschaft vereinbar. Mit Recht kann er auf die Auffassung des *Thomas von Aquin* verweisen, daß die Beseelung der Zygote durch die Geistseele erst 40 (bei Mädchen 80) Tage nach dem Werden der Zygote erfolgen würde und diese Auffassung sei kirchlicherseits nie verurteilt worden; für *Thomas* bedeutete seine Lehre beispielsweise, daß die Tötung vor der Beseelung (d. h. vor der leib-seelischen Einheit) sittlich zwar nicht statthaft, aber nicht als Tötung eines Menschen zu verstehen sei.[23] 1974 vermerkt die Kongregation für die Glaubenslehre in einem Schreiben zum Schwangerschaftsabbruch, der Schutz des Lebens sei zwar vom Zeitpunkt der Empfängnis an gefordert. Und ausdrücklich heißt es dann, ob das neugezeugte Leben vom Anfang der Empfängnis an eine menschliche Leib-

---

[23] *M. Schulze*, Leibhaft und unsterblich. Zur Schau der Seele in der Anthropologie und Theologie des Hl. Thomas von Aquin, Freiburg i. Ue. 1992. Schulze weist zwar nach, daß diese Position des Thomas mit seiner anthropologischen Hauptlinie nicht übereinstimme, zweifelhaft bleibt aber dennoch, ob die Frage nach der Personalität des Embryos damit gelöst ist. Immerhin sah sich K. Rahner gezwungen, die thomasische Forma-Corporis-Lehre mit dem hier nicht weiter zu diskutierenden Modell der «Selbsttranszendenz der Materie» auszuweiten.

Seele-Einheit sei, dazu wolle sie sich nicht äußern, läßt diese Frage also in suspens. Sie empfiehlt aber tutioristisch, es solle mit neu gezeugtem Leben so umgegangen werden, als handle es sich um personales Leben.[24] *H.-M. Sass* hat also nicht unrecht, wenn er hier auch auf religiöse Traditionen verweist, die eine gewisse Nähe zu seiner Position aufweisen. Aber dennoch beinhaltet auch seine Position eine gewisse Willkürlichkeit; allerdings ist sie weniger groß als im ersten Fall.

3. Nidation bzw. Individuation als Merkmal personalen Lebens

H.-M. Sass referiert in seinem Aufsatz auch die These, erst der Zeitpunkt der Einnistung des befruchteten Eies in die Gebärmutterschleimhaut (Nidation) sei der Beginn personalen Lebens und damit auch des vollen Lebensschutzes. Ihm ist es allerdings ein Anliegen, aufzuzeigen, daß es vor der Nidation absolut keinen Lebensschutz geben könne. Denn es gelte zu beachten, daß weniger als 50 % der Zygoten im natürlichen Schwangerschaftsverlauf dieses Stadium erreichten. So sei es unsinnig, sich angesichts dieser natürlichen Aborte eine besondere Verantwortung dem Embryo vor der Nidation gegenüber anzumaßen. Falls der Schutz menschlichen Lebens von der Befruchtung an gefordert würde, wäre man – und dies wäre eine der Konsequenzen – zu großen Anstrengungen verpflichtet, um diese geringe Lebenschance zu steigern.

H.-M. Sass' Kritik hebt also auf die Überlebenschance der frühen Embryonen ab. Er verbindet die prozentuale Überlebenschance einer Gesamtheit von Lebenseinheiten mit dem Lebensrecht der Individuen dieser Gesamtheit. Die Verschwendungsrate der Natur wäre gleichsam ein Hinweis auf die niedrigere Würde. Dieses Argument ist nicht stichhaltig, da wir – auf einer ähnlichen Ebene – die hohe Säuglingssterblichkeit auch nicht zum Anlaß nehmen, den Lebensschutz zurückzunehmen, sondern eher nehmen wir sie zum Anlaß, die Überlebenschancen zu erhöhen.

In anderer Hinsicht kann allerdings die Nidation von Bedeutung sein. Darauf macht *N. Ford* aufmerksam.[25] Er ist der Ansicht, daß erst mit der Nidation der «Prozeß des menschlichen Lebenszyklus ohne Verlust an Identität beginnt». Davor hat jede Tochterzelle die Fähigkeit,

---

[24] Kongregation für die Glaubenslehre. Erklärung zur vorsätzlichen Abtreibung: ASS 66 (1974) 736f.

[25] When did I begin? Cambridge 1991 (2. Aufl.). Anderer Ansicht ist *G. Rager* (a. a. O. 86f.); allerdings vermag ich – wie bereits erwähnt – seiner Ansicht nicht zu folgen, da mit seinem Begriff der Individualität die Frage nach der Bedeutsamkeit der Teilbarkeit der Zygote nicht gelöst ist.

sich zu teilen und sich zu einem eigenständigen menschlichen Wesen zu entwickeln (Totomnipotentialität). Erst die Zelldifferenzierung und die primitive Zellanordnung, die zeitlich mit der Nidation zusammenfallen, signalisieren, daß sich der Embryo in einer Kontinuität zu einem Erwachsenen entwickeln kann, ohne daß er seine «ontologische Identität» aufgibt.

> «An human person begins as a living individual with the inherent active potential to develop towards human adulthood without ceasing to be the same ontological individual.»[26]

Die Tatsache, daß die Zwillingsbildung Invitro künstlich herbeigeführt werden kann, ist offensichtlich ein sichtbarer Beweis dafür, daß hier die ontologische Identität noch nicht gegeben ist. Auf diesem Hintergrund muß gefragt werden, ob ein Wesen der Sittlichkeit fähig werden kann, von dem nicht feststeht, ob es ein oder zwei Individuen enthält, oder ob sich aus einem gleich zwei oder mehr entwickeln werden. Die Moralfähigkeit und damit auch die Verantwortungsfähigkeit muß an eine ontologische Identität zurückgebunden werden können. In einem Beitrag eines der führenden Embryologen *E. Blechschmidt* findet sich eine aufschlußreiche Bemerkung:

> «Wenn aus einem frühen Keim zwei getrennte Lebewesen hervorgehen, dann beinhaltet dies, daß die Lebenszeit des primär entstandenen, zum Beispiel am 4. Tag endet, und daß darnach eine neue Generation beginnt.»[27]

Mit anderen Worten: Wir hätten hier den merkwürdigen Fall, daß eine personale Entität aufhört zu existieren, ohne zu sterben. Es fragt sich jedoch, ob es sinnvoll ist, von einer solchen Annahme auszugehen, die ohnehin nie verifiziert werden kann. Wenn feststeht, daß sich praktisch jede Tochterzelle des Embryos theoretisch zu einem Menschen entwikkeln könnte, sind wir nicht gehalten, diesen Embryos die Anlage zum Personsein als real existierende zuzusprechen, da diese Anlage offenkundig an eine *ontologische Identität* gebunden sein muß, welche die Kontinuität bis ins Erwachsenenalter garantiert. Der Terminus post quem wäre also die Nidation oder jener Zeitpunkt, in dem die Verdoppelung der Zellen in eine Differenzierung der Zellen übergeht.

Die normativ-ethische Fragestellung, ob nidationshemmende und empfängnisverhütende Maßnahmen anders zu bewerten sind, hat jedenfalls von der Tatsache auszugehen, daß wir es hier im Falle der Nidationshemmer in morphologischer Hinsicht immer mit menschlichem Leben zu tun haben. *R. Spaemann*, den wir unter den Speziesisten kennen gelernt haben, wendet sich entschieden gegen jede Festlegung des

---

[26] Ebd., 132.
[27] Paderborner Studien 1980, 136.

Anfangs. Der Mensch erhalte seine ihm eigene und unverwechselbare Würde von einem urdenklichen Anfang her. Es gehöre zum Wesen der Person, «daß der Anfang im Urvordenklichen liegt».[28] Dies ist eine merkwürdige Redeweise und erinnert an die Präexistenzlehre der Seele, welche das Geistprinzip in das Urdenkliche verlegt. Selbstverständlich kann es einen theologischen Sinn machen, von einer Vorausbestimmung zu sprechen; das setzt aber in keiner Weise voraus, daß die Würde des einzelnen, gleichsam ohne leiblichen Träger, vorausexistiert. Abgesehen davon wäre immer noch zu klären, wann die leib-seelische Einigung erfolgt.

Abschließend müssen wir wohl daran festhalten, daß der Beginn des Werdeprozesses mit der Verschmelzung der Keimzellen gegeben ist. Der werdende Embryo ist in seiner immanenten Finalität (durch sein artspezifisches Genmuster) eindeutig darauf hin programmiert, ein vernunft- und verantwortungsfähiger Mensch zu werden. Das Interpretationsprojekt, das wir an diesen Werdeprozeß anlegen, scheint mit einiger Plausibilität aufzeigen zu können, daß die reale Personwerdung, sofern man sie an die ontologische Identität bindet, mit der Nidation beginnt. Obwohl wir es hier offensichtlich mit einem kontinuierlichen Prozeß zu tun haben, können wir eine Zäsur ausmachen, die sich aber unserem endgültigen Verstehen entzieht.[29] Es bleibt im ganzen Verstehensvorgang eine Unsicherheit. Deshalb hat sich das kirchliche Lehramt, trotz dieser Unsicherheit, für eine unbedingte Achtung des menschlichen Wesens vom Augenblick seiner Empfängnis an (Tutiorismus) ausgesprochen.

---

[28] Kommentar zur Instruktio (vgl. Fußnote 3), 87.

[29] *J. Gründel*, Sittliche Bewertung des ärztlichen Handelns bei Anfang und Ende des menschlichen Lebens, in: *O. Marquard/H. Staudinger*, Anfang und Ende des menschlichen Lebens. Medizin-ethische Probleme, Paderborn 1987, 78 - 100, hier 90f.: «Für die Zeit vor der Verschmelzung von Samen und Eizelle ist zwar schon Leben, aber noch kaum artspezifisch-menschliches Leben gegeben; a) eine solche personhafte Existenz ist mit Sicherheit noch nicht da; b) für die Zeit nach der Befruchtung, aber vor der Einnistung – also im Frühzellenstadium – ist zwar artspezifisch-menschliches Leben, aber noch kein individuelles und mit großer Wahrscheinlichkeit noch kein personales Leben anzunehmen.»

Diese Position wird als «Epigenismus» bezeichnet; im Gegensatz dazu steht der «Präformismus», der von der Überzeugung ausgeht, daß in der menschlichen Zygote auch schon die biologisch-genetische Identität vorliegt, also bereits alle charakteristischen Besonderheiten eines bestimmten Individuums angelegt bzw. vorgebildet sind, die sich im Entwicklungsprozeß nur noch ausbilden müssen. Diese These – die als solche doch wohl weniger überzeugt – verficht nicht so sehr aus embryologischen als vielmehr aus «logischen» Gründen: *S. Demel*, Was für ein Wesen ist der Fötus?, in: ThPh 69 (1994) 224 - 237. (Hier wird auch nochmals die ältere Literatur Auer, Böckle, Ruff, Heinrichsen usw. diskutiert, ohne allerdings die neuere philos. Literatur heranzuziehen).

Den bisher beschriebenen Positionen steht die Auffassung von *P. Singer*[30] diametral gegenüber. Auch für ihn ist die Zygote bzw. der Embryo ein menschliches Wesen, wie dies eine einfache biologische Analyse zeigen könne. Nur ist für ihn fraglich, inwiefern sie als personale, das heißt selbstbewußte und rationale Wesen bewertet werden könnten. Die Gattungszugehörigkeit ist nach *P. Singer* eine ethisch unbedeutende Tatsache; deshalb müßte in diesem Stadium nicht unbedingt ein Unterschied zwischen einem Tier und einem Menschen gemacht werden. Träger eines Rechtes auf Leben und Träger für den menschlichen Lebensschutz könne nur das individuelle, personale Leben sein, das nun weder dem Embryo noch einem stark zurückgebliebenen «dahinvegetierenden» Menschen zukomme.

P. Singer entwickelt seine These anhand einer problematischen Stufenordnung des Lebendigen (unbewußtes, bewußtes, selbstbewußtes Leben). Selbstbewußt sind in seiner Definition Wesen, die sich ihrer selbst als distinkter Entitäten einer Vergangenheit und einer Zukunft bewußt sind. Singer ist der Auffassung, daß jedes Leben – also auch das menschliche – entsprechend seiner Bewußtseinsstufe bewertet werden muß und daß es dementsprechend keinen Unterschied in der «Würdigkeit» gebe. Abgesehen davon, daß hier eine völlige Verwischung von menschlichem und tierischem Leben vorliegt, erlauben es ihm diese Überlegungen, das menschliche Leben nach den «wirklichen Eigenschaften» zu beurteilen. Er fordert einen «fairen Vergleich moralisch relevanter Eigenschaften, wie Rationalität, Selbstbewußtsein, Autonomie, Lust- und Schmerzempfindung»[31] zwischen den Wesen, die zu unserer Spezies, und den Wesen, die nicht zu unserer Spezies gehören. *P. Singer* nimmt entsprechend die Frage auf, ab wann ein menschliches Leben selbstbewußt sei, und kritisiert dementsprechend die «weitverbreiteten Ansichten über die Heiligkeit des Kleinkindes». Selbst das Neugeborene habe kein Selbstbewußtsein. Diese Ansichten entstammten lediglich der jüdisch-christlichen Tradition und wären nicht allgemein zustimmungsfähig. So kann er z. B. behaupten:

> «Ein Neugeborenes von zehn Tagen ist kein rationales und selbstbewußtes Wesen, ... und das Leben eines Neugeborenen von zehn Tagen hat also weniger Wert als das Leben eines Schweins, eines Hundes oder eines Schimpansen.»[32] Und Singer

---

[30] Vgl. Praktische Ethik, Stuttgart 1984; *H. Kuhse/P. Singer*, Muß dieses Kind am Leben bleiben. Das Problem schwerstgeschädigter Neugeborener, Erlangen 1993.

[31] P. Singer, Praktische Ethik, 162.

[32] Ebd., 168f.

fügt hier hinzu: «In diesem Zusammenhang sollten wir Gefühle beiseite lassen, deren Grundlage die kleine, hilflose und – zuweilen – niedliche Erscheinung menschlicher Säuglinge ist.»[33]

Diese Konsequenz empört und hat in der Öffentlichkeit eine große Rolle gespielt. Doch sind zum richtigen Verständnis einige zusätzliche Erklärungen nötig.

P. Singer rechtfertigt keineswegs die beliebige Tötung von Nicht-Personen; sein einziges Argument gegen die Tötung dieser Menschen ist, daß sie als Kreaturen Schmerz empfinden. Dieses Argument wiederum steht im Zusammenhang eines Gesamtkonzeptes der utilitaristischen Ethik, nämlich jener Ethik, die eine unparteiliche Nutzenmaximierung verspricht. Eine Handlung wird danach beurteilt, ob sie für die Betroffenen Lust und Glück (pleasure) oder Unlust und Leid (pain) bringt. *P. Singer* hält sich nicht in allen Punkten an den klassischen Utilitarismus. Er zieht in bezug auf vernunftbegabte und selbstbewußte Wesen eine moderne Variante vor, den sog. Präferenz-Utilitarismus, dem es um die Interessen (Präferenzen) der Betroffenen und ihre Abwägung gegeneinander geht. Zwei Merkmale werden hier besonders hervorgehoben: Zum einen bemißt sich die moralische Qualität einer Handlung daran, ob ihre Folgen – nicht ihre Absichten – die Interessen aller von ihr Betroffenen in der bestmöglichen Weise wahren. Zum anderen legitimieren sich Normen nicht allein aus der Übereinstimmung mit der Überlieferung, vielmehr müssen sich diese selbst der Vernünftigkeit einer Rechtfertigung vor dem ersten Merkmal stellen, d. h. dem Forum der gleichen Berücksichtigung aller gleichartigen Interessen.

Nun bedient sich *P. Singer* des Glücks-Utilitarismus, der die zu erwartenden Glücks- und Leidensgesamtsummen gegeneinander bilanziert. Der Wert des Lebens bemißt sich demnach an seiner Glücksmöglichkeit. Das Leben ist sozusagen eine Funktion seiner Glücksmöglichkeit. Überwiegt das Glück oder gibt es nichts anderes als Leid und Schmerz, dann kann demnach auf der einen Seite nicht mehr von einem lebenswerten Dasein gesprochen werden; sind auf der anderen Seite die Merkmale einer Person noch nicht vorhanden, entscheidet sich die Existenz an den Glücksmöglichkeiten. Wenn die Maxime gilt:

> «Es ist von mir erfordert, daß ich alle Interessen abwäge und jenen Handlungsverlauf wähle, von dem es am wahrscheinlichsten ist, daß er die Interessen der Betroffenen maximiert. Also muß ich einen Handlungsverlauf wählen, der per saldo für alle Betroffenen die besten Konsequenzen hat.»[34]

---

[33] Ebd., 168.
[34] Ebd., 23.

Unter dieser Voraussetzung kann menschliches Leben, zumindest in seiner vorbewußten Form, zu einem fast beliebigen Kalkulationsgut werden. Es ist hier nun nicht der Ort, um auf den genauen Argumentationsverlauf des Utilitarismus als einer ethischen Theorie einzugehen.[35] Entscheidend in diesem Zusammenhang ist die Singersche Definition der Person bzw. des Wertes menschlichen Lebens.

Und hier wird aber – so scheint mir – schnell deutlich, daß Singers Position nicht sehr geeignet ist, um für die Entscheidungsbildung dienlich zu sein, sieht man einmal von den Emotionen ab, die sie lostritt und die sich einem vernünftigen Diskurs in den Weg stellen können. Die Argumentation ist so ungenau, daß sie zu nicht überschaubaren und unerträglichen Folgen führt. *P. Singer* geht von jenem Argument aus, das Würde und Lebensrecht von aktuellen personalen Fähigkeiten abhängig macht. Die anderen diskutierten Positionen bemühen sich um eine scharfe Argumentation, die für Konfliktsituationen hilfreich sein kann.[36] *P. Singer* läßt seine Kriterien im Ungewissen, besonders wenn er Autonomie und Selbtbewußtsein als Bedingung für personale Würde und Lebensrecht anführt. Denn er äußert sich nicht über die Möglichkeit der Feststellung des Zeitpunktes, von dem an ein Kind sich seiner selbst bewußt werden kann, als ein von der Mutter unabhängiges Wesen, wann es Vergangenheit und Zukunft erleben kann. Hier bewegt man sich auf allerschwierigstem Parkett: Denn reicht es aus, daß ein Lebewesen sich sprachlich zu Vergangenheit und Zukunft äußern kann, um festzustellen, daß es Bewußtsein hat? Oder genügt eine Erfahrung, die eventuell symbolisch ausgedrückt werden kann? Nehmen wir noch den Begriff Autonomie hinzu und verstehen wir Autonomie als bewußtes, selbstverantwortliches Handeln, dann stellt sich schon die Frage, ob wir diese Eigenschaft Vorschulkindern zusprechen können. Und zudem läßt sich fragen: Was ist mit Menschen, die aufgrund einer psychiatrischen Erkrankung die Innen- von der Außenwelt nicht mehr unterscheiden können? Was ist mit alten Menschen, die in einen absoluten Verwirrtheits- und Demenz-Zustand versinken?

Es ergeben sich hier Fragen über Fragen: In theoretischer Hinsicht gewinnt man den Eindruck, daß *P. Singer* das biogenetische und widerlegte Grundgesetz auf der Ebene der Ethik wiederholt. Das biogenetische Grundgesetz besagt, daß sich in der Ontogenese des Menschen die Phylogenese (= die Stammesgeschichte) wiederholt. *P. Singer* selbst

---

[35] Vgl. Streitfall Euthanasie. Singer und der «Verlust des Menschlichen» (= Ethik und Unterricht), hrsg. von *J.-P. Wils*, Tübingen 1990.

[36] Es wäre hier allerdings darauf hinzuweisen, daß die Überlebenssorge, die Singer seinem Personbegriff zugrunde legt, eine fruchtbare Diskussion um Person/Identität ausgelöst hat bzw. um die Frage nach dem Substrat der Personidentität (Parfit, Wiggins, Runggaldier).

spricht ja von einem Stufenschema. Und damit muß ihm offensichtlich auch entgehen, daß wir es bei der Menschwerdung des Menschen mit einem Kontinuum zu tun haben. Es gibt im menschlichen Leben reale Anlagen (und nicht bloß Potentialitäten), die geeignet sind, Merkmale personal-geistigen Lebens (wie Singer sie etwa nennt) herauszubilden. Es gibt offensichtlich eine «ontologische Identität» und ein «ontologisches Kontinuum», die die Personwerdung mit ihrer Charakteristik überhaupt garantieren. Immerhin kennt auch *P. Singer* einen gewissen Tutiorismus: Wenn unklar ist, ob ein Wesen eine Person ist, solle man den Zweifel zugunsten dieses Lebewesens sprechen lassen.[37]

D. Der Einspruch der Theologie: Die Ethik-Relevanz von theologischen Sinn-aussagen

Wir haben eingangs gesehen, daß theologische Definitionen über den Menschen für die Ethik nicht unmittelbar (d. h. ohne Vermittlung) hilfreich sind. Und dennoch wirken sie in einem bestimmten Sinn auf die Ethik im Umgang mit dem Leben. Hier lassen sich wiederum verschiedene Ebenen unterscheiden:

- In theologischer Perspektive ist das menschliche Leben nur als Leben eines endlichen, der Verantwortung fähigen Vernunftwesens zu verstehen. Das Leben ist in theologischer Perspektive auch eine in besonderer Weise angenommene und geschaffene Entität. Daher ist es nicht bloß vor den Menschen, sondern auch vor Gott be-deutend und wichtig. Dies ist zwar kein «neues» ethik-relevantes Argument, aber es gewichtet unsere Verantwortung im Umgang mit menschlichem Leben. Die dem Menschen *von Gott verbürgte Dignität* gewichtet in einem besonderen Maße unsere Verantwortung, vorausgesetzt wir verstehen Verantwortung nicht als eine besondere Norm, sondern als eine besondere Tugend bzw. als eine Qualität des Subjektes, sorgfältig, überlegt und umsichtig mit Gütern umzugehen.[38]

- Die zeitliche Frage, wann der Mensch als Mensch bzw. als personale Existenz beginnt, ist theologisch gesehen problematisch. In der Dogmatik gilt der Grundsatz, daß die Schöpfung als Akt Gottes nicht ein Akt

---

[37] Vgl. Streitfall, a. a. O. 136.

[38] Vgl. *A. Holderegger*, Verantwortung, in: Grundbegriffe der christlichen Ethik, hrsg. von *J.-P. Wils/D. Mieth* (= UTB 1648), Paderborn 1992, 199 - 208.

ist, der punktuell geschieht und der auf der Zeitlinie an einem Punkt festzumachen ist, sondern ein Akt, der zu jeder Zeit und in jedem Augenblick geschieht (creatio continua). Wir können unter diesem Gesichtspunkt nur sagen, wann uns dieser Akt in einem Wesen leiblich begegnet. In definitorischer Absicht versucht auch die Theologische Ethik, den Schöpfungsakt in verschiedenen Antwortversuchen *zeitlich und leiblich* festzumachen. Das Ergebnis, das strittig bleibt, verweist aber auf eine gewisse immanente Schwierigkeit in der Definition, denn diese geschieht immer auch unter teleologischer Berücksichtigung der jeweiligen Folgen für die Praxis. Darum müssen sich alle, welche definieren und festlegen, ob sie nun eine maximale oder eine minimale Definition vornehmen, die Frage gefallen lassen, was und welche Interessen sie schützen wollen (Hermeneutischer Zirkel).

- Offensichtlich kann niemand eine Definition des Lebens vornehmen, ohne auf die Folgen seiner Praxis zu sehen. Darum hängt die Frage, wann menschliches, personales Leben beginnt, eng mit der Frage zusammen, ob wir einen maximalen oder einen minimalen Schutz menschlichen Lebens wollen. De facto können wir also nur definieren in praktischer Absicht. – «Menschliches» Leben kann entweder maximal oder minimal definiert werden; dazwischen liegen viele weitere Möglichkeiten. Wer eine maximalistische Definition – etwa im Sinne von *P. Singer* – vorschlägt, daß z. B. menschliches Leben erst dort besteht, wo der Mensch eigenständiger Träger spezifisch menschlicher, d. h. bewußter Handlungen ist, der nimmt unzweideutig die Gefahr in Kauf, daß defizientes Menschsein nicht mehr als schutzwürdig angesehen wird. Hier gibt es Gestalten, die rein äußerlich den Menschen gleichen, aber nicht mehr eigentlich «menschlich» wären: Ungeborene, Geisteskranke, Behinderte, Nichtmehr-Kommunikationsfähige. Jede maximalistische Definition ist daher höchst bedenklich, weil sie eine Unterscheidung in eigentliches und uneigentliches Menschsein vornimmt.[39] Und dies geht allemal zu Lasten derjenigen, die sich selbst nicht zu wehren wissen. Das Speziesismusargument von *P. Singer* wird mit dem Hinweis auf einen verkappten Rassismus zwischen Mensch und Tier

---

[39] Ähnlich *L. Honnefelder*, Der Streit, a. a. O. 264: «Auch die Frage, wie weit die Anerkennung der Person zu ziehen ist, ist zunächst einmal eine Frage des ethischen Standpunktes. Wer nur den als Person anerkennt, der der reziproken Anerkennung aktuell fähig ist, vermag zwar Sittlichkeit als ‹Fairness› zu erklären ..., aber nicht Sittlichkeit als ‹Solidarität›. Solidarität, die auch die Schwächsten der Gesellschaft umfassen soll, impliziert eine Verallgemeinerbarkeit, die von allen besonderen Attributen absieht und Unantastbarkeit nur dem Menschen als Menschen zuspricht. Damit wird deutlich, daß die Würde der Person auf die Gattungsnatur bezogen werden muß ... Jede Auslegung des Personbegriffes, die den Bezug zur Natur eingrenzt, hat daher die Beweislast zu tragen.»

zerstört; hier wird aber über die Hintertür wiederum ein diskriminierendes Argument eingeführt, das aber nicht so sehr Schranken zwischen Mensch und Tier, sondern zwischen Mensch und Mensch errichtet. Aus diesen praktischen Gründen muß eine minimalistische Definition angestrebt werden. Das heißt: Wo immer menschlich-personales Leben vermutet werden kann, da muß es schutzwürdig sein. Natürlich muß auch eine solche Minimaldefinition auf ein biologisches Substrat zurückgreifen können; auf ein Substrat, das auf der einen Seite in irgend einer Form eine menschliche Gestalt aufweist, und das auf der anderen Seite die Voraussetzung für die Kontinuität in der Entwicklung darstellt. Wir haben jedoch gesehen, daß dies selbst bei Theologen durch alle Jahrhunderte hindurch umstritten war und wohl umstritten bleiben wird.[40]

- Aus theologischer und philosophischer Warte gesehen kann die Existenz menschlichen Lebens nicht wie ein neutrales Faktum betrachtet werden (brutum factum); die Definition menschlichen Lebens geschieht aus diesem Grunde vielmehr in praktischer Absicht. Dies ist zugleich auch der kritische Punkt. Die Feststellung beispielsweise, daß das menschliche Leben mit der Zeugung beginnt und mit dem natürlichen Tod endet, ist problematisch, denn zunächst gilt, daß biologisch keine Aussage zu machen ist, wann eigentlich menschliches Leben beginnt oder endet, ohne daß zusätzliche Merkmale und Kategorien als diejenigen der Biologie eingeführt werden. Denn empirisch-biologische Fakten sind stets *interpretationsbedürftig*, vor allem dann, wenn es um die Festlegung der Menschlichkeit des Menschen geht. Es gibt ein biologisches Kontinuum, aber erst dann unterteilen wir folgenreich, wenn am Anfang und am Ende die Menschlichkeit des Menschen definiert wird. Den Tod beispielsweise definiert nicht die Natur, sondern der Mensch. Und das hängt von unserem Verständnis des Menschseins ab. Dies aber ist wiederum eine philosophische Frage, eventuell eine Frage der *Weltanschauung*. Die Wahrheit über den Menschen, was er ist, wohin er geht, kann nicht an biologischen Prozessen abgelesen werden. Es gibt Wissenschaften wie Medizin, Jurisprudenz und Ethik, in denen sich das Problem der Interpretation immer wieder auf neue und brisante Weise stellt, weil sie immer wieder zu operationalisierbaren Definitionen des Lebensbeginnes und des Lebensendes kommen müssen. Und dabei bewegen sich alle in einem Zirkel, der nicht aufzubrechen ist: Sie definieren Leben in praktischer Absicht, um Grenzen in der Schutzwürdigkeit oder für Therapien, Eingriffe usw. zu setzen. Diese Definition ist gleich-

---

[40] Vgl. die sehr konzise Zusammenfassung und Beurteilung von *R. A. McCormick*, Who or What is the Preembryo?, in: Kennedy Institute of Ethics Journal 1 (1991) 1 - 14.

zeitig Voraussetzung für die Absicht. Dieser Zirkel kann nicht mit Verweisen auf naturwissenschaftliche Vorgänge aufgebrochen werden. Die Frage nach der Bedeutung dieser Vorgänge stellt sich ja immer. Und dies ist stets ein anthropologisches Problem. – Wir sind nicht sicher, wann das eigentlich menschlich-personale Leben beginnt. Weil wir unsicher sind, dürfen wir nicht den Fehler begehen, mit eventuell menschlichem Leben unmenschlich umzugehen. Frühes menschliches Leben, aber auch behindertes menschliches Leben ist heute so exponiert, daß eine Diskontinuität in der Achtung entsteht. Daß möglichst kein Bruch der *Kontinuität* in der Achtung entsteht, dafür kann auch ein theologischer Gedanke stehen: Indem der Mensch als Mitgestalter der Schöpfung und als Handelnder heute dermaßen gefragt ist, muß die Realisierung seiner Geschöpflichkeit hier und jetzt vor allem in der praktizierten Ehrfurcht im Umgang eben mit dieser Schöpfung bestehen.

II. Gentechnik und Gentechnologie. Zur gegenwärtigen Diskussion aus der Sicht der ethischen Urteilsbildung[1]

A. Der Wandel in der Diskussion

Die gesellschaftspolitische und ethische Diskussion in den achtziger Jahren war durch radikale pro- und contra-Haltungen geprägt.[2] Begeisterte Befürworter sprachen sich für eine bedingungslose Förderung von Grundlagenforschung und Anwendung aus in der Hoffnung, mittels Gentechnik/Gentechnologie so verschiedenartige Probleme wie Welthunger, Erbkrankheiten und Umweltprobleme in den Griff zu bekommen. Entschiedene Gegner lehnten die Gentechnologie als Ganzes ab. Gründe dieser pauschalen Ablehnung waren z. B. Bedenken bezüglich nicht zu bewältigender Sicherheitsprobleme, nicht abschätzbarer Folgen bezüglich Natur- oder Gott-gesetzter Grenzen.

Die gegenwärtige Diskussion, die im allgemeinen vom breiten Faktum der angewandten Gentechnik ausgeht, ist daher weniger grundsätzlich als vielmehr sach- und problembereichbezogen und fragt daher nach den immanenten Grenzen der jeweiligen Sachbereiche (z. B. Transgenetik bei Tieren; Geneingriffe bei Nutzpflanzen usw.). Diese Änderung in der Auseinandersetzung ist gewiß nicht nur eine Folge von größerer gesellschaftlicher Akzeptanz[3] oder aus der Absicht entsprungen, Kompromisse einzugehen und sich auf die politische, ideologische oder argumentative Gegnerschaft einzulassen. Dies hat vielmehr mit dem durchaus auch opportunistischen Grund zu tun, daß die Gentechnologie heute aus der universitären und industriellen Forschung nicht mehr wegzudenken ist und daß vor allem im pharmazeutischen Bereich diverse gentechnologisch hergestellte Substanzen bereits auf dem Markt sind.

---

[1] Überarbeitetes Thesen- und Positionspapier, das einem politischen Gremium als Diskussionsgrundlage vorlag (Für Hinweise danke ich Frau Arz de Falco).

[2] Vgl. *W. Bender/U. Gerber*, Die selbstgestrickte Schöpfung. Gentechnologie – was ist sie? was kann sie? was darf sie?, Stuttgart 1990; *P. Buckel/E.-P. Fischer/D. Nord* (Hrsg.), Das Handwerk der Gentechnik. Naturwissenschaft, Politik und Ethik, München 1991; *A. M. Wobus/U. Wobus* (Hrsg.), Genetik zwischen Furcht und Hoffnung, Leipzig 1991.

[3] Erwartungsgemäß stößt die Gentechnik als wissenschaftliche Methode in der Medizin auf eine hohe Zustimmung. Umfragen zufolge befürworten 80 % der Bevölkerung den Einsatz der Gentechnologie im Kampf gegen Krankheiten oder in der Entwicklung neuer Impfstoffe. Vgl. Ärzte-Zeitung vom 28. Juni 1994.

Das Eintreten auf die relativ gut abgrenzbaren Problembereiche – der Versuch also, über einen öffentlichen Diskurs der Gentechnologie positive Seiten abzugewinnen und gleichzeitig negative Auswirkungen zu verhindern – verunmöglicht es aber, die Gentechnologie noch einmal als Ganzes in ihrem gesellschaftlichen Umfeld zu bewerten und zu analysieren, sie zu verwerfen oder bewußt anzunehmen. Mit dem Ausstieg der Medien aus den Horrorszenarien rund um die Gentechnologie, wie sie gerne in den achtziger Jahren beschworen wurden,[4] ist auch eine differenziertere Information der Öffentlichkeit möglich geworden, die ihr Interesse an den Fortschritten der Gentechnologie nicht verloren hat und die Expertendiskussion um Probleme einzelner Anwendungsfelder aufmerksam mitverfolgt.

Eine weitere Veränderung in bezug auf die Situation in den achtziger Jahren betrifft die nun auch international erfolgende, sich an ethischen Gesichtspunkten orientierende rechtliche Reglementierung der Gentechnologie.[5] Zum Beispiel ist in der Schweiz nach der Annahme eines neuen Verfassungsartikels im Mai 1992 eine «interdepartementale» Arbeitsgruppe eingesetzt worden, die einen Bericht erarbeitet hat, der festhält, wo im Rahmen der Gen- und Fortpflanzungstechnologien gesetzliche Regelungen notwendig und in welcher Form sie zu formulieren sind. Andererseits hat Frankreich[6] im Juni 1994 neue Gesetze zur Bio-Ethik verabschiedet, die Fragen bezüglich der Organspende, der genetischen Untersuchung wie auch die Probleme der Weitergabe von Daten nach heterologen Inseminationen oder In-Vitro-Fertilisationen regeln; verboten sind unter anderem die Leihmutterschaft, die Befruchtung mit Samen eines verstorbenen Partners und die künstliche Befruchtung nach der Menopause. Diese Verordnungen stehen unter dem Titel des «Respekts vor dem menschlichen Körper». Das Beispiel Frankreich zeigt, daß das Bedürfnis, den Gen- und Reproduktionstechnologien einen gesetzlichen Rahmen zu geben, nicht nur dem Wunsch nach

---

[4] Paradebeispiel ist der Bezug auf das legendäre CIBA-Symposium von 1962, auf dem führende Wissenschaftler der westlichen Welt über die Zukunft der Menschheit im Gefolge einer gentechnischen Revolution diskutierten («Der gläserne Mensch»).

[5] Im Juli 1994 hat der Europarat den Entwurf einer Bioethik-Konvention verabschiedet («Bioethics Convention for the protection of Human rights and dignity of the Human being with regard to the application of biology and medicine»), die zumindest in der deutschsprachigen Öffentlichkeit sehr kritisch aufgenommen wurde, da sie insbesondere in zweierlei Hinsicht (Embryonenexperimente; medizinische Intervention an Menschen zu Therapie- oder Versuchszwecken, in Grenzfällen auch ohne deren ausdrückliche Zustimmung) die nationalen Gesetzgebungen, aber auch das gegenwärtige öffentliche Grenzfallbewußtsein unterläuft. Abgesehen davon, daß man sich eine kritischere Rezeption gewünscht hätte, hinterläßt eine erste Lektüre des Textes den Eindruck, daß es sich hier doch auch um einen schlichten Entwurf handelt, der im Niveau hinter der internationalen Diskussion zurückbleibt.

[6] Vgl. Ärzte-Zeitung vom 02.08.1994.

Schutz vor Mißbräuchen der neuen Techniken entspringt, sondern auch darin besteht, positive gesellschaftliche Werte wie den Schutz der Familie zu realisieren.

Es zeigt sich in den französischen Bioethik-Gesetzen wie auch im Schweizer Verfassungsartikel, daß Fragen aus dem medizin-ethischen Bereich, die neben der Gentechnologie auch die Fortpflanzungsmedizin betreffen, als etwas Zusammengehörendes behandelt werden, obwohl die beiden Technologien bestenfalls in der Keimzell-Manipulation einen Berührungspunkt haben; indem nämlich das zu manipulierende Keimgut – die befruchtete Eizelle oder der sogenannte Früh-Embryo – durch In-vitro-Fertilisation gewonnen wird.

Im Bereiche von Forschung und Anwendung[7] haben sich die hohen Erwartungen, die an die somatische Gentherapie in bezug auf die Heilung monogenetischer, rezessiver Erbkrankheiten (z. B. die Cystische Fibrose) gestellt wurden, noch nicht erfüllt. Das scheinbar einfache Therapie-Modell – die Übertragung gesunder Gene in das kranke Zielorgan – ist technisch viel schwieriger zu realisieren als voraussehbar war. Erfolgversprechender sind im Moment hingegen die Heilversuche mit körpereigenen Wirksubstanzen bei Krebserkrankungen.[8] Für die Gentherapie bieten sich in der näheren Zukunft vor allem drei Einsatzgebiete an:

- die Verringerung der Nebenwirkungen klassischer Krebsmedikamente
- die Behandlung solcher Tumoren, die direkt mit dem Immunsystem zusammenhängen
- die Therapie von Tumoren, die bisher überhaupt nicht behandelbar waren

Die medizinisch-pharmazeutische Grundlagenforschung hat in den vergangenen 10 Jahren bereits ca. 100 Gene entdeckt, die mehr oder weniger direkt an der Entstehung von Krebs beteiligt sind.[9] Diese Gene werden in sogenannte Tumorgene klassifiziert, die – einmal aktiviert – krebsauslösend sind und in Tumor-Suppressor-Gene, die in inaktiviertem Zustand die Entstehung von Krebs begünstigen.

Ein faszinierendes Gebiet stellt die Forschung dar, die sich mit dem Phänomen des Alterns[10] beschäftigt und nach den Ursachen für den so-

---

[7] Vgl. den Überblick zur Entwicklung der Gentechnik: *S. Unternährer-Rosta/B. Dalle Carbonare* u. a., Gentechnik. Worum geht es?, Editiones Roche, Basel 1994.

[8] Vgl. Ebd. 35.

[9] Vgl. Ärzte-Zeitung (Special) vom April 1994.

[10] Vgl. NZZ vom 06.04.1994. Messungen zeigten, daß bei transgenen Tieren durch die Überexpression bestimmter Gene die Enzymtätigkeit gesteigert werden konnte. Dadurch waren die Gewebe besser vor dem Alterungsprozeß geschützt.

genannten programmierten Zelltod, die Apoptose, sucht, die dazu führen soll, daß Zellen nach einer bestimmten Lebensdauer, die je nach Organ unterschiedlich ist, absterben und nicht wieder ersetzt werden. Viel diskutiert wird im Zusammenhang mit den Alterungsvorgängen auch die sogenannte Radikaltheorie, die besagt, daß der reaktive Sauerstoff, der nicht für die Energiegewinnung benötigt wird, in den Körperzellen so viel Schaden anrichtet, bis das System als ganzes zusammenbricht. Dieser reaktive Sauerstoff kann von den sogenannten Antioxidantien, z. B. den Vitaminen C und E, vernichtet werden. Auch verschiedene Genprodukte, Enzyme, fangen die Radikale ab. Durch eine Überexpression dieser Gene – so ein theoretisches Modell – könnte der schädliche Sauerstoff in größerer Menge vernichtet und somit der Alterungsprozeß verzögert werden.

Auch an der Aufklärung molekularer Ursachen von degenerativen Krankheiten des Nervensystems wie der Alzheimer-Krankheit und von Autoimmunkrankheiten wie die Multiple Sklerose wird geforscht.

B. Die in Medien und Öffentlichkeit wahrgenommenen «Chancen und Risiken»

Ein Überblick über die Veröffentlichungen in den Printmedien[11] zum Thema Gentechnologie verdeutlicht, wo heute von den Medien und via Medien von einer breiteren Öffentlichkeit die vielzitierten «Chancen und Risiken» der Gentechnologie angesiedelt werden. Dabei muß betont werden, daß andere Bereiche, die ebenfalls von höchster ethischer Brisanz sind und dringend einer ethischen, sowie einer gesellschaftspolitischen Stellungnahme und einer rechtlichen Regelung bedürfen (wie z. B. die pränatale Diagnostik, transgene Tiere, gentechnische Veränderung der Nutzpflanzen) relativ wenig Resonanz in den Medien finden.

1. Somatische Gentherapie

In den Medien sind Äußerungen breit präsent, die mit mehr oder weniger Optimismus auf die Fortschritte der somatischen Gentherapie und die Bereitstellung körpereigener Substanzen für die Heilung einzelner Krebsarten eingehen. Es wird zur Kenntnis genommen, daß zwar bis anhin noch keine entscheidenden Durchbrüche erzielt worden sind, daß

---

[11] Der Pressespiegel «Gentechnologie», herausgegeben vom Archiv für Sozialpolitik e. V., Frankfurt a. M., bietet einen ausgezeichneten Überblick.

sich aber für die Zukunft vielversprechende Tendenzen abzeichnen. Weniger Aufmerksamkeit wird den Folgeproblemen der somatischen Gentherapie auf molekulargenetischer Ebene für das behandelte Individuum geschenkt; sie lassen sich bis heute nicht determinieren. Dies verbietet beim momentanen Wissensstand eine unbedenkliche, breitgestreute Anwendung gentherapeutischer Methoden. Insofern sich die somatische Gentherapie in der Öffentlichkeit im allgemeinen einer breiten Akzeptanz erfreut, wird dies sicherlich dazu führen, daß der Gentechnologie auch auf anderen Gebieten wohlwollender begegnet wird.

Wenig diskutiert wird das Problem, daß mit dem Auffinden immer weiterer erblicher Komponenten von Zivilisationskrankheiten wie Diabetes und Krebs der Blick von äußeren Verursacher-Bedingungen auf die anlagebedingten Ursachen gelenkt wird. Ist ein solcher Blickwechsel bereits im medizinischen Modell als nicht unproblematisch anzusehen, kann nicht genug betont werden, was dies in anderen Bereichen bedeuten könnte. Der Streit zwischen Genetikern, die den Menschen zuerst als Produkt seiner genetischen Anlagen definieren und Behavioristen, die den Einflüssen der Umwelt, also sozialen Bedingungen, Erziehung usw. den größten Einfluß auf das Verhalten und den Charakter des Menschen zusprechen, hat eine Wiederbelebung erfahren, nachdem der Disput schon vor Jahren eindeutig zugunsten der Behavioristen entschieden schien. Das renommierte Wissenschaftsmagazin «Science» hat diesem Thema ein ganzes Heft gewidmet, in dem mehr oder weni ger direkt einem «genetischen Determinismus» das Wort gesprochen wird.[12] Aus sozialethischer Sicht kann – mit dem selbstverständlichen Zugeständnis, daß die Gene nicht bedeutungslos für das Verhalten des Individuums sind – nicht genug vor einer biologistischen Interpretation des Menschen gewarnt werden. Wenn Anlagen wie Neigung zu Gewalttätigkeit, Alkoholismus, selbst Obdachlosigkeit genetisch bedingt sein sollen, erübrigt sich eine gesellschaftliche Ursachenforschung. Problemlösend sind dann vielmehr genetische Manipulationen.

Wie positiv die somatische Gentherapie als solche (unter Einbezug der differenziert abzuschätzenden Folgeprobleme) zu werten ist, so vorsichtig muß mit strikt genetisch-ursächlichen Interpretationen von Krankheiten und allgemein-menschlichen Eigenschaften umgegangen werden. Eine gesellschaftliche Diskussion über Wertfragen im Zusammenhang von Gesundheit und Krankheit, Leid und Glück muß unab-

---

[12] Vgl. Frankfurter Rundschau vom 08.08.1994: «Insgesamt hat die Auseinandersetzung zwischen Genetikern und Behavioristen, die bislang wie ein Pendel einmal in die eine und dann in die andere Richtung ausschlug, wegen der neuen Forschungsmöglichkeiten eine andere Qualität erhalten. Der Angriff der naturwissenschaftlichen Interpretation der Welt ist noch einmal massiver geworden.»

hängig von medizinischen und naturwissenschaftlichen Daten durchgeführt werden.

2. *Keimbahntherapie*

Erneut an Aktualität hat die in der Schweiz und auch in anderen Ländern Europas gesetzlich verbotene Keimbahntherapie erfahren. Der Antrag seitens eines Forscherteams[13] aus den USA für ein Patent auf ein Verfahren der Keimbahnmanipulation an Spermien-Stammzellen von höheren Säugetieren mit der ausdrücklichen Formulierung «... auch wenn es sich bei dem Tier um einen Menschen handelt» hat deutlich gemacht, daß die Akzeptanz eines Verbotes der Keimbahnmanipulation aus ethischen Gründen ins Wanken gerät, sobald sich technische Möglichkeiten eröffnen, die eine solche Manipulation als technisch durchführbar erscheinen lassen.

Die als abgeschlossen betrachtete Diskussion ist auf jeden Fall wieder neu entbrannt und die Argumente, die gegen eine Manipulation und für ein absolutes Verbot sprechen, müssen neu formuliert und in Erinnerung gerufen werden. Die Keimbahntherapie ist in der Schweiz (im Verfassungsartikel 24) und in Deutschland (im Gentechnik-Gesetz) ausdrücklich verboten. In anderen Ländern, die kein Verbot verbrauchender Embryonenexperimente kennen, wird aber auch im Bereich der Keimbahnmanipulation geforscht. Nachdenklich stimmt, daß der Bioethik-Konventionsentwurf des Europarates zwar ein vorläufiges Verbot der Keimbahntherapie vorsieht, dieses Verbot aber in einigen Jahren «im Licht der wissenschaftlichen Entwicklung» überprüfen will.[14]

Wenn nicht einfach dem Grundsatz «Wer heilt, hat recht» gefolgt werden soll – was zwangsläufig zu einer Durchführung von Keimbahnmanipulationen beim Vorliegen des technischen Know-how führen wird und jede Ethik zu einer «Nachbesserungsethik» verkommen lassen würde – müssen erneut überzeugende, vermittelbare und auf allgemeine Anerkennung stoßende ethische Argumente begründet werden.

3. *Genomanalyse*

Im Gegensatz zur Gentherapie, die sich noch weitgehend im Versuchsstadium befindet, kommt die Gendiagnostik bereits in den verschiedensten Bereichen der Medizin zum Einsatz. So wird beispielsweise die postnatale Genomanalyse in der medizinischen Diagnostik, in der

---

13 Vgl. Die Zeit vom 13.05.1994.
14 Vgl. Artikel 16 des Entwurfes.

Pharmako- und der Ökogenetik eingesetzt.[15] Zurecht umstritten sind die Genuntersuchungen an Arbeitnehmern und Arbeitnehmerinnen, um – statt Arbeitsplatzverbesserungen – eine Selektion von «arbeitsplatzresistentem» Personal vornehmen zu können. Des weiteren wird die Unterlaufung des Versicherungsgedankens von Gegenseitigkeit und Solidarität durch die Genomanalysen kritisiert. Es wäre nicht zu rechtfertigen, daß das, was mit den Genen ererbt wird, im Rahmen der Sozial- und Krankenversicherungen gegen die Erbträger verwendet wird. Dem kann und muß durch strikte Freiwilligkeit der Tests in medizinisch indizierten Bereichen und durch einen umfassenden Datenschutz in bezug auf den Zugriff von Drittpersonen wirksam begegnet werden. Der Bioethik-Konventionsentwurf des Europarates hält in Artikel 18 fest, daß die Weitergabe von genetischen Testergebnissen an Stellen außerhalb des Gesundheitssektors möglich ist, wenn «übergeordnete Interessen» vorliegen, wobei weder der Charakter solcher übergeordneter Interessen noch die Adressaten genauer definiert werden. Die Argumentation müßte hier allerdings erst noch geliefert werden, daß es sich hier nicht um eine flagrante Verletzung von Persönlichkeitsrechten und von Gerechtigkeitsgrundsätzen handelt, wenn der Verdacht auf Opportunismus und auf weitere Instrumentalisierung entkräftet werden soll.

Genomanalysen an Erwachsenen sind im Gegensatz zur pränatalen Diagnostik noch vergleichsweise selten. Die pränatale Diagnostik ist nicht erst im Zuge der Gentechnologie entstanden, sondern gehört bereits seit Ende der sechziger Jahre zum medizinischen Angebot bei bestimmten Risiko-Konstellationen in der Schwangerschaft.[16] Gentechnologische Untersuchungen des Erbgutes haben die bestehenden Konflikte allerdings verschärft und eine öffentliche Diskussion über die gängige Praxis und ihre ethischen Probleme entfacht. Es läßt sich in praxi feststellen, daß einerseits die Fragen, die sich um den sogenannten selektiven Schwangerschaftsabbruch, die «Verhinderung von Behinderten», die Einteilung in lebenswertes und -unwertes Leben usw. sehr wohl ins öffentliche Bewußtsein gerückt sind und offenkundig auf breite Ablehnung stoßen, daß sich aber andererseits demgegenüber eine Praxis etabliert hat, in der genetische Untersuchungen bei einer bestimmten Indikation, fortgeschrittenem Alter oder auch einfach auf

[15] Mit der Polymerase-Kettenreaktion (PCR) ist es möglich geworden, Stücke des Erbmaterials aus nur einer einzigen Zelle zu analysieren. Die Diagnose läßt sich meist anhand eines kurzen DNS-Stückes bewerkstelligen. Mit den sogenannten kurzen Stücken können monogene – d. h. von einem Gen verursachte Erbleiden identifiziert werden. Vgl. Editiones Roche, Ebd. 59.

[16] Vgl. *H.-M. Sass* (Hrsg.), Genomanalyse und Gentherapie. Ethische Herausforderungen in der Humanmedizin, Berlin/Heidelberg 1991, 56ff.

Wunsch hin als selbstverständlich gelten und Schwangerschaftsabbrüche nach ungünstigen Prognosen quasi automatisch erfolgen.

Ein Hauptproblem ist hier ganz gewiß, daß den stetig wachsenden diagnostischen Möglichkeiten keine oder nur sehr wenige therapeutische Ansätze gegenüberstehen, so daß sich ein Schwangerschaftsabbruch schon fast als «Heilverfahren» aufdrängt. Wie sehr Frauen die Last der Verantwortung und auch die Last der Schuld zugeschoben wird, zeigt sich unter anderem in der großzügigen schweizerischen Abtreibungs-Praxis, die auch bei kleinsten Abweichungen und genetischen Defekten, die allenfalls ästhetischen, aber keinen klinischen Wert haben, eine Abtreibung nicht problematisiert.

Ein Verbot genetischer Tests ist realistischer- und auch sinnvollerweise nicht mehr durchsetzbar; dagegen drängt sich eine Diskussion in der politischen Öffentlichkeit um eine Einschränkung auf Tests nach behandelbaren Leiden auf. Hierbei müßte die Überlegung miteinbezogen werden, ob neben einer genetischen Beratung, in der vor allem medizinisch relevante Daten erörtert werden, nicht auch eine psychologisch-ethische Beratung obligatorisch angeboten werden müßte, die den Frauen die psychologischen, ethischen und gesellschaftlichen Aspekte auseinandersetzen würde. Ebenfalls zu diskutieren wäre die Möglichkeit, verbindlich eine Liste von genetischen Abweichungen festzulegen, die auf keinen Fall zu einer Abtreibung berechtigen, um dem Mensch nach Maß und der Norm-Kind-Vorstellung auf dieser Ebene einen Riegel vorzuschieben.[17] Einerseits macht die selektive gesellschaftliche Wahrnehmung der genetischen Testmöglichkeiten allerdings auch deutlich, daß die Auseinandersetzung, die sich mit dem Wissen um das menschliche Genom befasst, noch nicht sehr weit fortgeschritten ist; andererseits wird aber auch deutlich, daß noch viel zu viele Fragen offen sind, die einer Klärung bedürfen, bevor die Praxis Akzente setzt, die nicht rückgängig zu machen sind. Doch es scheint bereits eine Tatsache zu sein, daß sich teilweise eine Praxis etabliert hat, bevor deren Wünschbarkeit auch im Rahmen der Frauen- und Behindertenperspektive gebührend differenziert diskutiert wurde.

---

[17] Vgl. *H. Ringeling*, Christliche Ethik im Dialog. Beiträge zur Fundamental- und Lebensethik II, Freiburg i. Ue/Freiburg i. Br. 1991, 213 - 238, bes. 232.

C. Ethische Grundoptionen[18]

Das christliche Menschenverständnis ist grundlegend dadurch bestimmt, daß sich der Mensch als Geschaffener im Gegenüber zum Schöpfer befindet; die Schöpfung ihrerseits ist dem Menschen zur treuhänderischen Verwaltung, aber auch zur verantwortlichen Nutzung und Gestaltung übergeben. Dieses fundamentale (theologische) Datum muß auch in den durch die Gentechnologie ausgelösten Fragen zur Geltung gebracht werden. Diese Grundeinstellung wird nicht erst da bedeutsam, wo es um mögliche genetische Veränderungen und biotechnische Manipulationen beim Menschen geht. Auch tierisches und pflanzliches Leben sowie die unbelebte Natur verdienen Achtung, Wertschätzung und Schutz, denn menschliches und nicht-menschliches Leben wie auch die übrige Natur stellen Werte dar, denen mit der Haltung des Respekts, der Rücksicht, der Schonung und allenfalls auch mit Selbstbegrenzung zu begegnen ist.

Der Mensch nimmt jedoch innerhalb der Schöpfung eine Sonderstellung ein, insofern er mit Freiheit und Vernunft begabt ist, die seinen unbedingten Wert und seine unabsprechbare Würde begründen. Der Kerngehalt der Menschenwürde bildet die sittliche Freiheit und damit auch die sittliche Verantwortungsfähigkeit. Aufgrund derer hat der Mensch nicht nur ein Anrecht auf Schutz seiner Würde und Integrität seiner Person, sondern damit ist dem Menschen als unveräußerliche Aufgabe aufgetragen, für sich und den Fortgang der geschichtlichen Entwicklung Verantwortung zu übernehmen und für sich und andere sinnvoll und vernünftig vorzusorgen. Die dem Menschen zukommende Freiheit würde sich dann widersprüchlich vollziehen, wenn sie sich in ihrem Handeln und Gestalten von Willkür und nicht gerechtfertigten Zielen bestimmen ließe. Will sich menschliche Freiheit nicht selbst ihrer Grundlagen berauben und will sie ein gedeihliches Zusammenleben und Wohlergehen aller garantieren, muß sie sich vernünftige Orientierungen und Normen geben.

Dies gilt insbesondere auch für den Bereich der Gentechnologie. Denn mit der Gentechnologie haben wir Menschen erstmals in der Geschichte ein Instrument in der Hand, mit dem wir die Baupläne der lebendigen Welt verändern, steuern und in gewisser Weise den natürlichen, evolutiven Prozeß in eine bestimmte Richtung drängen können. Die einen sehen darin eine prometheische Anmaßung des Menschen,

[18] Vgl. hierzu auch: EKD (Hrsg.), Einverständnis mit der Schöpfung. Ein Beitrag zur ethischen Urteilsbildung im Blick auf die Genetik und ihre Anwendung bei Mikroorganismen, Pflanzen und Tieren, Gütersloh 1991; Justitia et Pax (Hrsg.), Gentechnologie aus ethischer Sicht, Bern 1992.

der den Schöpfungsvorgang gleichsam selbst in die Hand nimmt; andere wollen darin einen Fortschritt menschlichen Erfindergeistes um menschlicher Überlebensinteressen willen sehen. Nun kann zunächst darauf hingewiesen werden, daß der Mensch mit der Rekombinationstechnik gezielt einen Vorgang aufgreift, für den die Natur selbst modellhaft die Mittel bereitstellt. Doch ein solches Nachahmen und Nachempfinden der Natur ist nicht schon deswegen moralisch gut, weil solche Prozesse in der Natur ebenfalls vorkommen. Die entscheidende Grenze zwischen erlaubtem und unerlaubtem Eingriff wird durch die angestrebten Ziele, durch die in Frage stehenden Werte und die daraus hervorgehenden Folgen und Nebenwirkungen gesetzt. Es ist nicht zu verkennen, daß die Sinnhaftigkeit gewisser Nutzungsziele und die Folgenabschätzung der Gentechnik in der Wissenschaft selbst umstritten sind. Um nicht in pauschalisierende Urteile zu verfallen, müssen einzelne Bereiche unterschieden (vgl. Einleitung) und deren gentechnische Möglichkeiten soweit als möglich unter ethischer Perspektive beurteilt werden.

Zwei fundamentale ethische Grundsätze (die hier nicht in extenso begründet werden) sollen dabei bestimmend sein: Die Würde des Menschen und die Integrität der Person sind unbedingt und ohne Abstriche zu schützen. Der Umgang mit der nicht-menschlichen Natur muß von der Grundhaltung geprägt sein, die die vielfältige Fülle (Biodiversität) in ihrer Einzigartigkeit und mannigfachen Individualität wahrnimmt. Die Grundeinstellung findet ihre Konkretisierung in der prinzipiellen Option des Bewahrens, behutsamen Pflegens und Weiterführens.

1. Gentechnische Eingriffe beim Menschen

Hier ist von der grundlegenden ethischen Einsicht auszugehen, daß der Mensch nicht nur Wert, sondern Würde besitzt, begabt mit ursprünglichen Menschenrechten. Diese Einsicht ist begründbar und für alle als Grundlage einer humanen *und* pluralistischen Gesellschaft erkennbar.[19] Ausschließend bedeutet diese Anerkennung, daß der Mensch niemals nur als Objekt, niemals nur als Mittel zu einem Zweck, sondern immer auch als Subjekt, gleichsam als «Zweck an sich» selbst zu behandeln ist.

---

[19] Vgl. hierzu ausführlicher: *L. Honnefelder*, Humangenetik und Menschenwürde, in: *T. Brose/M. Lutz-Bachmann* (Hrsg.), Umstrittene Menschenwürde. Beiträge zur ethischen Debatte der Gegenwart, Hildesheim 1994, 157 - 175; ebenfalls in: Arzt und Christ 38 (1992) 103 - 114; *G. Altner*, Es ist noch nicht erschienen, was wir sein werden. Theologisch-ethische Überlegungen zur genetischen Veränderung des Menschen, in: Evang. Akademie Hofgeismar (Hrsg.), Gentechnologie. (Chancen und Risiken Bd. 8), München 1986; *A. Schuller/N. Heim* (Hrsg.), Biomedizin. Künstliche Befruchtung, Embryonenforschung und Gentechnologie, Reinbek 1990.

Dies ist keine Leerformel, nur muß dieser allgemeine Grundsatz im Hinblick auf die gentechnologischen Möglichkeiten ausgelegt werden. Zwei sich daraus ergebende Folgerungen seien kurz benannt:

1. Die Anerkennung als Mensch mit Würde und Rechten wird jedem Menschen allein schon aufgrund dessen geschuldet, daß er Mensch ist. Weder eine bestimmte Leistung noch eine bestimmte Entwicklungsstufe, sondern schon allein die naturale Zugehörigkeit zur Spezies Mensch entscheidet über diese Achtungswürdigkeit.[20] So besitzt also schon das individuelle menschliche Leben, das die Grundlage der Ausbildung der sittlichen Persönlichkeit ist, ein individuelles Lebensrecht, über das nicht nach Willkür verfügt werden darf. Dieser Status beschränkt sowohl die wissenschaftliche Aufklärung menschlichen Lebens wie auch den faktischen Eingriff in seine genetische Struktur.

2. Naturales menschliches Leben ist Grundlage des sittlichen Subjektes in seiner freien Selbstbestimmung. Zugleich begrenzt es den Freiheitsraum kraft des Erbgutes, das jedem Menschen individuell mitgegeben ist. Die Natur prägt in diesem Sinne die Identität jedes einzelnen vor. Diese Vorprägung ist zwar «naturbestimmt», aber dennoch muß sie dem willkürlichen fremden Eingriff entzogen bleiben. Von daher sind alle genetischen Eingriffe, welche die Schicksalsbedingungen umfassend, das Erbgut auf Dauer verändern und damit die menschliche Art als solche betreffen, als unzulässig abzulehnen. Denn dies hieße, den Menschen unter technische Bedingungen stellen, ihn zum bloßen Objekt degradieren und ihn einem bestimmten Willen anderer zu unterwerfen.[21]

Freilich bedarf der Anwendungsbereich der Gentechnik im Humanbereich einer differenzierten Beurteilung. Aber selbst dann, wenn unter dem Aspekt der Vorsorge und des Heilens bestimmte Techniken (z. B. Körperzellentherapie) als zulässig erscheinen mögen, so sind für die Abgrenzung dessen, was ein Schaden ist, Kriterien erforderlich. Hier ist zu bedenken, daß das, was im Vergleich zur medizinischen «Normalität» als Defekt gilt, im personalen und sozialen Bereich als Herausforderung erscheinen mag, die höchst positive Folgen zeitigen kann.

---

[20] Dieser als «Speziesismusargument» bekannte Topos ist vor allem im Umkreis der Singer-Debatte kontrovers diskutiert. Wie ich andernorts begründet habe, gibt es dennoch gute Gründe, modifiziert daran festzuhalten.

[21] Eine weitere Begründung findet sich bei *L. Honnefelder*, der ich vollumfänglich zustimme. Vgl. Ebd. 164ff.

2. Gentechnische Eingriffe an der nicht-menschlichen Natur – Ethische Prämissen

Mögliche Nutzungsziele im Bereich der nicht-menschlichen Organismen dürfen nicht vorrangig unter dem Gesetz der Wirtschaftlichkeit stehen. Entscheidend und maßgebend ist ihr Eigenwert und ihr Lebenszusammenhang, der ein beeindruckendes und weithin noch nicht erforschtes Verbundsystem darstellt.

Es scheint ein Grundgesetz der Natur zu sein, daß sie sich durch Anpassung und Evolution die Voraussetzung des Überlebens schafft.[22] Die Möglichkeit der selbstregulierenden Evolution der Natur scheint gleichsam ihre «Freiheit» zu sein. Nicht zuletzt weil die Lebensgrundlagen des Menschen selbst betroffen sind, ist diese Möglichkeit in möglichst hohem Ausmaße zu erhalten. Dieser Grundsatz schließt die Berücksichtigung aller bis heute gewordenen Formen und Vielfalten ein, denn in ihnen kommt bis dato eine beeindruckende Kontinuität der Evolution zum Ausdruck; und in sie darf nicht leichtfertig und unüberlegt eingegriffen werden. Dies bezieht aber die Berücksichtigung der Offenheit dieses Prozesses auf Zukunft wie auch den Respekt der unwiederholbaren Einmaligkeit dieses Werdegeschehens mit ein. Dies verbietet aber auch das Leben als Sache, Objekt und Verfügungsmaterial einer fast grenzenlosen Manipulationskunst zu betrachten. Im Gegenteil: Die Grundhaltung der Ehrfurcht vor dem Leben, die das Leben in jeglicher Form als einmalig und unabhängig von ihrem momentanen Nutzwert für den Menschen als elementare «Kunstform» der Natur achtet, macht dies erforderlich. Bei allen Möglichkeiten der Veränderung, die uns zu Gebote stehen, erwächst daher die Verpflichtung zu äußerster Behutsamkeit, die in der fürsorglichen Pflege und des behutsamen Umganges mit der uns umgebenden Kreatur zum Ausdruck kommen soll. Es schließt aber eine sorgsame und im Einzelfall zu prüfende Weiterentwicklung nicht von vornherein aus.

Sicherlich ist eine gefährliche Grenze der Aneignung der Natur durch die Gentechnologie dann überschritten, wenn es mittels massiver und irreversibler Eingriffe zum Einbruch in die evolutive Kontinuität kommt und wenn der ökologische Zusammenhang gestört wird. Wann dies bei Freisetzung und Fortpflanzung gentechnisch veränderter Organismen im einzelnen der Fall sein wird, vermag im Augenblick niemand zu sagen. Gerade aus diesem Grund hat die Abschätzung und Respektierung der Naturverträglichkeit Vorrang vor jeder Rechtferti-

---

22 Vgl. *G. Altner*, Naturvergessenheit. Grundlagen einer umfassenden Bioethik, Darmstadt 1991; *Ders.*, Leben auf Bestellung? Das gefährliche Dilemma der Gentechnologie, Freiburg i. Br. 1988.

gung eventueller Nutzungsziele. Wirtschaftliche Erwägungen sind diesem Kriterium unterzuordnen. So macht es beispielsweise einen Unterschied, ob Nutzpflanzen herbizid- oder ob sie behutsam schädlingsresistent gemacht werden. Und so macht es auch einen Unterschied, ob gewisse Eigenschaften von Nutztieren kontrolliert und jederzeit revidierbar gentechnisch unterstützt werden oder ob transgene Tiere (z. B. Chimären) geschaffen werden, die zwar einige hervorragende Eigenschaften besitzen, aber kaum lebensfähig sind und unter Schmerzen ihr Dasein fristen müssen. In der Natur neu entstehende Lebewesen durchlaufen eine über lange Zeit andauernde Naturverträglichkeitsprüfung, bevor sie in großen Mengen in der Umwelt auftreten. Bei gentechnisch hergestellten Organismen werden solche Anpassungsprozesse ausgeschaltet. Die Folgen insgesamt weiß bis heute niemand richtig abzuschätzen. Angesichts dieser Situation ist beim Vorantreiben gentechnischer Veränderungen im Tier- und Pflanzenbereich wie auch im Bereich der Mikroorganismen höchste Vorsicht geboten.

Ferner sind nicht bloß die Veränderungen zu bedenken, die in den betroffenen Ökosystemen ausgelöst werden können, sondern ebenso die Auswirkungen im sozialen und wirtschaftlichen Kontext. Dies reicht bis zu Verschiebungen, die im außenwirtschaftlichen Sektor auftreten und insbesondere die Entwicklungsländer betreffen. Die Legitimierung gentechnischer Projekte darf deshalb nicht allein aufgrund naturwissenschaftlicher und euro-wirtschaftlicher Kriterien erfolgen. Die Abschätzung auf übergreifende soziale und wirtschaftliche Zusammenhänge ist miteinzubeziehen.

3. Gentechnik im forschungspolitischen, wirtschaftlichen und politischen Umfeld[23]

Der genetischen Grundlagenforschung gelingt es immer mehr, bei den Organismen – einschließlich des Menschen – verschlüsselte und bislang völlig unbekannte Erbinformationen zu entschlüsseln. Dadurch werden erstaunlich vielfältige Zusammenhänge offenbar, die in uns beim unverstellten Forschen und Beobachten eine große Achtung vor allem Lebendigen erzeugen. Das Forschen nach den inneren Gesetzlichkeiten der Welt und des Lebendigen in ihr entspringt einer legitimen Neugier und einem legitimen Wissensdrang des Menschen. Aber dennoch sind diese grundlegenden Forschungen nicht wertneutral und ethisch indifferent, da die Entscheidungen für Forschungsgebiete durch Ziele gerechtfertigt und durch Werte motiviert werden müssen. Man würde die

---

23 Vgl. hierzu: *B. Gill*, Gentechnik ohne Politik, Frankfurt a. M./New York 1991, bes. 301ff.

wissenschaftliche Verantwortung halbieren, wollte man die genetische Grundlagenforschung nur der wertfreien Erkenntnis zuordnen und nur in der Anwendung der Ergebnisse in Technik und Wirtschaft eine ethische Problematik anerkennen. Je größer die Grundlagenerkenntnis wird, die die Machbarkeit möglicher Zukünfte beinhaltet, desto weniger läßt sich die Grundlagenforschung von der sogenannten angewandten Forschung abkoppeln. Die Erfahrung zeigt: Was man weiß, wird man früher oder später möglicherweise auch anwenden. Wissenschaftliche Ergebnisse geraten sehr oft in die Beliebigkeit schon vorhandener sozialer, ökonomischer und politischer Interessen. Der gentechnologische Wissensgewinn, die Festlegung von Forschungszielen und -strategien unterstehen deshalb ebenso dem wissenschafts-politischen und dem wissenschafts-ethischen Diskurs, in dem Prioritäten festgelegt werden und in dem gegebenenfalls auch Grenzen gezogen werden. Aus diesem Grunde müssen folgende «mittleren Axiome» zur Anwendung kommen:

- Die Förderung der Gentechnologie durch öffentliche Gelder ist nur dann vertretbar, wenn eine systematische und erweiterte Risikoforschung etabliert wird.
- Die Zusammenarbeit von Wirtschaft und Industrie und staatlich geförderter Forschung in der Gentechnologie bedarf kontrollierender Gremien.
- Die angewandte Gentechnologie in der industriellen Großproduktion bedarf der gesetzlichen Regelung.

In einem ethisch verantwortlichen Sinne kann mit der Gentechnologie nur umgegangen werden, wenn die damit verbundenen Nutzungsziele und Interessen von den voraussehbaren Folgen her beurteilt werden. Da aber bereits mittelfristige Folgenabschätzungen schwierig sind, kann die Reflexion darüber nicht allein dem immanenten Bereich der wissenschaftlichen Praxis überlassen werden. Es bleibt aber eine Pflicht der Wissenschaft, Entscheidungsmöglichkeiten und -konsequenzen offenzulegen, die sonst nicht erkannt werden können. Je größer die Möglichkeit der Veränderung und der Manipulation wird, desto dringlicher wird eine begleitende Risikoforschung für die konsequente Ermittlung der engeren technischen und der weiteren ökologischen und sozialen Risiken. Damit sind aber die einzelnen Wissenschaften in einem vermehrten Maße an die Öffentlichkeit verwiesen, wenn es darum geht, forschungspolitische Prioritäten zu setzen und Auswirkungen abzuschätzen, welche die Gesellschaft und Umwelt betreffen. Daher gilt:

- Die Förderung der Gentechnologie ist nur dann vertretbar, wenn eine systematische und erweiterte Risikoforschung etabliert wird. Dazu gehört nicht bloß die Abschätzung der Naturverträglichkeit bei gentechnisch veränderten Eigenschaften bei Nutztieren, nicht bloß die Abschätzung von eventuellen Veränderungen in den betroffenen Ökosystemen, sondern auch die Abschätzung in den Verlagerungen, die im wirtschaftlichen Bereich, insbesondere im Verhältnis zu den Dritt-Welt-Ländern auftreten.

- Auf die Freisetzung gentechnisch veränderter Mikroorganismen und veränderter Pflanzenarten wird solange verzichtet, als nicht durch umfangreiche Forschungsprogramme die bestehenden Gefahren (z. B. horizontaler Virenaustausch) abgeklärt sind.
- Die Öffentlichkeit muß über die Folgewirkungen auf Ökosysteme bei der unkontrollierten Vermehrung rekombinierter Mikroorganismen aufgeklärt werden.
- Die Zusammenarbeit von Wirtschaft und Industrie und staatlich geförderter Forschung bedarf kontrollierender Gremien. Es sind genehmigende und kontrollierende Instanzen zu schaffen, in denen auch interessenunabhängige Personen vertreten sind, die auch advokatorisch den Eigenwert der Natur bzw. deren Interessen vertreten.

III. Verantwortung und ärztliches Handeln

A. Inhaltliche Bestimmung

Der Ausdruck «Verantwortung» nimmt in der gegenwärtigen Ethik-Diskussion eine Art Schlüsselfunktion ein. Es ist zu einem wissenschaftlichen und alltagssprachlichen Modewort geworden. Wie alle Modewörter weist es gewisse Unschärfen und Mehrdeutigkeiten auf. Dies ist aber nicht unbedingt zu bedauern, da damit eine umfassende ethische *Grundeinstellung* angezeigt wird, von der die meisten intuitiv wissen, was sie ungefähr bedeutet, aber weniger imstande sind, sie präzis begrifflich zu fassen. Der ethische Diskurs hat nun die Aufgabe, die Gehalte, welche mit dem Begriff «Verantwortung» mehr oder weniger verbunden werden, zu klären und schärfer zu definieren.

Wenn man von den Verwendungszusammenhängen ausgeht, in denen «Verantwortung» vornehmlich gebraucht wird, ist folgende Beobachtung von Bedeutung: Man spricht um so häufiger von Verantwortung, je gewichtiger, aber auch je problematischer und ambivalenter die Wirkungen und Folgelasten unseres Handelns werden, so z. B. in der Politik, in der Technik, im Umgang mit der Natur, in der Wirtschaft.

> «Im Zeichen der Technologie aber hat es die Ethik mit Handlungen zu tun ..., die eine beispiellose kausale Reichweite in die Zukunft haben, begleitet von einem Vorwissen, das ebenfalls, wie immer unvollständig, über alles ehemalige hinausgeht ... All dies rückt Verantwortung ins Zentrum der Ethik.»[1]

Mit der Vokabel «Verantwortung» will offensichtlich nicht bloß in der Wissenschafts-, sondern auch in der Alltagssprache verdeutlicht werden, *daß die Subjekte des Handelns komplexe, mit schwer einschätzbaren Wagnissen behaftete Prozesse, kumuliertes Wissen und konzentrierte Macht nicht einem urwüchsigen Kräftespiel überlassen dürfen, sondern bewußt zu steuern und in «die Hand» zu nehmen haben.* Die Rede von Verantwortung gegenüber der Natur im Hinblick auf eine lebenswerte Umwelt mag dies belegen; ebenso die Rede von der Verantwortung in den Wissenschaften bezüglich ihres doppelgesichtigen Machtpotentials, das nicht bloß zur Hilfe gereichen, sondern auch zu Mißbrauch verleiten kann; so auch die Rede von der Verantwortung in der Medizin, deren Erkenntnisse nicht nur für Gesundheit und Wohlergehen eingesetzt werden

---

[1] *H. Jonas*, Das Prinzip Verantwortung. Versuch einer Ethik für die technologische Zivilisation, Frankfurt a. M. 1979, 8f.

können. Man will aber auch zum Ausdruck bringen, daß die Handlungssubjekte die Folgen der Handlungen, sei es nun in Politik oder Wissenschaft, in Medizin oder Technik, bewußt zu übernehmen haben. In der Alltagssprache kennt man dafür den Ausdruck: «Für etwas gerade stehen.» Jedenfalls ist auffällig, daß insbesondere dann von Verantwortung gesprochen wird, wenn die Handlungsfelder komplex und die Wirkungen unüberschaubar werden, aber dennoch in die Zuständigkeit von Personen gehören.

1. Begriffsverlagerung

In der ethischen Theoriebildung spielt das Wort bis in unser Jahrhundert keine prominente Rolle;[2] erst in neuerer Zeit tritt es ins Zentrum der Diskussion und löst mehr und mehr den sehr traditionsreichen, aber auch geschichtlich belasteten Begriff der «Pflicht» ab. Diese Begriffsverlagerung hat inhaltlich Gründe: Denn «Pflicht» – sofern sie in einem konkret material-ethischen Sinne verstanden wird – gibt für den Handelnden ein fest umschriebenes Aufgabenfeld an, verbindliche und überschaubare Aufgaben, die mit der spezifischen Funktion einer Person in einer Gruppe oder Gesellschaft verbunden sind. Dies setzt mehr oder weniger klare *Situationsdefinitionen* voraus, auf die die Pflichten (Aufgaben) leicht appliziert werden können. Doch die Dynamisierung der Sachbereiche und die sehr oft mehrschichtigen Problembereiche können auf der Subjektseite selten mehr durch die Festlegung von Pflichten vollumfänglich abgedeckt werden. Der Begriff «Verantwortung» dagegen beinhaltet zwar auch das, was wir üblicherweise unter «Pflicht» verstehen, reicht aber insofern darüber hinaus, als damit vor allem die andere Seite, nämlich die Handlungssituationen, in den Vordergrund rückt: Jene *Handlungssituationen*, die zunehmend schwieriger vorausdefinierbar und schwieriger abwägbar werden, jedoch ebenfalls in den Zuständigkeitsbereich der Handelnden gehören.

2. Verantwortung: Eine subjektive Kategorie

Diese Beobachtungen sollen uns einen Schritt weiter führen und uns etwas systematischer nach dem Wesen der Verantwortung fragen lassen.

---

[2] Vgl. *J. Schwartländer*, Verantwortung, in: Handb. philos. Grundbegriffe, Bd. 6, München 1976: «Es hat, insbesondere seit dem ersten Weltkrieg, ein solches Gewicht gewonnen, daß wir mit Recht von ihm als einem neuen Grundwort unserer Sprache reden ...» (1577).

Bei einer ersten Kennzeichnung von «Verantwortung» können wir durchaus von der Wortbedeutung[3] ausgehen. In «Verantwortung» steckt antworten; antworten ist ein Modus des Sprechens. Verantwortung ist also nur da anzutreffen, wo Sprache im Sinne der Kommunikation möglich ist. Sprache ist aber eine Auszeichnung des Menschen. Damit ist es nur sinnvoll, im Zusammenhang mit dem Menschen, mit dem sprach- und vernunftbegabten Wesen Mensch von Verantwortung zu sprechen. Die spezifische Eigenart von Reden, die in «Verantwortung» zur Diskussion steht, ist die des Antwortens. Die Vorsilbe «ver» stammt aus dem Mittelhochdeutschen[4] und meint «be-antworten»; es bedeutet ursprünglich, vor einer (irdischen oder himmlischen) Gerichtsinstanz Anklagen, Vorwürfe beantworten, also sich erklären und verteidigen. Im Wort Verantwortung steckt der Sinn von «entgegnen», sich kundtun angesichts einer Herausforderung. Der «Entgegnung» geht also eine Situation, eine Herausforderung voraus, der man sich zu stellen hat, und zwar nicht in der Form des automatischen Reagierens und Sich-Treiben-Lassens, sondern in der Form des überlegten, bewußten, sich an Gründen ausweisen lassenden Reagierens. Dem Wortsinn nach ist also «Verantwortung» nicht eine konkrete Norm wie etwa: «Du sollst nicht töten» oder ein Prinzip wie: «Allen soll Gerechtigkeit widerfahren», sondern viel mehr eine *Qualität der Person, gleichsam eine höhere Tugend, mittels derer wir auf Verpflichtungen und Schuldigkeiten mit guten Gründen reagieren;* gleichursprünglich wollen wir damit aber auch anzeigen, daß wir dafür einstehen, uns Handeln und Unterlassen auch zurechnen lassen. Verantwortung setzt also zweierlei voraus: erstens ein bewußtes, sich an Gründen sich ausweisen lassendes Handeln und zweitens die subjektive Übernahme des Tuns und Lassens.

M. Weber hat diesen letzten Punkt besonders hervorgehoben, wenn er sagt: Der Verantwortliche «fühlt sich nicht in der Lage, die Folgen eigenen Tuns, soweit er sie voraussehen konnte, auf andere abzuwälzen. Er wird sagen: Diese Folgen werden meinem Tun zugerechnet.»[5] Verantwortung bedeutet demzufolge auf einer ersten Stufe die Zuständigkeit der Person für Aufgaben, Rollen, Funktionen oder Ämter, für Tun

---

[3] Vgl. *W. Weischedel*, Das Wesen der Verantwortung, Frankfurt a. M. 1973[3], 14ff. Allerdings scheint mir, daß «verantworten» viel mehr mit dem lat. Begriff «re-spondere» zu tun hat und deshalb dem deutschen «be-antworten» näher kommt als dem Wort «Gegen-Rede», wie Weischedel behauptet.

[4] Vgl. *J. und W. Grimm*, Deutsches Wörterbuch, Bd. 12, I, 1956.

[5] Politik als Beruf, in: Gesammelte politische Schriften, hrsg. v. *J. Winkelmann*, Tübingen 1988[5], 552. Nach M. Weber ist die Verantwortung für den in der Öffentlichkeit Handelnden erstens gekennzeichnet durch eine ausgeprägte Kalkulation der Mittel und der Folgen des Handelns als auch durch die klare Zielorientierung und zweitens durch die Übernahme der voraussehbaren Folgen.

und Lassen, die derselben zugerechnet werden. Wir sprechen hier von Primärverantwortung.

Auf einer zweiten Stufe, die sekundär aber wesentlich dazu gehört, hat man vor einer Instanz (sei es das eigene Gewissen, seien es Mitmenschen oder Gerichte) Rechenschaft abzulegen. Denn Zuständigkeit muß sich, so fern gefragt, über die Rechenschaft ausweisen lassen. Wir sprechen denn hier auch von einer Rechenschaftsverantwortung, z. B. wenn jemand zur Rede gestellt wird oder jemand über sein Tun und Lassen Auskunft zu erteilen hat. Hier hat man sich gegen den Verdacht zu verteidigen, man habe seine Primärverantwortung (sein Amt, seine Aufgabe) ungenügend, schlecht oder überhaupt nicht wahrgenommen.

Auf einer dritten Stufe der Verantwortung hat man für Verfehlungen oder Vernachlässigungen von Zuständigkeiten, Aufgaben, Pflichten usw. einzustehen. Hier scheint der ursprüngliche Sinn der Verantwortung, wie er in der Gerichtspraxis entwickelt wurde, am ehesten durch. Dieser Bereich betrifft denn auch die rechtliche, politische und moralische Haftung. Diese drei Ebenen machen den ethischen Gehalt von Verantwortung aus. Um Mißverständnissen zuvorzukommen, tun wir gut daran, die Ebene, die wir jeweils meinen, genau zu bezeichnen.

Von Zuständigkeit ist Zurechnungsfähigkeit zu unterscheiden; sie meint die Bedingung der Möglichkeit von Verantwortung, nämlich jene Fähigkeit, aus eigenem Antrieb und aus Bewußtsein handeln zu können. Deshalb wird im *forensischen* Bereich mitunter recht streng unterschieden in Verantwortungswahrnehmung und Zurechnungsfähigkeit. Damit haben wir eine erste Umschreibung und inhaltliche Bestimmung des Phänomens «Verantwortung»[6] gewonnen. Das Gemeinte läßt sich aber noch in zweierlei Hinsicht verdeutlichen.

3. Verantwortung als Einlösung des ethischen Sinnes von Freiheit

Ich gehe hierbei von der These aus, daß die Primärverantwortung jene sittliche Qualität der Person ist, mit Hilfe derer die Spannung von Freiheit und konkreter Realität produktiv umgesetzt wird. Die Freiheit des Menschen ist eine gebundene und hat sich im Blick auf das ihm vorgegebene Geschehen in seinem Tun und Lassen zu vermitteln. Die Verantwortung ist gleichsam jene Instanz, welche in der Spannung interveniert, die zwischen persönlicher Freiheit und Vorgegebenem und Aufgetragenem immer vorhanden ist. Freiheit und Vorgegebenes scheinen widerspenstig gegeneinander zu stehen. Sie bedürfen der Abstimmung

---

[6] Vgl. hierzu die immer noch wegweisende Studie von: *G. Picht*, Wahrheit, Vernunft, Verantwortung, Stuttgart 1969, 318 - 342; 343 - 372.

und der «Versöhnung», indem die subjektiven Ansprüche und die objektiven Erfordernisse innerhalb der Person miteinander in Einklang gebracht werden, was eben durch die Verantwortung zu leisten ist. Die Verantwortung erbringt diese Leistung; insofern löst sie den ethischen Sinn der gebundenen Freiheit ein.

Dieser Grundzug erhält jedoch noch deutlichere Konturen, wenn wir uns ein Element der Problemgeschichte der Freiheit vergegenwärtigen: Die Neuzeit und insbesondere die Aufklärung hat die Freiheit vor allen Dingen als Emanzipation verstanden, d. h. als Negation von unberechtigten Abhängigkeiten, demzufolge als Negation der Unmündigkeit. Emanzipation als politisch-rechtliches wie auch als individuelles Ziel nahm so die Bedeutung von Selbstbefreiung mit dem Ziel der Selbstverwirklichung an. Das freie Subjekt wird damit als dasjenige definiert, das sich aus ungerechtfertigten Zwängen und Bindungen befreit. Klassisch hat dies *I. Kant* in seiner Programmschrift «Was ist Aufklärung?» formuliert:

> «Aufklärung ist der Ausgang des Menschen seiner selbst verschuldeten Unmündigkeit. Unmündigkeit ist das Unvermögen, sich seines Verstandes, ohne Leitung eines anderen zu bedienen. Selbstverschuldet ist diese Unmündigkeit, wenn die Ursache derselben nicht am Mangel des Verstandes, sondern der Erschließung und des Mutes liegt, sich seiner ohne Leitung eines andern zu bedienen. Sapere aude. Habe Mut, dich deines eigenen Verstandes zu bedienen.»[7]

Hier wird an ein Freiheitsbewußtsein appelliert, das sich an den Abhängigkeiten definiert, von denen man sich lossagt. Verantwortung nun ist im Verhältnis dazu die Steigerung des ethischen Sinnes von Freiheit, insofern darin der Umstand angesprochen ist, daß es einem nicht bloß um die eigene Freiheit (Selbst-Dimension) zu tun ist, sondern daß man seine eigene Freiheit moralisch, politisch, beruflich in den Dienst anderer, bzw. in den Dienst gemeinsamer Lebensaufgaben zu stellen bereit ist (Sozial-Dimension). Freiheit erhält damit einen «vorsorglichen» Charakter, denn man signalisiert die Bereitschaft, mit Aufgaben, Mandaten, Verpflichtungen usw., die einem zugewachsen sind oder übertragen wurden oder die man sich angeeignet hat, schöpferisch umzugehen, und zwar im Hinblick auf das Leben anderer. Die Verantwortung bricht die individualistisch und auf eigene Bedürfnisse konzentrierte Freiheit auf und bindet sie in soziale Gefüge, in gemeinsame Aufgaben und Ziele ein. Damit scheint ein übergreifender *«fürsorglicher» Grundzug der Verantwortung* auf, der den anderen wichtigen Gehalten, das heißt dem Einstehen für die Folgen, der Rechenschaftsabgabe den Mitmenschen

---

7 In: Was ist Aufklärung?, hrsg. v. *N. Hinske*, Darmstadt 1981, 452.

gegenüber eine Tiefendimension verleiht, die letztlich auf die Freiheit selbst verweist. Eng damit zusammenhängend läßt sich noch eine zweite, aber ebenfalls wesentlich erscheinende Dimension benennen.

4. *Verantwortung als Einlösung des ethischen Sinnes von Norm und Gesetz*

Unsere Gesellschaft wie auch Berufsstände kennen Normen und Gesetze, um einerseits ein vernünftiges Zusammenleben zu garantieren und um andererseits Funktionen, Kompetenzen festzulegen und abzugrenzen. Je komplexer Gesellschaftsformen und Berufsbilder mit den dazugehörenden Aufgaben werden, desto schwieriger wird es, gemeinsames Agieren wie Funktionen zu reglementieren. Eine Vorschrifts- und Gesetzesvollkommenheit wäre auch ein Unding, denn sie würden eine Knechtschaft unter dem Gesetz aufrichten. Die ethische Theorie kennt die Aufgabe, einem *selbständigen* Umgang mit positiven Gesetzesnormen Raum zu geben. Die Verantwortung hat nun im Verhältnis zu Gesetz und Norm die Bedeutung, sie zu individualisieren und auf dem Weg der selbständigen Auslegung deren Gehalt zu realisieren, um der Menschen willen, die davon betroffen sind. Die sinnvolle Auslegung wie auch die Suche nach Lösungen erfordern eine «abwägende» Verantwortung. Ärztliches Handeln ist damit im besonderen konfrontiert, da eine Reihe von medizinischen, rechtlichen und menschlichen Determinanten gegeneinander abgewogen werden müssen. Für eine derartige «abwägende» Verantwortung braucht es, wenn wir dies von ethischer Seite aus betrachten, außer Gewissenhaftigkeit eine moralische Sensibilität und ein entsprechendes Maß an kognitiven Fähigkeiten. Hier bewegen wir uns im Bereich des Ermessens, der Klugheit und der Besonnenheit, die sozusagen als die Verantwortung begleitende Qualitäten notwendig werden; sie sind in dem Maße erforderlich, als die Gravität der Entscheidungen wächst.

Diese Seite der Verantwortung verlangt allerdings, daß etwa Zuständigkeiten, die in Normen, Vorschriften, Pflichtenheften usw. wohldefiniert sind, immer wieder an generellen Leitprinzipien überprüft werden und immer wieder neu in wohldefinierte Zuständigkeiten übersetzt werden müssen. Veränderte Umstände, legitime Ansprüche, gewachsene Kompetenzen können dies erforderlich machen. Wenn zur Verantwortung die Einlösung des ethischen Sinnes von Verantwortung gehört, dann gehört diese «schöpferische» Komponente wesensnotwendig dazu. Wer deshalb über die Richtigkeit der Zuschreibungen von Zuständigkeiten und über die Tauglichkeit der Zuordnungen von Funktionen nachdenkt, nimmt gerade einen vornehmen Teil der Verantwortung wahr.

B. Verantwortung und ärztliches Handeln

Verantwortung als handlungsleitende, moralische Grundeinstellung gehört zur Deontik des ärztlichen Berufes, d. h. sie gehört wie Fürsorgepflicht, Verschwiegenheit und Wahrhaftigkeit zum unaufgebbaren Grundbestand ärztlicher Moral. Ich möchte nun im folgenden die allgemeinen Überlegungen bereichs- und berufsspezifisch auslegen. Dabei haben wir die Gehalte der *Primärverantwortung* (also die Zuständigkeit, die sich auf die voraussehbaren Folgen des Handelns oder Unterlassens bezieht, und die Pflicht, für die Folgen des Handelns oder Unterlassens einzustehen) auszudifferenzieren. Die Rechenschaftsverantwortung ist einerseits eine Gewissensfrage, andererseits aber auch eine Frage der institutionellen und politischen Aufsicht. Sie steht hier nicht zur Diskussion. Verantwortung als Haftung ist die juristische Dimension, die hier ebenfalls nicht zur Debatte steht. Die Primärverantwortung ist aus ethischer Sicht für ärztliches Handeln von zweifacher Natur: Sie besteht in einer spezifischen Aufgabenverantwortung und in einer generellen Handlungsverantwortung.

1. Die spezifische Aufgabenverantwortung

Sie betrifft die sachkompetente Durchführung medizinisch indizierter Maßnahmen. Ihre Beurteilungsmaßstäbe sind der «State of the Art» (*H. P. Wolff*), an dem die fachlichen Qualifikationen gemessen werden, aber auch die Institution des Rechts, vor der Kunstfehler verantwortet werden müssen. Hier scheint es mir einen Konflikt zu geben. Auf der einen Seite dürfte in der Öffentlichkeit weitgehend noch jenes Leitbild vom Arzt herrschen, in dessen Person sich das Vertrauen des Patienten und die ungeteilte Verantwortung für diesen vereinen. Wir finden dieses Berufsbild in vielen Publikationen zur Medizinethik, vielleicht auch noch in Bekenntnissen des Berufsstandes. Doch in vielem ist dies ein Wunschbild, weil es nicht zuletzt dem Patientenbedürfnis nach einer ärztlichen Bezugs- und Vertrauensperson entspricht.

Auf der anderen Seite weicht das reale Berufsbild allerdings in mancherlei Hinsicht von dem Idealbild ab. Dies ist besonders dort der Fall, wo der Arzt diagnostische und therapeutische Spezialleistungen zu erbringen hat. Die technische Natur dieser Prozesse und die Organisation reduzieren den persönlichen Kontakt mit dem Patienten auf ein Minimum. In diesen Bereichen sind ärztliche Allgemeinkompetenz und Allgemeinverantwortung auf Spezialkompetenz und sachliche Verantwortung zurückgenommen. Dies bedeutet: Die moralische Verantwortung des Arztes konzentriert sich hier auf die perfekte *Durchführung von Sachleistungen.* Aus diesem hohen Standard bezieht er auch sein Ansehen. Aussagen wie: Gegenstand des Patientenvertrauens sei heute nicht mehr die persönliche Autorität des Arztes, sondern die Fachkompetenz, oder: Der in Not stets verfügbare Helfer sei zum «Spezialisten defekter Organe» geworden, mögen den Trend illustrieren, in dem sich die Umwandlung des ärztlichen Berufsbildes vollzieht. Im traditionellen Selbstverständnis des Arztes war seine selbstverständliche Verfügbarkeit eine noble Pflicht.

Demgegenüber wurde auf seiten des Patienten die materielle «Entgeltung» als eine notwendige, aber ehrenvolle Abtragung der Dankesschuld empfunden. Durch die gesteigerten Ansprüche der Gesellschaft an die individuelle Lebensgestaltung wurde die Medizin zu Spezialleistungen forciert, die notwendigerweise zur Parzellierung der Sachkompetenzen führen mußte. Entgeltung auf seiten des Patienten erscheint nun weniger unter dem Paradigma der Abtragung einer Dankesschuld zu erfolgen, sondern eher unter dem Paradigma des Gütertausches. Das Arzt-Patienten-Verhältnis scheint sich immer weniger von den üblichen Dienstleistungsverhältnissen zu unterscheiden, wodurch es mehr und mehr in das «Kommerzialisierungsgefälle» gerät. Gerade weil eine Konzentration der *Sachverantwortung* erfolgt, die sehr oft nicht mehr in personal-begleitende Beziehungen eingebunden werden kann, werden in das Verantwortungsverhältnis Arzt - Patient mehr und mehr vertragliche Elemente[8] hineingetragen. Dies verändert nicht bloß das Berufsbild des Arztes, sondern auch das Verantwortungsbild. Es wäre allerdings zu bedauern, wenn sich das Verantwortungsbild ärztlichen Handelns ausschließlich an der Sachkompetenz und am Paradigma des Gütertausches definieren würde. Denn aus ethischer Sicht ist der zweite Gesichtspunkt wesentlicher Bestandteil ärztlicher Verantwortung.

2. *Die generelle Handlungsverantwortung*

Sie ist übergreifend und erstreckt sich auf die umfassende Fürsorgepflicht des Arztes; sie erwächst weniger aus seiner Sachkompetenz als vielmehr aus dem allgemeinen Leitbild bzw. aus dem gesellschaftlichen Auftrag. In diesem Sinne hat der Arzt dafür zu sorgen, daß alles im Interesse seines Patienten Erforderliche geschieht. Während die spezifische Aufgabenverantwortung ihre Normen aus einer Ethik der berufli-

---

[8] Vgl. *A. Eser*, Der Arzt im Spannungsfeld von Recht und Ethik, in: *O. Marquard* u. a., Ethische Probleme des ärztlichen Alltags (= Ethik der Wissenschaften, Bd. 7), Paderborn 1988, 78 - 103.

chen Expertise bezieht, orientiert sich die generelle Handlungsverantwortung an den höheren ethischen Ansprüchen des beruflichen Leitbildes. Zu diesen gehören:

- Hilfeleistung
- Schadensverhütung
- Gerechtigkeit
- Beachtung der sozialen Verträglichkeit usw.

Die generelle Fürsorgeverpflichtung wird allerdings durch die gesteigerte Wahrnehmung der Selbstverantwortung der Patienten begrenzt; sie macht ein kooperatives Handeln erforderlich. Das amerikanische Konzept des «informed consent» (Einwilligung nach Aufklärung)[9] macht deutlich, daß der Patient in der Regel mit einem höheren Informationsstand und einem ausgeprägteren Selbst-, *Gesundheits- und Anspruchsbewußtsein* dem Arzt gegenübertritt als früher. Er erwartet eine größere Teilhabe an Information, Planung und Entscheidung. Dies mag in manchen Fällen im Zeichen eines im Konsumbereich geltenden Bewußtseins, das auf medizinische Dienstleistungen übertragen wird, über das Gebotene der medizinischen Indikation hinaus erfolgen. Die Status- und Mentalitätsveränderung des Patienten modifiziert die allgemeine Handlungsverantwortung erheblich.

Hier kommt ein weiterer Aspekt hinzu, der für unseren Zusammenhang besonders wichtig erscheint. Die allgemeine Fürsorgepflicht kann vom Arzt gar nicht vollumfänglich wahrgenommen werden. Sie muß zum Teil stellvertretend von anderen, vornehmlich von Krankenschwestern und vom Pflegepersonal wahrgenommen werden. Die Ethik kennt für jene Aufgaben, die unter der Gesamtverantwortung *einer* Person stehen, und dennoch von unterschiedlichen Personen realisiert werden müssen, das Prinzip der Subsidiarität:

> «Wie dasjenige, was der Einzelmensch aus eigener Initiative und mit seinen eigenen Kräften leisten kann, ihm nicht entzogen und der Gesellschaftstätigkeit zugewiesen werden darf, so verstößt es gegen die Gerechtigkeit, das, was die kleineren und untergeordneten Gemeinwesen leisten und zum guten Ende führen können, für die weitere und übergeordnete Gemeinschaft in Anspruch zu nehmen.»[10]

Dieses Prinzip stammt aus der politischen Ethik. Seinem Wortlaut nach beinhaltet es folgende zwei Grundaussagen: Man hat von der Rechtsvermutung auszugehen, daß untergeordnete politische Gebilde Aufga-

---

9 Vgl. *H. T. Engelhardt*, JR., The Foundations of Bioethics, New York/Oxford 1986, 250ff.

10 In: Staatslexikon, hrsg. v. d. Görres-Gesellschaft, Bd. 5, Freiburg i. Br. 1989[7], 386ff.

ben wahrnehmen können. Übergeordnete Gremien haben von der *Kompetenzzumutung* auszugehen, und nicht umgekehrt von der vermuteten Inkompetenz. Die Kompetenzzumutung ist in diesem Sinne ein heuristisches Prinzip, das von der vermuteten Kompetenz ausgeht, die im Laufe eines diskursiven Verfahrens entweder bestätigt oder verneint werden muß. Das Subsidiaritätsprinzip zielt auf *Machtteilung* trotz Letztverantwortung. «Die Letztverantwortung tragen» schließt Machtteilung und Machtabtretung nicht aus; sie wird in geregelten Vorgängen teilweise abgegeben und der Autonomie der Untergeordneten anvertraut und nur im Falle des Mißbrauchs der Kritik oder der Ahndung unterworfen.

Damit unterscheidet sich Subsidiarität von Delegation, der zwar die Vorstellung der Aufgabenabtretung, nicht aber die der Verantwortungsteilung zugrunde liegt. Wie erwähnt: Das Subsidiaritätsprinzip wurde in der politischen Ethik entwickelt und als ein aus der Gerechtigkeitsidee entwickeltes Axiom Allgemeingut der Ethik und des Rechts. Daß es sich auf das Sozialgebilde «Spital» übertragen läßt, ja übertragen lassen muß, steht für mich außer Zweifel. Die inhaltliche Konkretisierung liegt allerdings nicht mehr in der Kompetenz des Ethikers, denn hier sind unterschiedliche Faktoren zu berücksichtigen wie: Rechtsentwicklungen, Arbeitsteilung in der medizinischen Versorgung, Veränderungen im Berufsbild des Pflegepersonals, systemische Komplexität des Spitalwesens (z. B. Spitex) usw.

Eine Neuumschreibung drängt sich offensichtlich auf, die vielleicht nicht mehr system- und rechtsintern zu regeln ist, sondern letztlich politische Entscheide erforderlich macht. Mir scheint aber: Dies muß und kann nur im *Zusammenhang der ethischen Rahmenbedingungen* erfolgen, wie ich sie hier in groben Zügen entfaltet habe. Wenn nur schon die verschiedenen Verantwortungsebenen begrifflich und inhaltlich unterschieden werden, dürfte dies die Diskussion erleichtern. Es ist mir klar, daß die konsequenzenreiche Haftungsverantwortung eine wichtige Rolle spielt; sie sollte aber nicht der ausschließliche Gesichtspunkt sein, denn dieser macht nicht den ethischen und damit humanen Gesamtsinn der Verantwortung aus. Eine solche Fokussierung ließe auch keine «Revision», d. h. im wörtlichen Sinne eine Neubeurteilung anhand übergeordneter Perspektiven mehr zu.

IV. Ethische Aspekte der helfenden Berufe

A. Einleitung

Wir scheinen uns in der Alltagswelt über das «Helfen» immer schon vorausverständigt zu haben. Obwohl wir heute dem Begriff «helfende Berufe» mit einer gewissen Skepsis und Zurückhaltung begegnen, glauben wir in einem ersten Zugang spontan zu wissen, was Hilfe ist, wer Hilfe verdient, wo Hilfe für den einzelnen Pflicht ist und wo Hilfe von einer größeren Gemeinschaft geleistet und organisiert werden muß. Befragt man das moralische Durchschnittsbewußtsein, dann erhält man durchaus mehr oder weniger konkrete, für das befragte Bewußtsein selbstverständliche Angaben über Inhalt, Umfang und Zuständigkeit des helfenden Handelns. In unserer Alltagswelt ist das Helfen fast in jedem Fall positiv qualifiziert und wird verstanden als «Helfen zum Guten». Abgesehen von negativen Beispielen, die man immer auch zur Hand hat, wird das Helfen mit positiven Inhalten assoziiert, z. B. mit Mitmenschlichkeit, Altruismus, Nächstenliebe und mit christlichem Engagement. Dabei scheint es durchaus einem allgemeinen Trend zu entsprechen, wenn man Hilfe nicht mehr als Handeln für den anderen, sondern als Hilfe zur «Selbsthilfe» versteht. Auch im öffentlichen Bewußtsein hat sich die Erkenntnis durchgesetzt, daß mit «Hilfe» der Freiraum der Selbstbestimmung (Autonomie) des Gegenübers nicht beschnitten werden darf, sondern daß Hilfe nichts anderes zu sein hat als die Bereitstellung von Mitteln und die Bereitung von Bedingungen, damit der Betroffene seine Probleme selbständig lösen kann.

Wir können uns mit Fug und Recht fragen, warum wir diese scheinbare Selbstverständlichkeit und das, worüber man sich offensichtlich in der Alltagswelt verständigt hat, einer ethischen Reflexion unterziehen. Wir befragen faktische Einstellungen und gängige Regeln mit dem Zweck, eine personal und sozial verantwortbare Überzeugung und Praxis zu finden – und dies vielleicht auch gegen herrschende Trends und Moden. Wir haben Gründe genug, das alltägliche und professionelle Helfen moralkritisch zu befragen. Schon *F. Nietzsche* hat den Verdacht geäußert, die französischen Freidenker hätten sich dem Kultus der (übertriebenen) Menschenliebe verschrieben, um hinter dem verabschiedeten christlichen Ideal nicht zurückzubleiben. Und gleichsam in Fortsetzung dazu, aber von einer ganz anderen Seite her finden wir den Verdacht auf verschleiernde «Rechtfertigung» beim Helfen wieder, wenn etwa *W. Schmidbauer*[1] als einen der stärksten Impulse des Helfens im «Helfer-Syndrom» emotionale Hilflosigkeit und persönliche Defekte zu entdecken meint. Und es mangelt auch nicht an Stimmen, welche insbesondere das professionelle Handeln als fast vergebliches Auskurieren der Wunden an einer kranken Gesellschaft bezeichnen.

Schon diese wenigen kritischen Stimmen weisen darauf hin, daß wir mit dem Phänomen des Helfens vor einem sehr komplexen Problem stehen, das von sehr vielfältigen Faktoren beeinflußt sein kann. Die Ethik verfolgt nun nicht einfach die Absicht, verbindliche Handlungsorientierungen für diese Zusammenhänge herauszuarbeiten. Bevor sie diese Leistung überhaupt erbringen kann, muß sie sich über die subtilen und oft irrationalen Zusammenhänge klar werden. Gerade aus diesem Grunde werden wir im folgenden auf einige gesellschaftliche und psychologische Zusammenhänge zurückgreifen müssen, um von da aus zu den Verbindlichkeiten vorzustoßen, die das Helfen bestimmen sollen. In Kreisen der professionellen Helferberufe trägt man nicht selten übertriebene Erwartungen an die Ethik heran, indem man von ihr eine Art *Kasuistik* erwartet. Vieles an solchen Erwartungen kann und muß aber über das entsprechende Fachwissen, über Psychologie und Gesellschaftstheorie eingelöst werden. Die Ethik, auch die Ethik im Kontext des Glaubens, kann diese sachimmanenten Informationen zunächst einmal nur kritisch aufnehmen und sie mit fundamentalen Prinzipien menschlichen Handelns konfrontieren. Denn wenn man zu Formen gelingenden und glückenden Menschseins vorstoßen will, und hier im besonderen zu Formen des gelingenden Helfens, muß man zuerst dieses praktizierte Handeln selbst aufklären und daran Defizit und gut Geratenes aufzeigen. Auch wenn im folgenden einiges Kritisches zur Hilfe gesagt werden muß, so darf dies nicht als Diskreditierung mißverstanden werden. Es ist nach wie vor sinnvoll und geboten, Menschen, die in Not geraten sind, mit einem Hilfsangebot entgegenzukommen. Ziel der folgenden Überlegungen ist es, für damit zusammenhängende Schwierigkeiten zu sensibilisieren.

---

[1] Vgl. *W. Schmidbauer*, Die hilflosen Helfer. Über die seelische Problematik der helfenden Berufe, Reinbek 1977; *Ders.*, Helfen als Beruf, Die Ware Nächstenliebe, Reinbek 1983.

B. Begriffsklärung

Auf eine erste Schwierigkeit stoßen wir bereits, wenn es gilt, den Inhalt des Begriffes der «helfenden Berufe» zu umschreiben. Nach einer gängigen Definition zählt man zu den «helfenden Berufen»: Erzieher, Ärzte, Psychotherapeuten, Sozialarbeiter, Krankenpfleger, Seelsorger und andere mehr.[2] Umgangssprachlich werden sie auch als «soziale Berufe» bezeichnet. Nun wird man kaum leugnen können, daß alle Berufe in einem gewissen Sinne «sozial» sind, wenn und insofern sie Beziehungen zu anderen Menschen schaffen oder voraussetzen. In einem besonderen Sinne trifft dies auf Berufe im Dienstleistungssektor zu. Der Dienst des Postboten wie der Dienst des Mannes von der Müllabfuhr ist unter einer bestimmten Rücksicht ebenfalls als «sozial» zu bezeichnen, weil dadurch das sozial-gesellschaftliche Leben erleichtert, gefördert und in vielen Fällen erst ermöglicht wird. Der Begriff «soziale Berufe» ohne nähere Zusatzbestimmung scheint also für unsere Überlegungen zu umfassend zu sein. Dasselbe trifft aber auch auf den Begriff «helfende Berufe» zu, wenn man ihn bezüglich seines Inhaltes nicht weiter verdeutlicht. So könnte man schließlich den Dienst des Feuerwehrmannes durchaus als «helfenden» Beruf bezeichnen, obwohl kaum jemand diese Dienstleistung mit derjenigen eines Arztes auf die gleiche Stufe stellen würde.

Präziser kann man das Feld der hier zur Diskussion stehenden Berufe mit der Bezeichnung «therapeutische und pädagogische» Berufe abstecken. Unter die Kategorie der therapeutischen Berufe wären Ärzte, Psychotherapeuten, Krankenpfleger und andere zu subsumieren, unter die Kategorie der pädagogischen Berufe Erzieher, Lehrer, Heimleiter und andere. Eine Mittelstellung scheint der Beruf des Sozialarbeiters einzunehmen, weil sich bei ihm therapeutische und pädagogische Aufgaben vermischen. Mit der Bezeichnung *«therapeutische und pädagogische Berufe»* erzielen wir zwar eine größere Eindeutigkeit; sowohl das Feld der hier einschlägigen Berufe ist präziser abgesteckt als auch die mit diesen Berufen allgemein gegebene Intention und Aufgabenstellung genauer erfaßt. Aber trotz all dieser Vorteile, die dieser «Kunstbegriff» bringt, wollen wir am Begriff der «helfenden Berufe» festhalten, weil er sich in der Fachliteratur eingebürgert hat und weil ihm in der Verwendung dennoch eine größere Eindeutigkeit zukommt, als dies allein aufgrund einer Wortanalyse der Fall ist.

---

[2] Um den Lesefluß nicht zu beeinträchtigen, wird jeweils nicht auch die mitgemeinte weibliche Form der Berufsbezeichnungen erwähnt.

In der Tat können wir uns fragen, ob es theologisch-ethische Probleme gibt, die den helfenden Berufen bzw. den therapeutischen und pädagogischen Berufen gemeinsam sind. Gewiß ist die Ausübung eines helfenden Berufes in sich betrachtet eine hochethische Form menschlicher Zuwendung, wann immer der Intervenierende aus fachlicher Kompetenz und in der Absicht handelt, dem in Not Geratenen an die Hand zu gehen. Nicht umsonst genießen Angehörige der hier in Frage stehenden Berufsgattungen ein hohes Sozialprestige (z. B. Ärzte, Psychotherapeuten, Lehrer) oder erzeugen Bewunderung wegen ihres selbstlosen Einsatzes (z. B. Krankenschwestern). Mit einigem Recht könnte man behaupten, sie hätten sich einen der Grundvollzüge der christlichen Existenz, nämlich die Diakonie zum Beruf gemacht, auch wenn dies hinter Institutionen und Funktionen noch einmal verschwindet und der ursprüngliche Bezug zu dieser einen Grundform gar nicht mehr so explizit gegeben ist.

Aber gerade ein Teil der Probleme liegt in der Aura, im vorausgezollten Ansehen, das diese Berufe umgibt. Selbstverständlich besteht diese Hochschätzung nicht zu Unrecht; doch können solche gesellschaftlichen Einschätzungen leicht über problematische Aspekte der helfenden Beziehung hinwegtäuschen. Es gibt ein gewisses Erwartungspotential, das die Gesellschaft an die helfenden Berufe knüpft. Dies läßt sich schon allein daran erkennen, daß Angehörige der helfenden Berufe in der Öffentlichkeit oft den Rang von moralischen Vorbildern erhalten. Man erwartet eine kohärente moralische und altruistische Lebensausrichtung, die sich nicht bloß mit der unmittelbaren Tätigkeit verbindet, sondern darüber hinaus auch die außerberuflichen Lebensbereiche umfaßt. Beispielsweise wird dies daraus ersichtlich, daß von einem jungen Menschen, der einen helfenden Beruf ergreifen möchte, eher ein allseitig altruistisches Verhalten erwartet wird, als dies von Angehörigen anderer Berufe der Fall ist; denn Verstöße gegen den Altruismus oder den Moralkodex werden schneller registriert und entsprechend auch stärker moralisch sanktioniert. Damit hängt auch zusammen, daß «professionellen Helfern» auch in außerberuflichen Belangen eine Autorität zukommt, die nicht unmittelbar mit ihrer Tätigkeit im Zusammenhang steht. Am ausgeprägtesten findet sich dieses Phänomen in gesellschaftlich geschlossenen Gegenden, wo Arzt, Pfarrer und Lehrer oft die einflußreichsten Orientierungspersonen im Öffentlichkeitsbereich darstellen. Dieses Sozialprestige hat wohl vor allem seine Wurzeln in der Tatsache, daß die helfenden Berufe in einer besonderen Weise mit dem gesellschaftlichen Symbolsystem verbunden sind, sei es dadurch, daß sie (junge) Menschen in das jeweilige Symbolsystem und in die Grundmuster gesellschaftlichen Zusammenlebens einführen (Pädagogen) oder Ausgebrochene, Ausgestoßene, Erkrankte und Geschädigte re-integrieren (Therapeuten). Die Vertrautheit mit den Grundrisiken menschlichen Lebens oder die Vertrautheit mit grundlegenden Einsichten in Entwicklung und Entfaltung der Persönlichkeit lassen Erwartungen entstehen, die wir normalerweise an andere Berufssparten nicht stellen, weil sie Kompetenzen voraussetzen, die nur den sachlich-technischen oder einen funktionalen Bereich der Lebenswirklichkeit betreffen.

Nun ist es aber durchaus nicht so, daß heute die helfende Kompetenz urwüchsig erworben wird, sondern zumeist wird sie sich in einer akademischen oder sonst einer anspruchsvollen Ausbildung angeeignet. Es liegen gerade zum einen in dieser spezialisierten Kompetenzaneignung, zum anderen in diesem Status selbst bedeutsame ethische Schwierigkeiten, die wir nun etwas gesondert behandeln wollen.

D. Organisierte Hilfe und Professionalisierung

Die moderne, hochdifferenzierte Gesellschaft konstituiert sich eine Umwelt, in der sich organisierte Sozialsysteme bilden, die sich zum Helfen spezialisieren.[3] Die Bereitschaft zum Helfen und die faktische Hilfe ist demnach nicht mehr Sache der unmittelbaren Gesellschaft. Die Gesellschaft schafft sich Organisationen, die zur Entlastung Hilfsprogramme zur Verfügung stellen, um gleichsam den erwarteten Leistungen und konkreten Nöten entgegenkommen zu können. Die umfassend verstandene und durch Programme verordnete Sozialhilfe führt damit nicht bloß zur Verrechtlichung der organisierten Hilfe, sondern auch zur Professionalisierung der Hilfsträger. Je vielfältiger, je komplizierter und verzweigter die Mittel und Maßnahmen werden, die den vielfältigen Wechselfällen, den Übelständen und den Nöten Abhilfe schaffen sollen, desto weniger genügt es, etwas Wohlmeinendes für den Notleidenden zu tun. Um schon allein in den komplexen Notsituationen mit den zur Verfügung stehenden Erkenntnismitteln die richtige Diagnose stellen zu können, bedarf es der langen Ausbildung, in der man sich das nötige Wissen und Können aneignet. Und gerade weil die Hilfe zu einer Art

---

3 Vgl. *N. Luhmann*, Formen des Helfens im Wandel gesellschaftlicher Bedingungen, in: *H.-U. Otto/S. Schneider* (Hrsg.), Gesellschaftliche Perspektiven der Sozialarbeit, 1. Halbband, Neuwied/Berlin 1972, 21 - 43; *H.-J. Türk* (Hrsg.), Wandlungen sozialer Hilfe. Zu einer gemeinsamen Theorie von Sozialarbeit und Sozialpädagogik, Düsseldorf 1976.

gesellschaftlichem Sub-System geworden ist, ist darüber hinaus die Kenntnis einer Unzahl von rechtlichen Regelungen unerläßlich, die präzise Hinweise geben, wie und auf welchen Wegen wirksame Hilfe in Gang zu setzen, wie und auf welche Art schließlich auf materielle Unterstützung zu zählen ist.

Diese Entwicklung hat in unserer Gesellschaft nicht bloß zu einer Verwissenschaftlichung und Professionalisierung all jener Kräfte geführt, die sich in irgendeiner Weise der Hilfe an dem in Not Geratenen verschrieben haben, sondern dies hat auch dazu geführt, daß die helfenden Berufe fast ausschließlich zu *Erwerbsberufen* geworden sind. Die Zahl derer, die dies ehrenamtlich oder nebenberuflich tun, ist dagegen verschwindend klein. Noch kleiner ist die Zahl derjenigen, die auf eine eigene Familie verzichten und in einer religiösen Gemeinschaft wirken, die dann wiederum für deren Lebensunterhalt aufkommt.

In der Verbindung von Erwerbs- und Sozialberuf scheint eine charakteristische Spannung zu liegen. Gewiß erfordern auch alle anderen Berufe eine «Hingabe» an die Sache; das Charakteristische an den helfenden Berufen ist aber gerade, daß sie sich nicht irgendeiner Sache zuwenden, sondern dem Menschen als Person. Selbstverständlich sind Fälle denkbar, die sich allein mit irgendwelchen bürokratischen Maßnahmen lösen lassen. In schwerer, körperlicher und existentieller Not hat der Mensch ein Anrecht auf sachgerechte Hilfe. In früheren Zeiten war er einzig und allein auf die Barmherzigkeit und Freiwilligkeit Gutgesinnter angewiesen. Mit der Einführung der staatlich organisierten Sozial- und Gesundheitspolitik hat eine umwälzende Entwicklung eingesetzt, insofern der Hilfsbedürftige aus der mißlichen und demütigenden Lage des «Almosenempfängers» befreit worden ist. Die neuzeitliche Gesellschaft hat eine Anzahl von Rechtsansprüchen gerade auch im Sozialbereich formuliert, die jedem Bürger und jeder Bürgerin unabhängig von Stand und Leistung zukommen sollen. Und dennoch, wie gut und wirksam, wie schlecht und recht Notsituationen durch rechtliche Verordnungen aufgefangen werden, der in Not Geratene braucht ein menschliches Gegenüber, das menschliche Zuneigung bekundet. Er möchte nicht einer Organisation oder einer Institution begegnen, sondern Menschen, die ihn aufrichten, begleiten und ihm die Möglichkeit für ein gelingendes Leben zurückgeben. Ein solches Engagement von seiten des Hilfeleistenden übersteigt das allein von seiner fachlichen Kompetenz her Geforderte. Eine solche Hingabe ist weder erzwingbar noch käuflich. Im Grunde vermag nur derjenige diesen Anspruch zu erfüllen, dem sein Beruf zur «Herzenssache» geworden ist und der darin den Gehalt und die Erfüllung seiner Lebensaufgabe findet. Eines der entscheidenden ethischen Probleme sehe ich darin, wie die beiden Pole

Versachlichung und Wahrung der Menschlichkeit in ein richtiges Verhältnis gesetzt werden können.

Die gesellschaftliche Organisation der Hilfe wie auch die Professionalisierung der helfenden Berufe hat sich zwingend aus der Entwicklung der Dinge ergeben; sie lassen sich nicht mehr rückgängig machen. Sie sind das Ergebnis der fortschreitenden Differenzierung unserer Gesellschaft. Diese Entwicklung trägt aber in sich den Keim der Versachlichung und der Instrumentalisierung der Hilfe. Die entscheidende Frage jedoch bleibt, wie durch die Professionalisierung dennoch der Charakter des selbstlosen Dienstes durchschlagen kann.

Die in unserer Gesellschaft verobjektivierte Hilfe kann die Angst vor jenem System wecken, das den Menschen der Tendenz nach zu bloßen Funktionen im Spiel des Ganzen degradiert, das dem Menschen seine unverwechselbare Identität raubt und ihn in einen gut funktionierenden Gesellschaftsleib integriert. In dieser Angst meldet sich eine umfassende menschliche Erfahrung und ein umfassender menschlicher Widerstand, bei aller Eingebundenheit in die Gesellschaft nicht in sie hinein verrechnet zu werden. Hier meldet sich das Urbedürfnis, ein Subjekt mit eigener Würde und mit eigenem Namen sein zu können. Gewiß muß das Ethos des Helfens auch in seiner gesellschaftlichen Objektivierung von uns sachgerecht und vernünftig verwaltet werden. Der Bedürfnisausgleich muß funktionieren; ohne Planung und Organisation ist Hilfeleistung in einer unübersichtlichen Gesellschaft kaum mehr möglich. Doch der humane Sinn des Helfens geht über dieses bloße «Funktionieren» hinaus; er würde weit hinter dem Gebotenen zurückbleiben, wenn es nur darum ginge, gesellschaftliche Schäden und Defekte an einzelnen auszubessern. Der humane Sinn der Hilfe zielt darauf ab, geschädigte oder zurückgebliebene Möglichkeiten des Menschseins zu heben, damit der Betroffene seine Würde wieder zurückgewinnt.[4]

Diese ethische Sicht bleibt eine ständige Provokation für Routine, sachlich Eingespieltes und institutionell Verobjektiviertes. Sie beinhaltet den Imperativ, die Balance zwischen Sachverstand und Hingabe, zwi-

---

[4] Mittlerweile müßte fairerweise einem weiteren Problembereich eine größere Aufmerksamkeit geschenkt werden, was allgemein als «burn-out»-Syndrom bezeichnet wird. Es kann hier lediglich auf die entsprechende Literatur verwiesen werden. Vgl. *J. Fengler*, Helfen macht müde. Zur Analyse und Bewältigung von Burnout und beruflicher Deformation, München 1994^4; *D. Enzmann/D. Kleiber* (Hrsg.), Helfer-Leiden. Stress und Burnout in sozialen Berufen, Heidelberg 1993^2; *B. Rommelspacher*, Mitmenschlichkeit und Unterwerfung. Zur Ambivalenz der weiblichen Moral, Frankfurt a. M. 1991; *H. Rosemann*, Helfer/innenbelastungen, Lüneburg 1994; *G. Overlander*, Die Last des Mitfühlens. Aspekte der Gefühlsregulierung in sozialen Berufen am Beispiel der Krankenpflege, Frankfurt a. M. 1994; *P. Wagner*, Ausgebrannt. Zum Burnout-Syndrom in helfenden Berufen, Bielefeld 1993.

schen Funktion und Humanität, zwischen sachlicher Leistung und humanem Dienst zu finden.

E. Zum Machtgefälle der helfenden Beziehung

Ich habe schon darauf hingewiesen, daß sich nicht bloß ethisch bedeutsame Probleme im Zusammenhang mit der verobjektivierenden Organisation der Hilfe und der Professionalisierung der Hilfsträger und -trägerinnen stellen, sondern daß auch ethisch bedeutsame Probleme mit der Persönlichkeit des Helfenden selbst gegeben sind. Denn in therapeutischen wie auch in pädagogischen Berufen besteht leicht die Gefahr, daß mit dem Anspruch, helfen zu wollen, Herrschaftsverhältnisse aufgebaut werden.[5] Dessen braucht man sich gar nicht immer bewußt zu sein. Im Gegenteil: Sehr oft schleichen sich Mechanismen der Beherrschung ein, deren Aufdeckung ein kritisches Bewußtsein erforderlich macht. Insbesondere wenn Hilfsbedürftigkeit zu einem Dauerzustand wird, kann sich eine so intensive Abhängigkeit vom Helfer entwickeln, daß die Grenze zwischen positivem und negativem Machtgebrauch fließend wird. Abhängigkeit bedeutet hier, nicht genügend Selbstbestimmung haben, gezwungen sein, die eigene Individualität und Sozialität zu überspielen, nicht in der Lage sein, auch nicht gefragt zu werden, um über etwas mitzubestimmen, wovon man betroffen ist. Dies alles sind Grundwerte menschlicher Existenz, die in einer Notlage verloren zu gehen drohen. Der Helfer hat diese mit der Menschenwürde gegebenen Bestimmungen zu respektieren – seine Machtstellung sollte dem nicht widersprechen. Es bedarf hingegen des positiven Machteinsatzes, um die Menschenwürde des in Not Geratenen zu wahren und zu heben.

In der Tat scheint die Durchsetzung dieser Macht, die zur Verwirklichung von mehr Menschenrecht des Hilfsbedürftigen beiträgt, nicht bloß eine Frage des Umganges der Macht auf seiten des Helfers zu sein, sondern fast noch mehr eine Frage der politischen Opportunität und der öffentlichen Zulässigkeit. Das heißt, sie ist abhängig von der Position und Macht derjenigen, die Gruppen- und Gesellschaftszugehörigkeit «definieren». Die Menschenwürde des Hilfsbedürftigen gilt zwar als ein selbstverständlicher sozialer Wert, aber dennoch muß sie auch in

---

[5] Vgl. *A. Guggenbühl*, Macht als Gefahr beim Helfer, Basel 1975; *A. M. A. Houtmann*, Machtaspekte in der helfenden Beziehung, Freiburg i. Br. 1978; *W. Gottschalch*, Wahrnehmen, Verstehen, Helfen. Grundlagen psychosozialen Handelns, Heidelberg 1988.

einem Sozialstaat konkret durchgesetzt werden. Der soziale Helfer wird deshalb seine Macht einsetzen, um seinen Klienten gesellschaftsfähig zu machen. Die Hilfe als ein abstrakter Wert verstanden, erreicht diesen Zielwert noch nicht; denn selbst die von edelsten Motiven getragene Hilfe kann den Hilfsbedürftigen von sich selber und von seiner Umgebung weiter entfremden.

Die Macht, die mit der Hilfe immer gegeben ist, ist nur dann ethisch legitimierbar, wenn sie weitergegeben und gleichsam in die Möglichkeit für den Klienten transformiert wird, seine eigene Lebensmacht aufzubauen. Denn es gibt keinen Gewinn an Menschenwürde ohne Gewinn an eigener Lebensmacht. Die Weitergabe von Macht in der helfenden Beziehung bedeutet in diesem Sinne nicht bloß die Wiederherstellung der individuellen Menschenwürde, sondern immer auch Kampf um einen gesellschaftlichen Machtausgleich zugunsten des Klienten. Die helfende Beziehung hat darum den Mitmenschen nicht bloß als unmittelbar Nächsten anzuerkennen, sondern als einen Nächsten, der um seinen Platz in der Gesellschaft ringt.

Es gibt recht publikumswirksame Versuche, tiefenpsychologisch die Determinanten zu bestimmen, die zur Ergreifung eines «helfenden Berufes» führen. In diese Richtung gehen insbesondere die Publikationen von *W. Schmidbauer*. Zweifellos hat der Autor einen lange vernachlässigten Aspekt in verdienstvoller Weise thematisiert. Aber dennoch scheinen mir die angestellten tiefenpsychologischen Spekulationen fragwürdig zu sein, da die Ergebnisse zu sehr auf Impressionen und Zufallsinformationen fußen. Letztlich geht es darum, das Dominations- und Machtgefälle in der helfenden Beziehung unter dem Gesichtspunkt der Persönlichkeitsstruktur des Helfenden zu entschlüsseln. Im Gegensatz zu diesem Versuch, auf Determinanten hinzuweisen, die zur Ergreifung eines helfenden Berufes führen können, möchte ich auf einige Mechanismen aufmerksam machen, die häufig anzutreffen sind und sich unter Umständen sehr negativ für den Klienten und nicht zuletzt auch für den Helfenden selbst auswirken können. Gerade diese Aufklärung gehört sehr wesentlich zur ethischen Fragestellung der Machtstruktur innerhalb der helfenden Beziehung.

Seit den Anfängen der Psychoanalyse ist die Einsicht bekannt, daß hinter einem Verhalten oder Gefühl ein völlig konträrer Impuls stehen kann.[6] Dieser als Reaktionsbildung bezeichnete Vorgang kann sich auch in der Beziehung von Helfendem und Klienten artikulieren. Die Schwierigkeit liegt darin, daß zwar der Helfende vermeintlich aus reinsten altruistischen Motiven handelt, währendes an der Wurzel des wil-

---

[6] Vgl. *U. Rauchfleisch*, Psychoanalyse und theologische Ethik. Neue Impulse zum Dialog, Freiburg i. Ue./Freiburg i. Br. 1986, 13ff.

lentlich altruistischen Verhaltens etwa Gefühle von Mißgunst und Neid stehen. Nun scheinen aber solche Mechanismen nicht in sich schon pathologisch zu sein, da sie sich offensichtlich immer schon mehr oder weniger stark, mehr oder weniger kontrolliert mit dem gesamten Antriebsgefüge vermischen. Die Grenze zum Problematischen hin ist da erreicht, wo eine solche Reaktionsbildung ausgesprochen rigide und fast ausschließlich zum alleinigen Motor des Handelns wird.

Vor allem aus folgenden Gründen ist es wichtig, daß derjenige, der in einem helfenden Beruf tätig wird, sich darüber im klaren ist, inwieweit bei ihm solche Impulse und Antriebe wirksam werden. Zunächst einmal muß man davon ausgehen, daß solche urtümliche Impulse (z. B. Neidgefühle) in der Transformation nicht einfach verschwinden, sondern eine «Dennoch-Wirksamkeit» entfalten. Sofern der Betreffende ein vages Bewußtsein der urtümlichen Impulse hat, wird er sie um so entschiedener abwehren und verneinen. Vordergründig kann dann das helfende Verhalten als äußerst selbstlos und aufopfernd erscheinen, das aber, je stärker die Reaktionsbildung ist, unter Umständen für den Klienten vergewaltigende Züge annehmen kann. Unter dem Deckmantel des selbstlosen Altruismus können sich ganz gegenteilige Impulse verbergen. In ethischer Hinsicht steht dann nicht so sehr die Vermittlung der Autonomie desjenigen, dem Hilfe zukommt, im Vordergrund, sondern die unbewußte Stilisierung der eigenen Reaktionsbildung.

Diese «Dennoch-Wirksamkeit» kann aber nicht bloß für den Helfenden selbst, sondern auch für den Klienten zu höchst unangenehmen Konflikten führen, wenn ein Mitmensch nicht imstande oder nicht willens ist, sich helfen zu lassen. In Extremfällen ist durchaus damit zu rechnen, daß der Helfende die Realität des Klienten verkennt und sein Ziel allein darin sieht, aktiv zu werden, ohne sich über die negativen Folgen für den Partner Rechenschaft zu geben. Die Hilfe würde in einem solchen Falle mehr Entfremdung, mehr Abhängigkeit schaffen und keineswegs zur Lösung des willentlich Intendierten führen. Dies eine muß hier noch verdeutlicht werden: Es soll nun in keiner Weise jedes altruistische Verhalten bloß als Reaktionsbildung verstanden werden; es gibt das ursprüngliche Bedürfnis nach «Für-Sorge», das sich in der helfenden und hebenden Nähe zum Partner artikuliert. Wichtig scheint mir aber zu sein, daß sich derjenige, der sich einem helfenden Beruf verschreibt, über seine Motivstruktur genügend Klarheit verschafft und sich die Frage in aller Deutlichkeit stellt, wieweit sein Handeln von gegenteiligen Impulsen und von «philanthropen» Motiven bestimmt ist. Diese Selbstaufklärung ist ein wichtiges Element in der sachgerechten und menschenwürdigen Gestaltung des Machtverhältnisses, das fast zwangsläufig aus der helfenden Beziehung entspringt.

Ein weiterer Problemkreis, der dem hier besprochenen verwandt ist, scheint mir folgender zu sein: Die neueren Narzißmus-Forschungen[7] haben auf psychische Konfigurationen aufmerksam gemacht, die sich insbesondere aus den hohen Ich-Ideal-Forderungen ergeben. Wir wissen, daß das Charakteristikum der gesunden Persönlichkeit auf der einen Seite darin besteht, die Ideal-Ansprüche mit den realen Möglichkeiten einigermaßen in Übereinstimmung zu bringen. Auf der anderen Seite wissen wir aber auch, daß schwere innerpsychische Konflikte entstehen können, wenn die Ansprüche des Ich und die realen Möglichkeiten zu sehr auseinanderklaffen. Je unausgeglichener das eigene Selbstwertgefühl ist, desto mehr wächst der Wunsch, die gesteckten Ziele, die noch so überzogen und unrealistisch erscheinen mögen, um jeden Preis zu verfolgen und zu erreichen.

Überträgt man diese Erkenntnis auf die Tätigkeit von Menschen in sozialen Berufen, dann stellt sich die Frage, inwieweit der Wunsch, anderen Menschen zu helfen, aus narzißtischen Impulsen entstammt und letztlich eine Verfolgung der eigenen Grandiositätsvorstellung darstellt. Denn es ist nicht von der Hand zu weisen, daß für Menschen, die an Selbstunwertgefühlen leiden, das Helfen außerordentlich wichtig sein kann. Die helfende Aktivität kann zu jenem Vehikel werden, mittels dessen eine Anerkennung der Umwelt erreicht wird, in der Hoffnung, dadurch ein Gegengewicht zu der bohrenden Unsicherheit zu finden. Verständlicherweise sind solche Menschen in ihrem Selbstwertgefühl fast ausschließlich von der Anerkennung durch die Umwelt abhängig. Und gerade der Wunsch nach ständiger Anerkennung kann den Wunsch nähren, kaum Erreichbares und fast Unmögliches verwirklichen zu wollen. Ein solches Verhalten kann zwar als bewundernswertes Engagement imponieren, steht aber auf einer unsicheren Basis von Insuffizienzgefühlen, die den Wunsch nach scheinbar äußerster Selbstlosigkeit übersteigern. Ist es verwunderlich, wenn auf diesem Hintergrund die Abhängigkeit von der Dankbarkeit des Partners sehr ausgeprägte Züge annimmt? Durch den Gestus der Dankbarkeit hat derjenige, dem Hilfe entgegengebracht wird, stets aufs neue zu beweisen, daß er des Partners bedarf und daß dieser im Grunde genommen der Mächtige ist.

Gleichsam überleitend vom Betreuer zur Person, auf die sich die Hilfe richtet, möchte ich noch auf einen ethisch bedeutsamen Problemkreis hinweisen, der sich zwar nicht mit unbewußten, die Machtstruktur der helfenden Zuwendung beeinflussenden Konflikten und Gefühlen befaßt, aber mit der Respektierung der Person. Sicherlich ist der Grundsatz richtig, der Hilfesuchende bzw. Hilfsbedürftige sei vom Helfer als

---

[7] Vgl. ebd., 25ff.

gleichberechtigt anzuerkennen, er dürfe nicht zum Objekt von Hilfsmaßnahmen gemacht werden. Es ist der Auffassung ohne Einschränkung zuzustimmen, so solle Hilfe zur «Selbsthilfe» geleistet werden. Es schiene mir aber ein grobes Mißverständnis zu sein, wenn man von der Annahme ausginge, wahre Autonomie und wahre Selbstbestimmung des Klienten entstehe nur da, wo der Betreuer den Klienten nur auf sich selbst zurückweise. Denn sehr oft sieht man sich Menschen gegenüber, bei denen sich die Hilfe nicht bloß in einer Begleitung oder in einem klärenden Gespräch erschöpft, sondern bei denen man recht aktiv in die Lebensvollzüge eingreifen muß. Es wäre falsch, wollte man die in der psychoanalytischen Behandlung geforderte Zurückhaltung zu einer allgemeinen Maxime erheben, etwa mit dem Hinweis, der Klient müsse selbst wissen, was er tun wolle, ihm allein komme es zu, Entscheide zu treffen. Die Zumutung der Autonomie kann in einem Fall eine Überforderung bedeuten, im anderen Fall gerade die Förderung derselben. Jedenfalls hat man sich aufgrund der Situation des Partners ein Bild zu verschaffen, das eine möglichst genaue Einschätzung erlaubt, wann eine aktive Hilfe eine Beschneidung der Selbständigkeit zur Folge hat und wann eine aktive Intervention zur Hebung und Förderung der Autonomie beiträgt. Es mag im konkreten Fall äußerst schwierig sein, die Art der Hilfe, den Grad der Zuwendung und den Grad der Zurückhaltung zu bestimmen. Dies gerade auch dann, wenn man in Betracht zieht, daß sich Situationen und psychische Konstellationen kaum gleichen und daß es beim Hilfesuchenden selbst einen Entwicklungsprozeß gibt, der von einem charakteristischen Wechsel von enger Beziehung, Loslösung, Wiederannäherung und erneuter Lösung gekennzeichnet ist.

Fassen wir zusammen: Die hauptsächliche ethische Problematik der helfenden Berufe liegt darin, daß dem Helfer durch seinen gesellschaftlichen Status und seine Rolle als Fachkompetenz in Grundfragen psychischen und sozialen Lebens gegenüber dem Hilfsbedürftigen eine Superiorität zukommt, die die Hilfe leicht zur Beherrschung werden lassen kann. Dies geschieht dann, wenn der Helfer den Hilfsbedürftigen zu einer Funktion eines therapeutischen, pädagogischen oder moralischen Konzeptes macht, wenn die helfende Beziehung zur Aufrechterhaltung oder der Verfestigung unbewußter, gegenläufiger Impulse dient oder wenn Hilfe zur sachlichen Beseitigung von Wunden einer verwundeten Gesellschaft degradiert wird.

Bei der Hilfe kann und darf es also nicht darum gehen, für sich selbst eine moralische Selbstrechtfertigung zu suchen, noch dadurch ein bestimmtes System zu reproduzieren; einziges Ziel muß es sein, die elementaren Bedürfnisse des Menschen in Not zu erfüllen, wozu er im Augenblick selbst nicht imstande ist. Gewiß: Mit dem Pathos des Helfens ist es vorbei. Man kann es tun, man kann es aber auch lassen, wenn man gerade andere Ziele verfolgt. Die Gesellschaft erlaubt die Freiwilligkeit des Entschlusses. Hierin liegt auf der einen Seite die entscheidende Bedingung zur Professionalisierung der helfenden Berufe; auf der anderen Seite aber schafft sich die Gesellschaft damit auch eine bisweilen unheilvolle Delegation (z. B. Betreuung der Alten). Ich meine aber, daß die Gesellschaft gerade dadurch ihre menschlichen Züge bewahrt oder wiedergewinnt, wenn und insofern sie – und damit der einzelne, unabhängig davon, ob er nun in einem solchen Beruf tätig ist oder nicht – der Not ansichtig wird und versucht, damit produktiv umzugehen. In dem Maße, als das Ethos der Hilfe untergeht und gleichsam von Funktionen verschlungen wird, in dem Maße scheint mir auch der Sinn für menschliche Grundweisen des Daseins zu entschwinden. Denn die sichtbare und spürbare Not ist im letzten nur ein Zeichen für unsere je eigene Gebrechlichkeit.

V. Reproduktionsmedizin und Menschenwürde. Typen ethischer Argumentation

Unter *Reproduktionsmedizin* verstehen wir jenen Zweig der Medizin, der sich mit der menschlichen Fruchtbarkeit und Zeugung befaßt und auf diesem Gebiet Techniken entwickelt, um Fertilitätsstörungen technisch-medizinisch zu beheben. Hierher gehört insbesondere die künstliche Zeugung in der Retorte («Invitro»), die für die Behandlung der ungewollten Kinderlosigkeit bei Patientinnen entwickelt worden ist, bei denen die Befruchtung auf normalem Wege nicht stattfinden kann. In diesem Zusammenhang ist nochmals daran zu erinnern, daß in England 1978 die Zeugung im Reagenzglas erstmals gelungen ist.[1] Inzwischen soll es weltweit gesehen etwa 10 000 auf diese Art gezeugte Kinder geben. Dies ist weiter auch nicht erstaunlich, da beispielsweise in Deutschland etwa 15 % – 20 % der Ehen unfruchtbar sein sollen, wobei die speziellen Ursachen der Sterilität zu 30 % – 40 % beim Mann, zu 50 % – 60 % bei der Frau liegen. Es wird geschätzt, daß ungefähr 1 % der Kinder über den Weg einer Befruchtungshilfe auf die Welt kommen. Bei der künstlichen Befruchtung haben wir es also mit einer Technik zu tun, die bereits im großen Stil Anwendung findet, aber dennoch immer wieder zu Diskussionen Anlaß gibt, wie Ethik-Kommissionen und Gesetzes-Erlasse zeigen.[2]

Eng mit der Reproduktionsmedizin verbunden und davon nicht zu trennen ist die *Human-Gentechnologie (Humangenetik).* Sie beschäftigt sich mit Diagnose, Therapie und Veränderung menschlichen Erbgutes. Obwohl dieser Bereich, der zum Teil auch zur Reproduktionsmedizin gehört, viel folgenreicher ist, kommt ihm nicht die gebührende Öffentlichkeit zu, da sich die revolutionären Erfolge in aller Regel still und heimlich in den Labors ereignen. Man kennt bis heute etwa 3 000 – 4 000 Erbkrankheiten, die durch Mutation oder Verlust eines einzelnen Gens verursacht werden. Bis vor kurzem konnte man diese Krankheiten nur an ihren Auswirkungen erkennen, doch heute sind sie mittels

---

[1] Vgl. *B. Merz,* Die medizinische, ethische und juristische Problematik artifizieller menschlicher Fortpflanzung, Frankfurt a. M./Bern/New York/Paris 1991. Eine umfassende Literatur-Sichtung. – *J. v. Ins/P. Grossmann* (Hrsg.), Künstliches Leben – ärztliche Kunst? (= Zürcher Hochschulforum Bd. 12), Zürich 1989. Vgl. ebenfalls den instruktiven Artikel: Invitro-Fertilisation, in: Lexikon Medizin, Ethik, Recht, hrsg. v. *A. Eser/M. v. Lutterotti* u. a., Freiburg i. Br./Basel/Wien 1992, 560 - 582.

[2] Vgl. *H.-L. Günther/R. Keller,* Fortpflanzungsmedizin und Humangenetik – Strafrechtliche Schranken?, Tübingen 1987.

gentechnischer Methoden zum Teil bereits in einem sehr frühen Stadium erkennbar (pränatale Diagnostik), wobei bis anhin ungefähr 300 solcher Erbkrankheiten diagnostizierbar sind.

Das Hauptaugenmerk gilt hierbei der somatischen Gentherapie, d. h. dem Interesse, an ungesunden Genen eines einzelnen Individuums Veränderungen vorzunehmen, wobei es teilweise offensichtlich bereits gelingt, einige solcher Krankheiten, die insbesondere mit den wenig differenzierten Knochenmarkzellen zusammenhängen, zu therapieren (z. B. angeborene Abwehrschwächen, Veitstanz). Es wird hier also die Absicht verfolgt, ein einzelnes Individuum von seinem Leiden so zu befreien, daß die Nachkommen bzw. die menschlichen Entwicklungsformen nicht tangiert werden. Obwohl sich die Reparatur am Erbgut weit schwieriger als erwartet herausgestellt hat, sind einige technische und für den Laien nur schwer durchschaubare Durchbrüche bereits erfolgt. Die Gentechnik in diesem Medizin-Bereich ist weithin unumstritten, und Erfolge erfreuen sich der allgemeinen Zustimmung. Nicht zuletzt auch deshalb richtet sich das Ziel der Forschung vermehrt auf die Veränderung der Keimbahnzellen unter Zuhilfenahme der Embryonenforschung. Bereits liegen in den USA vom Beraterausschuß der Nationalen Gesundheitsinstitute (NIH) die ersten Richtlinien für diesbezügliche Embryonenforschungen zur Genehmigung vor. Daran knüpft die Forschung eine große Hoffnung im Hinblick auf eine dauernde, Defekte behebende Veränderung des Erbgutes.

Ich möchte nun im folgenden nicht alle mit dem kurz umschriebenen Problembereich zusammenhängenden Fragen aufgreifen,[3] sondern nur einen kleinen Ausschnitt daraus, nämlich den der künstlichen Befruchtung und die damit zusammenhängenden ethischen Argumentationstypen prüfen. Das bringt den Vorteil, daß wir an dieser klar umreißbaren Problematik die Argumentationsweisen sehr genau verfolgen, typisieren und auf ihre Kohärenz hin prüfen können. Mit den Argumenten, die hier Anwendung finden und zum Zuge kommen, sind viele andere Probleme, die mit der Biotechnik gegeben sind, ethisch bereits vorentschieden. Ausgangspunkt bildet die «Instructio» der Glaubenskongregation vom 22. Februar 1987, die «auf einige aktuelle Fragen» antwortet, die sich aus der neuesten Entwicklung der Technik auf dem Gebiet der Medizin und der Biologie ergeben.[4] Von dieser lehramtlichen Posi-

---

[3] Vgl. hierzu: *U. Körner* (Hrsg.), Ethik der menschlichen Fortpflanzung. Ethische, soziale, medizinische und rechtliche Probleme in Familienplanung, Schwangerschaftskonflikt und Reproduktionsmedizin (= Medizin in Recht und Ethik Bd. 26), Stuttgart 1992.

[4] Die Unantastbarkeit des menschlichen Lebens. Zu ethischen Fragen der Biomedizin. Instruktion der Kongregation für Glaubenslehre. Mit einem Kommentar von R. Spaemann, Freiburg i. Br./Basel/Wien 1987.

tion lassen sich unter der Perspektive der Argumentationsweise zwei andere Positionen abgrenzen.

A. Ablehnung jeder extrakorporalen Befruchtung (deontologische Position)

Eine kategorische Ablehnung jeder extrakorporalen Befruchtung wird hauptsächlich in der lehramtlichen Doktrin vertreten; dies ist nicht neu, aber in der «Instructio» wieder bestätigt und verschärft worden. Die kategorische, bedingungslose Ablehnung besagt, daß es keinen so wichtigen Grund gäbe, der je eine solche Befruchtung rechtfertigen könnte. Ein solches Tun ist in sich unmoralisch und durch keinen noch so guten Zweck zu rechtfertigen; damit liegt der primäre Grund einer solchen bedingungslosen Verurteilung jeder extrakorporalen Er-Zeugung also weder in den experimentellen Voraussetzungen (etwa in der zusätzlichen technischen Riskiertheit gezeugten Lebens) noch in den möglichen Folgeproblemen, die in einem eventuellen Mißbrauch der Technik liegen könnten. All diesen wichtigen, zusätzlichen Überlegungen voraus ergibt sich nach dieser Position die absolute *Unmoralität* bereits aus dem bloßen Tatbestand, daß der Mensch in den Gesamtzusammenhang menschlicher Zeugung eingreift und technisch trennt, was die Naturordnung innerlich verbindet. Liebe und Zeugung gehören nach dieser Auffassung wesentlich und unlösbar zusammen. Und das Kind sei gerade Erweis und symbolischer Gehalt der inneren Verknüpfung beider Sinngehalte. Daraus wird abgeleitet, daß jede künstliche Befruchtung, ob homologer oder heterologer Art, moralisch verwerflich sei sowie konsequenterweise auch jede Leihmutterschaft. Dies ist im wesentlichen die Kernaussage der «Instructio», deren Argumentationsgang im einzelnen freigelegt werden soll.

1. Kontinuität der Lehre

Bis zu diesem Dokument gab es zu dieser Frage noch kein kohärentes römisches Lehramtsdokument. Doch eine eindeutig ablehnende Haltung läßt sich schon in den fünfziger Jahren, nämlich in der medizinethischen Lehre *Pius XII.* ausmachen, die aber weiter nicht entfaltet ist, jedoch einige deutliche, kategorische Aussagen bezüglich der Reproduktion enthält.[5] Die hier dokumentierte und kohärent formulierte Position ist in die Enzyklika «Humanae Vitae» (1968) eingegangen, welche bekanntlich jede Art der künstlichen Befruchtungsverhinderung verbietet. Ebenso sei daran erinnert, daß *Johannes XXIII.* in «Mater et Magistra» (Nr. 193) sich gegen eine Übertragung von Reproduktionsmodellen aus dem Tierreich auf den Bereich des Menschen aussprach, aus der Befürchtung heraus, hier würde das Menschenbild auf ein untermenschliches Niveau reduziert.

Das Dokument der Glaubenskongregation weist eine eindeutige Kontinuität zu vorausgehenden Äußerungen auf. Wichtig für die Lehrtradition und damit für das letzte Dokument sind folgende drei Thesen von *Pius XII.*, die die Kernaussagen des letzten Dokumentes bilden.

1. «Jede künstliche Befruchtung außerhalb der Ehe ist als schlechthin unsittlich zu verurteilen. Denn die Zeugung neuen Lebens kann nur die Frucht der Ehe sein. Und nur sie, d. h. die Ehe, wahrt die Würde der Gatten (in diesem Fall insbesondere der Frau). Nur sie allein sorgt für sich aus für das Wohl und die Erziehung des Kindes.»
2. «Die künstliche Befruchtung innerhalb der Ehe, hervorgerufen durch das aktive Element eines Dritten, ist ebenso unsittlich. Die Begründung: Die Ehegatten allein haben ein gegenseitiges Recht auf ihren Körper, um ein neues Leben zu erzeugen. Dieses Recht ist ausschließend, unantastbar, unabtretbar und unveräußerlich. Zwischen dem rechtmäßigen Gatten und dem Kind, das Frucht eines aktiven Elementes eines Dritten ist, gibt es kein Band des zeugenden Ursprungs.»
3. «Die homologe Insemination im eigentlichen Sinne ist ebenfalls auszuschließen, sofern dies nur über eine aktive Spermiengewinnung möglich ist.»

Wenn diese drei Thesen mit den Grundsätzen der «Instructio» parallel gelesen werden, erkennt man sehr leicht die materiale Übereinstimmung der Aussagen:

1. «Die heterologe künstliche Befruchtung (d. h. Befruchtung außerhalb der Ehe) widerspricht der Einheit der Ehe, der Würde der Eheleute, der den Eltern eigene Berufung und dem Recht des Kindes, in der Ehe und durch die Ehe empfangen und zur Welt gebracht zu werden. Die Achtung vor der Einheit der Ehe und der

[5] Vgl. *Pius XII.*, Ansprache an die Teilnehmer des IV. Internationalen Kongresses katholischer Ärzte, 25. Sept. 1949, in: AAS 41 (1949) 559. Vgl. neuerdings: *H.-G. Gruber*, Christliche Ehe in der modernen Gesellschaft. Entwicklung, Chancen, Perspektiven, Freiburg i. Br./Basel/Wien 1994, bes. 91ff.

ehelichen Treue erfordern, daß das Kind in der Ehe empfangen wird.» (A, 2)

2. «Die homologe IV (= Invitro-Fertilisation) wird außerhalb des Leibes der Eheleute mit der Hilfe dritter Personen durchgeführt, deren Kompetenz und technische Leistung den Erfolg des Eingriffes bestimmen ... Die Empfängnis Invitro ist Ergebnis einer technischen Handlung, die die Befruchtung vornehmlich bestimmt; sie ist nicht Ausdruck und Frucht eines spezifischen Aktes ehelicher Vereinigung.» (B, 5)
3. «Die homologe künstliche Besamung innerhalb der Ehe kann nicht zugelassen werden, mit Ausnahme des Falls, in dem das technische Mittel nicht den ehelichen Akt ersetzen, sondern ihn erleichtern und ihm helfen würde, sein natürliches Ziel zu erreichen ... Die Masturbation, mit deren Hilfe normalerweise der Same gewonnen wird, ist ein weiteres Zeichen der Trennung (von Fortpflanzung und Liebe).» (B, 6)

2. naturrechtlich-personalistische Argumentation

Unschwer läßt sich in diesen Thesenreihen das Kernargument erkennen, mit dem jede künstliche Geburtenplanung, aber auch die künstliche Befruchtungsförderung durch künstliche Insemination und entsprechend noch strenger jede extrakorporale Befruchtung, verboten wird. Es ist ein naturrechtliches Argument, insofern die personale *Naturordnung* Ausgangspunkt und Maßstab menschlichen Handelns ist. In ihr sind gleichsam Finalitäten angelegt, die der Mensch aufnehmen, aber keinesfalls manipulatorisch, d. h. technisch eingreifend, gestalten kann. Menschlich verantwortliches Handeln ist wenigstens im Bereich der Geschlechtlichkeit und des generativen Verhaltens an die vorgegebene Natur gebunden.

Mit anderen Worten: In der Lehramtsdoktrin wird also unterstellt, daß mit jedem künstlichen Eingriff der Geschlechtsakt in seiner untrennbaren *Sinneinheit* von Liebesausdruck und Offenheit auf Zeugung hin manipuliert werde. Zunächst ist hier einmal festzustellen, daß schon natürlicherweise Geschlechtsakt und Zeugung auseinanderfallen, da der Geschlechtsakt als solcher immer nur dispositiv für Zeugung offen ist. Moraltheologen wenden ein, die natürliche Trennung werde zwar durch die Dazwischenschaltung medizinischer Vorgänge vergrößert, doch werde nur die intentionale Einheit des Paares überbrückt. Man würde hier keinesfalls von einer willkürlichen bzw. unmoralischen Manipulation reden; denn die versagende Natur werde therapeutisch überbrückt.

Die Lehramtsdoktrin schließt offensichtlich von einer statisch aufgefaßten Naturordnung (im Bereich des Geschlechtlichen) auf ein moralisches, kategorisches Verbot. Absicht ist es, die personale Integrität der Eltern wie die des Kindes zu wahren. Das Mittel dazu ist die absolute Wahrung der biologischen Integrität, die allenfalls bei vorliegendem Versagen direkt therapiert werden kann, aber keinesfalls unter Anwendung einer Substitution (z. B. künstliche Befruchtung). Warum nur die absolute Wahrung der körperlichen Integrität die personale Integrität garantieren kann, müßte allerdings erst bewiesen werden. In vielen anderen Fällen nehmen wir substitutive Therapien vor (z. B. künstliche Gelenke usw.), die gerade dadurch gerechtfertigt werden, daß sie im Dienste der körperlichen Integrität und damit der personalen Identität stehen. Selbstverständlich kann man hier darauf hinweisen, es handle sich um die künstliche Zeugung eines Kindes; man nehme ansonsten natürliche Vorgänge technisch in die Hand. Auch wenn solche Bedenken nicht einfach unter den Tisch zu kehren sind, darf dennoch nicht von vornherein unterstellt werden, daß die Technik als solche schon personfeindlich ist. Sie kann es werden. Wann dies allerdings der Fall ist, muß erst gezeigt werden. Und dies erfolgt nicht mit dem Hinweis, daß die künstlichen Methoden trenne, was die Naturordnung verbinde.

3. Zirkuläre Beweisführung

Es scheint, daß wir es hier mit einem «mystischen Personalismus» (*F. Böckle*) zu tun haben – nicht zuletzt eindringlich vertreten durch den Papst selbst –, der jedem Sexualakt zumutet, jegliche instrumentelle Hilfestellung aus der leib-seelischen Einheit verbannen zu müssen. Die Personwürde wird hier eindeutig überstrapaziert, wenn es heißt:

> «Nur die Achtung vor dem Band, das zwischen den Sinngehalten des ehelichen Aktes besteht, und die Achtung vor der Einheit des menschlichen Wesens gestattet eine der Würde der Person entsprechende Fortpflanzung ... Eine außerhalb des Leibes der Eheleute erlangte Befruchtung bleibt gerade deswegen der Sinngehalte und Werte beraubt.» (II B, c)

Gewiß gehört es zur Würde der menschlichen Person, daß sie nicht instrumentalisiert wird. Aber ergibt sich daraus zweifelsfrei, daß jeder Akt zum Egoismus wird, der nicht alle Möglichkeiten der personalen Begegnung aktuell und explizit realisiert? Muß schon jeder Kinderwunsch verdächtig sein, wenn er nach einem Kind trachtet, um es zu lieben und in die Elterngemeinschaft zu integrieren? Selbst wenn zum Entstehen neuen Lebens eine Insemination nötig ist? Auch ein solches

Kind ist niemals Produkt der Technik, sondern es konnte entstehen mit technischen Hilfestellungen!

Das unterstellte Naturverständnis ist hier wie dort höchst bedenklich. Denn der Mensch ist nicht einfach Naturwesen, sondern von Natur aus auf das Überschreiten der Natur angelegt. Menschliche Handlungen sind nicht einfach bloße Naturgeschehnisse, sondern, sofern sie aus Freiheit heraus geschehen, Resultat verantwortlichen Umganges mit Vorgegebenem. Naturphänomene sind nicht normativ, aber sie geben zu denken, insofern sie Indizien sind für einen vernünftigen Umgang. Denn der Mensch ist auf der einen Seite Teil der Natur. Dies verbietet ihm einen hemmungslosen, manipulatorischen Umgang mit seiner Natur; auf der anderen Seite steht er ihr zugleich gegenüber. Lernend zwar von der Natur, interpretieren und gestalten wir die Natur schon immer. Wir tragen ein Projekt an die Natur heran, denn wenn wir über die Menschlichkeit von Naturvorgängen oder über die Natürlichkeit der naturalen Umwelt befinden, tragen wir anthropologische Vorstellungen oder naturphilosophische Vorverständnisse an Vorgegebenes heran. Dies läßt sich leicht an der lehramtlichen Argumentation zeigen: Die Wahrung der körperlichen Integrität bzw. die Wahrung biologischer Funktionen soll die personale Integrität der Ehe und Familie garantieren. Das Projekt der personalen Integrität – und dies ist eine Frage des Leitbildes – wird an die biologische Integrität gebunden. Dadurch erhält die Natur einen *normativen Charakter*. Daß dies so sein soll, bliebe allerdings erst zu beweisen. Hier liegt offensichtlich eine zirkuläre Beweisführung in dem Sinne vor, daß statt eine Norm zu begründen ein moralisches Prinzip aufgestellt wird, das nichts anderes ist als diese Norm selbst. An die Stelle der Argumentation tritt die Tautologie.

Ähnliche Argumentationsweisen finden sich übrigens nicht nur in lehramtlichen Äußerungen, sondern auch bei Naturwissenschaftlern. Es gibt eine Reihe von Naturwissenschaftlern – zum Beispiel der Biochemiker *J. E. Sinsheimer* und der Nobelpreisträger *G. Wald* –, die einen gentechnologischen Eingriff in die Natur mit dem Hinweis ablehnen, Aufgabe des Menschen sei es, die Natur zu erforschen, sich in ihre Harmonie einzuordnen und ihr im Handeln zu entsprechen; die Natur sei Lehrmeisterin und Norm. Abgesehen davon, daß es sich hier um einen unerlaubten Schluß von einem Natur-Sein auf einen Prohibitiv handelt, steht bei dieser Version das Bedenken im Vordergrund, daß der Mensch durch gentechnologische Eingriffe die Natur so verändert, daß er seine Lebensgrundlagen in höchst fahrlässiger Weise zu unterminieren droht. Implizit wird hier offensichtlich von der Option ausgegangen, daß die Natur wesentlich Schutz für den Menschen ist, damit er seiner Lebensgrundlagen nicht verlustig gehe. Inwieweit diese Schutzfunktion der Natur verletzt oder verlassen wird, muß allerdings auch erst ausgehandelt werden. Deshalb kann man wohl nicht im voraus und grundsätzlich z. B. die gentechnische Züchtung von Viren, um die meist tödlich verlaufende Hepatitis-B zu bekämpfen, als der Schutzfunktion der Natur zuwiderlaufend betrachten.

Eng damit zusammenhängend wird das *Recht auf ein Kind* verneint. Jedenfalls ist es kein Recht, das absolut eingefordert werden könne. Einem Paar dürfe technisch-therapeutisch dazu nicht verholfen werden. Die Begründung erfolgt im Zusammenhang allerdings nicht bloß naturrechtlich, sondern überwiegend religiös. Das Kind sei ein Geschenk Gottes und könne nicht als Eigentumsobjekt eingefordert werden. Gehen wir einmal von der Voraussetzung aus, damit wolle der Gedanke deutlich gemacht werden, das absolut verfügende und herrschaftliche Verhalten des menschlichen Zeugungsverhaltens sei Anmaßung, die Durchsetzung dieses Rechtes sei anmaßender Eingriff in das Geschick. Der Gehalt dieses Argumentes birgt in sich ein ideologiekritisches Potential gegenüber einer gesellschaftlichen Grundeinstellung, welche die biologische Fruchtbarkeit zum zentralen Gehalt des Gelingens und Glückens der Frau bzw. des Paares hochstilisiert und andere Felder der sozialen Fruchtbarkeit und Verwirklichung kaum in Anschlag bringt.

Selbst wenn dies alles ideologiekritisch geltend gemacht wird, so stellt sich für die Ethik die Frage, ob es nicht dennoch genügend schwerwiegende Gründe gibt, einen Kinderwunsch beispielsweise durch eine extrakorporale Befruchtung zu erfüllen? Gegen eine Praxis – so die mehrheitliche Argumentation in der Moraltheologie[6] – einem Ehepaar den Kinderwunsch aufgrund von Infertilitätstherapien mittels eigener Keimzellen zu ermöglichen (Invitro-Befruchtung und homologe Insemination) sei solange nichts einzuwenden, als gangbare Alternativen nicht offenstünden (z. B. Frühadoption noch ungeborener Kinder, produktiver Umgang mit dem Schicksal der Kinderlosigkeit usw.). Als «ultima ratio» könne eine medizin-therapeutische Behandlung in den genannten Fällen durchaus in Frage kommen, sofern andere, menschliche Möglichkeiten nicht offen stünden. Es ist nicht zu übersehen, daß es sich hier um eine äußerst delikate Problemsituation handelt, die jedenfalls nicht mit einem kategorischen Prohibitiv entschieden werden kann, sondern des verantwortungsbewußten Abwägens sowohl des Paares wie des Arztes bedarf.

---

6 Vgl. stellvertretend: *J. Gründel*, Theologisch-ethische Beurteilung der extrakorporalen Befruchtung und des Embryotransfers beim Menschen – Gedanken eines kath. Theologen, in: *U. Jüdes* (Hrsg.), Invitro-Fertilisation und Embryotransfer. Grundlagen, Methoden, Probleme und Perspektiven, Stuttgart 1983, 249 - 272; *D. Mieth*, Ethische Grundfragen der Fortpflanzungstechnologie und der Humangenetik, in: Fortpflanzungsmedizin und Humangenetik, a. a. O. 23 - 36.

Auf den Prohibitiv heterologer Befruchtungstechniken wie auch auf das Therapieverständnis in den Lehramtsthesen ist im Zusammenhang mit der zweiten Position zurückzukommen, die zwar Bedenken gegenüber der extrakorporalen Befruchtung äußert, sie aber nicht a priori als verwerflich beurteilt.

B. Bedingte Bejahung unter bestimmten Voraussetzungen

Diese zweite, differenziertere Position ist bemüht, den Rahmen des sittlich Zulässigen abzustecken.

1. Das kulturelle Vorverständnis

Mit der moraltheologischen Tradition und in Übereinstimmung mit einer bis anhin weitestgehend geltenden kulturellen Überzeugung geht diese Position von der kulturellen Übereinkunft aus, daß ein Kind grundsätzlich Frucht und Ausdruck einer dauernden Paarbeziehung sein soll. Es wird von der Überzeugung ausgegangen, daß

1. die soziale und genetische Elternschaft eine Sinneinheit darstellt,
2. das Wohl des Kindes am besten in der dauernden Paarbeziehung garantiert ist,
3. die Kultur von Sexualität und Zeugung hier am besten aufgehoben ist.

Diese Voraussetzungen bedürfen selbstverständlich des tieferen Nachdenkens, da sich naturgemäß eine solche Voraussetzung in einer pluralistischen Gesellschaft der weiteren Nachfrage aussetzt. Hier geht es um das Verständnis von Ehe, Familie, Sexualität, Zeugung, Wohl und Recht des Kindes. Insgesamt handelt es sich hier um Zusammenhänge, die in Gesellschaft und Theologie auf dem Prüfstand stehen. Die allmähliche Entwicklung der technologischen Umsetzung der wissenschaftlichen Möglichkeiten führen aber unverkennbar gerade hier zu Verschiebungen in der Wertorientierung.

> «Der Kern der Verschiebung der Wertorientierung in der Elternschaft liegt also entweder in der Instrumentalisierung anderer einschlägiger Werte oder aber in der Kompensierung durch die

Intensität des sich immer stärker individualisierenden Kinderwunsches.»[7]

Diese Verschiebung, die nicht bloß unter der Hand eine Umdefinition der Wertorientierungen vornimmt, sondern auch die Verantwortungspraxis verändert, muß – wie dies auch beurteilt wird – zur Kenntnis genommen werden. Nicht immer hat man den Eindruck, daß auf gesellschaftlicher und ärztlicher Seite, die Verschiebung kultureller Vorverständnisse genügend zur Kenntnis genommen wird.

Auch wer – wie diese Position – von der Voraussetzung der Integrität von Ehe und Familie ausgeht, wird dennoch grundsätzlich daran zweifeln, ob im Eingriff der extrakorporalen, homologen Befruchtung und einer nachträglichen Reimplantation die ganzmenschlich-personale Sinneinheit zerstört bzw. widersittlich manipuliert wird, sofern eine Sterilität bei der Frau nicht anders zu beheben ist. Man kann darauf hinweisen, daß es sich bei dieser Fertilitätsbehandlung um eine subsidiär-therapeutische Maßnahme handelt, die eine biologische Störung behebt. Zu präzisieren ist, daß eine Funktionsstörung nicht behoben, sondern technisch ersetzt wird. In der Tat liegt hier – analog zur Erweiterung des Totalitätsprinzipes – eine Erweiterung des Therapiekonzeptes vor. In einer offiziösen, römischen Erklärung zum Dokument heißt es denn auch kritisch: «Die Befruchtung im Reagenzglas ist kein Akt der Therapie. Man ersetzt nur den persönlichen Akt der Zeugung. Und dieser Ersatz ist unerlaubt.»

Zunächst einmal ist zu konzedieren, daß es sich bei der extrakorporalen Befruchtung nicht um eine Kausaltherapie im strengen Sinne handelt. In der Kausaltherapie entscheidet jemand für sich über Inkaufnahme oder Nicht-Inkaufnahme von unvermeidlichen Risiken, die grundsätzlich der Rechtfertigung unterliegen. Anders im vorliegenden Fall. Nebst dem Risiko, das die Frau eingeht, ist insbesondere ein nichtbeteiligter Dritter betroffen, nämlich der Embryo. Zwar setzen sich Eltern einer stressenden Situation aus, insbesondere die Frau – die Laparoskopie bleibt ein riskantes Vorgehen –, aber dennoch kann dies mit dem Gut des Embryos nicht unmittelbar verrechnet werden. Nun kann eingewendet werden, daß die Riskierung neuen menschlichen Lebens innerhalb der natürlichen Risikomarge liegt, wenn man die Spontanaborte bei der natürlichen Zeugung (bis zu 70 %) in Anschlag bringt. Und von einer künstlichen Methode ist keine größere Sicherheit zu erwarten. Dennoch ist mit diesem Argument das Bedenken nicht vollständig ausgeräumt. Die *natürliche Riskiertheit* der befruchteten Eizelle hat den Grund mit ziemlicher Sicherheit in irgendwelchen chromosomalen Abweichungen; hier hingegen ist das provozierte Risiko an die Unvoll-

[7] Vgl. *D. Mieth*, Ethische Grundfragen, a. a. O. 25.

kommenheit einer therapeutischen Methode gebunden. Das Argument verschlägt nicht ganz, man würde hier bloß Naturvorgänge nachahmen. Wenn wir dies tun, dann im allgemeinen, um die Risiken der Natur zu verringern. Selbst wenn der Invitro-Fertilisation von Moraltheologen ein subsidiär-therapeutischer Charakter unterstellt wird und damit gerechtfertigt wird, so bleibt m. E. die Frage dennoch nicht befriedigend beantwortet, ob der Kinderwunsch die bewußte, künstliche Risiko-Aussetzung beginnenden menschlichen Lebens begründen kann.

Noch auf einer anderen Ebene ergibt sich ein Problemüberhang. Die Medizin kennt im Hinblick auf Krankheit und Gesundheit pragmatische Standards, die zwar auf metatheoretischer Ebene immer wieder diskutiert und problematisiert werden, aber unter der Hand im Zuge des Zuwachses an technischen Möglichkeiten eine Grenzverschiebung erfahren. Die Reproduktionsmedizin stellt ein besonders sprechendes Beispiel für eine solche Verschiebung dar, insofern hier eine körperliche Behinderung des Kinderwunsches zwar als ein körperlicher Defekt angesehen wird, der aber dennoch nicht im klassischen Sinne als Krankheit deklariert werden kann. Die Therapiebedürftigkeit erfährt ihre Rechtfertigung nicht unmittelbar über einen körperlichen Defekt, sondern über ein besonders intensiv wahrgenommenes Bedürfnis, das nicht so sehr in einer körperlichen Integrität, sondern in einer bestimmten persönlichen (und gesellschaftlichen) Wertvorstellung gründet. Damit werden zur Festlegung der Therapiebedürftigkeit zusätzliche Kriterien herangezogen, wie dies in anderen Randgebieten der Medizin (z. B. in der Wiederherstellungs-Chirurgie) ebenso der Fall ist, einmal davon abgesehen, daß damit der Blick auf die Ursachenproblematik verstellt werden kann. Deren Parameter sind viel weniger «naturwissenschaftlich» zu objektivieren, sondern unterliegen vielmehr der rechtfertigenden Wertorientierungs-Diskussion. Und die Frage ist dann, wie weit es Sinn macht, ein anerkanntes (persönliches) Bedürfnis den gleichen Behandlungsgarantien zu unterwerfen, wie sie für andere Bereiche gelten (z. B. bei Diabetes). Das primäre Problem besteht darin, daß diese Verknüpfung zwar nicht neu ist, aber in seiner Intensität anders zur Kenntnis genommen werden muß als dies im «Normal-Bereich» der Medizin der Fall ist. Damit stoßen wir hier in einen Bereich vor, der vom dritten Argumentationstypus besonders kritisch betrachtet wird.

2. Der therapeutische Zweck setzt ethische Grenzen

Unter der Voraussetzung der Integrität von Ehe und Familie bzw. unter der Voraussetzung ihrer essentiellen Einheit verlieren künstliche Befruchtungsmaßnahmen den streng therapeutischen Charakter, wenn sie die Behebung bzw. Überbrückung einer funktionalen Störung eines homologen Zusammenhanges überschreiten. Mit anderen Worten: Je mehr man sich von den die personale Beziehung stützenden Maßnahmen entfernt, hin zu rein biologischen Substitutionen (Heterologe Befruchtung, Leihmutterschaft, Kryokonservierung zwecks Implantation usw.), desto mehr verlieren sie ihre ethische Legitimität. Man braucht dieses Argument, um ihm eine Plausibilität zu geben, nicht bloß «institutionell» zu fassen, sondern man kann es auf der personalen Ebene reformulieren. Das Menschenbild, das in einer christlichen und humanistischen Tradition wurzelt, geht davon aus, daß Person und personale Beziehungen voneinander nicht zu trennen sind. Wenn personale Beziehungen in der Geschlechts- und Lebensgemeinschaft eine Bedeutung für den Aufbau der Identität haben, dann sind die fundamentalen Seinsweisen wie Mutterschaft, Vaterschaft und Kindsein, die sich wesentlich «kommunikativ» verstehen, nicht beliebig reduzierbar auf biologische Vorgänge. Sie sind dann als solche nicht mehr identifizierbar und können daher auch nicht bewußt integriert werden, weil sie in der Anonymität des Technischen verbleiben. Durch eine noch so gute Absicht können nicht alle technischen Vorgänge «personalisiert» und nachträglich in den Intimraum der Person integriert werden.[8] Von daher gesehen wird jede reine biologische Vaterschaft, eine «delegierte Mutterschaft» ethisch problematisch, aber auch das Kindsein, das keine identifizierbaren Eltern zu seinem Ursprung hat.

Auf die anthropologische Voraussetzung des homologen Zusammenhangs bezogen, ist klar genug zu sehen, daß diese in einer pluralistischen Gesellschaft kaum einhellige Zustimmung erfahren wird, und daß sie erst recht nicht auf der Ebene des Rechts durchgesetzt werden kann. Aber an die Gesellschaft ist die Frage zu richten, wie viel wert ihr die monogame Paarbeziehung bzw. die Einbindung des Kindes in diese Beziehungsstruktur wert ist. Selbst wenn sich der Gesetzgeber in die Kontinuität dieser anthropologischen Voraussetzung stellt, so kann er

---

[8] Vgl. die immer noch sehr lesenswerten Erwägungen von *K. Rahner*, Zum Problem der genetischen Manipulation aus der Sicht des Theologen, in: Menschenzüchtung. Das Problem der genetischen Manipulierung des Menschen, hrsg. v. *F. Wagner*, München 1970[2], 135 - 166. Die menschliche Person muß «eine ihre gemäße ‹kategoriale›, raumzeitliche Erscheinung und Greifbarkeit haben, soll sie nicht in die Daseinsvergessenheit verdrängt und dann im Grunde von der Freiheit des Menschen verneint werden. Nun ist aber der Mensch in einer bestimmten Hinsicht am meisten dort der Freie, wo er nicht einen ‹Gegenstand›, sondern – den anderen zur Freiheit Berufenen setzt. Soll er sein Wesen sich nicht verbergen und es verfehlen, dann muß aber auch die dialektische Gegenposition seiner Freiheit deutlich in Erscheinung und Vollzug treten. Das bedeutet aber konkret: Die Freiheit der Bestimmung eines anderen muß auch ebenso hart und radikal das Geschick bleiben, das man nicht auswählt, sondern annimmt ... Der andere Mensch muß das Getane und der Angenommene sein und bleiben» (S. 157).

m. E. dennoch mit guten Gründen Ausnahmen zulassen (zu denken ist in begründeten Fällen an die heterologe Insemination), vorausgesetzt wäre dann allerdings, daß die Gesellschaft homologe Zeugungszusammenhänge und damit die monogame Paarbeziehung höher einschätzt als heterologe. Dies würde dann aber auch bedeuten, daß heterologe Fertilisationspraktiken in rechtlicher Hinsicht weit größerer Regelung und Kontrolle unterworfen werden müssen, nicht zuletzt, um einen unerwünschten Dammbrucheffekt zu vermeiden. Freilich kann es hier keine Patentrezepte geben, denn die jeweiligen Lösungen sind nur als Prozesse zu denken, in denen soziale Interessengruppen eine «Wertepolitik» betreiben, in der man sich über die moralische Problematik neu entstandener Handlungsmöglichkeiten verständigt und eine Wertorientierung schafft, die eine rechtlich angemessene Regelung zuläßt.

3. Legitimität der Zwecke – Legitimität der Mittel

Im Falle der Invitro-Befruchtung, die von dieser Position unter den genannten Bedingungen akzeptiert wird, kann allerdings die Vorgeschichte des Verfahrens moralisch angefochten werden. Denn das heutige optimale, aber dennoch nicht unriskante Verfahren basiert – so wird argumentiert – auf ethisch fragwürdigen Experimenten. Zwecks günstiger Festlegung der Bedingungen wurden verbrauchende Experimente an menschlichen Embryonen vorgenommen; Eizellen wurden befruchtet, aber nicht implantiert. An diesen Versuchen bleibt eine ethische Fragwürdigkeit haften, auch wenn der Grundsatz «abusus non tollit usus» auf die nachträgliche Praxis angewendet wird. Auch wenn der vorgängige Mißbrauch nicht den nachträglich ethisch richtigen Gebrauch disqualifiziert, so darf man es nicht bei dieser Feststellung bewenden lassen. Der Teufelskreis der problematischen Vorgeschichte ist auch beim derzeitigen Stand der Technik nicht aufzubrechen. Man kann kaum die jetzige Technik akzeptieren und die Forschung zur Verbesserung der Methoden verbieten, die den menschlichen Embryo immer einer hohen, technisch erzeugten Riskiertheit aussetzen. Es ist abzusehen, daß der Stand der Technik nicht auf einem gewissen Niveau eingefroren werden kann, sondern daß die immanente Logik nach «verbesserten» Methoden ruft. Auf einer grundsätzlichen Ebene heißt dies, daß nicht bloß die Zulässigkeit der Zwecke zur Diskussion steht, sondern gleichursprünglich auch die Mittel zu deren Realisierung. Dies ist genau ein Punkt, der mitunter zu wenig gesehen wird. An die Mittel- und Methodenwahl sind ethischerseits genau die gleichen Kriterien zu stellen wie an die Legitimierung bestimmter Zwecke: Offenlegung der Interessen, Offenlegung der implizierten Wertorientierungen, Offenlegung der Wirkungen und Folgen. Sie sind genau so gegenüber künftigen Generationen zu verantworten wie die Zwecksetzungen selbst.

C. Ablehnung aufgrund nicht-gerechtfertigter Zwecke

Die Lehramtsposition begründet die Ablehnung naturrechtlich; die zweite Position argumentiert mittels moralischer Wertannahmen; die dritte Position kommt zu einer ablehnenden Haltung aufgrund von sozialen und gesellschaftlichen Rahmenbedingungen, in denen die Techniken angewendet werden. Stellvertretend für das Argument aus den sozialen Rahmenbedingungen sei *A. Teichmann* zitiert:

> «Eine erfolgreiche Sterilitätsbehandlung, und schon gar auf dem Wege der extrakorporalen Befruchtung, ist mit einem immensen personellen und materiellen Aufwand ... verbunden. Die Frage, ob mit dem hier eingesetzten Potential nichts sinnvollerweise anderes getan werden könnte, zum Beispiel die Intensivierung der Erforschung bis heute noch unbefriedigend oder nicht heilbarer Erkrankungen, die Hilfe, welche wir Notleidenden in unserem eigenen Land, vor allem aber in den Ländern der Dritten Welt schulden, ist mit einiger Berechtigung zu stellen.»[9]

In der gleichen Linie, aber pointierter schreibt *O. Höffe*:

> «In einer Welt der Überbevölkerung, der Geburtenkontrolle und der Unterernährung muß man diesen Aufwand schon eine biologische Eitelkeit und einen biologischen Luxus nennen. Angesichts der vielen geborenen, aber elternlosen Kinder wäre eine Adoption weit sinnvoller.»[10]

Stellvertretend für das Argument aus den gesellschaftlich-technischen Rahmenbedingungen meint *A. Flöhl*:

> «Die derartige Erfüllung eines Kinderwunsches ist Zweckmoral und charakteristisch für das unheilvolle Bündnis zwischen Ärzten und Patienten, das die Medizin stärker korrumpiert hat als all die Angriffe ihrer Feinde. Auf einer solchen Mesalliance beruhen letztlich auch die Erfolge, ja der Siegeszug der naturwissenschaftlich orientierten Reparaturmedizin, die gleichermaßen den Erwartungen von Ärzten und Patienten entgegenkommt, die aber

---

9 Vgl. *A. T. Teichmann*, Darf der Arzt «Dritter im Bunde» sein?, in: Biotechnik – Gentechnologie – Reproduktionsmedizin, hrsg. v. *H.-G. Wehling*, Stuttgart 1988, 136.

10 *O. Höffe*, Sittlich-politische Diskurse, Frankfurt a. M. 1981, 240.

dennoch die Heilkunde allmählich unmenschlich und unbezahlbar werden ließ.»[11]

Solche und ähnlich Argumente ließen sich ohne weiteres aufführen. Ich möchte aber auf eine grundsätzliche Überlegung überleiten. Jede dieser Positionen schließt eine normative Voraussetzung, d. h. ein bestimmtes Menschenbild bzw. eine Lebensweise mit ein, was jeweils gerade auf dem Prüfstand steht. Die erste Position geht von der Natur aus, die der technischen Verfügbarkeit absolute Grenzen setzt. Sie setzt sich aber dem Vorwurf aus, eine schon immer interpretierte und damit historisch kontingente Natur zu verabsolutieren. Allerdings besitzen wir hier einen unerschütterlichen Damm gegen die selbst inszenierten technischen Bedrohungen. Die zweite Position geht von anthropologischen Prämissen aus, d. h. von kulturellen Übereinkünften bezüglich Ehe, Zeugung, Sexualität. Und schließlich setzt die dritte Position eine Lebensweise und eine Wertposition voraus, die erst begründet und der erst zur *Akzeptanz* verholfen werden muß.

Humanbiologie und Medizin gehen in aller Regel davon aus, daß Krankheiten und Defekte zu heilen sind, und daß dem Menschen nicht zu schaden ist. Diagnostische wie therapeutische Eingriffe werden mit dem Grundsatz der Heilung und der Vorbeugung gerechtfertigt. Das heißt, daß ihre Vorschläge zur Unterscheidung zulässiger und unzulässiger medizinischer und gentechnischer Eingriffe in die Natur die gesellschaftliche Unterscheidung in gesund und krank spiegelt. Demnach bewegt sich das technische Niveau und seine Anwendung auf der Ebene der Erhaltung, Reparatur und Steigerung der Lebensqualität. Es wird hier eine *quasinormative Voraussetzung* gemacht, die gerade plausibel gemacht werden müßte.

Wir bewegen uns insofern in einem «circulus vitiosus», als das Konzept «Gesundheit» die grundsätzliche Legitimität der Technisierung der Medizin liefert. Gesundheit rangiert aber in unserer Gesellschaft an der Spitze der Werthierarchie. Vielleicht ist es nicht abwegig zu sagen, daß, wenn die Deutung des Sinnes von Leben und Leiden weitgehend unverbindlich wird, dann die Sicherung des Lebens, Erhaltung und Herstellung von Leidfreiheit einen zentralen Stellenwert erhält. Unter diesen Voraussetzungen scheint die Herstellung von Gesundheit beinahe jede «Unnatürlichkeit» zu rechtfertigen. Die Medizin etabliert Techniken, die zwar augenscheinlich im Dienste des Menschen stehen, aber doch jener Sichtweise entsprechen, die wir gesellschaftlich etablieren. Hier schließt sich nun der Zirkel.

Wie will man allenfalls eine Selbstbegrenzung der Wissenschaft fordern, von der wir andererseits Stützung und Förderung der Lebensqua-

[11] In: «Die Zeit» vom 13.08.86.

lität und Heilung von Krankheit fordern? Wie einfach sich das Prinzip der Therapie anhört, so problematisch erscheint es bei näherem Zusehen. Es beruht auf Vorverständnissen bezüglich Leben und Lebensweisen, die erst begründet, kritisiert oder verworfen werden müßten. Solche Konzepte erfüllen offensichtlich eine wichtige symbolische und regulierende Funktion. Sie bestimmen Bewertungen, Erwartungen und Motive. Sie sind auch viel wirksamer als die in Moral und Recht ausformulierten Normen. Von daher gesehen ergibt sich die Aufgabe, Krankheit bzw. Gesundheit neu zu problematisieren und von daher ärztlich legitimes Handeln festzulegen. Doch an welchen Kriterien will man sich orientieren?

Es sind viele Möglichkeiten denkbar. Kein Kriterium, aber einen entscheidenden Hinweis erhalten wir von der Natur selbst. Ihre Botschaft ist es – dies ist jetzt ein emphatischer Begriff –, daß auch menschliches Leben unverkennbar mit Vielfalt, Abweichungen und Krankheiten verknüpft ist. Ihre Botschaft scheint zu sein, daß wir uns auf eine notwendigerweise unvollkommene Natur einzurichten haben. Selbstverständlich kann diese Unvollkommenheit kein ethisches Argument sein, um Techniken zu beschränken. Das wäre wiederum schlechter Naturalismus. Aber dennoch wird sich die Frage stellen, wie wir diesen starken Hinweis in einem Projekt über den Menschen verarbeiten. Solange nicht grundsätzlich über Gesundheit und Krankheit, Lebensqualität und Lebenseinbußen öffentlich nachgedacht wird, solange werden wir wohl auch keine Handhabe bereit haben, um den berechtigten Befürchtungen, die mit der Reproduktionsmedizin gegeben sind, entgegenzutreten!

Teil III

Zweiter Themenkreis

I. Ein Recht auf den freigewählten Tod? Ethische und theologische Überlegungen

A. Situierung des Problems

Seit dem Beginn der Neuzeit wird das menschliche Leben zunehmend erfahren als zur eigenen verantwortlichen Gestaltung aufgegeben. In dem Maße, als Welt- und Selbstgestaltung als Aufgabe erkannt und aus dem Kosmos tradierter religiöser Weltanschauung herausgelöst werden, in dem Maße rückt auch die Frage nach der eigenen Todesverantwortung in den Horizont menschlicher Freiheitsverantwortung. Am deutlichsten erklärten Vertreter der Aufklärung die Selbsttötungsproblematik zum Prüfstein autonomer Freiheit, weil es zum Signum menschlicher Freiheit gehöre, möglicherweise «frei zum Tode» sterben zu können.[1]

Die Selbsttötungsproblematik gewinnt allerdings erst mit dem wissenschaftlich-technischen Fortschritt im Umkreis der Sozial- und Humanwissenschaften über diese doch eher theoretische Fragestellung hinaus eine ausgeweitete Aktualität, insofern in mancherlei Hinsicht die Determinanten menschlichen Lebens durchschaubarer geworden und demnach auch die Eingriffsmöglichkeiten gewachsen sind. Nicht zuletzt auch unter dem Eindruck dieser Möglichkeiten erscheint menschliches Leben prinzipiell verfügbar, denn längst haben Experimentalmedizin und Humanmedizin die Tabugrenzen verschoben. Wie nie zuvor scheint der Mensch aus verfügtem Geschick herausgehoben und sich in einer kaum dagewesenen Radikalität selbst zugelastet zu sein. Weil vieles aus dem Bereich des Fatums herausgehoben und transparent geworden ist, wächst dem Menschen ein größeres Verantwortungspotential zu.

Diese Grunderfahrung, die wohl in das allgemeine Bewußtsein eingegangen ist, evoziert eine doppelte Sensibilität, nämlich für Lebensqualität und für Grenzen des Lebens. Die eine zielt auf Lebensförderlichkeit auf allen Gebieten: im Bereich der Gesundheit, der Umwelt, der zwischenmenschlichen Beziehungen und der gesellschaftlichen Verhältnisse. Die andere Sensibilität – gleichsam als der einen Kehrseite – zielt auf die Frage, ob sich der Mensch beim Verlust der Lebensvitalität, bei

---

[1] Vgl. *J. Donne*, Biothanatos, London 1646, hrsg. v. *J. W. Hebel*, Facsimile Text Society, New York 1930; *C. Montesquieu*, Lettres persanes, Köln 1721, ed. in: Edition critique, hrsg. v. *A. Adam*, Genève 1954.

aufgezwungener und unausweichlicher Not und Bedrängnis seiner selbst entheben dürfe. In diesem Sinne hat sich die alte ethische Frage nach der Berechtigung der Selbsttötung von der Grenzfallproblematik emanzipiert; sie verbindet sich gebieterisch mit der Frage, wie weit und ob es sinnvoll ist, bei begrenzter Wahrnehmung der Grundbedürfnisse beschädigtes oder verlöschendes Leben durchzuhalten.

In diesem Kontext urgieren verschiedene Vereinigungen ein «Recht auf den eigenen Tod» (z. B. die EXIT-Vereinigungen). Die Einforderung dieses Rechts formuliert sich vornehmlich auf dem Hintergrund jener sozialen und gesellschaftlichen Situation, in der zwar wissenschaftlicher und technischer Fortschritt zur Steigerung der Lebensqualität beigetragen haben, aber dennoch bei vielen Menschen Verwundungen zurücklassen, weil sich diese Fortschritte schließlich als Sperre gegen die eigene Ich-Entfaltung kehren. In diesem Zusammenhang geht es nicht bloß um die Frage, ob sich ein schwer versehrter Mensch im terminalen Stadium den Tod geben kann, sondern auch um die Frage, ob das Leiden an der Gesellschaft und der daraus resultierende gebrochene Lebenswille zur Lebensbeendigung berechtigt. Manche sind der Meinung, gesellschaftliche Lebenssituationen erzeugten ein «suizidales Klima», in dem sich für einzelne der Suizid als einzige Möglichkeit der Rettung der eigenen Freiheit anerbiete. Der Suizid also als letzter, wenn auch verzweifelter Weg, seine Identität über die Zwänge hinaus in einem Akt der Freiheit zu retten!

Nun werden Diskussionen über das Verfügungsrecht meist abstrakt geführt. Die im Kontext der Suizidproblematik angeführte Gründe und Gegengründe bleiben oft im «luftleeren Raum» und sind solange unvollständig, als sie nicht mit dem Wissen um die pathologischen und tragischen Dimensionen des Suizidphänomens erweitert werden.[2] Schon allein die Tatsache, daß Suizidgefährdete die Frage nach der Selbstverfügung im allgemeinen anders einschätzen als diejenigen, welche nicht unmittelbar tödliche Gedanken tragen, mahnt zur Vorsicht, die suizidale Lebensnot nicht mit abstrakten Argumenten zu verfremden. Suizidgefährdete schlagen viel eher adaptive Lösungen vor, die

---

[2] Ein Markstein in der psychologisch-empirischen Suizidforschung ist die Entdekkung des «präsuizidalen Syndroms» von: *E. Ringel*, Der Selbstmord. Abschluß einer krankhaften psychischen Entwicklung, Wien/Düsseldorf 1953; vgl. auch *Ders.*, Selbstmord. Appell an die anderen, Gütersloh 1989[4]. Dieser Ansatz erwies sich bis heute als äußerst fruchtbar. Vgl. *R. Battegay*, Autodestruktion, Bern 1988; *R. V. Clarke/D. Lester*, Suicide. Closing the Exits, Berlin 1989; *A. Finzen*, Suizidprophylaxe bei psychischen Störungen, Bonn 1992[3]; Grenzgänge zwischen Selbstzerstörung und Selbstbewahrung. Suizidprävention als Hilfe in Lebenskrisen, hrsg. v. *R. Freytag*, Hildesheim 1990; *T. Haenel*, Suizidhandlungen. Neue Aspekte der Suizidologie, Berlin 1989; *A. Knapp*, Der Suizid – Selbstmord und Selbstmordversuch, Frankfurt a. M. 1991.

ihnen das Weiterleben garantieren, während «Gesunde» viel eher bereit sind, in mißlicher Lage das Leben aufzugeben.

1. Der human- und sozialwissenschaftliche Zugang

Das Material der empirischen und medizinischen Forschung zeigt deutlich, daß die Vorstellung vom Menschen, der in Freiheit und in klarer Bilanz ein ihm unerträglich oder sinnlos gewordenes Leben von sich stößt, in den allermeisten Fällen nicht zutrifft.[3] Menschen mit suizidalem Verhalten sind mit überdurchschnittlichen äußeren und inneren Schwierigkeiten konfrontiert. Sie sind in der Regel in einer Situation, in der sie paradoxerweise am Leben festhalten möchten, aber es unter den gegebenen Umständen nicht können. Werden diese Ergebnisse auf den konkreten Einzelfall angewendet, ist zu berücksichtigen, daß dem handelnden Individuum nur in dem Maße Verantwortung zukommt, als Handlungsfähigkeit und Entscheidungsfähigkeit gegeben sind. Jenseits von subtilen Unterscheidungen um Krankheit und Freiheit muß doch wohl davon ausgegangen werden, daß Suizidgefährdete und Suizidwillige in aller Regel nicht imstande sind, am Leben festzuhalten, und daß es enormer pathologischer Tendenzen bedarf, um die vitalen Antriebskräfte zu überwinden. Es zeigt sich deutlich, daß sich die Mehrzahl suizidal Handlungswilliger in einem außergewöhnlichen Zustand befindet, der einen drängenden, mehr oder weniger zwingenden Einfluß ausübt, so sehr, daß es als höchst fraglich erscheint, ob hier überhaupt noch von einem Freiheitsakt gesprochen werden kann.[4]

Oder anders formuliert: Die weitaus meisten Suizidanten haben die Willensfähigkeit verloren, Wertinhalte erfassen und sie in eine positive Gesamtausrichtung der Persönlichkeitsentfaltung integrieren zu können. Die emotionale und intellektuelle Wahrnehmungsfähigkeit erfährt eine Einengung solcher Art, daß es nicht gelingt, Kräfte, Werte und Neigungen zur positiven Stützung des Lebensentwurfes zu nutzen. Verstehen wir Freiheit nicht so sehr als Freiheit der Wahl, sondern als jene Fähigkeit, zu sich selbst Distanz gewinnen, Kräfte begreifen zu können, denen man unterworfen ist, aktiven Anteil am Lebensgeschick gewinnen und eine Lebenskonsequenz auch unter veränderten Umständen

---

3 Vgl. *T. Haenel*, Suizidhandlungen, a. a. O. (Einleitung).

4 Dies schließt aber die Erfahrung nicht aus, daß nicht jede suizidale Handlung Symptom einer Krankheit ist. Die suizidale Psychodynamik kennt unterschiedliche Intensitätsgrade und verschiedene Übergänge ins Normalpsychologische. Dies wirft die sehr schwierige Frage nach der Respektierung des «Selbstbestimmungsrechtes» des Betroffenen im Rahmen der Suizidprophylaxe auf, weil nicht selten auch stellvertretend Entscheide zum Wohle des Patienten getroffen werden müssen. Vgl. *G. Sonneck*, Krisenintervention und Suizidverhütung, Wien 1991[2].

durchhalten zu können, dann ist von der Tatsache auszugehen, daß die allerwenigsten Suizidanten diese Fähigkeit noch besitzen.

Wer in dieser Perspektive den Umgang mit der Freitodproblematik lediglich für eine Sache der richtigen Argumente hält, verfehlt die eigentliche Genese der «Freitodproblematik», wenn er nicht auch auf die ursächliche Entstehung der Suizidproblematik eingeht. Die Frage nach Gebot und Verbot – die strikt ethische Frage – geht dann an der Situation der Betroffenen vorbei, wenn nicht auch die verursachenden Momente miteinbezogen werden.[5] Mit der Beantwortung der Frage, ob man seinem Leben ein Ende setzen dürfe oder nicht, ist ein konstitutives Element der Suizidproblematik, nämlich die soziale Problematik und die individuelle Genese des Freitodes, nicht gelöst. Die einseitige Fokussierung bringt bestenfalls eine Moralisierung bzw. Entmoralisierung des Suizidaktes, aber eine Verdeckung der pathogenen sozialen Faktoren. Eine Ethik, die nicht gleichzeitig auch die Ursachen im Blick hat, die zu suizidalen Belastungen führen, verfehlt ihren Ansatz. Hier kann sie nur die Wissenschaften unterstützen, die soziale, medizinische und pastorale Praxis zu beraten versuchen.

2. Gesellschaftliche Haltungsbilder

Eine gründliche und ernsthaft geführte Diskussion über die grundsätzliche Selbstverfügungsmöglichkeit des Menschen ist notwendig, obwohl sie von den unmittelbaren Handlungskonditionalitäten abstrahiert und den allgemeinen Aspekt der sittlichen Qualifikation der Selbsttötungshandlung in den Vordergrund rückt. Denn sie kann das Anschauungsklima und das soziale Haltungsbild im Umgang mit dem Leben mitbestimmen und langfristig gesehen doch einen entscheidenden Einfluß auf das suizidale Klima ausüben. Erinnerlicherweise hat beispielsweise Goethes Werther-Roman eine Vielzahl Jugendlicher zur Nachahmung angehalten; nicht anders üben Bücher mit präzisen Angaben über tödliche Dosierungen von Medikamenten eine analoge Faszination aus. Wie immer man solche Imitationsreize und Rezepte zu beurteilen hat, sie machen doch deutlich, daß sie die Einstellung zum Leben gleichsam atmosphärisch mitbedingen und das suizidale Klima mitbeeinflussen können.

[5] Vgl. *D. Mieth*, Die neuen Tugenden. Ein ethischer Entwurf, Düsseldorf 1984, 94ff.

Zudem geraten die fachwissenschaftlichen Erörterungen an ihre Grenzen, wo es um die Bestimmung des Menschen im ganzen geht, und daraus hervorgehend um die sittliche Frage, was der Mensch angesichts seines Könnens darf und was nicht. Wie notwendig zwar die empirischen Zugänge den Rahmen menschlichen Gelingens abstecken, wie hilfreich hier Blockierungen und Ursachen suizidaler Entwicklungen aufgezeigt werden, so ist aber dennoch nichts darüber entschieden, was dem Menschen an Moralität verbindlich auferlegt ist. Und gerade weil es eine Auszeichnung des Menschen vor allen anderen Lebewesen ist, über sich selbst de facto radikal in Verantwortung bestimmen zu können, stellt sich die Frage nach Sinn und Grenze des Selbstverfügungsrechtes gleichsam auch als *Sinnfrage*. Jenseits von Handlungskonditionalitäten und jenseits von allen Pathologien stellt sich für den reflektierenden Menschen die Sinnfrage, wie weit es ihm zusteht, auch über seine Existenz im ganzen bestimmen zu können. Wenn *A. Camus* der Meinung ist, daß es nur ein wirklich ernstes philosophisches Problem gebe, nämlich den Selbstmord,[6] dann bringt er mit einem gewissen Recht zum Ausdruck, daß sich in der Freitodproblematik gleichsam nur der Ernstfall menschlicher Sinnproblematik zeige.

B. Die Selbsttötung in ethischer Bewertung

Der Begriff «Selbsttötung» deutet darauf hin, daß die Reflexion über das Suizidphänomen unter einem anderen Gesichtspunkt erfolgt.[7] Während die empirischen Zugänge der Suizidologie nach Dynamik, Entwicklung, Ursachen und Gesetzlichkeiten der Suizidalität fragen, beschäftigt sich die allgemein-ethische Fragestellung mit der sittlichen Qualifikation der Selbsttötungshandlung. Die ethische Betrachtungsweise geht in einem gewissen Sinne auf Distanz, abstrahiert von den Konditionalitäten, die das sittliche Subjekt beeinträchtigenden und fragt nach den allgemeinen Sittlichkeitskriterien, die über den Einzelfall hin-

---

[6] Vgl. *A. Camus*, Der Mythos des Sisyphos. Ein Versuch über das Absurde, Reinbek 1988.

[7] Fachwissenschaftlich hat es sich eingebürgert, dann von Suizid zu sprechen, wenn damit die Selbsttötung in ihrer human- und sozialwissenschaftlich erfaßbaren Seite gemeint ist. Weitgehend wird auf den Begriff «Selbstmord» verzichtet, da hier – wenigstens mit der Wortverbindung, aber nicht unbedingt in der Alltagssprache – bereits ein Werturteil gefällt wird.

ausgehen. Selbst wenn sich die Begründungsfragen der philosophischen und der theologischen Ethik berühren, erscheint es dennoch sinnvoll, die Sittlichkeit der Selbsttötung im rein weltimmanenten Kontext und unter der Voraussetzung des Glaubens zu betrachten.

1. Selbsttötung in philosophischer Sicht

Nicht ohne Grund hat die Tatsache, daß der Mensch sich selbst den Tod geben kann, in der ethischen Tradition eine eigenartige Faszination, aber auch ein «existenzielles Schaudern» (*K. Jaspers*) bei Menschen aller Zeiten hervorgerufen. Es ist nicht verwunderlich, daß die ethische Bewertung der Selbsttötung seit der Antike eine eigenartige Zwiespältigkeit und Dialektik aufweist.[8] Auf der einen Seite wird die Selbsttötung als Tat völliger Unfreiheit entschuldigt oder dann als Tat höchster Freiheit glorifiziert. Auf der anderen Seite wird versucht, die Selbsttötung moralisierend auf einen persönlichen Zustand des sittlich-geistigen Zerfalls zurückzuführen.

In der Frühzeit gab es die Überzeugung, der Mensch verstoße mit der Selbstentleibung gegen die Gottheit. *Platon* beispielsweise vergleicht denjenigen, der sich selbst den Tod gibt, mit einem Wächter, der ungebeten seinen Posten verläßt.[9] Doch läßt er auch Umstände gelten, wie unheilbares Leiden oder schlimme Leidenschaften, die es dem Menschen erlauben sollen, in seine Schicksalsbestimmung einzugreifen. *Aristoteles* meint wesentlich bestimmter, nur ein Feigling, der sich aus der menschlichen Gemeinschaft stehle, könne sich selbst umbringen. In der römischen Antike dagegen, zu einer Zeit der pessimistischen Grundstimmung, forderte man das Recht auf die Selbsttötung entschiedener ein. Jedem stehe die Türe offen, das Leben zu verlassen, wenn ihn Ungemach und geistige Umnachtung ereile, so lautet die Losung der Stoiker. *Seneca* schreibt in seinem berühmten 17. Brief:

> «Die Natur hat nur einen Eingang in das Leben geschaffen, aber viele Ausgänge, und dies ist der Vorzug des vernünftigen Menschen vor dem Tier ... Sie (die Philosophie) lehrt, den selbstge-

---

[8] Vgl. *F. Hammer*, Selbsttötung philosophisch gesehen, Düsseldorf 1975; *J. Améry*, Hand an sich legen, Stuttgart 1993[9]; *V. Lenzen*, Selbsttötung. Ein philosophisch-theologischer Diskurs mit einer Fallstudie über Cesare Pavese, Düsseldorf 1987, bes. 138 - 182; *G. Casanova*, Über den Selbstmord und die Philosophen, Frankfurt a. M. 1994.

[9] Vgl. *V. Lenzen*, Selbsttötung, a. a. O. 159. Selbst bei I. Kant findet sich das platonische Bild vom Menschen, der seinen Wachposten nicht verlassen darf, wieder. Vgl. Werke in sechs Bänden, hrsg. v. *W. Weischedel*, Wiesbaden, Bd. IV, Metaphysik der Sitten (§ 6 «Von der Selbstentleibung»).

wählten Tod dem natürlichen vorzuziehen, den nur Toren einen schönen Tod nennen mögen.»[10]

Er bewertet den Freitod als die Tat der menschlichen Freiheit, während der Stoiker *Epikur* für innere Unerschütterlichkeit und Gelassenheit plädiert, aber dennoch meint, die Eintrittskarte in das Leben zurückgeben zu können, wenn er, vergleichbar dem sich langweilenden Theaterbesucher, von den Freuden des Lebens nicht mehr gefesselt werde. In der Neuzeit bestreiten *Kant* und *Hegel*, daß der Mensch ein unmittelbares Recht habe, seine Existenz zu vernichten. *I. Kant* ist entschieden der Meinung, der Selbstmord sei untersagt, weil Gott ihn verboten habe, sondern weil er in sich verwerflich sei, denn:

> «Das Subjekt der Sittlichkeit in seiner eigenen Person vernichten, ist ebensoviel als die Sittlichkeit selbst ihrer Existenz nach, soviel an ihm ist, aus der Welt zu schaffen.»[11]

D. Hume, ein Zeitgenosse Kants, ist entschieden anderer Meinung: Die Selbsttötung ist weder ein Verstoß gegen Gott noch gegen die Gesellschaft, sondern ein der menschlichen Natur eingestiftetes Recht. Es gelte darum, den Christen wie den Nichtchristen wieder in seine angeborene Freiheit einzusetzen.[12]

a) Die unentschiedene Freiheitsproblematik

Diese Auseinandersetzung um Für und Wider ist bis heute nicht abgeschlossen; und immerzu scheinen die Argumente, die in der Geschichte vorgebracht werden, erneut zur Debatte zu stehen. Insbesondere unter *existentiellen* Gesichtspunkten scheinen die vorgebrachten Argumente, treibt man sie genügend weit, Gegenargumente hervorzurufen. Dies kann an einzelnen Elementen der Freiheitsproblematik verdeutlicht werden.

Es wird etwa gesagt, daß die Würde des Menschen in seiner Freiheit liege. In der Tat umschließt das radikale Freiheitsverständnis des Humanismus von der Antike bis zur Gegenwart auch die Freiheit der Selbstauslöschung. Was soll eine Freiheit, wenn man sie nicht dazu verwenden kann, um sich ihrer endgültig zu begeben? So haben es die antiken Philosophen verstanden, so hat es *D. Hume* neu in die Diskussion eingebracht und so wird es in der jüngsten Vergangenheit von nicht wenigen Schriftstellern verstanden und urgiert (z. B. *Améry*, *Kamlah*,

---

10 Vgl. hierzu: *E. Benz*, Das Todesproblem in der stoischen Philosophie, Stuttgart 1929. Die Stoa hat in der Antike wohl die geschlossenste philosophische Lehre zum Freitod vorgelegt. Es erstaunt deshalb wenig, daß man dort argumentativ immer wieder anschließt.

11 Metaphysik der Sitten (§ 6 «Von der Selbstentleibung»), a. a. O. 555.

12 Vgl. *D. Hume*, Über Selbstmord, in: *Ders.*, Dialoge über natürliche Religion. Über Selbstmord und Unsterblichkeit der Seele, hrsg. v. *F. Paulsen*, Leipzig 1905[3], 145 - 165; zur Beschreibung weiterer Positionen vgl. *V. Lenzen*, Selbsttötung, a. a. O. 138 - 182.

Roman). Freiheit erscheint hier als essentieller Aspekt menschlichen Daseins, als ein Privileg des «Humanen», so sehr, daß man fragen kann, ob es nicht Bedingungen gibt, aus denen ein sittliches Recht zur Selbsttötung ableitbar ist, ob nicht Selbsttötung «das letzte Stück der mir gestellten Identitätsaufgabe» sein kann. In der Tat läßt sich fragen, ob ich nicht meine Identität verfehle, wenn ich die letzte und tapfere Identität des Suizides verweigere und ihr ein Leben vorziehe, das nur noch die unaufhörliche Wiederholung meiner Einsamkeit und Nutzlosigkeit, meiner Angst und Traurigkeit ist.

Dagegen läßt sich einwenden, daß der Mensch wohl in seiner Freiheitsfähigkeit überfordert ist, wenn er auch die Verantwortung für seinen Tod übernehmen will; denn die Selbsttötung ist keine Tat, die sich beliebig an die anderen lebensgeschichtlichen Daten anreihen läßt, sondern sie trägt den Charakter des Unwiderruflichen. Und wer kann aus dem verdunkelten Augenblick definitiv entscheiden, daß für alle Zukunft Sinnlosigkeit und dunkles Nichts herrschen sollen? Lehrt uns die Erfahrung nicht, daß im menschlichen Leben Sinnmöglichkeiten angelegt sind, die wir teils verwirklichen und die für uns teils noch in der Verborgenheit der Zukunft liegen? Ist man angesichts der Todeswahl nicht radikal überfordert, wenn man für alle Zukunft darüber entscheiden muß, daß auch in der weiteren persönlichen Geschichte kein Sinn mehr vorhanden sein soll? Daß es nicht wieder erfülltere Zeiten gibt, wo menschliche Werte wie Zuneigung, Wohlwollen zur Glückserfahrung gehören werden? Gerade aus dieser existentiellen Selbstwidersprüchlichkeit der Freiheit heraus, folgert *W. Weischedel*:

> «Daher darf der Skeptiker, sprich der Denkende, wenn er sich selber treu bleiben will, auf keine Weise, auch eine durch ihn selbst negierende Tat, wie sie der Selbstmord darstellt, das Nichts als definitiv behaupten, sondern er muß sich in der Schwebe zwischen Sein und Nichts, und das heißt eben: in der offenen Fraglichkeit, halten.»[13]

Niemand wird bestreiten, daß sozial und personal günstige Voraussetzungen zur Entfaltung der menschlichen Existenz gehören. In der Tat mag es den «psychischen Tod» geben, also jene Situation, in der psychi-

---

13 *W. Weischedel*, Skeptische Ethik, Frankfurt a. M. 1980, 184; aus einer ähnlich skeptischen Position kommt H.-R. Schlette zu einem gleichartigen Ergebnis: «Die skeptische Philosophie wird also nach meiner Ansicht weder den Selbstmord undifferenziert ablehnen noch seine Enttabuisierung bis hin zu einer entsprechenden Empfehlung betreiben, weil sie weder die usualistisch-konformistische Sicherheit der Verwerfung noch die entgegengesetzte Sicherheit der allgemeinen Freigabe aufbringen kann; wohl aber wird sie den Suizid in Grenz- und Extremfällen für verantwortbar und zulässig halten.» Suizid in philosophischer Sicht, in: *Ders.*, Konkrete Humanität, Studien zur Praktischen Philosophie und Religionsphilosophie, Frankfurt a. M. 1991, 223 - 236, hier 234.

sche und soziale Umstände die innere Entfaltung vermindern, blockieren oder gar verhindern. Und in der Tat mag es Düsternisse der Seele geben, die einem Leidenden jede Hoffnung nehmen; Umstände, die jede Lebensqualität und jeden produktiven Umgang mit dem eigenen Leben verhindern. Und dennoch kann man sich fragen, ob es nicht eine Prävalenz des Lebens gibt, einen Grundentschluß für das Dasein, weil ich mir sonst für alle Zukunft die Grundlage meines höchsten Gutes, der Freiheit, entziehe? Menschliche Freiheit ist nun einmal derart an das Dasein gebunden, daß mir kein anderer Weg bleibt, als daß ich sie durch das Medium des Lebens wahrnehme, verlebendige und aktualisiere. Durch den vorzeitig gewählten Tod bereite ich auch meiner Freiheit oder eventuellen späteren Freiheitsmöglichkeiten ein vorzeitiges Ende.

b) Ein Grunddilemma

All diesen und ähnlichen Argumenten ist die folgende Argumentationsstruktur gemeinsam: Treibt man nämlich die Argumente immer genügend weit, eröffnet sich stets eine Unentschiedenheit, eine eigenartige Zwiespältigkeit, die sich steigert bis zu einer gewissen logischen und existentiellen Widersprüchlichkeit. Zumindest ein Grunddilemma bleibt bestehen. Das radikale Freiheitsverständnis gerät in eine Paradoxie, weil der Akt der Selbstauslöschung gerade, auch wenn er höchster Freiheitsvollzug sein will, ein Stück Unfreiheit setzt, insofern sich die Freiheit ihrer konstitutiven Voraussetzung der zeitlichen Dauer und des leiblichen Ausdruckes beraubt. Die menschliche Freiheit als endliche Freiheit ist notwendigerweise an das biologische, raumzeitliche Leben gebunden. Obwohl das ursprüngliche Wesen der Freiheit in der Selbstverfügung über sich selbst besteht, kann sich diese Selbstverfügung nur in der zeitlichen Gedehntheit und an diesem raumzeitlichen Leben selbst vollziehen. Infolge der inneren Bezogenheit der Freiheit auf Leibhaftigkeit des Menschen kann die Selbstverfügung des Freiheitssubjektes nicht am raumzeitlich-geschichtlichen Leben vorbeigedacht werden. Eine willentliche Aufhebung des Lebens bedeutet also zugleich die Aufhebung der Freiheit. Ein Freiheitsakt, der dazu dient, weitere Freiheitsakte prinzipiell zu verunmöglichen, muß als selbstwidersprüchlich bezeichnet werden.

Wenn aber die eigentliche Freiheit nicht hinter oder vor ihrer Begegnung mit der Wirklichkeit liegt, dann muß gesagt werden, daß sich menschliche Freiheit immer im Umgang mit vorgegebenen und aufgegebenen Lebensumständen auszeitigt. Die Freiheit ist in diesem Sinne immer auch eine verfügte, da sie sich an endlichen «Materialien» zu sich selbst vermitteln muß. In schweren psychischen und physischen Beeinträchtigungen wird gerade dieses Moment der Verfügtheit in radikaler und nicht mehr verdrängbarer Weise erfahren. Insofern die Freiheit sich in ihrer Situiertheit als endliche wahrnimmt, handelt sie immer aus Vorgegebenheiten, die man letztlich nicht selbst bestimmt hat. Und so vollzieht sie sich gerade bei psychischen und physischen Versehrtheiten in eine Ohnmächtigkeit hinein, die auch dann nicht aufgehoben wird, wenn man das Ende uhrzeitlich vorverlagert und dadurch die Ohnmacht gerade forciert.

Aus diesem Grunde halte ich die von *A. Pieper* vorgetragene Auffassung, die stellvertretend für ein immer wieder vorgebrachtes Argument steht, wonach der Freiheitsvollzug die Möglichkeit des Suizids einschließt, für nicht stichhaltig, wenn sie schreibt:

> «Der (nichtpathologische, wohlüberlegte) Selbstmord ist ... eine Handlung, die um der Freiheit willen ausgeführt wird; sie eröffnet zwar keine neue Freiheit für den so Handelnden, sondern schließt für ihn diese Realisierungsform des Menschseins ein für allemal ab, aber sie gibt doch zugleich zu erkennen, daß sie die Gültigkeit des Freiheitsprinzips nicht außer Kraft gesetzt wissen will, sondern genau umgekehrt, daß sie das Freiheitsprinzip anerkennt, und weil sie es anerkennt, den Tod einem unfreien und damit nicht mehr menschenwürdigen, lebensunwerten Leben vorzieht. Ein Leben, das nur noch um den Preis der Menschlichkeit geführt werden kann, ist weniger, ist menschenunwürdiger als das biologische Nichtleben.»[14]

Hier liegt eine Argumentation vor, die des weiteren Nachdenkens bedarf. Die Aussage, die Menschenwürde könnte unter bestimmten Umständen durch den Suizid eher gewahrt werden als in der Bewahrung eines noch so defizienten (jedoch nicht völlig bewußtlosen) Lebens, erscheint zunächst als plausibel, wird aber dann problematisch, wenn man innere und äußere Freiheit unterscheidet: Jene ist die Fähigkeit, das Handeln nach selbst eingesehenen Gesetzen zu bestimmen; diese hingegen bedeutet die Möglichkeit, bestimmte Ziele anzusteuern, wobei diese Möglichkeit konstituiert und zugleich durch die physischen, psychischen, sozialen, politischen, ökonomischen und kulturellen Bedingungen, unter denen Menschen existieren, eingeschränkt wird.

Die innere Freiheit kann nur durch den Tod oder durch die Zerstörung des für sie notwendigen biologischen Substrats (Gehirn) vernichtet werden. Die äußere hingegen kann in vielerlei Hinsicht z. B. durch Krankheit, politische oder wirtschaftliche Unterdrückung, durch physische oder psychische Gewalt eingeschränkt werden. Die Menschenwürde ist ausschließlich in der inneren Freiheit begründet, denn sonst ver-

---

[14] *A. Pieper*, Ethische Argumentation für die Erlaubtheit der Selbsttötung, in: Concilium 21 (1985) 192 - 198.

löre der Mensch beim Verlust seiner äußeren Freiheit seine Würde. Wenn von einem menschenunwürdigen Leben oder von menschenunwürdigen Verhältnissen die Rede ist, so ist dies immer als Appell an die Umgebung zu verstehen, die äußeren Bedingungen des betreffenden Menschen zu verbessern und so die Respektierung seiner unverbrüchlichen Würde durch die helfende Tat zu bewahrheiten. Wenn es die Pflicht des Menschen ist, des anderen äußere Freiheit zu «befördern», so ist es ebenso seine Pflicht, seine eigene innere Freiheit zu vervollkommnen.[15] Dies schließt die eigene Lebenserhaltung ein, es sei denn, das eigene Überleben gerate mit dem Überleben anderer in Konkurrenz.

c) Suizid: Abbild erlebter Sinnlosigkeit
Ein gründlich prämeditierter Suizid[16] findet seine Rechtfertigungsgründe wohl weniger im Wunsch, die Freiheit zu wahren, als vielmehr in der Meinung, daß diese Welt (für ihn) nicht (mehr) sinnvoll sei; um mit *I. Kant* zu sprechen, daß Moralität und Glückseligkeit keine Berührungspunkte mehr aufweisen. Auch der Suizid, der nicht aus pathologischen Gründen vollzogen wird, wäre dann ein Verzweiflungsakt an dieser Welt, insofern er zum Abbild der erlebten Sinnlosigkeit der Welt wird. Gegen einen solchen Verzweiflungsakt kann aber keine noch so vernünftige Argumentation ankommen. Das Paradox besteht darin, daß man die Moralität de facto in Frage zieht (aber logisch nicht widerlegt), indem man die Sittlichkeit der Lebensverhältnisse und der Alltagspraxis aufkündigt und die Meinung des Skeptikers, daß wir nie endgültig Bescheid wissen über Sinnhaftigkeit und Sinnlosigkeit dieser Welt, endgültig tranchiert. Dies ist dann mehr eine Frage der menschlichen Tragik als eine Frage der menschlichen Freiheit. Für die Kongruenz von Moralität und Glückseligkeit hat *I. Kant* auf das Postulat Gottes zurückgegriffen. Damit wird deutlich, daß die Überzeugung, Moralität und Glückseligkeit konvergierten, letztlich eine Frage des Glaubens ist, der immer in Traditionen vermittelt wurde, die sich gegen Ungerechtigkeiten engagierten und die Sinnhaftigkeit dieses Glaubens im Umgang mit Menschen tatkräftig bezeugten.

d) Signum der Unwiderruflichkeit
Zudem trägt die Selbsttötung den Charakter der Unwiderruflichkeit, indem vorgreifend über die noch offene und fragliche Zukunft entschieden wird. Das bleibt wohl angesichts endlicher Erkenntnis und

[15] Vgl. *I. Kant*, Metaphysik der Sitten, a. a. O. 549ff.
[16] Hier ist ausdrücklich vom gründlich prämeditierten Suizid die Rede und nicht von einem Suizid in einer akuten psychischen Drucksituation.

Einschätzung eine existenzielle Überforderung und wird insofern eher zum Zeichen menschlicher Tragik als zum Signum menschlicher Freiheit. – Es zeigt sich, sofern in der ethischen Tradition mit genügendem Ernst überlegt wurde, daß eine definitive Antwort, auf die eine oder andere Seite hin, in einer Zweideutigkeit verbleiben muß. Selbsttötung scheint dann zweifelhaft zu werden, wenn und insofern sie dem Wesen der aktiv oder leidend sich vollziehenden Freiheit widerspricht und die Konstitutiva der Leiblichkeit und Geschichtlichkeit aufhebt. Wenn die Freiheit das hervorragendste sittliche Gut ist, das der Mensch besitzt, dann ist länger gelebte Freiheit besser als vorzeitig erloschene. Dabei ist an Grundakte wie Erkennen, Schöpfertum und Liebe zu denken. Doch endet auch das erfüllteste Leben – diese Sinnlosigkeit bleibt bestehen. Es gehört zur «condition humaine», daß menschliches Erkennen, menschlicher Schaffensdrang und menschliche Liebe ihr Ziel nie erreichen. Darum wiederholen sich diese Akte immer wieder von neuem, in immer besseren Anläufen, trotz aller Enttäuschung, und nicht bloß in der suizidalen Situation. Diese menschlich-existentielle Grundsituation ist es wohl, die das Für und Wider in der Selbstvernichtung in der Schwebe läßt.[17]

e) Selbsterhaltung: Pflicht gegen sich selbst

Mit diesem Stichwort betreten wir eine Diskussionsebene, deren Punktestand längst für eine Partei entschieden schien. Die Frage nämlich, ob die Freiheit auch Regeln gegen sich selbst kennt, wurde in der sog. Tugendethik positiv entschieden. So kennt denn die christliche Ethik wie auch die klassische Moralphilosophie eine Klasse von Regeln, die aus den unterschiedlichsten Gründen obsolet geworden sind, nämlich die Pflichten, die unsere eigene Lebensführung und unser Verhalten zu uns selbst regeln. In dem Maße zum Beispiel, als «Moral» so definiert wird, daß sie sich nur noch auf untersubjektive Verhältnisse bezieht (z. B.

---

[17] Unter ausdrücklicher Bezugnahme auf diese Grundsituation leitet V. Eid bezüglich des Selbstbestimmungsrechtes folgendes ab: «Es bleibt letztlich offen, ob das Selbstbestimmungsrecht (= Freiheitsrecht) die selbstbestimmte Herbeiführung des Todes mitumfaßt oder nicht. Anders formuliert: Die Entscheidungskonsequenz aus der Tatsache, daß Selbsttötung als Selbstauslöschung des Entscheidungssubjektes ein nicht nur logischer, sondern auch existentieller Widerspruch in sich ist, deutet auf einen erheblichen ethischen Vorbehalt. Es bleibt aber offen, ob die grundsätzliche ethische Stellungnahme nicht nur ‹abstrakt› für die Entgegensetzung Leben – Nichtleben gilt, wobei aus dem Blick bleibt, daß das Leben ohnehin das Nichtleben zur unausweichlichen Grenzbedingung hat ... Die zweite Konsequenz lautet: Da dem Menschen die Möglichkeit tatsächlich gegeben ist, den Tod aktiv herbeizuführen, ist es eine Aufgabe der Gesamt-Lebensgestaltung, moralisch verantwortlich zu klären, ob aktive Euthanasie erlaubt sein könne oder nicht.», in: *Ders.*, Das Sterben bestehen – Konflikte am Lebensende, in: Leben in der Hand des Menschen (= Theologische Berichte XX), hrsg. v. *J. Pfammatter/E. Christen*, Zürich 1991, 179 - 209.

J. Habermas), in dem Maße werden die Pflichten gegen sich selbst nicht etwa in dem Sinne obsolet, als dann für Beliebigkeit votiert würde, sondern die Nichtbeliebigkeit in der Lebensführung ist dann bloß noch klugheitsgeboten. Wer gegen sich selbst, seine Gesundheit oder sein Leben handelt, handelt nicht unmoralisch, aber unklug.

In Berufung auf *I. Kant* hat zuletzt *E. Tugendhat*[18] nochmals behauptet, daß sich zumindest aus dem kategorischen Imperativ Kants keine Pflichten gegen sich selbst ableiten lassen, insbesondere keine Pflicht der Selbsterhaltung angesichts des Lebensüberdrusses. *E. Tugendhat* meint, das Argument, nicht über sich «disponieren» zu können, weil ich mich «als Zweck an sich selbst» zu betrachten habe, könnte nur diejenigen überzeugen, die christlich dächten. Es läßt sich jedoch fragen, ob hier die Pointe Kants nicht übersehen wird,[19] denn ohnehin geht es ihm bei der Anwendung des kategorischen Imperativs bei dem Fall der Selbsttötung nicht um das generelle Verbot der Selbstentleibung, sondern um die «Strukturgleichheit» aller Pflichten. Die Pflicht gegen den anderen schließt die Ungleichbehandlung bzw. die Privilegierung und Sonderbehandlung von bestimmten Personen und Gruppen aus; so schließt auch die Pflicht gegen sich selbst die Privilegierung eines bestimmten Lebensabschnittes innerhalb der Lebens-Biographie zugunsten eines früheren aus.

Mit anderen Worten: Die Selbstachtung schließt die Attribuierung bestimmter Sonderrechte an bestimmte Lebensphasen aus; sie umfaßt dann auch die Achtung der «Selbstzwecklichkeit» in Phasen des Leids und des Überdrusses. Ohne Zweifel begegnen wir jenen Menschen mit größter Hochachtung, die imstande sind, das Gesetz der Nichtprivilegierung auf die eigene Lebensgeschichte anzuwenden und Phasen der geminderten Lebenskraft in den Grundentschluß zum Dasein zu integrieren vermögen. Warum diese Form der Selbstachtung nur bloß klugheitsgeboten sein soll, und warum sie nicht eine höchst moralische Form annimmt, ist schwerlich einzusehen. Allerdings ist diese Regel gegen sich selbst nur dann sinnvoll bzw. begründbar, wenn Freiheit in der Dauer sinnvoll ist.

2. *Selbsttötung im Kontext des Glaubens*

In der sogenannten vorkritischen Ethik formuliert *I. Kant*: «Aller Schein verliert sich doch aber, wenn man den Selbstmord in Ansehung der Re-

---

[18] *E. Tugendhat*, Vorlesungen über Ethik, Frankfurt a. M. 1993, 152ff.

[19] Vgl. *F. Kaulbach*, Immanuel Kants «Grundlegung zur Metaphysik der Sitten», Darmstadt 1988, 67ff.

ligion erwägt.»[20] Offensichtlich zielt er mit dieser Bemerkung auf die Aussage, daß es gegen das Recht auf Selbstvernichtung letztlich nur ein religiöses Argument gebe, nämlich das der absoluten Schöpfermacht Gottes, die es dem Menschen verwehre, sich selbst das Leben zu nehmen. Im ähnlichen Sinne meint auch der Philosoph *K. Löwith*, es gäbe nur ein einziges stichhaltiges Argument, ein religiöses, das «steht und fällt mit dem christlichen Glauben, daß der Mensch ein Geschöpf Gottes ist, daß er sein Leben als eine Gabe geschenkt bekam. Dann, aber auch nur dann ist der Selbstmord ... eine ungehörige Anmassung, ein Aufstand des Menschen gegen seinen Schöpfer».[21]

In der Tat sieht die moraltheologische Tradition in der Souveränität Gottes gegen die freie Selbstverfügung des Menschen das entscheidende Argument. Die beiden anderen in der Tradition vorgetragenen Argumente, die gewollte und freie, direkte Selbstvernichtung verstoße gegen das Gebot der Selbstliebe und gegen die Gemeinschaft, sind dem Souveränitätsargument gegenüber von sekundärer Bedeutung. Dies nicht zuletzt deshalb, weil die Unzulänglichkeit der Beweiskraft dieser beiden Argumente als längst aufgedeckt gilt: Denn die Wertschätzung des Lebens (d. h. die Selbstliebe) bezieht sich nicht bloß auf die physische Existenz, sondern auch auf die sittliche Gesamtentfaltung der Person, die, exemplarisch im Martyrium, gerade die Drangabe der physischen Existenz einfordern kann. Zudem gründen die sittlichen Ansprüche gegenüber der Gemeinschaft in den sittlichen Ansprüchen der Person selbst, d. h. in der Freiheits- und Vernunftsfähigkeit der Person, die von der Gemeinschaft her nicht konstituiert wird, aber dennoch auf sie bezogen bleibt.

a) Die Souveränität Gottes – Lehensrecht des Menschen

Neben den beiden erwähnten vernunftrechtlichen Argumenten erkennen allerdings die meisten Theologen in der folgenden, spezifisch theologischen Begründung die eigentliche Beweiskraft gegen die Selbsttötung: Der Schöpfergott ist der alleinige Herr über Leben und Tod. Der Mensch ist daher nicht absoluter Herr seiner selbst. Folglich kommt dem Menschen nur ein Nutzungsrecht, aber kein Verfügungsrecht «in substantiam» über das Leben zu. Wer sich seines Lebens bemächtigt, greift in die Herrschaftsrechte Gottes ein. Dieser, an einen Syllogismus erinnernde Beweisgang kann geradezu als klassisch bezeichnet werden.

---

[20] *I. Kant*, Eine Vorlesung über Ethik, hrsg. v. *P. Menzer*, Berlin 1925², 192.

[21] *K. Löwith*, Die Freiheit zum Tode, in: Vorträge und Abhandlungen, Stuttgart/Berlin/Köln/Mainz 1966, 278.

Er findet sich schon bei *Thomas von Aquin*[22] über bedeutende Handbücher der Moraltheologie[23] bis hin zu Einzelabhandlungen.

Wie bündig und plausibel zunächst das Argument auch erscheinen mag, so fragwürdig erscheint es bei näherem Zusehen im Detail.[24] Zu einem guten Teil besteht das Verbot aus einer analytischen Erklärung, denn keine totale Verfügungsmacht über das eigene Leben zu besitzen, heißt doch bedeutungsgleich, daß man sich selbst nicht umbringen darf. Damit bleibt das Verbot noch eigens zu begründen. Nun ist leicht zu erkennen, daß der wirkliche Grund des Verbotes der Selbsttötung im Herr-Sein Gottes über den Menschen liegt. Die Schwäche dieses Verweises liegt aber genau besehen darin, daß hier in gleichsinnigen Ausdrücken vom Herrschaftsrecht Gottes (Grund allen Seins) und vom menschlichen Verfügungsrecht (Akt der Selbstverfügung) die Rede ist.

Abgesehen einmal von der in dieser theologischen Sprechweise implizierten problematischen Vorstellung, die doch zwischen Gott und Mensch eher ein Verhältnis der Konkurrenz als ein Verhältnis der Freiheit aufrichtet, verbietet es die theologische Sprachlehre, von irgendwelchen Prädikaten Gottes direkt auf das Verhalten des Menschen zu schließen. Mit anderen Worten können Aussagen über Gott nur in analoger Sprechweise auf den Menschen übertragen werden, woraus dann allerdings keine eindeutigen ethischen Imperative bzw. Prohibitive gewonnen werden können. Wer beispielsweise von der Liebe Gottes spricht und die Aufforderung daran knüpft, ihr gleich zu tun, muß dies in Kategorien menschlicher Solidarität und menschlichen Wohlwollens übersetzen. Dies bedeutet für unseren Zusammenhang, daß erst sittliche Kriterien gefunden werden müssen, in denen sich das mit der Souveränität Gottes Gemeinte ebenso kategorial fassen läßt wie bei den sittlichen Kriterien, die man zur Erlaubtheit oder Unerlaubtheit der Tötung eines anderen Menschen benutzt hat. Denn die Souveränität Gottes erweist sich «nur» als ein Anspruch zur sittlichen Verantwortung des Menschen.

Diese Verantwortung konkretisiert sich aber in der Tradition bereits bei allen fundamentalen Streitfragen (außer der direkten Selbsttötung und der Tötung unschuldigen Lebens) teleologisch, d. h. im Sinne der

---

22 Vgl. STh II-II q64 a5.

23 Vgl. *H. B. Merkelbach*, Summa theologiae moralis, Larisiis 1931^5; *P. Lanza/P. Palazzini*, Theologia moralis, Vol. II, Taurini, Romae 1955, 171: «absolutae malitiae ratio ea videtur quam S. Thomas tertio loco praebet, quatenus per suicidium dominum Dei violatur». Diese Handbuchtradition, die nicht in allen Teilen sehr geradlinig verläuft, ist aufgearbeitet in: *A. Holderegger*, Il suicidio. Risultati delle scienze umane e problematica etica (= cittadella Editrice), Assisi 1979, 356ff.

24 Vgl. hierzu: *B. Schüller*, Die Begründung sittlicher Urteile. Typen ethischer Argumentation in der Moraltheologie, Düsseldorf 1980^2, 238ff.

Abwägung in Frage stehender Werte und Übel. So wurde das sittliche Urteil zur Frage der Tötung im Krieg, der Todesstrafe, der Tötung in Notwehr wie auch bei jeder indirekten Selbsttötung, die den Tod nicht als intendierten Zweck, aber doch als gleichunmittelbar aus der Handlung hervorgehend zur Folge hat (z. B. das Selbstopfer aus religiös-sittlichen Motiven), teleologisch konstituiert. Das heißt, daß solche Akte dann sittlich gerechtfertigt waren, wenn höhere Güter oder das Leben anderer in Gefahr waren.

Wir stehen zwar heute diesen Ausnahmen einigermaßen skeptisch gegenüber, aber sie machen doch deutlich, daß sich die These von der Unverfügbarkeit angesichts gravierender Konfliktsfälle einige Einschränkungen gefallen lassen mußte. Die katholische Moraltheologie hat jedenfalls unter den Handlungen mit Todesfolge nicht bloß das Sterbenlassen, sondern auch direkte Tötungshandlungen im ungerechten Angriff (z. B. Kombattanten im Krieg) wie auch indirekte Tötungshandlungen, welche den Tod in Verfolgung eines höheren Wertes wegen in Kauf nehmen (z. B. stellvertretender Tod im Martyrium), vom generellen Verbot ausgenommen. Wichtig ist hier nun nicht die entfaltete Kasuistik, sondern die Feststellung, daß dadurch die Überzeugung zum Tragen kommt, daß das Leben der Güter höchstes nicht ist, sondern durchaus in Konkurrenz zu hohen sittlichen Werten geraten kann. Prinzipiell ist die Moraltheologie der Meinung, daß Riskierung und Aufopferung des Lebens für einen anderen Wert (z. B. Freiheit, Gerechtigkeit) in den genannten Fällen zumindest dann nicht widersittlich sind, wenn diese Werte entweder ihre Grundlage nicht verlieren oder aber nicht schwer beschädigt werden.

Wir müßten nun die Umstände und Handlungssituationen genau diskutieren, in denen die Moraltheologie ein sittliches Urteil aus den in Konkurrenz stehenden Gütern und Werten gewonnen hat, welche das rechtswidrige Verfügen über menschliches Leben erheblich einschränken. Dies ist hier nicht möglich und für unseren Zusammenhang auch nicht so wichtig. Die entscheidende Konsequenz aus der Analyse des Souveränitätsargumentes ist nun aber die, daß ein sittliches Urteil über die Selbsttötung doch wohl auch über den Vergleich konkurrierender Werte bzw. Übel gewonnen werden muß. Denn wie wir herausgestellt haben, ist die mit der Souveränität Gottes mitgemeinte Geschöpflichkeit und beanspruchte Freiheit des Menschen nur eine «Grammatik» für verantwortlichen und nicht beliebigen Umgang mit dem Leben. Die Geschöpflichkeit und die damit von seiten Gottes beanspruchte Freiheit schließen den Imperativ zur verantwortlichen Verwirklichung der Schöpfungsrealität in sich. Darin erkennt sich der Mensch als ein sich selbst aufgegebener und zur humanen Sinngestaltung seiner selbst und von Wirklichkeit überhaupt aufgerufen.

Von dieser grundlegenden Einsicht her wächst die Überzeugung unter den Theologen immer mehr heran, daß es keinen anderen Weg gibt, es sei denn, die Möglichkeit der Tötung bzw. Selbsttötung als eine mit der tatsächlichen Selbstverfügungsmacht vom Schöpfer gegebene zu konstatieren, um dann gleich festzustellen, daß der Mensch die sittliche Entscheidung darüber fällen muß, unter welchen Umständen sie als berechtigt zu gelten hat und unter welchen nicht. Unter diesen Voraussetzungen kann die Selbsttötung nicht im voraus, unabhängig von Umständen und Folgen, als eine in sich schlechte Handlung (malum in se) betrachtet werden; das Verantwortungs-Sein des Menschen läßt die reale Möglichkeit von Selbsttötung aus sittlicher Verantwortung zunächst einmal offen, auch wenn in concreto noch zu sehen ist, ob es den Fall der direkten Verfügung als verantwortliche Tat überhaupt geben kann.

b) Die Geschöpflichkeit des Menschen – Begrenzung der Selbstverfügung

Von anthropologischer Seite wird das Souveränitätsargument aus der geschöpflichen Kontingenz oder der Relationalität des Menschen formuliert.[25] Es wird gesagt, Wesen und Würde des Menschen wurzeln letztlich in der von Gott verbürgten Annahme des Menschen. Die Zielbestimmung des Menschen liege nicht in ihm selbst, sondern in dem sich ihm zuwendenden Gott. Die Unverfügbarkeit des Menschen, seine sittlich-geistige Existenz, seine leibliche Dimension seien deshalb in der Relation zu Gott begründet. Es könne deshalb nicht Sache des Menschen sein, sich aus dieser Bezogenheit herauszulösen. Auch wenn der Mensch in mannigfacher Weise über sich selbst zu bestimmen und zu verfügen habe, so sei die Leiblichkeit der absoluten Totalverfügung dem Menschen entzogen. Die Grenze menschlicher Selbstverfügung sei da erreicht, wo die menschliche Existenz als ganze in Frage stehe, weil sich die sittliche Autonomie des Menschen nur auf die zeitlich-geschichtliche Dimension seines Daseins beziehe und nicht auch auf deren Aufhebung. Ist diese zweite Begründungsform der (direkten) Unverfügbarkeit menschlichen Lebens zwingend?

Zunächst ist zu unterstreichen, daß die theologische Tradition mit Recht daran festhält, daß die Würde des Menschen in der erlösenden und befreiende Affirmation Gottes ihren Grund hat. Darin ist die Unantastbarkeit der Menschenwürde und deren Unverfügbarkeit garantiert.

Zweifellos ist das Leben das fundamentalste Gut des Menschen überhaupt und Grundlage sittlicher Verantwortung und menschlicher Würde. Allerdings ist weder mit der von Gott würdig gemachten Würde

---

25 Vgl. *A. Auer*, Das Recht des Menschen auf einen natürlichen Tod, in: Zwischen Heilauftrag und Sterbehilfe, hrsg. v. *A. Auer*/*A. Eser* u. a., Köln 1977, 19ff.; *U. Eibach*, Experimentierfeld: Werdendes Leben. Eine ethische Orientierung, Göttingen 1983, 28ff.

des Menschen noch mit dem daran partizipierenden Leben ein zureichender Grund für die Lösung eines jeden Wertkonfliktes (etwa zwischen eigener Lebenserhaltung und Rettung eines anderen) gegeben. Andernfalls stünde man vor der unmöglichen Aufgabe, aus einer heilstheologischen Deskription der Würde der menschlichen Person ein Verbot einer letztlichen Nicht-Verfügbarkeit des Lebens folgern zu müssen.

Auf der einen Seite besagen die theologischen Aussagen, daß der Wert des Menschen nicht auf einer ihm anhaftenden, empirischen Qualität beruht, sondern in der sich durchhaltenden Treue-Beziehung Gottes zum Menschen. Weil diese Würde «extra hominem» begründet ist, gibt es kein lebensunwertes Leben; weder soziale Nützlichkeit noch Kommunikationsfähigkeit machen die Würde des Menschen aus, sondern – streng theologisch gesehen – das Ja Gottes zum Menschen. Auf der anderen Seite aber müssen diese Aussagen nochmals kategorial gefaßt werden, um in Lebenskonflikten Auskunft darüber zu erhalten, was sittlich verantwortet werden kann und was nicht. Dies ist aber nicht anders möglich, als daß man in Frage stehende Güter und Werte einem sittlichen Vorzugsurteil unterstellt.

Unter der Voraussetzung, daß aus heilstheologischen Aussagen nicht unmittelbar Normsätze gewonnen werden können und insofern nach der Überzeugung der theologischen Tradition das menschlich-leibliche Leben zwar ein fundamentales Gut darstellt, aber dennoch mit anderen in Konkurrenz geraten kann und demnach in einer Wertpräferenzordnung steht, heißt nach der «eventuellen Erlaubtheit der Selbsttötung fragen ..., nach dem Gut fragen, dessen Verwirklichung es rechtfertigen könnte, das Übel der Lebensvernichtung zu verursachen».[26]

3. *Verantwortung und Selbstverfügung*

Aufgrund der vorausgehenden theologischen und ethischen Überlegungen müssen wir wohl davon ausgehen, daß der Freiheit des Menschen, die sich zwar theologisch nur als sich selbst bestimmende und von Gott in Anspruch genommene fassen läßt, die ethische Zumutung überbunden ist, das Problem der Selbsttötung auf dem Wege einer verantwortlichen Güterabwägung zu lösen. Dieses Verfahren erfordert jedoch eine umsichtige Hermeneutik in Frage stehender Güter und Werte und ein bedachtsames Abwägen, das nicht umhin kommt, die verschiedenen Gestalten der Selbsttötung auf ihre Legitimität bzw. Illegitimität hin zu befragen.

---

[26] *B. Schüller*, Zur Problematik allgemein verbindlicher ethischer Grundsätze, in: Theol. u. Philos. 45 (1970) 12.

a) Selbsttötung als Selbstopfer und als Ausdruckshandlung

Das Selbstopfer als verantwortlicher Einsatz des Lebens für ein höher erachtetes Gut (z. B. Schutz und Erhaltung des Lebens anderer, Rettung fundamentaler Werte der Gemeinschaft) wurde in der theologischen Tradition bei angemessener Proportionalität von Lebensverzicht und dem daraus resultierenden Handlungserfolg als indirekte Selbsttötungshandlung, d. h. insofern unter der Inkaufnahme des Verlustes des eigenen Lebens das im «Opfer» erstrebte Gut Ziel des Lebenseinsatzes war, immer gerechtfertigt. Allerdings ist die Anwendung der hier entfalteten Prinzipien das Selbstopfer wohl auch in der Form der direkten Selbsttötung als ethisch vertretbare Möglichkeit in Betracht zu ziehen. Der Mensch kann sich in seinem Verhalten unter Anforderungen gestellt sehen, wo ihm im äußersten Grenzfall die Totalität des Einsatzes seines Lebens und damit die Inkaufnahme des Todes abverlangt werden, weil die Intensität des Anspruches der Treue und Gerechtigkeit anderen Menschen gegenüber höher wiegt als das physische Dasein. Eine solche Hingabe «um des Bruders und der Schwester willen» übersteigt die Kategorie des «direkt-indirekt», aber auch jede sittlich-kasuistische Beurteilung. Die uneigennützige Selbsttötung ist weder forderbar noch beurteilbar, sondern als heroische Tat im Sinne dessen, daß niemand eine größere Liebe hat, als wer sein Leben für andere hingibt, zu respektieren.

Weit schwieriger ist die Frage der Selbsttötung als Ausdruckshandlung (z. B. Selbstverbrennung als Darstellung einer Überzeugung) zu beantworten, da sich eine solche Handlung nicht allein aus konkurrierenden Werten der Handlung erklärt. Die Abwägung liegt hier in der Frage der Eignung der zu wählenden Qualität einer Ausdruckshandlung angesichts der von ihr ausgehenden üblen Folgen. Nimmt man aber an, daß das sittliche Werturteil über das «Selbstopfer» von den wertrealisierenden Folgen her konstituiert wird, und daß das «Selbstopfer» seine Rechtfertigung nur aufgrund eines zu realisierenden ranghöheren Wertes erhält, dann ist wohl auch auf die direkte Selbsttötung, welche vorzugsweise einen bezeugenden Charakter («témoinage») aufweist, die Regel der Proportionalität bzw. der Angemessenheit anzuwenden. Obwohl zwar auch die Ausdruckshandlung unter bestimmten Umständen ein wirklicher Prüfstein sein kann, an dem sich die verleiblichte, sittliche Einstellung gegen Unfreiheiten bewähren und realisieren, wo der Wertausdruck vor den Folgen legitimerweise vorgezogen werden kann (z. B. Martyrium), gibt es aber auch Fälle, wo sich das Mißverhältnis zwischen der Ausdrucksqualität und den Folgen unübersehbar aufdrängt (z. B. Selbstverbrennung). Gerade weil wir hier in «Unabwägbarkeiten» und in den Bereich des Tragischen vorstoßen, das dennoch unter dem Gesetz der Sittlichkeit steht, müssen wir hier vielleicht in diesen Fällen, die ohnehin doch nur äußerst selten vorkommen, ein Urteil suspendieren.

b) Selbsttötung aus Mangelsituationen

Bedeutend kontroverser ist die Frage der Selbsttötung aus Mangelsituationen, die nicht nur den Suizid betrifft, sondern auch die aktive Euthanasie berührt. Theologen argumentieren, eine Selbsttötung als letzte paradoxale Sinnstiftung inmitten der Sinnlosigkeit aller Alternativen wäre allenfalls denkbar, wenn der Mensch sich «zum Letzten» wird bzw. wenn nicht an den Lebenssinn «Gott» geglaubt wird. In der Tat erscheint eine solche Selbsttötung aus Bedrängnis und Not als radikalstes Mittel, sich selbst einen Sinn zu verschaffen, und wäre es nur den, einem Leben zu entkommen, dem man sich nicht mehr gewachsen fühlt. Demgegenüber meint der christliche Schöpfungs- und Erlösungsglaube für jeden Menschen einen Sinn und Wert verbürgen zu dürfen, so daß er sich in seiner Sinnhaftigkeit und Würdigkeit letztlich nicht selbst zu rechtfertigen braucht. Auch dort, wo das Leben nicht mehr lebenswert erscheint, ist es von der göttlichen Affirmation noch getragen und sinnvoll gemacht.

Dennoch stellt sich die Frage, ob aus dem sinnstiftenden Ja Gottes zum Menschen ein Verbot der Selbstauslöschung abgeleitet werden kann. Die Glaubenstatsache des Sinnzuspruches trägt den Charakter einer tranzendental-theologischen Wahrheit, die sich zum konkret-menschlichen Verhalten in bezug auf das von ihm Gesollte analog verhält. Selbst wenn in theologischer Perspektive das Sein des Menschen von der in der Heils-Tat Christi endgültig besiegten, sinnstiftenden Affirmation getragen ist, bleibt dem Menschen dennoch die Aufgabe überbunden, das Richtige und damit Sinnvolle zu ermitteln, zumal man ja nicht weiß, ob sich der geglaubte Sinn, die «Affirmation» Gottes, einbahnig in der Lebenserhaltung realisiert. Zwar wird man im Anschluß an diese theologischen Überlegungen sagen können, daß die Selbsttötung in dem Maße zu einem schuldhaften Vergehen wird, als sie willentliche Auflehnung und willkürliche Verneinung des Sinngrundes menschlicher Freiheit wird; es bleibt aber die Frage, ob es nicht eine Überantwortung des Lebens an den Schöpfer in extremen Notsituationen geben kann.

So bleibt auch unter dem Aspekt der göttlichen Sinnstiftung offensichtlich kein anderer Weg, als das Problem der Selbsttötung aus Mangelsituationen über eine verantwortliche Güterabwägung zu lösen. Jene theologischen Ethiker, welche sich auch hier für ein Vorzugsurteil entscheiden, können keinen wirklichen Grund finden, der eine direkte Tötung infolge psychischen und physischen Schmerzes oder infolge

Krankheit und Ehrverletzung rechtfertigen würde. Denn die Person in ihrer Auszeichnung von Vernunft und Freiheit ist ein sittlicher Wert, der den Beeinträchtigungen gegenüber wie Leid, Krankheit als nichtsittlichen Übeln immer den Vorrang behält. Sich selbst das Leben nehmen, «um andern Übeln dieses Lebens aus dem Weg zu gehen, bedeutet demnach, zur Vermeidung eines geringeren Übels, sich ein größeres Übel zufügen».[27]

In der Tat ist gegen das Argument, daß nicht-sittlichen Übeln gegenüber dem sittlichen Wert der Freiheit, die sich ja immer in der Zeitlichkeit und Geschichtlichkeit vollzieht, kein Vorzug zu geben sei, nichts einzuwenden. Wie abstrakt richtig solche Abwägungen auch sind, so wenig hilfreich mögen sie in existentieller Hinsicht sein. Doch das eine Notwendige ist der Aufweis eines sittlich richtigen Urteils, das andere Notwendige ist die notvolle Aufgabe, sich der Tragik der Krankheit und des Schmerzes, der Verhülltheit des Todes so anzunähern, daß daraus auch Bewältigungshilfen entstehen können. Hier geht es um die schwierige Aufgabe zu zeigen, daß die sinnstiftende Affirmation Gottes, die den Menschen bedrängende Übel nicht in der absoluten Sinnlosigkeit aufgehen läßt, sondern sie nochmals, dem Begreifen unzugänglich, umgreift.

Die vorausgehenden Überlegungen bestätigen im ganzen die herkömmliche theologische Position – wenn nicht in ihrer Begründung, so doch in der Sache. Es scheint keinen wirklichen Grund zu geben, menschliches Leben direkt und vorzeitig zu beenden. Jene, die sich auf das «Recht auf den eigenen Tod» berufen, verweisen auf die «*Qualität des Lebens*». Nun muß mit Nachdruck betont werden, daß die freie Hinnahme lebensgeschichtlicher Zumutungen mit «Qualität des Lebens» nicht nur nicht unvereinbar ist, sondern diese erst eigentlich vollendet. Wir müssen uns ernsthaft daran erinnern, daß zu den in ihrem Lebenswert durch nichts anderes ersetzbaren Grunderfahrungen jedes einzelnen Menschen Beeinträchtigungen gehören. Wenn wir Beeinträchtigungen mit Verdrängungen auszuschalten uns angewöhnen, verändert sich unser Verhältnis zur Wirklichkeit: Es wird trivial und dimensionenlos. Im menschlichen Leben gedeiht nichts Wesentliches ohne Beeinträchtigung. Sie stimuliert die Reife und drängt den Menschen, sich im Zentrum seiner Persönlichkeit mehr und mehr von den Belanglosigkeiten zur Substanz des Humanen hinzuwenden. Sie erinnert uns an die Vergänglichkeit und Begrenztheit unseres Daseins. Im redlichen Ja zur Begrenzung stellt sich der Mensch dem Gefälle, durch das er dem Tod entgegengetrieben wird.

[27] STh II-II q64 a3.

Wir wollen nichts vereinfachen, wo alles sehr schwierig ist. Wenn leibliches oder seelisches Leiden Formen annimmt, die es dem Menschen nach unserer Einsicht nicht mehr möglich machen, sich selbst in irgendeiner Weise zu verwirklichen, dann befinden wir uns in der Tat in einer «Grauzone», in der unsere ethischen Kategorien offensichtlich nicht mehr recht greifen. Wir wissen, daß die Ehrfurcht vor dem Menschenleben unmittelbar ist, und daß eine weiche Stelle in dieser Grundhaltung genügt, um an sich vernünftige *Übereinkünfte* zu verunsichern. Aber auch dieses Wissen kann uns nicht dazu bewegen, über jede direkte Beendigung menschlichen Lebens unbesehen ein Verdikt zu sprechen. Jeder Mensch hat ein Recht darauf, seine Gewissensentscheidung von anderen respektiert zu sehen. Der ethischen Reflexion steht es nicht zu, persönliche sittliche Entscheidungen zu bewerten. Ihr obliegt die Aufgabe, in den verschiedenen Bereichen menschlichen Lebens Verbindlichkeiten sichtbar zu machen und auf kommunikable Formeln zu bringen.

C. Einige Folgerungen

1. Aus dem Gesagten geht hervor, daß sich das glaubensethische Proprium nicht so sehr auf der Ebene des «Sollens» als vielmehr auf der Ebene des «Sinnes» formulieren läßt. Es stehen dann nicht Fragen im Vordergrund: «Was dürfen wir?» sondern: «Was hat es mit den Begrenzungen des Lebens auf sich? Was ist Freiheit, die immer nur in der Dialektik von Selbstbestimmung und Verfügtheit gegeben ist?» Hier geht es darum, dem Sinn gegen Absurdität zum Durchbruch zu verhelfen. Die sinnstiftende Affirmation Gottes ist deshalb nicht zuletzt ein Anspruch an die praktische Hermeneutik, welche die christliche «Erlösungs- und Leidensgeschichte» als Lebensbewältigunshilfe auslegt. Die Hoffnung, daß Gott den Tod in seine Grenzen weist, engagiert den Glauben sozial gegen den Tod.

2. Das christliche Freiheitsverständnis – und darin trifft sich die ganze Tradition – begreift den Tod als inneres Moment der Freiheit. Der Tod begrenzt die Freiheit in ihrem inneren Wesensmoment. Die Freiheit ist dadurch nicht aufgehoben, wenn der Mensch den Tod uhrzeitlich in einem Akt des selbstgewählten Todes vorverlagert; denn auch da muß man sich der Verfügungsmacht des Todes letztlich nochmals unterwerfen. Wenn der Tod das sein soll, was er ist, nämlich die Begrenzung der Freiheit, dann kann er nur angenommen werden, wenn er tatsächlich

einem entgegentritt. Die Annahme scheint aber nicht größer, sondern kleiner zu werden, wenn wir versuchen, den Tod noch ein wenig in die Hand zu bekommen. Den Tod forcieren heißt, ihn verfremden. Es ist ein Scheingewinn an Freiheit über einen vernichtenden Tod, den man vorausnimmt. Die freie Annahme bricht seine Macht. Vielleicht ist dieses Freiwerden vor dem Schrecken des Todes, der den Lebenssinn zu stehlen scheint, eine greifbare Hoffnung, die endgültiges Leben werden läßt.

3. Der christliche Glaube hat sich allemal gegen den Tod und seine Grenzen engagiert. Denn der Tod bringt Verhältnislosigkeit. Und Verhältnislosigkeit schafft den Tod. Suizidale Lebenskrisen führen in die Verhältnislosigkeit. Dadurch werden sie zu Todesbedrohungen. Noch bevor sich die Theologie Überlegungen zur sittlichen Erlaubtheit oder Unerlaubtheit der Selbsttötung machte, war sie der Überzeugung, daß die tödliche Begrenzung allemal dadurch am besten eingrenzt wird, daß solcherart Verhältnisse geschaffen werden, daß der möglicherweise frei zu wählende Tod seine Schatten gar nicht vorauswerfen muß. Von daher ist es auch nicht verwunderlich, daß wir in den ersten Jahrhunderten des Christentums keine eindeutigen Aussagen zur Selbsttötung finden, aber eine engagierte Praxis.

4. Vorgängig zur ethisch-normativen Frage sucht die christliche Ethik heute Haltungsbilder, die als Leitlinien einer verantwortlichen Selbstbestimmung dienen können. In der gesellschaftlichen Diskussion ist ja weniger der abstrakte Wert des Lebens umstritten als vielmehr die Art und Weise des verantwortlichen Umgangs mit ihm. Die christliche Ethik erkennt: Wenn man heute mit der Freitodproblematik und den steigenden Suizidraten umgehen will, dann muß man ein Ethos der Lebensförderlichkeit mit konkreten Prioritäten schaffen. Damit verbinden sich konkrete Vorstellungen: Lebensförderlichkeit heißt, daß beschädigtes Leben mitten unter uns angenommen werden muß, mitten unter uns leben darf, also nicht «klinisch» aufgeräumt wird, sondern in mitmenschliche Kommunikation überführt werden muß. Wer den Suizid nur als Problem der individuellen Freiheit sieht, leistet den gesellschaftlichen Trennungs- und Aufräumungsarbeiten zwischen Glück und Leid Vorschub. Nicht die Rettung eines letzten individuellen Freiheitsraumes kann das Ziel einer Ethik sein, sondern die Förderung jenes Haltungsbildes, das zeigt, wie Leben glücken kann, trotz aller Beschädigung, trotz allen Leids. Der Leidende, der nicht isoliert wird, kann vielleicht zu seinem Leiden stehen. Der Behinderte, dem der Freitod nicht nahegelegt wird, kann vielleicht erfahren, daß sein Schicksal geteilt wird.

II. Die besonderen Merkmale des «präsuizidalen Syndroms» bei jungen Menschen[1]

Das «präsuizidale Syndrom», erstmals von *E. Ringel*[2] beschrieben, stellt auf der einen Seite den gemeinsamen Nenner jeder suizidalen Entwicklung dar. Auf der anderen Seite weist es von Fall zu Fall, von Gruppe zu Gruppe eine je spezifische Färbung und Charakteristik auf. In dieser Hinsicht bleibt das Lebensalter bestimmend, d. h. bei Jugendlichen stellen wir eine andere Akzentuierung fest als bei Personen des mittleren und höheren Alters.[3]

A. Frühkindliche Traumatisierung

Es gehört inzwischen zu den gesicherten Erkenntnissen, daß gestörte Familienverhältnisse, die sogenannte «broken-home»-Situation,[4] die suizidale Entwicklung im Kindesalter und in der Jugendzeit fördert. Gestörte Familienverhältnisse nimmt man dann an, wenn einer der beiden Elternteile fehlt, wenn Differenzen und langandauernde Konflikte

---

1 Der folgende Beitrag ist eine unveröffentlichte Detailstudie aus dem Zusammenhang der intensiven Beschäftigung mit der Suizidproblematik. Auch wenn die Abfassung schon einige Jahre zurückliegt (und als Manuskript einige zustimmende Reaktionen hervorgerufen hat), hat es heute noch seinen explikativen Stellenwert.

2 Vgl. *E. Ringel*, Der Selbstmord. Abschluß einer krankhaften psychischen Entwicklung, Wien/Düsseldorf 1953.

3 Vgl. folgende Literatur zum Jugend-Selbstmord: *C. Haffter*, Selbstmordversuch bei Kindern und Jugendlichen, Basel 1966; *A. Duehrssen*, Zum Problem des Selbstmordes bei jungen Mädchen, Göttingen 1967; *R. Haehling v. Lanzenauer*, Jugendselbstmord, Hamburg 1971; *J. Jacobs*, Selbstmord bei Jugendlichen, München 1974; *G. Heuer*, Selbstmord bei Kindern und Jugendlichen, Stuttgart 1979; *B. Lewinsky-Auerbach*, Suizidale Jugendliche. Grenzen und Möglichkeiten suizidalen Verstehens, Stuttgart 1980; *I. Drewitz*, Junge Menschen messen ihre Erwartungen aus ... Herausforderung Tod, Frankfurt a. M. 1986; Suizid bei Kindern und Jugendlichen, hrsg. v. *I. Jochmus/E. Forster*, Stuttgart 1983; Suicide in Children and Adolescents, ed. by *G. Maclean*, Bern/New York/Tokio 1990.

4 *J. Jacobs*, a. a. O. 126ff. kommt aufgrund eigener Untersuchungen auf folgendes Ergebnis: 71 % der jugendlichen Suizidanten waren mit «zerrütteten» Familienverhältnissen konfrontiert. Die familiäre Belastung ist zwar ein wichtiges Moment für die suizidale Entwicklung, stellt aber innerhalb dieses Prozesses nur ein Moment dar. Dies läßt sich schon allein daran zeigen, daß dieselben familiären Verhältnisse zu anderen Verhaltensweisen führen können, z. B. zu Suchtabhängigkeiten, zu Kriminalität. Es ist bis heute noch nicht genau ausgemacht, warum bei ähnlichen Ausgangsverhältnissen die eine oder andere Möglichkeit abweichenden Verhaltens gewählt wird.

zwischen den Elternteilen bestehen, wenn in der Frühzeit des Kindes die primären Bezugspersonen häufig wechseln, und wenn das Kind von den Eltern emotional abgelehnt wird. Man darf vielleicht auf folgende Gesetzmäßigkeit aufmerksam machen: Je schwerer die Schädigung in der Kindheit, desto geringer ist die Fähigkeit, sich mit dem Leben produktiv auseinandersetzen zu können.

B. Stober[5] hat in seinen Nachforschungen aufgezeigt, daß sich in den Familien suizidaler Kinder und Jugendlicher häufig Symptome im Interaktions- und Kommunikationsprozeß nachweisen lassen. Kinder und Jugendliche, die in ihren Familien einem extremen Interaktionsmuster ausgesetzt sind, müssen sich ständig neu anpassen und dauernd die von den Eltern ausgehenden Verhaltensmuster interpretieren. Sie finden schließlich keine Kraft mehr für Strategien um Anerkennung, Selbstbehauptung und für Liebeserweise; die Hauptbezugspersonen vermitteln so das Gefühl des «Überflüssigseins», das dann unter bestimmten Voraussetzungen als möglichen Ausweg eine Suizidhandlung provozieren kann. Damit möchte der junge Mensch auf sich aufmerksam machen, aber gleichzeitig auch jenen harmonischen Zustand erreichen, der ihm ein konfliktfreieres Leben garantiert.

Der innerpsychische Prozeß, der sich in Kindern und Jugendlichen vollzieht und sie schließlich dazu bringt, den Suizid als einzige noch verbleibende Lösungsmöglichkeit zu suchen, ereignet sich in drei Phasen: Erstens: Es baut sich zunehmend ein Erschöpfungszustand des gefährdeten Familienmitgliedes auf. Das Gefühl des Im-Stich-gelassen-Seins wächst. Es scheint aber auch zur Eigenart dieses emotionalen Zustandes zu gehören, daß man dies weder sich selbst noch den Angehörigen gegenüber eingesteht. Zweitens: Die Gefühle der Einsamkeit, Verlassenheit und Hoffnungslosigkeit wachsen sehr stark an, die aber wiederum zurückbehalten und von den übrigen Familienmitgliedern nicht wahrgenommen werden oder nicht registriert werden wollen. Das bringt es mit sich, daß Kinder und Jugendliche in dieser Phase in ihrem äußeren Erscheinungsbild angepaßt und unauffällig sind, sich nicht getrauen, ihre eigenen Bedürfnisse zu spüren und wahrzunehmen, geschweige denn sie gegenüber der unmittelbaren Umwelt geltend zu machen. Drittens: Hier brechen Suizidimpulse in der Form von Vergeltungs- und Racheimpulsen auf, die sich sowohl gegen die nähere Umgebung wie auch gegen die eigene Person richten.

Zu einer solchen demonstrativen Handlung kommt es zumeist dann, wenn Lernschwierigkeiten auftauchen oder wenn zusätzlich noch belastende Faktoren hinzukommen, z. B. der Verlust eines geliebten Men-

---

[5] Familien von suizidalen Kindern und Jugendlichen, in: Familiendynamik 1978, 299 - 316.

schen, Liebeskummer, Schulstreß. Auf die Schulsituation mit ihren vielfältigen Belastungen und Leistungsanforderungen, die häufig als suizidfördernd angesehen wird, müssen wir noch zu sprechen kommen, wie auch auf die sozialen und gesellschaftlichen Bedingungen, die möglicherweise einen bedeutsamen Einfluß auf die suizidale Entwicklung ausüben. In diesem Zusammenhang steht der familiäre Kontext zur Diskussion, der bei Störungen – entsprechendes gilt auch für die besitzergreifende, nicht freilassende Liebe der Eltern gegenüber dem Heranwachsenden – eindeutig suizidwirksam werden kann.

Wenn wir nun gleichsam soziologisch feststellen, daß die Suizidgefährdung des jungen Menschen ihre Wurzeln in überlasteten, mehr oder weniger gestörten Familienverhältnissen hat, die ja öfters nochmals Ausdruck tiefer Verunsicherung einer Umgebung sind, welche das Familienleben und die Erziehungsaufgabe erschweren, dann läßt sich unter entwicklungspsychologischen Gesichtspunkten sagen, daß die Wurzeln der Suizidgefährdung des jungen Menschen in sehr vielen Fällen in einer mißlungenen psychischen Entwicklung seit der Kindheit liegen. Im Anschluß an *E. Ringel* greifen wir auf die drei wichtigsten Stufen der kindlichen Ich-Entwicklung von *E. H. Erikson*[6] zurück, die grundlegend zur Entfaltung einer ausgeglichenen, selbständigen und gesellschaftsfähigen Persönlichkeit sind. Das Negativbild zeigt im Gegensatz dazu eine mißlingende Entwicklung, die den Grund für das später sich herausbildende präsuizidale Syndrom legen kann. Denn Schädigungen dieser Stufen führen leicht zu dem, was wir als Suizidgefährdung erkennen können.

1. *Urvertrauen*

Im frühkindlichen Entwicklungsprozeß kommt den Beziehungen zu den Primärpersonen eine entscheidende Bedeutung zu. Die Liebeszuwendung legt den Grund für das Urvertrauen nicht nur in sich selbst, in Mitmensch und in Welt überhaupt. Das Urvertrauen ist eine auf die ersten Lebensjahre zurückgehende Erfahrung, die das Gefühl vermittelt, daß man sich in Glaubwürdigkeit und Zuverlässigkeit auf die anderen wie auch auf sich selbst verlassen kann. Vertrauen besagt nicht nur, daß man sich auf die Versorger der Umwelt verlassen kann, auf ihre Gleichheit und Beständigkeit, sondern auch, daß man mit den eigenen Triebimpulsen fertig zu werden, vertrauen kann. Die Summe an Vertrauen, die den frühesten Erfahrungen des Kindes entstammt, ist

---

[6] Vgl. *E. H. Erikson*, Identität und Lebenszyklus, Zürich 1966, 62ff.; *Ders.*, Jugend und Krise. Die Psychodynamik im sozialen Wandel, Stuttgart 1970, 91ff.

nicht allein von der Quantität von Nahrung und Liebe abhängig, sondern eher von der Qualität der Bindung der Bezugspersonen. Wenn es die Eltern verstehen, in einem vernünftigen Ausgleich von Lenkung und Gewährung, dem Kind «eine tiefe, fast körperliche Überzeugung» (*E. H. Erikson*) zu vermitteln, daß das, was es tut, einen Sinn hat, dann bildet sich das heraus, was man als positives Lebensgefühl bezeichnet. Das Urvertrauen äußert sich dann im Gefühl, daß das eigene Leben gut ist. Diese Grundgestimmtheit ist das Fundament der gesunden Persönlichkeit, das in der Gesamtheit der Persönlichkeit aufgeht, aber sich dennoch deutlich von später hinzutretenden Komponenten abhebt, wie auch von Krisen des Erwachsenwerdens und von Schädigungen im Erwachsenenalter.

Mit dem Urvertrauen in das Leben wächst auch die Fähigkeit zu, mit Menschen in Kontakt und in tragfähige Beziehungen treten zu können. Die früheste soziale Verhaltensweise ist das «Nehmen» im Sinne des Geben-Bekommens und Annehmens. Die Herausbildung der wechselwirkenden Fähigkeit des Entgegennehmens und des Annehmens ist von höchster Bedeutung für die Erfahrung eines «freundlichen andern». Indem das Kind lernt, das anzunehmen, was ihm gegeben wird, und indem es lernt, die Betreuungspersonen zu veranlassen, etwas zu geben, entwickelt sich die Grundlage für eine stabile Kommunikation, die – sei es im engeren Beziehungsfeld die Freundschaft oder im weiteren Beziehungsfeld die Familie oder Gruppe – durch den reziproken Prozeß des Gebens und Annehmens geprägt ist. Die klinischen Erfahrungen legen den begründeten Schluß nahe, daß Störungen in dieser frühesten sozialen Verhaltensweise das Muster für eine fundamentale Störung im Verhältnis zu den Mitmenschen abgeben können, besonders zu geliebten und sonst bedeutsamen Personen. Denn solche Traumata können zu psychischen Hemmungen führen, die eine gesunde Ich-Entfaltung und ein erstarktes Selbstwertgefühl verhindern oder zumindest sehr stark erschweren. Wenn in der frühkindlichen Phase mit dem vermittelten Urvertrauen der Grund für eine gesunde Ich-Entfaltung gelegt wird, ist später die Möglichkeit eher gegeben, auftretende Krisen und Konflikte, die sich beispielsweise mit der Pubertät einstellen, angemessen verarbeiten zu können.

2. *Autonomie*

Ein weiteres Moment, das in der frühkindlichen und kindlichen Entwicklung von höchster Bedeutung ist, muß man in der Herausbildung des gesunden Selbststandes sehen. Mit der Reifung der Körperkräfte wächst dem Kind die Fähigkeit zu, eine Anzahl äußerst komplizierter

Akte, wie «festhalten» und «loslassen» zu koordinieren. Das immer noch sehr abhängige Kind beginnt einen enormen Wert auf seinen autonomen Willen zu legen. Gelingt der allmähliche Aufbau der Selbstbeherrschung ohne Verlust des Selbstgefühls, entsteht ein Gefühl von Autonomie und Stolz. Dagegen entsteht aus einer Empfindung des Mißlingens der Selbstkontrolle (z. B. in der Reinlichkeitserziehung) und aus der Empfindung des übermäßigen Eingreifens der Eltern ein Gefühl von Zweifel und Scham. Dieses Stadium ist entscheidend für die Herausbildung des liebend-guten Willens oder der eng-kleinlichen Selbstbeherrschung, für die Fähigkeit des Zusammenarbeitens oder für die Ausprägung des Eigensinns und schließlich für die Fähigkeit zum Ausdruck seiner selbst oder für die Grundhaltung zwanghafter Selbstbeschränkung. Der Ausgleich zwischen beiden Polen schafft das Gefühl des gesunden Selbststandes.

Die weitere Ausbildung des Selbststandes muß so erfolgen, daß der Mensch nicht in dem erstickt, was ihm anerzogen wurde, was nur fortwährend Zweifel an sich selbst erzeugen kann, sondern daß er in freier Auseinandersetzung zu dem kommt, was wir eigenständige Persönlichkeit nennen. Dies ist die Voraussetzung dafür, daß man nicht bei jedem eigenständigen Schritt von Zweifeln geplagt wird. Gelingt dieser Prozeß nicht, an dem Eltern und Lehrer großen Anteil haben, dann resultieren daraus Einengung, Unsicherheit und Schuldgefühle. Es bestätigt sich immer wieder, daß gerade verunsicherte und verängstigte Kinder und Jugendliche Suizid begehen. Wir sind uns an ein reibungslos funktionierendes Gesellschaftssystem gewohnt und daher auch bestrebt, reibungslos funktionierende Kinder heranzuziehen. Wenn wir Kinder vor der inneren Unfreiheit und der angsterzeugenden Unsicherheit bewahren wollen, dann müssen wir ihnen auch gestatten, ihre Ängste und ihre Phantasiewelt auszudrücken, ihre Kräfte und Wünsche an der Realität zu erproben. Und dies sollte in einem Klima geschehen, das nicht gleich Schuldgefühle erzeugt, sondern einen gesunden Realitätssinn für das, was möglich ist.

3. Initiative

Auf jener Stufe, in der das Kind lernt, sich frei und kraftvoll zu bewegen, das Sprachvermögen vervollkommnet und seine Vorstellungswelt erweitert, bildet sich bei entsprechender erzieherischer Unterstützung das Gefühl der «ungebrochenen Initiative» heraus. Dies zeigt sich zunächst einmal im Eindringen in den Bewegungsraum, dann aber auch im Vordringen in das Unbekannte durch eine unersättliche Wißbegier. Hier wird die Grundlage für das zupackende, angstfreie Zugehen auf die Lebenswirklichkeit gelegt. Und eigentlich ist die ganze Erziehung eine Stützung und Ermutigung dieses Vorganges, eigene Schritte zu wagen, die Eigenkräfte zu trainieren, auch Rückschläge in Kauf zu nehmen, um daraus gestärkt hervorzugehen.

Gefährdet ist das entmutigte Kind: Die Weltoffenheit und die lustvolle Durchdringung des Lebensraumes geht ihm verloren; es wagt nicht, aus sich herauszutreten. Auf diesem Hintergrund kommt es immer wieder zu den gleichen negativen Erlebnissen. Denn gerade durch gehäufte Mißerfolgserlebnisse können sich Reaktionsmuster herausbilden, die die Daseinsbewältigung kaum richtig gelingen lassen. Es kommt im wesentlichen darauf an, daß dem Kind durch Erfolgs- und Bestätigungserlebnisse jenes subjektive Gefühl vermittelt wird, daß es das Leben nicht als Bedrohung empfindet, sondern als Herausforderung, die man mit Eigeninitiative aufgreifen und gestalten kann. Das psychische, von gehäuften Negativerfahrungen geprägte Erleben, regrediert angesichts der unbewältigbaren Gegenwart auf frühere, harmonisch erlebte Zustände. Mit diesem Realitätsverlust wird zwar die Hoffnung auf Geborgenheit neu gestärkt; aber damit sind Passivität und Abhängigkeit verbunden. Beide Faktoren, die in der Realwelt erlebten Mißerfolge und die in der Idealwelt erlebte Passivität und Abhängigkeit, erhöhen die Verwundbarkeit bis zu jenem Grad, die in der Selbstmordhandlung ihren letzten Ausdruck finden kann.

Es ist das Verdienst von *H. Henseler*, aufgezeigt zu haben, daß eine suizidale Reaktion aus einer Hemmung der Initiativkräfte und gleichzeitig im Rückzug in den unrealistischen Raum der Vergangenheit erfolgt. Die beste Vorsorge ist deshalb diejenige, welche im Heranwachsenden die Herausbildung der schöpferischen und initiativen Kräfte fördert, und zwar so, daß er mit seinen inneren Fähigkeiten und seiner Kraft der Phantasie instand gesetzt wird, das Maß der eigenen Freiheit an der Freiheit anderer zu nehmen.

Man kann also sagen, daß das vermittelte Urvertrauen, die Herausbildung des Selbststandes und die entwickelte Kraft zur eigenen Initiative die notwendigen Voraussetzungen für ein gesundes Selbstwertgefühl sind. Je weniger diese Grundlagen für ein gesundes Selbstwertgefühl gegeben sind, desto größer ist die Anfälligkeit für eine suizidale Entwicklung, insbesondere dann, wenn noch andere, erschwerende Außenfaktoren hinzutreten, wie beispielsweise das Hineinwachsen in den Beruf, das Ablösen aus der angestammten Familiengemeinschaft usw.

Es gibt für das Jugendalter allerdings noch andere, charakteristische Merkmale, die nicht unbedingt an die frühe Kindheit gebunden sind, sondern vielmehr mit der Jugend als solcher gegeben sind.[7]

1. Trieb- und Gefühlskonflikte

Die Gefühle und Stimmungen sind in der Jugendzeit besonderen Schwankungen unterworfen. Das ausgeprägte emotionale Spannungsfeld spiegelt deutlich den Zustand des Durcheinandergeratens des Gefühlshaushaltes. Dies ist verbunden mit der Auflösung alter psychischer Strukturen und mit dem Aufbrechen neuer Gefühlsinhalte, die noch nicht eingeordnet werden können. Man weiß auch nicht so recht, wie man mit den sich zum Teil widerstreitenden Gefühlen umgehen soll. Daraus resultieren hauptsächlich Verstimmungs- und Gehobenheitszustände, die viele Bedeutungen und sehr verschiedene Ursachen haben können und von daher auch eine Vielfalt von Konflikten beinhalten. Das Unglücklichsein kann Ausdruck des Verlustes von Objekten und Zielen der Kindheit sein; die Traurigkeit kann von schmerzlichen Sehnsüchten gefärbt sein, weil ein neues Niveau von Leistung und persönlichem Engagement noch nicht gefunden ist. Die Glückszustände können aus enthusiastischen Hinwendungen zu neuen Interessen, zum anderen Geschlecht oder zu anderen Bezugspersonen entspringen.

Dieser ambivalente und stark von Extremen bestimmte Gefühlszustand bringt es mit sich, daß der Jugendliche eine Situation schneller als ausweglos beurteilt und keinen Ausweg mehr sieht. *K. Menninger* hat in diesem Zusammenhang vom «psychologischen Irrtum» gesprochen und meint damit die Fehleinschätzung der Situation, der insbesondere Jugendliche unterliegen.[8] Als klassisches Beispiel dafür nennt er den tragischen Tod von Romeo und Julia und weist anhand dieses Beispiels darauf hin, daß gerade Konflikte im Umfeld von Freundschaft und Liebe, die ja die Gefühlswelt so sehr tangieren, der Gefahr der Fehleinschätzung unterliegen. Hier liegt ein Grund, warum Jugendliche wegen einer enttäuschten Freundschaft häufiger als erwachsene Menschen zu Kurzschlußhandlungen neigen.

---

[7] Vgl. Entwicklung des Ichs, hrsg. v. *R. Döbert/J. Habermas*, Gütersloh 1977 (= Neue wissenschaftl. Bibliothek 90), darin besonders die Beiträge von P. Blos und E. Jacobson.

[8] *K. Menninger*, Selbstzerstörung. Psychoanalyse des Selbstmordes, Frankfurt a. M. 1974, 231.

Auch wenn man von einer fortschreitenden Enttabuisierung der Sexualität unter den Jugendlichen ausgeht, so ist es durchaus nicht so, als hätten die Jugendlichen alle Hemmungen über Bord geworfen. Es läßt sich feststellen, daß die Tendenz, sich an einen liebenswerten Partner zu binden, gleichzeitig mit einer sexuellen Zurückhaltung verbunden ist. Die Ängste und Befürchtungen beziehen sich nicht so sehr auf den Körperkontakt als solchen – und hier zeigt sich das veränderte Sexualverhalten –, sondern vielfach auf die als schmerzlich empfundene seelische Abhängigkeit. Daraus können suizidale Konflikte entstehen, die auf dem Hintergrund des biologischen Ereignisses der Pubertät und der damit verbundenen neuen Trieb- und Ich-Organisation eine eigene Dynamik erhalten. Die Tragik besteht nun darin, daß solche Ängste im Kontext einer sich aufgeklärt gebenden Gesellschaft kaum verbalisiert werden können, da die sexuellen Rollenmuster Sexualverhalten und Sexualängste, die zur Bewältigung dem individuell-privaten Bereich aufgegeben sind, stark dissoziieren.

Testpsychologische Ergebnisse weisen darauf hin, daß suizidale Jugendliche einen gestörten Bezug zum eigenen Körper haben. Die Sinnenhaftigkeit scheint durch ein rationales und dennoch romantisches Liebesidyll verstellt zu sein.

> «Vom Rollendiktat abweichende sexuelle Wünsche ... werden besonders schuldvoll verarbeitet. Der quälerische Umgang mit der eigenen Sexualität erschwert das Finden von Partnern. Die Distanzen zum Du werden durch übertriebene Isolierung oder unangemessenes Sichaufdrängen schlecht gemacht.»[9]

Zwar ist die Jugendzeit allgemein von einer ambivalenten Unsicherheit (Annahme/Ablehnung) gegenüber den wachsenden körperlichen Kräften geprägt, doch scheint sich bei suizidalen Jugendlichen jener Pol zu verfestigen und zu verstärken, der die Sinnenhaftigkeit des Körpers, die gleichsam stellvertretend in der Sexualität aufbricht, verdrängt und «verrationalisiert». Wenn wir diese Beschreibung überdenken, so fällt es nicht schwer, Beispiele in der Umgebung von Jugendlichen zu finden, die, das unmittelbar Körperlich-Sinnenhafte ausschaltend, in platonischer Weise von Liebe und Freundschaft schwärmen. Was allerdings suizidale Jugendliche von anderen Jugendlichen unterscheidet, sind ihre geringeren Möglichkeiten, in einer gewissen Ich-Flexibilität – durch momentanen Rückzug (Regression) in die ungebrochen erlebte Körperlichkeit der Kindheit und durch zeitweilige Flucht nach vorn in die ungestüme Phantasiewelt – einen Ausgleich zu finden.

Wir müssen in diesem Zusammenhang noch auf einen weiteren, wichtigen und meist nicht mehr beachteten Umstand aufmerksam ma-

---

9 *B. Lewinsky-Auerbach*, a. a. O. 111.

chen, nämlich auf die Problematik von Suizidalität und Masturbationsverhalten. Es klingt überraschend, daß selbst bei äußerst frei erzogenen Jugendlichen das Problem der Autoerotik, vor allen Dingen die Masturbation, ein gewichtiger Faktor bei der suizidalen Entwicklung darstellt. Erzieher und Psychologen machen die Erfahrung, daß man viel leichter über heterosexuelles Verhalten spricht als über autoerotische Erfahrungen. Irrationale Ängste und Befürchtungen, ja vielleicht sogar archaische Befleckungsvorstellungen, scheinen selbst bei jener Erziehung, die dieses Problem ignoriert oder dann frei und offen thematisiert, durchzubrechen. Für die schuldhafte Verarbeitung der sexuellen Selbststimulation ist nicht so sehr die Praxis selbst von Bedeutung als vielmehr die Art der Begleit-Phantasien. Suizidale Jugendliche kommen erst nach langen Gesprächen darauf zu sprechen, daß ihre sexuellen Selbsterfahrungen mit Vorstellungen verknüpft sind, sich Verletzungen beigebracht zu haben, und mit Phantasien, an der Integrität des Körpers irgendwie schuldig geworden zu sein. Dieser Schaden, der als nicht wieder herstellbar empfunden wird, fordert die Vernichtung des Körpers, also den Suizid heraus. In der Fachsprache formuliert heißt das: Solche autoerotischen Erlebnisse führen zu einer Spaltung zwischen Körper- und Selbsterleben, welche die eigene Identität gefährdet; denn für die Identitätsherausbildung ist der libidinöse Selbstbezug zum Körper unabdingbare Voraussetzung. Von hier aus ist es denn auch erklärlich, warum der sexuellen Selbsterfahrung für die suizidale Entwicklung eine solche Bedeutung zukommt.[10]

2. *Die Anpassungs- und Aggressionsproblematik*

Jugendliche haben im besonderen Maße die innere und äußere Welt neu zu organisieren. Dies geht nicht anders als durch Erschütterungen, Schwankungen und Unsicherheiten vor sich. Die Ablösung von der Kindheit und der Schritt in die Unabhängigkeit bringen einerseits das Problem der Selbstbehauptung, andererseits aber auch das Problem der Einordnung in den gesellschaftlichen Kontext mit sich. Auf diesem generellen Hintergrund der Jugendlichen-Problematik zeigen sich suizidale Jugendliche zu stark anpassungsbereit. Das heißt nun nicht, daß sie sich immer nur brav verhalten, sondern daß sie strenge Konformitätsmaßstäbe an sich anlegen und akzeptierten Schematas sich rigoros unterwerfen. Die Verhaltensmuster sind so eng gewählt, daß sich ein Versagen fast mit Notwendigkeit aufdrängt. Und der Zwang, die eigenen Vorstellungen und Verhaltensweisen immer wieder kritisch neu

10 Auf diese Tatsache macht ebenfalls B. Lewinsky-Auerbach aufmerksam.

formulieren und anpassen zu müssen, stellt schließlich die Unmöglichkeit dar, sich überhaupt noch im eigenen Lebensraum zurechtzufinden. Der Bezug zur Wirklichkeit scheint gerade in dem Maße zu entgleiten, als er paradoxerweise im Übermaß gesucht wird.

Dieser Zusammenhang scheint erst auf dem Hintergrund eines verunsicherten Selbstwertgefühls verständlich.[11] Denn das ungefestigte Selbstwertgefühl läßt keine Einbrüche der Verunsicherung und der Schwankungen zu, die aus der Konfrontation mit neuen Erlebnissen und mit neuer Umgebung zustande kommen. Die innere Freiheit und Lebendigkeit, die den selbstverständlichen Zugang zu den eigenen Wünschen und Zielen und zu den fremden «Objekten» ausmacht – darin zeigt sich gerade das gesunde Selbstgefühl – läßt sich bei einem großen Teil der suizidalen Jugendlichen nicht finden. Diese Beobachtung widerspricht der Tatsache nicht, daß es suizidale Jugendliche gibt, die zwischen intensiven Abhängigkeitsforderungen und ruhelosen, negativistischen Ablehnungen hin und her schwanken. Sie fallen zwar als lebenshungrige Menschen auf, die sich gegen Zwänge in Familie und Institution zur Wehr setzen, sich aber gerade dadurch selbst verstrikken, indem sie sich von selbst gesetzten Zielvorstellungen überkonsequent leiten lassen. Die Tragik besteht darin, daß das hohe Niveau an Einsicht und der hohe Grad der Ich-Leistung mit den unterschwelligen Wünschen nach Angenommensein nicht zur Deckung gebracht werden können. Diese Spaltung wird dann als besonders schmerzlich empfunden, wenn ungenügende Voraussetzungen für das Wahrnehmen sozialer Bedürfnisse und für das Einüben von Kommunikationsformen vorhanden sind. Hier ist nicht so sehr an das familiäre Beziehungsnetz gedacht, das im Jugendlichenalter überschritten werden muß, sondern vor allem an Formen des Umgangs mit Gleichaltrigen und an Bestätigungsformen in Freizeit, Schule und Arbeitsplatz.

3. Schul- und Leistungsproblematik

Die Schule ist unbestritten ein Teilfeld für die Ursachen des jugendlichen Selbstmordes, weil Jugendliche stark mit der Schule und ihren Forderungen konfrontiert werden. Schulstreß, Schulangst, Leistungs-

---

[11] Vgl. hierzu: *H. Henseler*, Narzißtische Krisen. Zur Psychodynamik des Selbstmordes, Hamburg 1974, bes. 84ff. H. Henseler hat die bekannten Daten aus der Suizidologie mit der Narzißmustheorie verbunden und ist zur Erkenntnis gelangt, die er auch an einzelnen Fallbeispielen erhärtet, daß die Suizidhandlung unabhängig von Alter und Geschlecht vor allen Dingen mit den Selbstwertgefühlen zu tun hat. Diese Interpretationsmöglichkeit setzt uns auch instand, den suizidalen Jugendlichen besser zu verstehen. Die Brauchbarkeit dieses Interpretationsansatzes zeigt sich vor allem in der wirksamen Anwendungsmöglichkeit in Therapie und Praxis.

zwang und Notendruck werden als ursächliche Momente angeführt. Doch nach aller Erfahrung muß man sagen: Wenn ein Schüler in eine tödliche Depression stürzt, dann ist er zumeist in ein ganzes Konfliktfeld verstrickt, in dem viele Faktoren zusammenwirken: Spannungen mit Eltern und Freunden, vor allem «eine unglückliche Liebe» – alles wiederum ein Teil der komplizierten Ich-Findung. Diese Faktoren sind meist schwerwiegender am Entschluß zum Suizid beteiligt als die Schule. Denn unerklärlich bleibt das Aus-dem-Leben-scheiden jener Jugendlicher, die keinerlei Schulprobleme hatten, was Lehrer und Erzieher um so mehr erschüttert, weil die Motive für sie meist nicht einmal zu rekonstruieren sind. Bei Jugendlichen brechen die suizidalen Tendenzen beim Nicht-Genügen der Leistungsanforderungen auf. Hier kristallisieren sich die unterschiedlichsten Schwierigkeiten:

- subjektive Überforderung
- emotionale Verwirrungszustände
- familiäre Belastungen
- das Leiden an den Unterdrückungsstrategien der Mitschüler
- das Leiden am perfekten Schulsystem.

Es geht hier nicht darum, das Schulsystem als solches zu verurteilen, sondern es stellt sich in diesem Zusammenhang insbesondere die Frage, wie das Wissen um Reifekrisen des Jugendlichen im Schulablauf eingebracht werden kann. Gefühlhafte Bedürftigkeit, Ambivalenzzustände in Emotion, Beziehung und Leistung sind nicht einfach «Nebenprodukte» der Reifung, sondern deren legitime Anteile. Wir erinnern uns, daß in anderen Kulturen die Initiation und das Hineinwachsen in die Erwachsenenwelt mitunter recht dramatisch erfolgt. Hat sich in unserer Gesellschaft dieser Vorgang vielleicht nicht zu sehr verengt auf den Wechsel der Schulstufe in eine andere? Wenn die Vorgabe anerkannt ist, daß affekt-labile Zustände, äußere und innere Rückschläge, emotionaler Rückzug und pathetische Schwärmerei Schritte der Reifung sind, dann erfolgt Wissensvermittlung und die Leistungsabforderung mit einer angemessenen Bezugnahme zu den psychischen Vorgängen. Wenn aufgrund von Beobachtungen festgestellt werden kann, daß der Suizid bei Jugendlichen nicht als revolutionäre Tat, als Freiheitsakt und nicht so sehr als Kontestation der Absurdität des Lebens erscheint, sondern vielmehr – und dies ist ganz deutlich zu sehen – als «Eintreten auf Konformitätserwartungen», dann haben Schule und Erwachsenenwelt vor allen Dingen sensible und von der Umwelt stigmatisierte Jugendliche vor ihren eigenen wie auch vor zu hohen Leistungsanforderungen der Schule zu schützen.

4. *Das gesteigerte Gefühl der Isolation*

Aus Erfahrung wissen wir, daß kaum ein Jugendlicher aus dem Leben geschieden ist, ohne das Gefühl gehabt zu haben, völlig unverstanden zu sein (*E. Ringel*). Dieses Gefühl kann sich bei jungen Menschen in dramatischer Weise zuspitzen. Daher ist die Schaffung und Erhaltung eines Vertrauensverhältnisses ein entscheidender Faktor, der im kritischen Moment vielleicht zur wichtigsten Sperre der Verhinderung des Suizides wird. Zunächst ist das Gefühl des Unverstandenseins ein Moment innerhalb der jugendlichen Entwicklung selbst. Und wenn nicht alles täuscht, läßt sich dieses Moment heute etwas zugespitzter und verschärfter feststellen, weil der bewußtseinsmäßige Abstand zwischen den einzelnen Generationen größer geworden ist. Gerade dieser größere Abstand zwischen der ersten und zweiten Generation bringt es mit sich, daß weniger emotionale und sachliche Gemeinsamkeiten gegeben sind. Dies erschwert den Brückenschlag zwischen den verschiedenen Lebensgefühlen, Lebensvorstellungen und Idealen.

E. Durkheim hat darauf aufmerksam gemacht, daß die Suizidgefährdung ganz allgemein in dem Maße zunimmt, als einzelne und Gruppen nicht mehr in einem größeren Verband durch Bindung und Beziehung integriert sind. Nicht scheinbare Toleranz und liberaler Pluralismus sind hier die Lösung, um solcher Verletzlichkeit entgegenwirken zu können, sondern Gesprächsbereitschaft, Problemoffenheit und konstruktive Lernbereitschaft, die von Erwachsenen ein «gerütteltes Maß» an Duldsamkeit abverlangt. Wir alle partizipieren an den vielbeschworenen Sachzwängen, an der Aufsplitterung unserer Lebenswelt, an der Unübersichtlichkeit gesellschaftlicher Prozesse. Es ist eine Gemeinschaftsaufgabe, diese Dinge differenziert zu sehen, aber gerade auch Heranwachsende in diese Auseinandersetzung hereinzuholen, um Isolationsphänomene zu vermeiden.

Dem Suizid und Suizidversuch geht im allgemeinen eine längere Entwicklung voraus. Er ist der Abschluß eines Prozesses, bei dem sehr viele Faktoren zusammenwirken. Selbst nach einer langen und intensiven Forschungsarbeit auf den verschiedensten Fachgebieten ist es nicht gelungen, dieses Rätsel zu lösen. Man kennt zwar heute einige Zusammenhänge, aber auch Möglichkeiten, suizidale Entwicklungen zu beeinflussen und zu heilen. Doch im letzten bleibt dieses Geschehen nie völlig durchsichtig, vielleicht gerade deswegen, weil es hier um die letzten Dimensionen des Menschseins geht. Ein solches Geschehen, wo es um Sein oder Nicht-Sein des Menschen geht, bleibt dem verfügenden Zugriff des menschlichen Verstehens entzogen, weil, wie *B. Pascal* einmal formulierte, der Mensch sich selbst ein Rätsel ist. Wir dürfen die Erkenntnisse und Möglichkeiten nicht ungenutzt lassen, suizidale Entwicklungen bei Menschen zu erkennen und bewußter ein anti-suizidales Klima zu schaffen. Das Wissen wird aber erst dann fruchtbar, wenn es ins Engagement für den Mitmenschen mündet.

III. Euthanasie – Hilfe im Sterben oder Hilfe zum Tod

A. Einleitung

Noch zu keiner Zeit dürfte das Thema Sterbehilfe Gegenstand einer so breiten Diskussion in Gesellschaft[1] und Wissenschaft[2] gewesen sein wie in der Gegenwart. Die Gründe für dieses außerordentlich gesteigerte Interesse sind vielfältig. Zu einem großen Teil liegen sie im ungewöhnlichen technischen Fortschritt der Medizin begründet, insbesondere in der sogenannten Apparatemedizin. Auf der einen Seite ist hier vieles möglich geworden, das die Frage nach einem menschenwürdigen Maß aufwirft. Das fragwürdige, mittlerweile schon fast wieder in Vergessenheit geratene Erlanger-Experiment, bei dem ein Kind in der für tot erklärten Mutter zur Geburtsreife hätte gebracht werden sollen, und dem schließlich die Natur selbst ein Ende gesetzt hat, ließ dies allerdings auf einem anderen Gebiet, aber doch typisch für die ganze Medizin, wieder deutlich vor Augen führen. Auf der anderen Seite erzeugen die fast unbegrenzt erscheinenden medizinischen Möglichkeiten bei manchen Menschen Angst, sie könnten in ihren letzten Tagen medizinischen Apparaten ausgeliefert sein, welche ihr Leben unnötig verlängern. Sie möchten nicht, wenn es einmal so weit sein wird, bedingungslos Apparaten ausgesetzt sein, gleichsam durch technische Systeme entwürdigt

---

[1] Vgl. etwa den in den USA lange auf der Bestsellerliste figurierenden Titel: *D. Humphry*. Final Exit: The Practicalities of Self-Deliverance and Assisted Suicide for the Dying, Oregon 1991. Teile dieses Artikels wurden veröffentlicht in: Civitas: Schw. Monatsschrift für Politik und Kultur 48 (1993) 104 - 114.

[2] In jüngster Zeit hat sich auch die sog. philosophische angewandte Ethik im deutschen Sprachraum intensiv dieser Problematik angenommen, nachdem dieses Feld bis vor kurzem fast ausschließlich den Moraltheologen vorbehalten war. Vgl. u. a. *H.-M. Sass* (Hrsg.), Medizin und Ethik, Stuttgart 1989 (darin: *N. Hoerster/J. Rachels/T. L. Beauchamp*); *A. Leist* (Hrsg.), Um Leben und Tod. Moralische Probleme bei Abtreibung, künstlicher Befruchtung, Euthanasie und Selbstmord, Frankfurt a. M. 1990; *H.-H. Atrott/H. Pohlmeier*, Sterbehilfe in der Gegenwart, Regensburg 1990; *R. Hegdelmann/R. Merkel* (Hrsg.), Zur Debatte über Euthanasie. Beiträge und Stellungnahmen, Frankfurt a. M. 1991; *J.-C. Wolf*, Sterben, Tod und Tötung, in: *K. Bayertz* (Hrsg.), Praktische Philosophie. Grundorientierungen angewandter Ethik, Reinbek 1991, 243 - 277; *H. Hepp*, Hilfe zum Sterben? Hilfe beim Sterben!, Düsseldorf 1992 (darin: *A. Anzenbacher/D. Birnbacher*); *J.-C. Student* (Hrsg.), Das Recht auf den eigenen Tod, Düsseldorf 1993; vgl. auch das Themenheft Nr. 1 «Euthanasie» der Ztschr. für med. Ethik 1993 (bes. die Länderberichte); aus theol. Sicht zuletzt: *H. M. Kuitert*, Der gewünschte Tod. Euthanasie und humanes Sterben, Gütersloh 1991; *E. Schockenhoff*, Sterbehilfe und Menschenwürde, Regensburg 1991.

werden. Denn diese könnten während Wochen und Monaten unter Umständen lebenswichtige Körperfunktionen aufrechterhalten und den Vorgang des Sterbens unverhältnismäßig lang hinauszögern.

Die Angst und das Mißtrauen gegenüber der medizinischen Spitzentechnologie bestimmt so nicht unerheblich das Nachdenken über das eigene Sterben. Ob diese Angstbilder tatsächlich den objektiven Gegebenheiten entsprechen, wäre genau abzuklären, wichtig ist aber, daß solche Skepsis und Ängste vorhanden sind. Sie sind Grund genug, daß diese Thematik aus dem Bereich der Verdrängung herausgeholt und darüber in aller Freiheit nachgedacht wird, was würdiges Sterben heißt und ob es allenfalls ein Selbstbestimmungsrecht über den eigenen Todeszeitpunkt geben kann.

1. Gesteigertes Interesse

Das gesteigerte Interesse an der Sterbehilfe erwächst allerdings auch aus einem veränderten moralischen Bewußtsein, das im Gegensatz zu ärztlichen und juristischen Geltungsansprüchen zu stehen scheint. Nach wie vor ist das Verbot der aktiven Sterbehilfe, also die bewußte Herbeiführung des Todeseintritts, sei es mit oder ohne Verlangen des Patienten, für die ärztliche Standesethik in aller Regel eine Selbstverständlichkeit, was sich in den verschiedenen Richtlinien der Standesorganisationen niederschlägt.[3] Und in demokratischen Rechtsstaaten ist die aktive Sterbehilfe im allgemeinen unter Strafandrohung verboten, auch wenn – wie etwa in Holland[4] – ausnahmsweise auf Strafverfahren verzichtet wird.[5] Dazu kontrastiert die öffentliche Meinung in einer merkwürdigen Weise.

Es scheint die Vorstellung vorherrschend zu sein, Autonomie und Selbstbestimmungsrecht des Menschen beinhalte nicht nur das Recht, den Zeitpunkt des «eigenen Todes» selbst bestimmen zu können, sondern zusätzlich auch das Recht, die Erfüllung dieses Wunsches von einem anderen verlangen zu können. Im Jahre 1974 hat das bekannte Al-

---

[3] Vgl. *A. Eser/H. G. Koch* (Hrsg.) Materialien zur Sterbehilfe. Eigenverlag Max-Planck-Institut für ausländisches und internationales Strafrecht, Freiburg i. Br. 1991. Nachdem die «Schw. Akademie der medizinischen Wissenschaften» im Jahr 1969 die «Richtlinien für die Definition und die Diagnose des Todes» herausgegeben hatte, wurde sie vor allem durch den Fall Hämmerli veranlaßt, sich auch mit dem Problem der Sterbehilfe auseinanderzusetzen. In der Folge wurden «Richtlinien zur Sterbehilfe» 1976 und (revidiert und überarbeitet) 1981 vorgelegt.

[4] Vgl. den informativen Bericht von *H. A. M. J. ten Have/J. V. M. Welie*, Euthanasie – eine gängige medizinische Praxis? Zur Situation in den Niederlanden, in: Ztschr. für med. Ethik 39 (1993) 63 - 72.

[5] Vgl. *A. Eser/H.-G. Koch* (Hrsg.), Materialien zur Sterbehilfe, a. a. O.

lensbacher Institut für Demoskopie eine Umfrage durchgeführt, bei der 53 % der Befragten der Meinung waren, der Arzt sollte nicht bestraft werden, wenn er einem Sterbenskranken auf dessen Wunsch eine tödliche Spritze verabreiche. Bei der letzten großen Umfrage desselben Institutes von 1984 waren schon 66 % dieser Meinung. Im November 1987 hat die Frankfurter Allgemeine Zeitung über eine Umfrage berichtet, die von der Deutschen Gesellschaft für humanes Sterben (DGHS) bei 2 000 Personen durchgeführt wurde; danach sprachen sich bereits 80 % der Befragten für eine aktive Beendigung des Lebens auf Verlangen aus.[6] Ähnliche Umfragen gibt es für die Schweiz nicht, doch dürften die Einschätzungen ähnlich liegen.

Es müßte nun einiges zum geistigen und zum kulturellen Hintergrund gesagt werden, auf dem solche Einschätzungen entstehen können, da der moralische Wertewandel immer auch determiniert ist durch kultursoziologisch erhebbare Faktoren.[7] Auch wenn hier nicht auf diese Fragestellung eingegangen werden kann, so sei dennoch ein Hinweis zur Interpretation dieses Einstellungsbefundes gestattet. Die Antworten, die durch solche Umfragen ein generelles Bild der Einstellung der Bevölkerung vermitteln, stammen in der Regel von jüngeren, zumindest von nicht unmittelbar tödlich bedrohten Menschen. Aus dem Bereich der Suizidproblematik ist bekannt, daß gesunde Menschen – gleichsam in objektivierender Distanz – viel eher für den Freitod plädieren als Personen, die unmittelbar in einer suizidalen Krise stehen. So weit möglich, versuchen sie adaptive Lösungen vorzuschlagen. Dieser Befund mahnt zur Vorsicht, aus öffentlichkeits-wirksamen Umfragen unmittelbar für die Praxis oder gar für die Gesetzgebung relevante Konsequenzen ziehen zu wollen. Dieser Einschränkung bewußt, müssen wir wohl dennoch davon ausgehen, daß sich darin ein bestimmtes Selbst- und Freiheitsverständnis artikuliert, das andere Akzente und heterogenere Grundzüge aufweist als früher.

2. *Selbstbestimmungs-Ethos oder -Pathos*

Wenn also nicht alles täuscht, wächst die Überzeugung immer mehr heran, daß es zur Selbstbestimmung, zur Freiheit und zur Autonomie des Menschen gehört, auch über den Tod selbst verfügen zu können. Es wäre des selbstbestimmenden Menschen unwürdig, den mühseligen Lebensrest nur noch erleiden zu müssen. Und damit verbindet sich

---

6 Zit. nach: *M. v. Lutterotti*, Aktive Sterbehilfe oder Sterbebeistand?, in: *H.-H. Atrott/ H. Pohlmeier*, Sterbehilfe, a. a. O. 87 - 103.

7 Vgl. *P. Aries*, Geschichte des Todes 1982^4; *J. Baudrillard*, Der symbolische Tausch und der Tod, München 1982.

auch die Meinung, Rechtsgemeinschaft und Gesellschaft hätten bei dieser allerpersönlichsten und intimsten Entscheidung nichts dreinzureden. Wenn man schon in seiner aktiven Lebenszeit von Abhängigkeiten, Fremdbestimmungen vielfältig eingeschränkt ist, so möchte man wenigstens das Lebensende in freier Verfügung selbst bestimmen können.

Diese Formulierungen sind bewußt etwas plakativ gewählt, um deutlich zu machen, daß damit zwar wichtige Fragen angesprochen sind, daß sie aber das gründliche Nachdenken erst herausfordern. Denn die Problemkonstellationen am Ende des Lebens sind menschlich und medizinisch so vielfältig, daß sich auch in ethischer Hinsicht eine behutsame Annäherung und Differenzierung aufdrängt. Mit Schlagworten lassen sich auch hier keine Probleme lösen, weil in diesem Problemfeld exemplarisch und fokussiert die Würde des Menschen, die Menschlichkeit des Menschen, auf dem Spiele steht. So drängt sich auch aus ethischer Sicht eine Differenzierung auf. Ich bin nach wie vor der Meinung, daß wir zunächst (prima facie) der komplexen Situation immer noch dadurch am besten gerecht werden, wenn wir passive und aktive Sterbehilfe unterscheiden.[8]

- Unter aktiver Sterbehilfe verstehe ich die gewollte, aktive Beendigung des Sterbevorganges.
- Unter passiver Sterbehilfe verstehe ich den Verzicht auf künstliche, lebensverlängernde Maßnahmen oder deren Abbruch bei einem Sterbenden.

Diese klassische Unterscheidung wird inzwischen von verschiedener Seite allerdings für überflüssig gehalten. Beispielsweise hat 1984 die «königlich niederländische Gesellschaft zur Förderung der Medizin» verlauten lassen, die Unterscheidung in aktive und passive Sterbehilfe sei unnötig, am besten sei es, nur noch von «Euthanasie» zu sprechen. *D. Birnbacher* spricht von einer «vollständigen Symmetrie zwischen der Beurteilung der aktiven und der passiven Sterbehilfe».[9] Möglicherweise wurzle der Unterschied, den wir zu machen pflegen, in einem unbegründeten kulturellen Vorverständnis. Unter der Voraussetzung allerdings, daß wir Handlungen nur nach ihrem Ergebnis beurteilen, wird in der Tat eine solche Unterscheidung hinfällig, denn Unterlassungshandlungen und aktiv gesetzte Handlungen können sich im Handlungsergebnis gleich sein. Wenn wir aber auch die Motive und die Aus-

---

[8] Vgl. *M. v. Lutterotti*, Grenzen ärztlicher Behandlungspflicht und passive Sterbehilfe, in: Ztschr. für med. Ethik, a. a. O. 3 - 14.

[9] Vgl. Ist die Unterscheidung zwischen aktiver und passiver Sterbehilfe ethisch bedeutsam, in: *H.-H. Atrott/H. Pohlmeier*, Sterbehilfe, a. a. O. 25 - 40, hier 26.

drucksqualität einer Handlung zur moralischen Beurteilung heranziehen, ist eine solche Unterscheidung, auf die noch zurückzukommen sein wird, durchaus zu rechtfertigen. Ich verwende aber im folgenden die beiden Begriffe nicht in ihrer ethisch-bewertenden Bedeutung, sondern zunächst in einem beschreibenden, nicht-ethischen Sinn; denn nach wie vor scheinen die beiden Begriffe hilfreich, um bestimmte, immer wiederkehrende Problemsituationen erfassen und ethisch verantwortlich reflektieren zu können.

B. Fremdverfügung – die Grenze des Moralischen

Wenn ich den Begriff «Sterbehilfe» verwende, meine ich grundsätzlich einen Dienst am Sterbenden, der dem, was mit ihm geschieht, ausdrücklich oder stillschweigend zustimmt, oder der, wenn er noch entscheidungsfähig wäre, es vermutlich bejahte. Die zentrale Frage ist hier die: Wie weit sind wir verpflichtet, die Wünsche und das Verlangen der Betroffenen wahrzunehmen? Und die mutmaßliche oder tatsächliche Zustimmung vorausgesetzt: Wie weit und mit welchen Mitteln sind wir berechtigt, über das terminale Stadium zu verfügen? Bevor man sich diesen Fragen annähert, muß zuvor klar gesagt werden, daß die sogenannte *unfreiwillige Euthanasie* absolut verwerflich ist, die dann vorliegt, wenn Sterbende oder Menschen, die an sich lebensfähig sind, aber an einem Gebrechen oder an einer unheilbaren Krankheit leiden, aus irgendwelchen gesellschaftlichen Nützlichkeitsüberlegungen von Dritten zu Tode gebracht werden.[10] Über sie wird ein Urteil von irgend einer Instanz gefällt, daß sie gleichsam ihr Lebensrecht verwirkt haben und in einer Gesellschaft von Gesunden und Leistungsfähigen keine Existenzberechtigung mehr haben. Wir haben einen geschichtlichen Präzedenzfall im Nationalsozialismus, der ein für allemal den Abgrund aufgezeigt hat, an dem wir stehen, wenn einzelne, Gremien oder die Gesellschaft über Leben und Tod entscheiden.

Von daher gesehen ist es eigentlich erstaunlich, wenn neuerdings die Mitarbeiterin von Peter Singer *H. Kruhse* die These verficht: So wie es

---

[10] *P. Singer* hält zwar die unfreiwillige Euthanasie ebenfalls für moralisch verwerflich, möchte dann aber die Euthanasie u. a. für gerechtfertigt gelten lassen, «wenn jene, die getötet werden (...), die Fähigkeit, ihrem Tod zuzustimmen, nicht haben, weil sie die Wahl zwischen der Fortsetzung ihrer Existenz und ihrer Nicht-Existenz nicht zu verstehen vermögen». Praktische Ethik, Stuttgart 1984, 200. Das Verfügungsrecht ist nach Singer in sehr problematischer (reduktionistischer) Weise also nur an die Voraussetzung geknüpft, über die Zukunft selbst bestimmen zu können.

ethisch durchaus vertretbar sein könnte, einen Patienten auf dessen Wunsch zu töten, so könnte es in gleicher Weise ethisch vertretbar sein, einem urteilsunfähigen Patienten aktiv das Leben zu beenden, denn ein absolutes «Lebensprinzip» gebe es nicht und erst recht sei die ethische Unterscheidung «leiden lassen, oder Leiden durch töten abkürzen» dubios.[11] Damit ist die «unfreiwillige Mitleidstötung» wieder zur Diskussion gestellt; sie dürfe – in der Intention der Autorin – nicht mehr länger mit emotionaler Entrüstung aus dem ethischen Diskurs ausgeschlossen werden. Angesichts solcher sich wieder eröffnender Dimensionen muß klar unterschieden werden zwischen der Vernichtung sogenannten «lebensunwerten Lebens» einerseits, die in ihrer Form eine totale Fremdverfügung und ein totaler Paternalismus über ein Opfer darstellt, wo letztlich nicht seine Interessen im Spiele stehen, und der Sterbehilfe als Dienst am Sterbenden andererseits, dessen Würde, Wunsch und Interesse im Vordergrund stehen. Mit der Fremdverfügung als einer absolut unmoralischen Handlung dürfen passive und aktive Sterbehilfe nicht gleichgesetzt werden. Aus diesem Grunde wollen viele Mediziner und Richter auch nicht den geringsten Schritt in eine Richtung gehen, welche den Rechtsgrundsatz unterlaufen könnte, daß eine Rechts- und Staatsordnung nicht über den Wert menschlichen Lebens bzw. über dessen Unwert zu befinden habe.

Einige Strafrechtler halten deshalb die Erinnerung an den geschichtlichen Präzedenzfall nicht bloß für eine Pflichtübung, sondern für eine heilsame Erinnerung. Selbst wenn unfreiwillige Mitleidstötungen auszuschließen und als moralisch verwerflich zu beurteilen sind, gibt es bestimmte Fälle – etwa beim Verlust jeglicher Kommunikationsfähigkeit eines Patienten –, wo bei wichtigen Entscheidungen der Wille und das Interesse Dritter ins Spiel kommen. Und gerade hier sind wir – sensibilisiert durch den geschichtlichen Holocaust – zu besonderer Vorsicht aufgerufen. Dreh- und Angelpunkt jeder gesellschaftlichen Lösung der Sterbehilfe muß das Prinzip des Respekts vor der Autonomie des einzelnen und seinem Selbstbestimmungsrecht sein.[12] Nur von dieser Perspektive her kann überlegt werden, bis zu welchem Grad dieses Prinzip und das mit ihm korrespondierende Recht respektiert und durch Fremdbestimmung eventuell eingeschränkt werden kann. Mit dem eindeutigen Nein zur unfreiwilligen Euthanasie, zur Mitleidstö-

---

[11] Warum Fragen der aktiven und passiven Euthanasie auch in Deutschland unvermeidlich sind, in: *R. Hegselmann/R. Merkel* (Hrsg.), Zur Debatte, a. a. O. 51 - 70.

[12] Vgl. *J. Gründel*, Die Verantwortung für schwerbehindertes und für verlöschendes Leben, in: *A. W. v. Eiff* (Hrsg.), Verantwortung für das menschliche Leben. Die Zeugung des Lebens, das ungeborene Leben, das verlöschende Leben, Düsseldorf 1991, 76 - 92. Zu den Grenzen des Selbstbestimmungsrecht vgl. *P. Schmitz* «Euthanasie» – verschiedene Wege ethischer Orientierung, in: Ztschr. für med. Ethik 39 (1993) 27 - 40, hier 31f.

tung, sind die ethischen Probleme im Bereich der Sterbehilfe bei weitem noch nicht gelöst. Um in ethischer Hinsicht etwas Präziseres aussagen zu können, unterscheide ich einzelne Fallgruppen.

C. Sterbehilfe als Verzichtshandlung

Eine in der Praxis häufig vorkommende Fallkonstellation ist jene, bei welcher der Verzicht auf lebenserhaltende Maßnahmen zur Diskussion steht. Man spricht hier gewöhnlich von passiver Sterbehilfe und meint damit den Verzicht auf Maßnahmen, welche das Leben eines Menschen verlängern könnten. Der beschreibende Begriff «passive Sterbehilfe» ist zwar ebenfalls problematisch, da die Übergänge zur sogenannten aktiven Sterbehilfe fließend sind. Er ist aber erst dann hilfreich, wenn auch hier in einzelne Fallgruppen unterschieden wird:

1. Der freiwillige Verzicht des Kranken auf medizinische Behandlung

Daß Schwerkranke auf medizinische Behandlung, Spitaleinweisung oder auf lebensrettende Operationen verzichten, treffen wir häufig an. Insbesondere Krebskranke überlegen sich nicht selten diese Möglichkeit im Hinblick auf ihren Lebensrest. Häufig wird eine für das Weiterleben unerläßliche Operation mit dem Hinweis abgelehnt, die Belastungen danach würden einem würdigen Leben nicht mehr entsprechen, im Gegenteil, im bewußten Warten auf den Tod sollte nur noch jene ärztliche Hilfe in Anspruch genommen werden, die die Leiden lindert, aber das Leben nicht verlängert. Allerdings – so läßt sich fragen – gehört die Sorge für Leib und Leben, für die Gesundheit bzw. ihre weitgehende Wiederherstellung nicht zu den ethischen Grundpflichten? Entzieht sich ein Patient nicht dieser an und für sich selbstverständlichen *Grundpflicht*, wenn er auf objektiv sinnvoll erscheinende therapeutische Maßnahmen verzichtet, die wenigstens für eine gewisse Zeit einen passablen Gesundheitszustand wiederherstellen könnten?

Die veränderten technischen und medizinischen Möglichkeiten modifizieren selbstverständlich diese moralische Grundregel, denn nicht alles, was technisch möglich ist, verpflichtet zur Inanspruchnahme der Hilfsmöglichkeiten. Viele Menschen werden medizinische Hilfen dankbar entgegennehmen; andere halten das, was der Ärztestand in seinem Berufsethos für die Patienten für dringlich und heilsam erachtet, aus der Sicht ihrer eigenen Verantwortung nicht für sinnvoll.

Es ist nicht bloß traditionelle katholische Lehre, sondern es entspricht auch weitgehend einem moralischen Konsens, daß es keine Pflicht zur Lebenserhaltung oder Lebensverlängerung um jeden Preis gibt. Im Mittelpunkt steht immer die *sinnvolle Erhaltung* und die *angemessene Verlängerung des Lebens.*[13] Was man indes unter sinnvoll und angemessen zu verstehen hat, läßt sich nur in einer Güterabwägung feststellen. Wenn in diesem Zusammenhang die Rede davon ist, daß niemand zum Gebrauch unverhältnismäßiger Mittel verpflichtet sei, dann eröffnet sich hier ein Freiraum für persönliche Verantwortung, für Ermessensurteile und für normative Interpretation. Zur Bestimmung der Angemessenheit der Mittel und zur Beantwortung der Frage, welche Lebensverlängerung sinnvoll sei, sind objektive wie subjektive Faktoren maßgeblich. Es ist zu fragen: Besteht eine begründete Hoffnung auf Heilung oder zumindest auf ein Weiterleben, bei dem die Wohltaten die Nachteile aller Art übertreffen? Ausschlaggebend bei dieser Beurteilung ist die persönliche Zumutbarkeit, die physische und psychische Widerstandskraft und die seelische Verarbeitungsfähigkeit. Alle diese Gesichtspunkte greifen ineinander über und bestimmen die Richtigkeit des Ermessensurteils. Erachtet demnach ein Schwerkranker in einem frühen Stadium einer tödlichen Krankheit einen medizinischen Eingriff nach gründlicher und reiflicher Abwägung der Vor- und Nachteile für sich als nicht sinnvoll, so ist ein solcher Gewissensentscheid zu respektieren.[14]

Freilich darf der Verzicht niemals zu einer verpflichtenden Regel werden. Denn die Mehrzahl der Menschen möchte wohl selbst bei einer ungünstigen Diagnose wenigstens für eine gewisse Zeit lindernde Eingriffe vornehmen lassen. Denn der Lebenswille wird nach allem, was wir wissen, im allgemeinen durch ungünstige Diagnosen aktiviert. Deshalb muß der Zugang zu therapeutischen Mitteln und operativen Eingriffen allen offen stehen, so weit sie verhältnismäßig sind. Die eigentliche ethische Problematik scheint mir viel weniger im wohlüberlegten Verzicht auf lebensverlängernde Maßnahmen zu bestehen, als vielmehr in der Frage, ob in Zukunft alle die gleichen (finanziellen) Möglichkeiten für den Zugang geeigneter medizinischer Maßnahmen haben werden. Die Sterbehilfe, die zumeist unter dem Blickwinkel der *Patientenrechte* gesehen wird, könnte im Blickwinkel der Patientenversorgung eine eigene menschliche und ethische Brisanz gewinnen. *D. Callahan*[15] unterbreitet diesbezüglich den Vorschlag, bei denjenigen, die ihre «natürliche Lebensspanne gelebt haben» – gedacht ist an die über Achtzig-

---

[13] Vgl. *K. Demmer*, Leben in Menschenhand. Grundlagen des bioethischen Gesprächs, Freiburg i. Ue. 1987, 146ff.

[14] Zum einverständlichen Handlungsverzicht vgl. *M. v. Lutterotti*, Grenzen ärztlicher Behandlungspflicht, a. a. O. 5f.

[15] Setting limits. Medical goals in an aging society, New York 1987.

jährigen –, die medizinische Versorgung auf die Leidverminderung angesichts beschränkter Mittel zu beschränken. Bezeichnend an diesem Vorschlag ist, daß der Raum des sinnvollen, freiwilligen Verzichts ausgedehnt wird auf generelle Maßnahmen, die ohne Einwilligung verordnet werden. Dieser Konflikt zwischen Selbstbestimmung und Paternalismus bzw. diese Probleme der Allokution werden uns angesichts gestiegener Lebenserwartung, angesichts knapper werdender medizinischer Ressourcen und angesichts gestiegener Erwartungen in die Lebensqualität in Zukunft wohl noch intensiv beschäftigen.

2. Sterbehilfe unter Inkaufnahme einer möglichen Lebensverkürzung

Es läßt sich noch eine weitere Präzisierung anbringen, welche den Umgang mit dem Wort «passiv» betrifft. Zu denken ist an jene Gruppe von Patienten, denen schmerzstillende Mittel verabreicht werden und bei denen eine zumindest geringfügige Verkürzung der Lebenszeit in Kauf genommen wird. Man spricht hier – vorausgesetzt man anerkennt die Unterscheidung aktiv/passiv – von passiver indirekter Sterbehilfe. Mit der direkt gewollten Schmerzlinderung tritt unter Umständen indirekt und nur als Nebeneffekt gewollt eine Lebensverkürzung ein. Hier tritt also Schmerzlinderung und Lebensdauer in Konflikt miteinander. Ziel einer schmerzstillenden Medikamentation ist es, einen verbleibenden Lebensrest erträglicher zu machen, selbst auf die Gefahr hin, daß es zu einer Verkürzung dieses Lebensrestes kommt.

Aus ethischer Sicht ist gegen diesen Fall der passiv-indirekten Sterbehilfe solange nichts einzuwenden, als es sich dabei nicht um eine verkappte, gewollt aktive Lebensbeendigung handelt, solange also wirklich die Schmerzlinderung und nicht die Lebensverkürzung Ziel der Therapie ist. Nach dem gegenwärtigen Stand der Schmerztherapie lassen sich die Nebenfolgen in einem hohen Maße kontrollieren. Es muß «dem Vorurteil entgegengewirkt werden, daß eine erfolgreiche Schmerztherapie nur unter Inkaufnahme einer erheblichen Bewußtseinseintrübung erreicht werden könne. Es wäre wichtig, die Ärzte und Ärztinnen in ihren schmerztherapeutischen Handlungen die medizinischen Möglichkeiten stärker ausschöpfen zu lassen, bevor man die Diskussion auf eine ... wirklichkeitsferne Weise auf die Tötung als ‹Therapieform› verschiebt».[16] Es wird in diesem Zusammenhang oftmals der Einwand erhoben, daß die Verabreichung von Schmerzmitteln, vor allem in einem Stadium, wo hohe Dosen erforderlich sind, letztlich doch über den Tod aktiv verfügt werde. In der Tat mögen sich äußerlich ärzt-

16 *B. Linke*, In Würde altern und sterben, Mohn 1991, 67.

liche Eingriffe, die in erster Linie Schmerzlinderung beabsichtigen, mit den Handlungen angleichen, in denen der Tod direkt herbeigeführt wird.

Dazu ist zu vermerken, daß Handlungen niemals nur von ihrem äußeren Erscheinungsbild her beurteilt werden können, mitentscheidend ist immer auch die Intention, die man dabei verfolgt. Sie gibt der Handlung ihre letzte Deutung. Grenzfälle, die äußerlich gesehen weder der passiven noch der aktiven Seite zugeschrieben werden können, erhalten daher letztlich ihre moralische Qualität von der Einstellung und der Grundhaltung des Handelnden. Dies ist allerdings eine Sicht, die von den sog. Konsequentialisten, also jenen, welche die moralische Qualität einer Handlung nur von ihren äußeren Folgen her beurteilen, entschieden in Frage gezogen wird.[17]

Die katholische Ethik, welche für die Beurteilung der meisten Handlungen auch der Absicht (Einstellung) Rechnung trägt, hat für solche Fälle das sog. *Prinzip der Doppelwirkung* formuliert. Dieses Prinzip bezieht sich auf Situationen, in denen eine Handlung sowohl gute wie auch schlechte Folgen zeitigt. Danach ist eine solche Doppel-Handlung moralisch dann erlaubt, wenn sich die schlechte Wirkung als eine nicht-beabsichtigte, inkaufgenommene Nebenfolge aus der gewollten, guten Wirkung einer Handlung ergibt. Eine Handlung wäre moralisch dann verwerflich, wenn die schlechte Wirkung direkt gewollt wird, und wenn sie als Mittel zur Erreichung eines guten Zieles eingesetzt wird. Wir erkennen sehr leicht, daß diese Regel genau der Unterscheidung in passive und passiv-indirekte Sterbehilfe entspricht. Die Nicht-Verlängerung des Lebens des Patienten wird hier gerade nicht als Selbstzweck angestrebt, sondern lediglich als Mittel der Leidensminderung. Auch wenn die Folgen des «Geschehenlassens» doch auch das Resultat des jeweiligen Verhaltens sind, so haftet diesem Verhalten doch eine andere Ausdrucksqualität an als dem aktiven Eingreifen. Wenn man auch diese Dimension des Handelns in Rechnung stellt, dann scheint mir dies

[17] Vgl. hierzu: *D. Birnbacher*, Unterscheidung zwischen aktiver und passiver Sterbehilfe, a. a. O. 29ff. – Mit *R. Ginters*, Werte und Normen, Düsseldorf 1982, 64f., halte ich die These für richtig, daß sehr viele Handlungen unter zwei (relevanten) Gesichtspunkten betrachtet werden müssen, einmal unter dem Blickwinkel der eintretenden, vorherzusehenden Folgen und dann unter dem Blickwinkel der Einstellung des Handelnden. Für die Unterscheidung aktiv/passiv scheint mir dieser zweite Aspekt eine erhebliche Rolle zu spielen, weil hier der tiefe und unmittelbare Respekt vor dem Leben – und religiös – vor der Verdanktheit menschlichen Lebens zum Ausdruck kommt. Leider ist der eingeschlagene Reflexionsweg von Ginters kaum aufgenommen worden. – Ob die Beobachtung von Hans Thomas richtig ist und weiterhilft, daß Handeln und Unterlassen durch einen je unterschiedlichen Status des Wissens legitimiert werden, erscheint – jedenfalls im Kontext religiöser Ethiken – mehr als fraglich. Vgl. *H. Thomas*, Sind Handeln und Unterlassen unterschiedlich legitimiert, in: Ethik in der Medizin 5 (1993) 70 - 82.

nach wie vor eine gültige, praktische Regel zu sein für jene Situationen, in denen es gilt, angesichts zu erwartender guter und schlechter Folgen eine Lösung zu finden.

3. *Weiterleben als Schwerbehinderter*

Anders liegt der Fall im folgenden Beispiel: Jemand wird nach einem Unfall mit einer äußerst schweren Hirnverletzungen ins Spital eingeliefert. Durch lebenserhaltende Maßnahmen könnte er aus der Lebensgefahr gerettet werden. Allerdings sind bei seiner Rettung schwerste Behinderungen zu befürchten. Ein Verzicht auf lebenserhaltende Maßnahmen wäre dadurch motiviert, daß dem Patienten das Weiterleben als Schwerbehinderter erspart werden soll. Motiv ist nicht die Erleichterung der Sterbephase, sondern die Ersparung eines möglichen Weiterlebens. Hier ist jedenfalls zu bedenken: Der ärztlichen Kunst obliegt – wie außer Zweifel steht – nicht nur die Pflicht, Leben zu erhalten, sondern ebenso die andere, Leiden zu verhüten oder doch zu mildern.

Diese beiden Pflichten schließen sich nicht aus, ergänzen sich aber. Heilung bedeutet Lebenserhaltung ebenso wie Verhütung subjektiven Leidens. In der besonderen Situation, die uns beschäftigt, können die beiden Pflichten miteinander in Konflikt geraten, was eine Abwägung ungemein schwierig macht. Sie ist es vor allem deshalb, weil es sich hier um nicht quantitativ erfaßbare Größen handelt. Geht es um ein sehr problematisches künftiges Leben, ist keineswegs klar, mit welchem Maß an körperlichen und seelischen Leiden Lebenserhaltung erkauft werden soll.

Zum einen sind Prognosen schwierig, wenn es um die Frage geht, ob Schädigungen irreversibel sind, denn insbesondere bei Hirnverletzungen ist es nach aller Erfahrung nicht leicht, in den ersten Stunden – und dann steht ja der Einsatz lebenserhaltender Maßnahmen zur Diskussion – die Heilungschancen abzuschätzen. Zum anderen ist es – sofern keine frühere Willenskundgebung des Patienten vorliegt – praktisch unmöglich zu ermessen, welchen Sinn der Betroffene dem Rest seines Lebens zumessen wird. Es ist nicht auszumachen, ob er im Falle einer Krankheit oder einer irreversiblen Schädigung den Tod einem behinderten Leben vorziehen würde. So wird man bei diesen Fällen des Verzichts auf lebenserhaltende Maßnahmen äußerst zurückhaltend sein müssen. Dies um so mehr, als eine liberale Handhabung leicht eine Rückwirkung auf jene haben könnte, die behindert sind, aber dennoch am Leben bleiben möchten. Eine liberal-permissive Praxis könnte leicht eine Rückwirkung auf die soziale Integration Behinderter insofern haben, als eine sublime oder gar offene Infragestellung ihrer Existenzberechtigung entstehen könnte.[18]

4. Der Ermessensspielraum

Bezüglich des Behandlungsverzichtes muß man nach all dem Gesagten dem Arzt, dem Betroffenen und den Angehörigen für verantwortliches Handeln einen Ermessensspielraum zubilligen. Dies gilt auch für jene Entscheidungs-Situationen, wo Apparate (z. B. Herz-Lungen-Maschinen) abgeschaltet werden, um in den Sterbeprozeß einzuwilligen. Denn das Abstellen der Substitutionsgeräte würde – die verantwortliche Festlegung des Zeitpunktes vorausgesetzt – als ein Akt angemessener passiver Sterbehilfe gelten können, da sich diese Handlung als das Verhindern einer Maßnahme verstehen läßt, die den Tod des Patienten unnötigerweise hinauszögern würde. Wiewohl hier zwar aktiv handelnd eingegriffen wird, würden wir in ethischer Hinsicht nicht von aktiver Sterbehilfe reden, sondern von passiv-direkter. Diese ist ethisch dann *unbedenklich zu rechtfertigen*, wenn lebenserhaltende, künstliche Systeme nur noch dazu dienen, eine vegetative und nicht mehr kommunikationsfähige Existenz im Dasein zu erhalten. Hier scheint die Grenze sinnvoller Lebensverlängerung erreicht. – Als eine häufig anzutreffende, aber nicht unproblematische Variante des Handlungsverzichtes müssen wir den Nahrungs- und u. U. auch den Flüssigkeitsentzug im terminalen Stadium betrachten. Ich gewinne aus der Diskussion den Eindruck, daß über die biologische Bedeutung dieses Behandlungsabbruches noch zu wenig eindeutige empirische Fakten vorliegen. Sollte sich beispielsweise herausstellen, daß sich unter bestimmten Bedingungen auch der Flüssigkeitsentzug auf den Verlauf des Dekompensationsprozesses und auf den Verlauf der Schmerzbewältigung günstig auswirkt, müßte über die Minima der Basisversorgung – auch in ethischer Hinsicht – neu nachgedacht werden.[19]

Im Bereich der *passiven Sterbehilfe* gibt es einen ethischen Ermessensspielraum. Und dennoch ist dieser Spielraum nicht ganz der subjektiven Einschätzung überlassen. Im Entscheid über den Einsatz bzw. die Absetzung lebenserhaltender Maßnahmen kennt das ärztliche Handeln drei Grundziele:

---

[18] Es handelt sich hier um ein sog. Dammbruchargument, dessen Gewicht jeweils von der subjektiven Einschätzung abhängt, da empirische Tatsachenurteile fehlen. Doch ist davon auszugehen, daß in einem so sensiblen Bereich wie dem des Lebensschutzes Risiken der Quantifizierung der Würdigkeit des Lebens möglichst vermieden werden müssen.

[19] Vgl. Editorial, in: Forum bioethica, Nr. 12, 1992 (Dr. U. Strebel).

- Heilung beziehungsweise Lebenserhaltung
- Schmerzlinderung
- Sorge für ein Höchstmaß an Kommunikationsfähigkeit und Bewußtsein[20]

Zweifellos gehört die Pflicht des Arztes, Garant des Lebens zu sein, zu seinen vornehmsten und unaufgebbaren Pflichten. Dieses Ethos ist gleichsam der Grundpfeiler des objektiven Lebensschutzes wie auch Fundament des Vertrauens der Öffentlichkeit in das Gesundheitswesen. Leben zu erhalten heißt zunächst einmal nichts anderes als Leben verlängern. Das darf – auch wenn es manchmal so mißverstanden worden ist – nicht in einem biologistischen Sinne interpretiert werden. Denn das Leben ist zwar das fundamentalste Gut, das wir besitzen, aber dennoch nur Voraussetzung für andere menschliche Werte (wie Freiheit, Liebe, Kommunikation). Darum geht daraus gleichzeitig die Pflicht hervor, Leiden zu mindern, d. h. die Voraussetzungen für ein sinnvolles Bestehen der Leidenssituation zu schaffen. Doch das Leiden selbst kann der Arzt nicht sinnvoll machen. Die Schmerzlinderung hat schließlich zum Ziele, daß dem Sterbenden ein größtmögliches Maß an Kommunikationsfähigkeit erhalten bleibt. Es gehört zur Auszeichnung des Menschen, den Tod bewußt annehmen zu können. Das bewahrt vor Nivellierung und Banalisierung des Lebens wie des Todes. Die bewußte Annahme des Todes bedeutet auch Einbindung in die Erfahrung menschlicher Nähe; unbestreitbar gehört diese wesentlich zum würdigen Bestehen des Todes. Denn offensichtlich fürchten wir Menschen viel weniger den Tod als im Sterben allein gelassen zu sein.

Die drei erwähnten Grundziele sind miteinander in Einklang zu bringen. Schmerzlinderung ist demnach in bestimmten Fällen nur unter Inkaufnahme einer zumindest geringfügigen Lebensverkürzung möglich. Sofern sie im Dienste einer humanen und sinnvollen Lebensbewältigung steht, erscheint sie ethisch gerechtfertigt.[21]

Für eine medizinisch und ethisch verantwortbare Nutzung dieses Ermessensspielraumes ist ein Vertrauensverhältnis zwischen Arzt, Pflegenden, Angehörigen und – nach Möglichkeit – dem Patienten von

---

[20] Vgl. *H.-P. Wolff*, Arzt und Patient, in: *H.-M. Sass* (Hrsg.), Medizin und Ethik, a. a. O. 184 - 211, hier 193ff.; *F. J. Illhardt*, Medizinische Ethik, Berlin/Heidelberg 1985, 18ff.; *H. Schaefer*, Medizinische Ethik, Heidelberg 1983, 103ff.

[21] Allerdings kritisch hierzu: *V. Eid*, Das Sterben bestehen – Konfliktsituationen am Lebensende, in: *J. Pfammatter/E. Christen* (Hrsg.), Leben in der Hand des Menschen, Zürich 1991, 179 - 209. «Gleichwohl ist im Blick auf die ethische Einschätzung der aktiven Euthanasie das Problem aufzuwerfen, ob der Entscheid zur passiven Euthanasie nicht auch aus einer Motivation heraus getroffen werden kann, die man als ethisch zumindest fragwürdig bezeichnen muß. Kann sie nicht auch den Selbst-Entzug aus der letzten Lebensphase bedeuten?» (S. 191).

höchster Bedeutung. Dazu gehört, daß die Angehörigen einerseits so über den Zustand des Patienten informiert werden, daß sie eine kompetente Meinungsäußerung bezüglich einer weiteren Therapie abgeben können. Andererseits muß sich auch der Arzt über den Patienten und seine Lebensverhältnisse ins Bild setzen, damit er möglichst genau dessen mutmaßlichen Willen eruieren kann. Arzt und Angehörige müssen bestrebt sein, das *Wohl des Patienten* ins Zentrum ihrer Erwägungen zu stellen. Bei ihren Entscheidungen dürfen Eigeninteressen (Personal- und Platzknappheit im Spital, finanzielle Erwägungen, Schwierigkeiten mit der Vorstellung, künftig mit einem behinderten Menschen zusammenleben zu müssen usw.) nicht den Ausschlag geben.

D. Die Patientenverfügung

In diesem Zusammenhang spielen die Patientenverfügungen und Stellvertreter-Entscheidungen eine große Rolle. Vergleicht man in dieser Hinsicht die amerikanische und deutschsprachige Literatur, so fallen zwei wesentliche Unterschiede auf. Während im deutschsprachigen Raum erstens die strafrechtlichen Fragestellungen im Vordergrund stehen, sind es in den USA insbesondere die Patientenrechte, Selbstbestimmungsrecht und Recht auf Privatsphäre, die zur Diskussion stehen. Der zweite wesentliche Unterschied besteht darin, daß in unseren Breitengraden Patientenverfügungen und Stellvertreterbevollmächtigungen in der Praxis kaum genutzt werden.[22] Gerade weil hier – wie die amerikanische Diskussion zeigt – einige ethische Probleme liegen, sei die Problematik – ausgehend von einer ärztlichen Selbstverpflichtung – kurz angesprochen.

So erwähnen beispielsweise die Richtlinien der «Schw. Akademie der med. Wissenschaften» ausdrücklich, der Arzt habe vor schweren Entscheidungen, die einen Sterbenden betreffen, «die Persönlichkeit oder den ausgesprochenen oder mutmaßlichen Willen des Patienten» (S. 16) zu berücksichtigen. Damit der Wille des Patienten und seine Vorstellung von Leben und Sterben auch dann mit in die Abwägung einbezogen werden können, wenn die Äußerungsfähigkeit nicht mehr vorhanden ist, werden – zwar nur zögernd – schriftlich fixierte Patientenverfügungen verfaßt. Der Unterzeichnete erklärt darin seinen Wunsch, daß

[22] Vgl. *H.-G. Koch/J.-G. Meran/H.-M. Sass*, Patientenverfügung und stellvertretende Entscheidung in rechtlicher, medizinischer und ethischer Sicht (Zentrum für Med. Ethik Heft 93), Bochum 1994.

man zum Beispiel von lebenserhaltenden Maßnahmen absieht, wenn sie nur dem Zweck dienen, Körperfunktionen aufrecht zu erhalten.

Zweifellos ist die Patientenverfügung für den behandelnden Arzt ein nützliches und in vielen Fällen auch wünschenswertes Instrument zur Ermittlung des Patientenwillens. Während in der Fassung der Richtlinien zur Sterbehilfe von 1981 die «Schw. Akademie der med. Wissenschaften» noch davon sprach, daß eine frühere schriftliche Erklärung für die Ermittlung des Patientenwillens ein gewichtiges Indiz abgebe, ist im erneuerten Kommentar aufgrund juristischer Kontroversen folgendes festgehalten worden:

> «Wenn der Patient in einer früheren schriftlichen Erklärung auf jede künstliche Lebenserhaltung verzichtet hat, ist es die Aufgabe des Arztes, genau abzuklären, ob die von den geltenden Richtlinien geforderten Voraussetzungen medizinisch gegeben sind. Erst wenn diese Voraussetzungen zweifellos erfüllt sind, soll der Arzt dem in der Erklärung bekundeten Willen des Patienten folgen, es sei denn, bestimmte Umstände ließen darauf schließen, die Erklärung entspreche nicht dem wirklichen Willen des Patienten.»[23]

Das heißt: Unter der Voraussetzung, daß beim Sterbenden, Todkranken oder lebensgefährlich Verletzten die Grundleiden mit infauster Prognose einen irreversiblen Verlauf angenommen haben, und unter den Voraussetzungen, daß kein bewußtes und umweltbezogenes Leben mit eigener Persönlichkeitsgestaltung künftig mehr möglich ist, ist der Arzt gehalten, den bekundeten Willen des Patienten, auf lebensverlängernde Maßnahmen zu verzichten, zu respektieren.[24] Damit haben Patientenverfügungen im Sinne der Richtlinien nur im Rahmen einer bestimmten medizinischen Indikation eine absolute Verbindlichkeit. Der Arzt ist nicht gehalten, jeden schriftlich festgelegten Wunsch, insbesondere den nach aktiver Beendigung des Lebens, auszuführen. Die folgenden Überlegungen machen die Problematik einer uneingeschränkt rechtlichen Verbindlichkeitssetzung – wie sie etwa von EXIT gefordert wird – deutlich.

Oft wird ein Patient als Notfall eingeliefert. Der Arzt muß handeln, bevor er von einer allfälligen Verfügung Kenntnis nehmen kann. Handelt es sich zum Beispiel um einen alten Menschen, der auf der Straße wegen eines plötzlichen Kreislaufkollapses zusammenbricht, werden schon auf dem Weg ins Spital Wiederbelebungsmaßnahmen eingesetzt.

---

[23] Vgl. III Rechtl. Beurteilung, Abs. 3.

[24] Ganz in dieser Linie verbreitet neuerdings die «Caritas» eine vorformulierte Patientenverfügung. Dieser Text scheint mir insofern sehr gelungen, als er die Möglichkeit der passiven Sterbehilfe in human-christlicher Weise verantwortet ausschöpft.

Auf der Intensivstation funktioniert die künstliche Beatmung, bevor jemand Zeit hatte, die Papiere durchzusehen. Es wäre wohl eine Zumutung an den Arzt, sollte er einen bereits funktionierenden Apparat abstellen. Ein Internist sagt hierzu:

> «Es ist schwierig, am Ende einer abgelaufenen Kettenreaktion von im Augenblick jeweils adäquaten Hilfeleistungen nun plötzlich auf technische Hilfeleistungen zu verzichten und ein sogenannt würdiges Sterben einzuleiten.»

Die Konstellation ist hier insofern problematisch, als der Heilauftrag des Arztes, der keineswegs fragliche, sondern angemessene Maßnahmen eingeleitet hat, mit dem früher geäußerten Willen des Patienten kollidiert. Es soll hier eine *fundamentale Pflicht* des Arztes, deren Ausübung hier an und für sich keineswegs diskutabel ist, eingeschränkt werden. Mir scheint, wenn wir als Rechtsgemeinschaft den Heilauftrag an den Arzt auf der einen Seite als eine fundamentale ethische Pflicht erachten, müssen wir auf der anderen Seite die Ärzte auch vor Nötigungen bewahren, die sie gegen ihr eigenes Ethos und ihr eigenes Gewissen verpflichten würden. Denn es gilt der Grundsatz: Je fundamentaler eine Pflicht ist, um so mehr muß die damit zusammenhängende Gewissensüberzeugung geschützt werden.

Das bedeutet: Wo immer sich der Arzt aufgrund seiner medizinischen Kenntnisse und aufgrund seines Auftrages – wie ich ihn kurz umschrieben habe – eine sichere Überzeugung gewonnen hat, steht die Präsumtion für sein Berufsethos. Um es nochmals zu verdeutlichen: Eine frühere, schriftliche Erklärung, worin der Patient auf jede künstliche Lebensverlängerung verzichtet, ist für die Ermittlung des Willens ein verbindliches Indiz. Eine rechtliche Verbindlichkeit in allen Fällen scheint darin problematisch zu sein, daß sie unter Umständen den Arzt der Nötigung aussetzt. Auf Seiten des Patienten kommt folgender Umstand hinzu: Man weiß niemals mit Sicherheit, wie man sich in einer Situation entscheiden wird. In gesunden Tagen entscheidet man vielleicht anders als in schlechten. Aus der Suizidliteratur ist beispielsweise bekannt, daß ein und dieselbe Personen die Möglichkeit eines Freitodes in unproblematischen Zeiten anders einschätzen als in Zeiten einer unmittelbaren Suizidbedrohung.

Das heißt: In relativ unbelasteten Zeiten wird die Möglichkeit eines Freitodes eher offen gehalten; suizidal gewordene Personen schlagen bei einer suizidalen Bedrohung eher adaptive Lösungen vor und versuchen aus Bedrängnis und Konflikt so lange es geht herauszukommen. Solche Befunde mahnen zur Vorsicht. Wer kann ausschließen, daß man nicht einmal froh ist, daß die Erklärung, die man früher unterschrieben hat, nicht befolgt wird. Niemand wird präzise voraussagen können, wie stark sich der Lebenswille noch einmal aufbäumen wird und welche

Hilfe von den Ärzten erwartet wird, wenn es dem Ende zugeht. Diese beiden Gründe lassen es meines Erachtens geraten erscheinen, den Patientenverfügungen nicht unter allen Umständen eine letzte juristische Verbindlichkeit zuzuschreiben. Aus ethischer Sicht gibt es Bedenken. Ein vernünftiger Rechtsweg, der allen Beteiligten Rechnung trägt, muß erst gefunden werden, wie die Kontroverse zeigt. Insbesondere muß abgeklärt werden, ob und inwieweit eine Patientenverfügung ein gerichtlich durchsetzbarer Vertragsinhalt darstellt.

E. Die aktive Sterbehilfe

Wenn bezüglich der passiven Sterbehilfe in gesellschaftlicher und ethischer Hinsicht ein verantworteter Konsens gefunden werden kann, so bleibt die aktive Sterbehilfe weitaus strittiger. Die Freigabe der aktiven Sterbehilfe wird heute von verschiedener Seite gefordert, beispielsweise von Organisationen, die sich zum Ziel gesetzt haben, «für den Menschen das Recht einzufordern, in Würde sterben zu dürfen». Es geht ihnen um eine rechtlich verankerte Möglichkeit, unter bestimmten Umständen das eigene Leben selbst beenden zu können, bzw. durch andere beenden zu lassen. Der streitbare Arzt *J. Hackethal*, einer der bekanntesten Vorreiter der «Recht-auf-Sterben-Bewegung» spricht von einem *selbstverständlichen Menschenrecht*, wonach jeder für sich bestimmen könne, wann und wie er sterben wolle. Wenn ich recht sehe, verlangt die EXIT-Bewegung in der Schweiz eine Rechtsentwicklung in zweierlei Richtungen: Zum einen soll der sog. Patientenverfügung rechtliche Verbindlichkeit zugemessen werden, zum anderen soll ein Mensch Freitodhilfe durch den Arzt beanspruchen können. Sie sehen in Gesetzesvorschriften, die den Arzt mit Strafverfolgung bedrohen, falls er dem nachkommt, was der Patient zu einem früheren Zeitpunkt schriftlich verfügt hat, eine Einschränkung der persönlichen Freiheit; desgleichen wenn ein Patient Suizid begehen möchte und der Arzt, welcher Beihilfe dazu leistet, deswegen gerichtlich belangt wird.[25]

1. Tötung auf Verlangen

Die Ärzteschaft lehnt im allgemeinen die aktive Sterbehilfe bzw. die Freitodhilfe ab, weil sich eine mögliche Freigabe einer ärztlichen akti-

---

[25] Vgl. *R. Kehl*, Sterbehilfe. Ethische und juristische Grundlagen, Bern 1989 (Die zur Zeit wohl umfassendste, wenngleich nicht unumstrittene Dokumentation zu EXIT).

ven Sterbehilfe auf Verlangen mit dem herkömmlichen Selbstverständnis des ärztlichen Ethos' nicht vertrage. Die Äußerung des Arztes und Philosophen *W. Wieland* kann stellvertretend für viele andere stehen:

> «Es kann dahingestellt bleiben, ob es Situationen gibt, in denen die Gewährung aktiver Sterbehilfe ethisch vertretbar ist. Doch selbst wenn dies der Fall sein sollte, wäre der Arzt deswegen immer noch nicht zu den entsprechenden Handlungen berechtigt. Auch dann bliebe er verpflichtet, seine Identität als Arzt zu wahren, die ihn zu einer Haltung verpflichtet, mit der sich bestimmte Handlungen nun einmal nicht vereinbaren lassen.»[26]

In der Tat: Ärztliches Handeln ist auf Heilung und Rettung von Leben und nicht auf Vernichten von Leben ausgerichtet. Es ist gerade das Bewußtsein um diese Rolle, das letztlich das Vertrauen der Patienten begründet, denn wer würde sich gerne und vorbehaltlos in allen Situationen einem Arzt anvertrauen, der seine Rolle auch anders versteht als in der grundsätzlichen Wahrnehmung der Aufgabe des Lebensschutzes. Die tatsächliche Macht über Leben und Tod des Patienten legen eine solche Scheu vor dem aktiven Eingreifen nahe, auch wenn der Patient darum bittet. Dies ist ein schwerwiegendes medizinisch-ethisches Problem. Würden Forderungen nach dem «Tod auf Verlangen» an die Ärzteschaft durchgesetzt, würde ein langes kulturelles, bis auf *Hippokrates* zurückgehendes Erbe unterlaufen und umdefiniert, wonach der Arzt Garant des Lebens ist und nicht auch Vollstrecker des Todeswillens eines Patienten. Das ärztliche Ethos würde hier einen erheblichen Einbruch erfahren; es würde vermutlich jene Vertrauensbasis geschmälert, auf die man sich auch in den dunkelsten Stunden seines Lebens verläßlich und vorbehaltlos anvertrauen können sollte.

Der Erfahrungsbericht eines holländischen Kardiologen, der immerhin im berühmten und für seine Seriosität bekannten «Hastings Center Report» veröffentlicht wurde, evoziert Nachdenklichkeit und stützt jedenfalls oft vorgetragene Bedenken. Dort berichtet er für Holland, wo man stillschweigend übereingekommen ist, aktive Sterbehilfe nicht mehr strafrechtlich zu verfolgen: «Euthanasie wird als ein durch Wahrheit und Weisheit geleiteter Akt der Liebe dargestellt. Aber die Wirklichkeit der Euthanasie bestätigt diesen Anspruch leider nicht, viel eher ist das Gegenteil der Fall. Ärzte, deren Handlungen ich beobachtet habe, versuchten immer wieder, Euthanasie unter falschen Angaben zu rechtfertigen, indem sie einen nichtvorhandenen Lungenkrebs anführ-

---

[26] Strukturwandel der Medizin und ärztliche Ethik. Philosophische Überlegungen zu Grundfragen einer praktischen Wissenschaft, Heidelberg 1986, 125.

ten oder ein angenommenes, aber niemals erfolgtes Verlangen der Familie.»[27]

Selbstverständlich reicht die Befürchtung der Unterhöhlung des ärztlichen Ethos des Heilens, das durch solche und ähnliche Fallbeispiele belegt werden kann, nicht aus, um die generelle ethische Frage nach dem objektiv-moralischen Recht der radikalen Selbstverfügung zu beantworten. Denn mit Recht läßt sich hier einwenden: Selbst wenn niemand ernsthaft daran denkt, die Ärzteschaft zu einer Handlung zu verpflichten, die sie für ethisch unakzeptabel halten, so kann die aktive Sterbehilfe das ärztliche Ethos nur dann in Verruf bringen, wenn die ethische Unzulässigkeit der aktiven Sterbehilfe vorausgesetzt ist.

2. Der theologische Vorbehalt

Diese Problematik sei zunächst aus einer theologischen Perspektive angegangen.[28] Es ist bekannt, daß die herkömmliche christliche Ethik die eigene Selbsttötung in jeder Form als nicht verantwortbar bezeichnet. Die theologische Tradition hat vor allem das Argument ins Feld geführt, daß Gott der Herr über Leben und Tod sei, und daß deswegen dem Menschen kein Verfügungsrecht über sein eigenes Leben zukomme. Im Anschluß an die moraltheologische Lehrtradition des *Thomas von Aquin* hat die katholische Moraltheologie immer argumentiert, daß der Mensch sein Leben von Gott nur als Leihgabe habe, und daß ihm damit kein absolutes Verfügungsrecht zukomme.[29] Diese Argumentation ist nach einigen Theologen nicht ganz stichhaltig, denn es läßt sich fragen: Hat der Mensch mit seiner Freiheit nicht auch die Freiheit zu seiner vollen Selbstverfügung erhalten? Denn schließlich hat die Kirche – für uns heute allerdings problematisch – staatlichen Autoritäten das Recht zugebilligt, bei schwerwiegenden Vergehen die Todesstrafe zu verhängen. Warum, so läßt sich fragen, haben die Christen die Fremdverfügung gestattet, aber nicht die Selbsttötung?

a) Herrschaftsrecht Gottes

Die Verfügung über einen anderen Menschen ist doch ebenso Eingriff in ein allfälliges Herrschaftsrecht Gottes wie die Selbstverfügung? Auch wenn man die theologische, herkömmliche Argumentation und die frühere Praxis der Kirche nicht für stichhaltig erachtet, gibt es dennoch theologische und ethische Gründe, die gegen eine generelle Rechtferti-

---

27 Vol. 19 (1989) Number 1.

28 Vgl. hierzu das ausführlichere Kapitel: Recht auf den eigenen Tod.

29 Vgl. *A. Holderegger*, Ein Recht auf den freigewählten Tod?, in: Concilium 21 (1985) 223 - 229.

gung der Selbstverfügung sprechen. Die Aussage «Gott ist der Herr über Leben und Tod» ist nicht als Rechtssatz zu lesen, sondern als göttlicher Vorbehalt. Es ist ein Hinweis darauf, daß das Leben verdankt ist und einer letzten Machbarkeit entzogen ist. Der theologische Vorbehalt gegenüber einer radikalen Verfügung der menschlichen Existenz will gerade deutlich machen, daß Leben und Tod vorgegeben und einer *letzten Fabrizierbarkeit* entzogen sind. Es ist in der Tat nicht bloß eine theologische, sondern auch eine menschliche Frage, ob wir den Tod, wenn wir ihn in die Hand nehmen, nicht doch verfremden. Die letzte Ehrfurcht wird gebrochen, und wir verfügen darüber irreversibel, indem wir Sinn und Sinnlosigkeit aufrechnen. Der theologische Vorbehalt erinnert uns daran, daß wir angesichts der Todeswahl radikal überfordert sind, wenn man für alle Zukunft darüber entscheiden will, daß auch im verbleibenden Lebensrest kein Sinn und auch in Zukunft keine erfülltere Zeit mehr sein soll. Jene, die sich auf das Recht des eigenen Todes berufen, verweisen auf die Qualität des Lebens.

Demgegenüber macht der theologische Vorbehalt darauf aufmerksam, daß lebensgeschichtliche Zumutungen zur Qualität des Lebens gehören, und daß es zur menschlichen Grundaufgabe gehört, das Verhältnis von Lebenssinn und Leid, Leben und Tod immer wieder neu zu bedenken, damit weder das Leben noch der Tod trivialisiert wird. Der theologische Vorbehalt ist eine entschiedene Platzhalterin für die Berechtigung jenes Suchens und Denkens, das die Frage zuläßt, was es denn auf sich hat, daß wir beim Sterben im tiefsten und im weitesten Sinne der Frage nach dem Heil, nach dem Mysterium des Lebens und Todes begegnen. So hat die Theologie in erster Linie dafür einzustehen, daß Sterben und Tod nicht banalisiert werden. Dies wäre dann der Fall, wenn wir als Kommentar zum Leben nicht mehr wüßten, als was die instrumentelle Vernunft ohnehin schon sagt. Die biblische Religion versucht mit ihren Texten und Bildern dem so Unverstehbaren etwas länger standzuhalten, als dies der moderne Konsens zuläßt.

Auch wer aus theologischen Gründen an der letztlichen Unverfügbarkeit des Todes festhält, darf dennoch nicht vereinfachen, wo alles sehr schwierig zu werden scheint. Wenn leibliches und seelisches Leid Formen annimmt, die es dem Menschen nach unserer Einsicht nicht mehr möglich machen, sich selbst in einer würdigen Weise selbst zu verwirklichen, dann befinden wir uns in einer ethischen «Grauzone». Wir wissen zwar, daß die Achtung vor dem Menschenleben unmittelbar ist, und daß eine weiche Stelle in dieser Grundhaltung genügt, um an sich vernünftige gesellschaftliche Übereinkünfte zu verunsichern. Aber auch dieses Wissen kann uns nicht dazu bewegen, über jede direkte Beendigung menschlichen Lebens ein Verdikt zu sprechen. Der ethischen Reflexion steht es nicht zu, persönliche moralische Entscheidungen zu bewerten. Es geht hier nicht um solche Einzelfälle, sondern um eine gesellschaftliche Norm.

b) Dissoziierung von Glück und Leid

Neben den theologischen, gibt es rein ethische Gründe, die für die Beibehaltung des Prohibitives der aktiven Sterbehilfe sprechen. Eine Freigabe der aktiven Sterbehilfe, selbst wenn sie an strenge Bedingungen geknüpft wäre, brächte die Gefahr einer Mentalitätsänderung in der Gesellschaft mit sich. Die Bereitschaft der Bevölkerung, Schwerbehinderte und pflegebedürftige alte Menschen, besonders wenn ihre geistigen Fähigkeiten beeinträchtigt sind, zu akzeptieren, nähme wohl ab. Dadurch könnten schwerkranke Menschen unter Druck geraten, gegen ihren eigentlichen Willen eine aktive Sterbehilfe zu wünschen, auch wenn es rein rechtlich unmöglich wäre, sie zu einem solchen Schritt zu zwingen. Die Freiheit, in deren Zeichen die aktive Sterbehilfe gefordert wird, könnte andernorts wieder gefährdet werden.

Eine liberale Handhabung der aktiven Sterbehilfe kann ebenso unmenschlich ausfallen wie eine Spitzenmedizin, die den Menschen hinter Apparaten verschwinden läßt. Sie leistet der gesellschaftlichen Trennungsarbeit zwischen Glück und Leid Vorschub. Diese schaffte gesellschaftliche *Haltungsbilder*, die nicht mehr einsichtig vermitteln können, warum beschädigtes Leben mitten unter uns Annahme finden muß, warum Leiden nicht isoliert, sondern in mitmenschliche Kommunikation überführt werden soll. Man spricht nicht ohne Grund von einem «Dammbrucheffekt». Denn die Lebensqualität von pflegebedürftigen und behinderten Menschen, die am Leben bleiben wollen und dem Gemeinwesen wie den Angehörigen Lasten auferlegen, dürfte geschmälert werden, denn man würde, selbst bei einer streng gesetzlichen Regelung, einen sublimen Druck auf Behinderte und Schwerkranke kaum abwehren können.

Es muß aber eindeutig auch gesehen werden, daß Dammbruchargumente auch überzogen werden können, wenn beispielsweise *R. Spaemann* die mögliche Freigabe der aktiven Sterbehilfe auf Verlangen unzimperlich mit dem Namen Goebbels in Verbindung bringt.[30] Denn dadurch wird gerade der Blick für ein gesellschaftliches Haltungsbild verstärkt, das viel komplexere Züge aufweist. Damit ist folgendes gemeint: Wir leben in der paradoxen Situation, daß einerseits gesellschaftlich die Freiheit des einzelnen in einer nie dagewesenen Weise propagiert wird, und daß andererseits die Einlösung der Freiheit für den einzelnen zum Problemdruck wird. Glück und gelungene Identität stehen für geglückte Freiheit. Indem aber gleichzeitig Glück synonym mit gelungener

30 Vgl. Die Euthanasiedebatte, in: Die Zeit vom 12.06.1992.

Identität wird, kann der Mensch seine Mängel, die Erfahrungen mit Beeinträchtigungen und Leid, kurz Kontingenzerfahrungen immer weniger aushalten. Je mehr er sie als Mängel seiner eigenen beschädigten Identität empfindet, um so mehr wird er darunter leiden. Die leidlose Gesellschaft ist es gerade, die Leiden hervorbringt. Das Vermögen des Menschen nimmt unter solchen Voraussetzungen ab, mit Grenzen und Übeln umgehen zu können. Dies wird noch dadurch verstärkt, daß die persönliche und die allgemeine Zukunft zu einer Sache der Prognose geworden ist. Der Mensch hat gerade soviel Hoffnung, wie es die Zukunftsprognose zuläßt. Hoffnung als Vertrauen in eine Zukunft, die noch nicht abgedeckt ist, wird immer schwieriger.

Die Einforderung eines Rechtes auf den eigenen Tod verstärkt paradoxerweise dieses Haltungsbild. Auf der einen Seite soll dadurch ein letzter Rest an Freiheit gerettet werden, aber auf der anderen Seite schafft man ein gesellschaftliches Haltungsbild, das den Umgang mit Leid, Verdunkelungen der eigenen Existenz immer schwieriger macht. Unter sozialethischen Perspektiven hat man sehr wohl zu überlegen, ob dies alles in allem nicht doch nur einen Scheingewinn an Freiheit brächte. Und gerade deshalb wird vielleicht in Zukunft vom einzelnen vermehrt der schwierig nachzuvollziehende Schritt abverlangt werden, in Situationen auszuharren, damit anderen und später Geborenen durch ein gebrochenes Ethos nichts Unmenschliches geschieht.

Diese Haltungsbild-Diskussion ist unter dem harmlosen Stichwort «Lebensqualitäts-Diskussion» in vollem Gange; hier gibt es zur Zeit einen merkwürdigen Übergang der Befürworter der aktiven Sterbehilfe von der Auslotung der subjektiven Freiheitsmöglichkeiten zu einer objektivierten Lebenswertdiskussion. Wenn in solchen Zusammenhängen das Leben eines Alzheimer-Patienten als genügend beschwerlich beschrieben wird, dann wird die subjektive Freiheit sich eines Tages der aktiven Sterbehilfe kaum mehr entgegenstellen wollen. Wenn die Bedingungen für ein lebenswertes Leben an objektiven Parametern dargestellt wird, kann dies eines Tages dazu führen, daß die subjektive, freie Entscheidung gar nicht mehr so frei ist, sondern sie wird noch mehr in Bedrängnis geraten. Hier entsteht die Gefahr der «Erwartungs- und Ermutigungseuthanasie» (*D. Linke*), derzufolge Patienten, die in vielerlei Hinsicht eine Bürde geworden sind, sich eines Tages gezwungen fühlen könnten, das Angebot der aktiven Sterbehilfe entgegenzunehmen. Unter dem Aspekt einer über das Individuum hinausblickenden Perspektive ist doch sehr wohl zu überlegen, ob wir uns in einem so sensitiven Bereich wie dem Lebensschutz solche Einbrüche gestatten können.

Hier ist die Gesellschaft nicht zuletzt als Rechts- und Solidargemeinschaft gefragt. Wir dürfen die Verfügungsproblematik weder in die Ecke der individuellen Freiheit noch in den rechtsfreien Raum abschieben. Damit sind wir als Gemeinschaft vor die Frage gestellt: In welchem Maße verstehen wir uns als Interessen- oder als Solidargemeinschaft? Als Gemeinschaft, wo jeder einzelne ausschließlich seines eigenen Glückes Schmied ist, oder als Gemeinschaft, welche auch Entkräftete, am Lebensende Stehende mitträgt? Es gilt der Grundsatz, daß die Solidargemeinschaft vor allem dort in Recht und Tat anwesend sein muß, wo es die Schwachen zu schützen gilt. Dies ist aber nur dann möglich, wenn das Ethos der Lebensförderung gestärkt und die Solidarität im Sinne der Therapie und Diakonie in einer sozialen, konkreten Trägerschaft gelebt wird. Eine permissiv-liberale Lösung bringt in dieser Hinsicht nichts. Denn sie ändert nichts an den Zuständen, welche die Not, überhaupt einen Wunsch nach Selbsttötung äußern zu müssen, mitverursachen. Wir müssen in erster Linie Haltungsbilder schaffen, die den Menschen dazu dienen, Glück, Freiheit und Liebe in ihren Beziehungen so zu erfahren, daß sie es nicht nötig haben, sich isoliert und in ihrer Existenz sinnlos zu fühlen.

F. Exkurs: Rechtliche Regelung in der Schweiz

Im Zusammenhang des zur Diskussion stehenden «Rechts auf ein würdiges Sterben» werden verschiedene strafrechtliche Regelungen tangiert.[31] Klar verboten ist zunächst die aktive Euthanasie ohne Einwilligung des Patienten.[32] Im allgemeinen werden hiervon solche Fälle getrennt, bei denen der Tod nur «mehr oder weniger wahrscheinlich» ist: Die Anwendung schmerzstillender Mittel in der terminalen Phase, die möglicherweise den Eintritt des Todes beschleunigt, wird in den Strafrechts-Kommentaren überwiegend als zulässig erachtet. Die Abgrenzung zur sog. passiven Sterbehilfe ist allerdings nicht abschließend geklärt. In dieser kontroversen Frage, die letztlich die philosophisch-ethische Problematik widerspiegelt, stellen die einen auf die äußere Phänomenologie der Handlung (aktives Tun und Unterlassen) ab, wieder andere auf die Handlungsabsicht des Arztes. Außer Frage steht die rechtliche Zulässigkeit des Verzichtes auf lebensverlängernde Maßnahmen, wenn ein urteilsfähiger, jedoch schwerkranker Patient darum bittet.

---

[31] *F. Riklin*; Würdiges Sterben – strafrechtliche Aspekte, in: Arzt und Christ 30 (1984) 65 - 73; *G. Heine*, Schweiz: Übersicht, Dokumentation, Reformbestrebungen, in: *A. Eser/H.-G. Koch* (Hrsg.), Materialien zur Sterbehilfe, a. a. O. 591 - 650.

[32] Nach Art. 111 StGB.

Dagegen stellt das schweizerische StGB die Tötung eines Menschen «auf sein ernstliches und dringliches Verlangen» unter Strafe, privilegiert diesen Tatbestand gegenüber anderen Tötungsdelikten jedoch insofern, als es nur Gefängnis- und keine Zuchthausstrafen androht.[33] Unter diesen privilegierten Tötungs-Tatbestand fällt nur, wer «aus achtenswerten Beweggründen, namentlich aus Mitleid gehandelt» hat. Diese Norm stößt generell nicht mehr auf allgemeine Zustimmung. So hat die Zürcher Bevölkerung am 25.09.1977 eine Standesinitiative «Sterbehilfe auf Wunsch für unheilbar Kranke», die für bestimmte Fälle eine Legalisierung der Tötung auf Verlangen vorsah, angenommen.

Im Gegensatz zum deutschen Strafrecht ist nach schweizerischem Strafrecht auch Anstiftung und Beihilfe zum Selbstmord strafbar.[34] Eine strafbare Handlung liegt insbesondere dann vor, wenn die Tat aus «selbstsüchtigen Beweggründen» geschieht. Allerdings muß erwähnt werden, daß nach Art. 64 des StGB die Strafe u. U. gemildert werden kann, wenn der Täter aus «achtenswerten Beweggründen» bzw. «in schwerer Bedrängnis» gehandelt hat. Obwohl die EXIT-Bewegung mehrfach auf einen klärenden Gerichtsentscheid hindrängten, hatten die Gerichte noch kaum Gelegenheit, zur Frage der Beihilfe in der Sterbehilfe explizit Stellung zu beziehen.

Ein besonderes Problem ergibt sich da, wo die Schmerzlinderung mit der Lebenserhaltung in Konkurrenz tritt, wenn also Schmerzen nur mit Mitteln wirksam gelindert werden können, die gleichzeitig eine Beschleunigung des Sterbeprozesses bewirken. Nach *F. Riklin* kann ein Arzt in solchen Situationen «ein (erlaubtes) Risiko der lebensverkürzenden Wirkung eines Medikaments in Kauf nehmen».[35] Als rechtliche Begründung führt er an, daß einerseits allenfalls der Tötungsvorsatz in Frage gestellt werden könne und andererseits der Rechtfertigungsgrund des Notstands zur Diskussion stehe, indem man sagen könne, im konkreten Fall überwiege (ausnahmsweise) das Schmerzlinderungsinteresse gegenüber dem Lebenserhaltungsinteresse.[36] Allerdings darf nach *F. Riklin* «der beschleunigte Eintritt des Todes nicht die sichere, sondern nur eine mögliche Nebenfolge darstellen».[37] Aus letzterer Einschränkung wird das Bemühen deutlich, aktive, direkte von indirekter Euthanasie abzugrenzen. Diese Grenze ist aller ärztlichen Erfahrung gemäß in der Praxis nicht immer klar objektivierbar.

---

33 Vgl. Art. 114 StGB.
34 Art. 115 StGB.
35 *F. Riklin* 68.
36 Vgl. ebd.
37 Ebd.

Einen weiteren Problemkreis stellt die Sterbehilfe durch Sterbenlassen (passive Euthanasie) dar.[38] Als Hauptkriterium gilt hier der (mutmaßliche) Wille des Patienten. Gegen den erklärten Willen des Patienten (sofern dessen Einsichts- und Willensfähigkeit nicht eingeschränkt ist) darf keine Behandlung aufgenommen oder weitergeführt werden, selbst dann nicht, wenn eine solche medizinisch indiziert ist. Insofern gibt es auch nach geltendem Recht ein «Recht auf den Tod». Maßgeblich ist die Willenserklärung im Moment, da bestimmte Maßnahmen zur Diskussion stehen. Eine früher abgegebene Verfügung ist nicht rechtsverbindlich, auch dann nicht, wenn der Patient im entscheidenden Augenblick nicht mehr in der Lage ist, seinen aktuellen Willen kundzutun. Der Gesetzgeber geht nämlich davon aus, daß nicht ausgeschlossen werden kann, daß der Patient seine frühere Willensäußerung in der aktuellen lebensbedrohenden Situation ändern würde. Ist der Patient urteilsunfähig, so liegt die Verantwortung über eine Fortsetzung der Behandlung beim Arzt, der nach dem Stand seiner Wissenschaft, aus Achtung für die Person des Kranken und in Würdigung aller Umstände den Entscheid über die Aufnahme oder die Weiterführung einer Behandlung zu fällen hat.

Zusammenfassend kann festgehalten werden, daß es nach schweizerischem StGB ein Recht auf den Tod nur insofern gibt, als ein Patient die Aufnahme der Weiterführung einer Behandlung zum Zeitpunkt, wo dies zur Diskussion steht, ablehnen kann. Außerdem muß das Leben eines Menschen, bei dem das Grundleiden mit infauster Prognose einen irreversiblen Verlauf genommen hat, und der kein bewußtes und umweltbezogenes Leben mit eigener Persönlichkeitsgestaltung mehr führen kann, nicht unbeschränkt durch therapeutische Maßnahmen verlängert werden.

38 Vgl. dazu auch die Richtlinie für die Sterbehilfe der Schweiz. Akademie der medizinischen Wissenschaften 1976 und 1981 (1984).

IV. Menschlichkeit am Ende des Lebens

In dieser oder jener Form sind wir wohl alle mit dem Tod schon konfrontiert worden, und mit größter Wahrscheinlichkeit hatten wir mit Sterbenden, sei es in der Pflege, sei es in sonstiger Anteilnahme, zu tun. Dies sind zweifellos emotional intensive, mitunter aufwühlende Erlebnisse und nachhaltig prägende Erfahrungen. Wenn wir uns mit moralischen Problemen im Umfeld des Sterbens beschäftigen, müssen wir solche Einzelerfahrungen gezwungenermaßen in den Hintergrund treten lassen, nicht aus Pietätlosigkeit, sondern weil das Nachdenken, das auf eine gewisse Allgemeingültigkeit der Aussagen abzielt, notwendigerweise eine Distanz schafft und das Einzelschicksal in dasjenige vieler einreiht. Wenn wir nun in diesem Zusammenhang von ethischen Problemen reden, mögen wir unter anderem an Fragen denken wie:

- Haben wir die Pflicht, am Krankenbett die Wahrheit zu sagen?
- Sind wir gehalten, für die Pflege eines Kranken alle erdenklichen finanziellen und pflegerischen Mittel aufzuwenden?
- Sind wir berechtigt, bestimmte Medikamentationen mit lebensverkürzenden Wirkungen oder gar mit lebensbeendenden Effekten anzuwenden?

Der ethischen Einzelprobleme im Umfeld dieses äußerst sensiblen Bereiches gibt es so viele, wie Konflikte um Bedürfnisse, Interessen und Wertvorstellungen möglich sind. Wir könnten hier gleichsam eine Fall-Ethik betreiben, die ethischen Konfliktsituationen herausarbeiten und Lösungen vorschlagen, mit dem Ergebnis allerdings, daß wir in unbefriedigender Weise nur das eine oder andere Fallbeispiel genauer analysieren könnten. Statt dessen möchte ich die ethische Problematik in einen größeren *gesellschaftlichen Zusammenhang* stellen und thesenartig festhalten, daß sehr viele angeblich spezifische Probleme im Umgang mit den Sterbenden von einer gesellschaftlichen Konstellation, von einer bestimmten Konfiguration gesellschaftlicher Wertvorstellungen und von einer bestimmten Organisation unseres Medizinalwesens her erklärbar sind.

A. Sterben und Tod im öffentlichen Interesse und in der öffentlichen Verdrängung[1]

Wenn Publikationen, öffentliche Veranstaltungen und Hearings ein Gradmesser für das öffentliche Interesse sein können, dann hat zumindest die intellektuelle Neugier an Sterben und Tod in der Öffentlichkeit enorm zugenommen. Ein Großteil dieser sich häufenden Debatten beschäftigt sich mit der Fragestellung, wie ein menschenwürdiges Sterben angesichts der beängstigend gewachsenen Vielzahl von Interventionsmöglichkeiten möglich sei. Ins Blickfeld tritt so die technik- und kulturkritische Frage, ob die medizin-technischen Möglichkeiten tatsächlich noch Segnungen für die Menschen sind. Zweifellos zwingen uns darüberhinaus auch gesundheitspolitische Entwicklungen (z. B. Kostenexplosion; Pflegeplatzmangel; Veränderung der Altersstruktur in der Bevölkerung) und gewandelte Moralvorstellungen (z. B. Wertewandel im Bereich der Lebensqualität, der Freiheit bezüglich seines eigenen Leibes) zu solchen Diskussionen; doch haben schon vorausgehend die bahnbrechenden Studien von Frau *Kübler-Ross* das allgemeine Interesse auf diesen Bereich gelenkt und ein offenes Gesprächsklima mitgeschaffen, insofern sie durch Publikationen[2] dazu beigetragen hat, Sterben und Tod als eigene, selbstverständliche und wesentliche Phase menschlichen Lebens zu begreifen. Seither haben es die neueren Forschungen der *Thanatologie*[3] verstanden, dieser geheimnisvollen und wohl fraglichsten Phase menschlichen Lebens eine Sprache zu geben und sie damit auch in den Bereich der verstehenden Interpretation und des wahrnehmenden Bewußtseins zu heben.

1. Verbale Präsenz

Wie haben wir diese verbale Präsenz in der Öffentlichkeit, bzw. die in der gesellschaftlichen Wirklichkeit stattfindende Auseinandersetzung mit dem Sterben zu deuten? Sind Sterben und Tod aus dem gesellschaftlichen Tabubereich herausgekommen, oder haben wir die verbale Präsenz als Zeichen dafür zu deuten, daß wir uns durch Worte eine gei-

---

[1] Vgl. das grundlegende Werk: *A. Nassehie/G. Weber*, Tod, Modernität und Gesellschaft. Entwurf einer Theorie der Todesverdrängung, Opladen 1989.

[2] Interview mit Sterbenden, Stuttgart 1973[13]; Reif werden zum Tod, Stuttgart 1976[4]; Verstehen was Sterbende sagen wollen. Einführung in ihre symbolische Sprache, Stuttgart 1982[3].

[3] Vgl. *G. Condrau*, Der Mensch und sein Tod, Zürich 1991[2]; *I. Rösing/H. Petzold* (Hrsg.), Die Begleitung Sterbender. Theorie und Praxis der Thanatotherapie, Paderborn 1992[2], bes. 9 - 140.

stige Distanz dazu schaffen, uns dieser Thematik gleichsam intellektuell bemächtigen und uns dadurch über die eigentlichen Probleme, die Taten erforderten, hinwegtäuschen?

Nicht wenige Kulturkritiker gehen in der Tat davon aus, daß gesamtgesellschaftlich gesehen ein eigenartiges Mißverhältnis von verbaler Präsenz und mentaler Nichtwahrnehmung vorliege. Es sprächen viele Anzeichen dafür – so heißt es –, daß trotz öffentlicher Diskussion die moderne Einstellung gegenüber dem Tod dessen tatsächliche Verdrängung fördere. *C. v. Ferber*[4] etwa hält die «Unterrepräsentanz» dieses Themas angesichts seiner Bedeutung in unseren zivilisatorischen Bewußtseinsinhalten für bedenklich. Obwohl das Faktum des Sterbens so selbstverständlich zum Leben gehöre wie die Geburt zum Leben, gehöre es kaum mehr zu unserem praktischen Lebenswissen, das uns den Umgang mit der eigenen Sterblichkeit und der anderer erleichtern würde. Statt dessen gebe es eine «Hospitalisierung» des Sterbens, indem es im wörtlichen wie im übertragenen Sinn in die Krankenhäuser und Altenheime verlegt werde. *J. E. Meyer*[5] geht sogar so weit zu behaupten, daß wir es hier nicht bloß mit einer Verdrängung aus dem Bewußtsein und einer Verdrängung aus der Gesellschaft zu tun haben, sondern mehr noch mit einer «Entängstigung». Die vorwiegend verbale Auseinandersetzung bringe letztlich nur eine Besänftigung der eigenen Ängste, eine Abschirmung des Menschen vor den Fragen nach den «Letzten Dingen»; kaum werde aber damit die Fähigkeit gefördert, eigenes und fremdes Sterben in das eigene Leben zu integrieren. Und so steht die Diagnose:

> «Man lebt, so gut es geht, und läßt alles, was mit dem Tod zu tun hat, auf sich beruhen; und wenn es schließlich nicht mehr geht, sucht man so schnell und schmerzlos wie möglich durch den Lebensausgang hindurchzukommen. Der ‹angepaßte Mensch› möchte auch möglichst ‹angepaßt› sterben ...»[6]

Entsprechend willkommen ist in der Tat der schmerzfreie, plötzliche und überraschende Tod; er entspricht einer gesellschaftlichen Verfassung, die jene Lebensvorstellung fördert, wonach es jedem möglich sein sollte, nicht bloß die biologischen Lebenskräfte ohne Beeinträchtigung bis ans Ende auszukosten, sondern auch, ohne sich selbst und anderen zur Last zu werden, von der Bühne des Lebens zu treten.

---

[4] Der Tod. Ein unbewältigtes Problem für Mediziner und Soziologen, in: Kölner Zeitschr. für Soz. und Sozialpsych. 22 (1970) 237 - 250.

[5] Vgl. *J. E. Meyer*, Todesangst und das Todesbewußtsein in der Gegenwart. Berlin/Heidelberg/New York 1979.

[6] Ebd., 79.

Nun kann man hier mit Recht einwenden, die Menschen hätten zu allen Zeiten Verdrängungsmechanismen gekannt. Denn der Tod als todsicheres Faktum kann als Ereignis in unserem Bewußtsein gar nicht immer präsent sein. Hierzu vermerkte schon *S. Freud* nicht ohne Grund, daß wir Menschen den Tod nicht ständig vor Augen haben können, wenn wir das Leben nicht vernachlässigen wollen. Doch verbindet sich mit dieser allgemeinen psychologischen Regel offensichtlich verstärkend ein «Bewältigungsmechanismus», der weder einen psychischen Ausgleich noch die Integration von Sterben und Tod zum Ziele hat, sondern deren Abspaltung aus den vitalen Lebensbereichen und deren affektive Verdrängung aus den Seelenschichten. Eine entscheidende Ursache liegt wohl darin, daß wir Sterben und Tod nicht mehr als die «andere Hälfte» des Lebens erleben können, weil wir sie an dafür zuständige Institutionen mit einem dafür ausgebildeten Personal delegiert haben. Es entspricht dem gesellschaftlichen Trend, daß die existentiellen Lebensereignisse (Geburt, schwere Krankheit, Tod) aus dem Schoß der häuslichen Umgebung in dafür *bereitgestellte Institutionen* verlagert werden. Die nüchternen Zahlen belegen diesbezüglich eine entscheidende Veränderung in den letzten vierzig Jahren: In Deutschland beispielsweise starben um 1900 etwa 10 % der Bevölkerung im Krankenhaus; 1960 waren es bereits 44 %; 1976 schon 57,1 %, und 1982 waren es gar 77 %. In dieser Entwicklung spiegelt sich ein Prozeß, den man wie folgt kennzeichnen kann: Spital und Krankenhaus sind primär auf Linderung oder Heilung von Krankheiten ausgerichtet. Diese gesellschaftlichen Institutionen haben sich professionell darauf eingerichtet, mit den ihnen zur Verfügung stehenden technischen Mitteln Leben zu therapieren. Sie tun dies «stellvertretend» in unser aller Auftrag. Aber auch «stellvertretend» und gleichsam contra-intentional zum Therapieauftrag haben sie auch Sterbende zu betreuen. Dieser institutionelle Umgang mit Leben und Tod (der eigentlich medizinisch nicht vorgesehen ist) entspricht genau dem Bild der Gesellschaften, wie sie zuvor das Miteinander und Zueinander der Lebenden organisiert haben.[7]

---

[7] Allerdings müßte hier mit N. Elias noch genauer differenziert werden: Die gesellschaftlich-strukturelle Verdrängung und Desintegration entspricht nicht immer auch der individuellen Wahrnehmung der Todesrealität, die sich lebensabschnittsweise anonym, bedrängend und beängstigend ins Zentrum stellen kann. Vgl. *Ders.*, Über die Einsamkeit des Sterbenden in unseren Tagen, Frankfurt a. M. 1982.

Um das zu kennzeichnen, was bei diesem Institutionalisierungs- und Delegationsprozeß als Einheit verloren ging, möchte ich einen alten, in anderen Zusammenhängen verwendeten Begriff aufgreifen, nämlich den der *Diakonie*. Er sei so übersetzt: Dienst an der Menschlichkeit.

1. Ganze Sorge

Der ursprünglichen Bedeutung nach heißt «Diakonia» Dienst am Notleidenden, Beibringung des Notwendigen, Versorgung, Beistand, Wärme, also all das, was Not wendet. Dagegen verbindet sich (ärztlich-) technische, therapeutische Kompetenz notwendigerweise mit Konzentration auf spezialisierte Leistung, mit affektiver Neutralität, mit Versachlichung von kommunikativen Vorgängen und grenzt, so wie Therapie konzipiert ist, zunächst Anteilnahme, Mitgefühl, Assistenz, menschliche Wärme aus. Therapie steht unweigerlich in Konkurrenz zu Diakonie. In dem Maße als wir Therapie mit gewaltigem Aufwand in Abläufe und Systeme und Organisation verbannen, in dem Maße machen wir die Therapie resistent gegen Diakonie. Die Menschenwürde gebietet, beide Dimensionen nicht auseinander zu reißen, wenn man den Menschen selbst nicht in seine Be-stand-Teile aufteilen will. Unter diesem Vorzeichen hatten die alten Hospitäler eine Oikonomia (d. h. eine Hausordnung), welche den Rahmen für eine umfassende Pflege garantierten. Gleichsam bestätigend mag eine Regel klingen, die wir in einer alten Hausordnung finden, wo es heißt: «Zu der Sorge für des Kranken Genesung gehöret auch dieses: Daß sie nicht allein gelassen werden.»[8]

Damit verband und verbindet sich eine wichtige, allgemeingültige Einsicht: Der einzelne Mensch kann nur in der Begegnung mit seinen Mitmenschen er selbst werden und damit seine Lebensaufgabe erfüllen. Das bedeutet, daß jeder Mensch, einfach weil er Mitmensch ist, die grundsätzliche ethische Aufgabe hat, seinem Nächsten diese Selbstwerdung zu gönnen und zu ermöglichen. Damit ist aus ethischer Sicht klargestellt, daß die echt menschlichen Belange und Bedürfnisse Kranker, Sterbender «die Grundnorm unseres Helfens» (*P. Sporken*) sind. Die Begleitung Sterbender wird damit zum Testfall «par excellence» für die Solidarität, da hier – vergleichbar mit der Geburt – eine besondere körperliche und existentielle Bedürftigkeit gegeben ist. Dies wird in gewis-

---

[8] Zit. nach: *W. Schweidtmann*, Sterbebegleitung, Stuttgart 1991, 22.

sem Sinne auch zum ethischen Prüfstein des ganzen Bereiches der Gesundheitsfürsorge und der professionellen Hilfe, indem sie der Frage unterworfen werden, ob der kranke und sterbende Mensch und dessen Heil entscheidendes Motiv der Arbeit ist oder sein kann.

2. *Hospiz-Bewegung*

Gewiß, wir müssen nüchtern sehen. Was früher in einer agrarischen Struktur, in einer größeren Hausgemeinschaft selbstverständlich war – daß Kranke von der Familie bis zu ihrem Tod gepflegt wurden – ist heute in einer beengenden Wohnung und bei der beruflichen Belastung in der Regel nicht mehr möglich. Sehr häufig gibt es, bei allen Erleichterungen durch spitalexterne Dienste, keinen anderen Ausweg als die Einlieferung in ein Krankenhaus, jedenfalls in unserer westlichen, von Grund auf funktionsteiligen Gesellschaft. Für die Kranken aber, die eingeliefert werden, hängt alles davon ab, wie diese Institutionen beschaffen sind.

Gerade aus einer konstruktiven Kritik der herkömmlichen Einrichtungen ist, ausgehend von den USA, die sog. *Hospiz-Bewegung*[9] entstanden mit dem Ziel, Schwerstkranken und Sterbenden sowie den Angehörigen und Freunden umfassend beizustehen. Dieser Beistand beinhaltet auch die Errichtung von Hospizen – wörtlich übersetzt – Stationen der Gastfreundschaft; sie treten als notwendige Ergänzung zu den herkömmlichen Spitaleinrichtungen dort ein, wo diese nicht in der Lage sind, eine angemessene Weise der Zuwendung zu Schwerstkranken und Sterbenden zu gewähren. Solche Stätten – die im übrigen nichts mit ähnlichen Bestrebungen von «EXIT» zu tun haben –, sind für Betroffene und Beteiligte eine überschaubare Einheit von Lebens- und Arbeitsvorgängen; dadurch soll eine fürsorgliche Geborgenheit und eine adäquate medizinische Versorgung gewährleistet werden. In dieser Hospiz-Bewegung wollen zwei grundlegende Ziele verwirklicht werden:

1. Patient und Familie (Verwandtschaft) sollen eine soziale Einheit bilden. Die Familie wird nach den individuellen Möglichkeiten Teil des Pflegeteams.
2. Therapie und Diakonie werden als Einheit gesehen; menschlicher Beistand, menschlich-spirituelle Leidbewältigung, durchtragende

[9] Vgl. *R. Lamerton*, Sterbenden Freund sein. Helfen in der letzten Lebensphase, Freiburg i. Br. 1991, 21 - 49; *D. Tausch*, Hospize. Stätten des Lebens für Sterbende und ihre Angehörigen, in: Ethik u. Unterricht 4 (1992) 14 - 19. – Im übrigen wurde die Idee der Hospiz-Bewegung von den deutschen Bischöfen sehr positiv aufgenommen: Schwerstkranken und Sterbenden beistehen. Erklärung vom 20.02.91.

Solidarität sind ebenso wichtig wie technisch-medizinische Versorgung.

Wir haben es hier mit einem Modell zu tun, das sehr leicht eine Alibifunktion erhalten kann, wenn es nicht gelingt, die *palliative Medizin* als integrativen und selbstverständlichen Bestandteil der *curativen Medizin* zu fördern, und wenn es nicht gelingt, eine Brücke zur alltäglichen Lebenswelt zu schlagen und gesellschaftliche Kräfte zu integrieren. In ethischer Perspektive sind solche Bestrebungen nur zu begrüssen, wenn und insofern sie zur Humanisierung beitragen. Die Abtrennung der Diakonie von der Therapie weist aber auch auf eine Problematik hin, die der Medizin selbst anhaftet.

C. Die Medizin als naturwissenschaftliches Konstrukt – Verlust des Menschenbildes

Indem die Medizin seit der Renaissance an die Naturwissenschaft und seit dem 19. Jh. an die Technik angebunden wurde, hat sie sich auch deren Sichtweise zu eigen gemacht. Wie der Naturforscher als ein neutraler Beobachter die «Natur» als Gegenstand versteht, so sollte der wissenschaftlich ausgebildete Arzt in objektiver Weise nicht dem Kranken, sondern den Krankheiten gegenüberstehen, Krankheitssymptome sorgfältig registrieren, Ursachen erforschen und geeignete Therapien einleiten.[10] Die Krankheitsbehandlung wird streng naturwissenschaftlich kausal begründet, und damit werden Krankheitsanalysen und -therapien logischerweise immer subtiler. Niemand wird wohl die dadurch erzielten hohen Erfolge grundsätzlich in Frage ziehen, kaum jemand die Segnungen der modernen Medizin in allen Teilen ausschlagen wollen.

Aber gleichzeitig dürfen wir nicht verschweigen, daß diese Intensivierung der Entwicklung auch ihren Preis hat. Denn durch die analytisch-distanzierte Methodik wird die Sicht vom Menschen mit-bestimmt. Die Existenzweise des Menschen wird reduktionistisch verengt auf die Existenz im Leib. Nur was sich an diesem ereignet, ist für Aussagen über individuelle Gesundheit und Krankheit bedeutsam. So kennt die Medizin als Wissenschaft den Begriff «Person» nicht. Menschliches Leiden, das wir intuitiv als ein Zusammenwirken von Belastun-

---

10 Vgl. hierzu: *W. Wieland*, Strukturwandel der Medizin und Ärztlicher Ethik, Heidelberg 1986, 21ff.; *D. v. Engelhardt/H. Schipperges*, Die inneren Verbindungen zwischen Philosophie und Medizin im 20. Jh., Darmstadt 1980, 64ff.

gen, Irritationen der verschiedenen Seinsebenen im Menschen verstehen, konnte dementsprechend nicht Objekt der Medizin werden. Ließ sich die alte «Erfahrungs-Medizin» noch als zwischenmenschliche Interaktionsform beschreiben, die grundsätzlich für all diese Dimensionen offen war, so wird nun der Leib allein mit seinen Funktionen zum wesentlichen Objekt der Medizin.

1. Das naturwissenschaftliche Konzept

Als besonders fruchtbar erweist sich das biologistisch-kausale Konzept der modernen Medizin für die «Intensiv-Medizin». Intensiv-Stationen repräsentieren denn auch hinsichtlich ihrer Technik, ihrer Organisation und ihrer «Erfolge» einen Höhepunkt der medizin-technischen Entwicklung. Hier können Basisfunktionen des Lebens wie Herzschlag, Atmung, Elektrolythaushalt aufrechterhalten werden, selbst wenn die eigentlichen menschlichen Funktionen schon längst erloschen sind. Dieses technische Können hat die Eindeutigkeit verschiedener überkommener Begriffe in Frage gestellt, ärztliches Handeln verändert und nicht zuletzt ethische Fragen aus einer gesamtmenschlichen Perspektive aufgeworfen. Die immanente medizinische Entwicklung hat es mit sich gebracht, daß Leben und Tod nicht mehr scharf voneinander abgrenzbar sind. Die einzelnen Organe sterben zu einem unterschiedlichen Zeitpunkt, und damit stirbt der Mensch nicht mehr als eine Einheit. Der Todeszeitpunkt wird gleichsam zum Diskussionsobjekt und schließlich zum Kompromiß-Gegenstand der Expertenmeinungen.[11]

Die moderne Medizin identifiziert den personalen Tod mit dem Ausfall eines Organs, mit dem irreversiblen Verlust der Großhirn- und der Hirnstammfunktion.[12] Dies ist aber in zwei Hinsichten keineswegs unbestritten: Die einen kritisieren die Gleichsetzung des personalen Todes mit dem irreversiblen Verlust der Funktionen aller Hirnteile inklusive des Stammhirnes als zu strikt; denn (höhere) menschliche Leistungen (Schmerzempfindung, Bewußtsein, Kognition, Denken) seien ausschließlich an das – allerdings wenig überzeugt belegte – Funktionieren der Großhirnrinde[13] gebunden; andere schlagen in Anlehnung an die wohl älteste Todesdefinition vor, den Tod als «Aufhören des Lebendig-

---

[11] Vgl. *H.-M. Sass*, Hirntod und Hirnleben, in: Medizin und Ethik, Stuttgart 1989, 160 - 183.

[12] Vgl. Defining Death. Medical, Legal and Ethical Issues in the Determination of Death (= President's Commission), Washington 1981; vgl. die «Entscheidungshilfen zur Feststellung des Hirntodes» des wiss. Beirates der Deutschen Bundesärztekammer, in: Deutsches Ärzteblatt 79 (1982) Heft 14.

[13] Vgl. z. B. *R. M. Zaner* (Hrsg.), Death: Beyond Whole-Brain Criteria, Dordrecht 1988.

seins» (bildlich: Das Verlassen der Seele des Körpers) zu verstehen, den Tod zu definieren als «irreversibles Erlöschen der menschlichen Existenz».[14]

Damit ist allerdings weder das Problem der Todeszeit noch des Todesnachweises geklärt. Allerdings wird durch diese Formulierung deutlich, daß offensichtlich mit einem naturwissenschaftlichen Parameter allein kaum das Wesen des Todes erfaßt werden kann. Hier nun besteht die ethische Problematik darin, daß eine Eindeutigkeit z. B. im Hinblick auf Organ-Verfügungen abverlangt wird, die so gar nicht gegeben sein kann. Gewiß müssen wir in praktischer Absicht Definitionslinien ziehen; je entschiedener wir aber Grenzlinien wegen unterschiedlicher Utilitätsgründen (Kosten, Wiederbelegung, Organtransplantation usw.) ziehen müssen, desto mehr verfremden wir die Würde des Todes selbst.

2. *Erweiterung des Konzeptes*

Allerdings hat die Medizin mit ihren technischen Möglichkeiten den Handlungsspielraum der zuständigen Ärzte deutlich erweitert; diese Extension stellt die Medizin aber gleichzeitig vor moralisch höchst bedeutsame Entscheidungen, die ihr früher durch den Verlauf der Krankheitsprozesse selbst zu einem guten Teil abgenommen wurden. Dabei besteht das Dilemma darin, daß das körper- und organorientierte Krankheitskonzept zwar einerseits ein klares Kriterium anbietet, daß es aber andererseits nur schwer mit anthropologischen (gesamtmenschlichen) Kriterien vermittelbar ist, etwa mit der schon in sich umstrittenen Kategorie der Lebensqualität, der mitmenschlichen Kommunikation usw. So stellt die hochtechnisierte Medizin mit ihren Möglichkeiten sehr oft mehr Belastung als Tröstung dar. Denken wir an den Fall, wo bei Schwerverletzten, die bereits bewußtlos dem Tod gegenüberstehen, die vitalen Grundfunktionen aufrechterhalten werden, obwohl mit an Sicherheit grenzender Wahrscheinlichkeit die humanen Grundfunktionen nicht wieder hergestellt werden können. Das Dasein solcher Menschen wird hingezogen, versorgt von Apparaten, zwischen Leben und Tod. Ähnlich ergeht es Menschen in der desolaten Phase einer chronischen Krankheit. Der Arzt *H. Begemann* vermerkt hierzu:

> «Wenn sich im Verlauf einer apparativen Intensivmedizin zeigt, daß es mit ihrer Hilfe nicht gelingt, den Patienten aus seiner desolaten Krankheitssituation herauszuführen, kann die ärztliche Entscheidung schwer werden, wann und wie diese Behandlung

---

[14] Diskutiert in: *F. J. Illhardt*, Medizinische Ethik, Berlin/Heidelberg u. a., 1985, 117ff.

> abgebrochen werden soll. Zwar läßt das Gesetz dem Arzt freie Hand, doch ist die ärztliche Entscheidung nicht selten gleichbedeutend mit einem Todesurteil. Und woher soll der auf sich gestellte Arzt, der in einer liberalen ... Gesellschaft lebt und mit einer hochtechnisierten Medizin arbeitet, die Kriterien und die Kraft nehmen, die für das Weiterleben notwendigen Apparate abzustellen und den durch menschlichen Aktionismus bisher verdrängten Tod zu seinem Recht kommen zu lassen.»

In der Tat sind Entscheidungsraum und Entscheidungsdruck gewachsen, und mit ihnen auch das Verantwortungsfeld mit all seinen Überforderungen, die damit gegeben sein mögen. Die Ethik hat aber versucht, für diesen schwierigen Entscheidungsbereich *Kriterien* zu formulieren, die das ärztliche Handeln zu einem Teil aus dem Bereich des *subjektiven Ermessens* herausheben und bis zu einem gewissen Grade zu *objektivieren* versuchen. Im Entscheid über den Einsatz bzw. die Absetzung lebenserhaltender Maßnahmen dürften für ärztliches Handeln drei ethische Grundkriterien entscheidend sein:

1. die Pflicht zu heilen
2. die Pflicht zur Schmerzlinderung
3. die Sorge für ein Höchstmaß an Kommunikationsfähigkeit und Bewußtsein[15]

3. *Garant des Lebens*

Zweifellos gehört die Pflicht des Arztes, Garant des Lebens zu sein zu den vornehmsten und unaufgebbarsten Pflichten. Dieses Ethos ist gleichsam der Grundpfeiler des objektiven Lebensschutzes wie auch Fundament des Vertrauens der Öffentlichkeit in das Gesundheitswesen. Garant des Lebens zu sein heißt zunächst nichts anderes, als Leben in der Zeitlichkeit erhalten. Das darf – auch wenn es manchmal so mißverstanden wurde – nicht in einem biologistischen Sinne mißverstanden werden. Denn das Leben ist zwar das fundamentalste Gut, das wir besitzen, aber dennoch nur Voraussetzung für andere menschliche Werte (wie Freiheit, Liebe, Kommunikation). Darum geht daraus gleichzeitig die Pflicht hervor, Leiden zu mindern, das heißt, die Voraussetzungen für ein sinnvolles Bestehen der Leidenssituationen zu schaffen.

Nun kann allerdings ärztliches Handeln das Leiden selbst nicht sinnvoll machen. Die Schmerzlinderung hat schließlich zum Ziele, daß dem Sterbenden ein größtmögliches Maß an Kommunikationsfähigkeit er-

---

[15] Vgl. u. a. *K. Demmer*, Leben in Menschenhand, Freiburg i. Ue. 1987, 138ff.; *H.-P. Wolff*, Arzt und Patient, in: *H.-M. Sass* (Hrsg.), Medizin und Ethik, a. a. O. 184 - 211.

halten bleibt. Es gehört zur Auszeichnung des Menschen, den Tod bewußt annehmen zu können. Das bewahrt vor einer Nivellierung und Banalisierung des Lebens und des Todes. Bewußte Annahme des Todes bedeutet auch Einbindung in die Erfahrung menschlicher Nähe. Diese gehört wesentlich zum würdigen Bestehen des Todes. Denn offensichtlich fürchten wir Menschen viel weniger den Tod, als im Sterben allein gelassen zu werden. Die oben erwähnten drei Grundziele sind miteinander in Einklang zu bringen. Schmerzlinderung ist demnach in bestimmten Fällen nur möglich unter Inkaufnahme einer zumindest geringfügigen Lebensverkürzung; sofern sie im Dienste einer humanen und sinnvollen Lebensbewältigung steht, erscheint sie ethisch gerechtfertigt. Im übrigen kann in der Perspektive dieser drei Kriterien die Devise «Lebensverlängerung um jeden Preis» unmenschliche und damit unmoralische Züge annehmen. Die technischen Möglichkeiten der Lebenserhaltung mögen hin und wieder dazu führen, in aussichtlosen Fällen, die Leidens- und Sterbezeit unnötigerweise zu verlängern. In der Regel stoßen wir in medizinisch und ethisch schwierige Bereiche vor, wenn aufgrund mangelnder Kommunikationsfähigkeit des Patienten über Therapieformen entschieden werden muß; auch hier muß eine Kasuistik versagen, da sehr viele diagnostische und prognostische Einschätzungen im Ermessen des Arztes liegen.[16]

Für eine medizinisch und ethisch verantwortbare Nutzung dieses Ermessensspielraumes ist ein Vertrauensverhältnis zwischen Arzt, Angehörigen – und sofern möglich – dem Patienten von höchster Bedeutung. Dazu ist erforderlich, daß die Angehörigen über den Zustand des Patienten so informiert werden, daß sie eine kompetente *Meinungsäußerung* bezüglich einer weiteren Therapie abgeben können. Andererseits muß sich auch der Arzt über den Patienten und seine Lebensverhältnisse ins Bild setzen, damit er möglichst genau dessen mutmaßlichen Willen eruieren kann. Arzt und Angehörige müssen bestrebt sein, das Wohl des Patienten ins Zentrum ihrer Erwägungen zu stellen. Bei ihren Entscheidungen dürfen *Eigeninteressen* (Personal- und Platzknappheit im Spital, Allokationsprobleme, finanzielle Erwägungen, Schwierigkeiten mit der Vorstellung, künftig mit einem behinderten Menschen zusammenleben zu müssen usw.) nicht den Ausschlag geben. Gerade aus der Sicht der ärztlichen Ethik ist es selbstverständlich, daß im Falle der verbleibenden Entscheidungsunfähigkeit des Kranken nach Einbeziehung der anderen Gesichtspunkte die Entscheidung beim Arzt und nicht bei den Verwandten liegt, da dem Arzt die Garantenpflicht zukommt.

---

16 Vgl. *A. Holderegger*, Was ist Verantwortung und was bedeutet sie für ärztliches Handeln, in: Schw. Ärztezeitung 15 (1991) 607 - 611.

Notwendigerweise stößt die aktive Sterbehilfe, also die direkt gewollte Beendigung des eigenen Lebens in unserer Gesellschaft nicht zuletzt deshalb auf Ablehnung oder Zustimmung, weil hier unterschiedliche Wertvorstellungen und Weltanschauungen aufeinanderprallen. Auf der einen Seite wird heute die aktive Sterbehilfe von Organisationen wie «Exit» oder «DGHS» (Deutsche Gesellschaft für Humanes Sterben) entschieden eingefordert; sie erachten es als ein Recht des Menschen, den Zeitpunkt des Todes selbst bestimmen zu können.[17] *J. Hackethal*, einer der bekanntesten und gleichzeitig umstrittensten Vorreiter der «Recht-auf-Sterben-Bewegung» spricht sogar von einem selbstverständlichen Menschenrecht, wonach jeder für sich bestimmen könne, wann und wie er sterben wolle. Auf der anderen Seite gibt es nicht unerhebliche Bedenken, und zwar auf den unterschiedlichsten Ebenen. Zunächst bin ich der Meinung (die hier nicht weiter begründet werden kann), daß die Frage dann nicht mit letzter Eindeutigkeit entschieden werden kann, wenn wir theoretisch ausschließlich aus der Sicht der Handlungsfreiheit reflektieren, ob ein *totales Verfügungsrecht* gegeben ist. Eine abschließende Beurteilung der Selbstverfügung vom Prinzip der Freiheit hängt von deren Begriff ab bzw. von der Frage, ob man ihre Offenheit und Fraglichkeit auf Zukunft hin oder ihre Sozialdimension für konstitutiv hält.[18] In unserem Zusammenhang geht es nicht darum, ethisch auf ein Selbstverfügungsrecht zu reflektieren, sondern lediglich darum, die Konnotationen freizulegen, die wir in den Dokumenten der Sterbehilfe-Gesellschaften immer wieder finden.

---

[17] Eine Ausnahme bilden die Niederlande. Seit den frühen siebziger Jahren steht die Diskussion um die Euthanasie in den Niederlanden im Mittelpunkt des öffentlichen Interesses und der politischen Debatte. Den Anstoß dazu gab ein Prozeß im Jahre 1973, als ein Arzt freigesprochen wurde, der einen Patienten tötete, der um Sterbehilfe gebeten hatte. In der Folge gab es mehrere Gerichtsentscheide, die sich nachsichtig zeigten gegenüber Ärzten, die Sterbehilfe anwandten, sich aber an gewisse Bedingungen hielten (Vgl. *P. J. Van der Maas/J. J. M. Van Delden/L. Pijnenborg/C. W. N. Looman*, Euthanasia and other medical decisions concerning the end of life, in: The Lancet 338 (1991) 669 - 674). «Auf mindestens drei Umstände wurde in gerichtlichen Beschlüssen und Schriftstücken wiederholt Bezug genommen: 1. die willentliche und beständige Bitte des Patienten, 2. die hoffnungslose Situation des Patienten und 3. die Hinzuziehung eines Kollegen.» *H. A. M. J. Ten Have/J. V. M. Welie*, Euthanasie – eine gängige medizinische Praxis? Zur Situation in den Niederlanden, in: Ztschr. für med. Ethik 39 (1993) 63. Im Jahre 1989 beschloß die niederländische Regierung, einen Entscheid zur Legalisierung der Euthanasie zu verschieben. Aufgrund des im Sept. 1991 veröffentlichten Berichtes des Ausschusses wurden im Febr. 1993 die neuen Gesetzesvorschläge zur Legalisierung in einem gewissen Rahmen vom Bundestag des Parlamentes angenommen.

[18] Vgl. *A. Holderegger*, Art. Suizid, in: Lexikon Medizin, Ethik, Recht (= Herder Spektrum), hrsg. v. *A. Eser* u. a., Freiburg i. Br. 1992, 1126 - 1148, bes. 1132 (weitere Lit.).

Zunächst einmal scheint, daß die aktiven Sterbehilfe-Organisationen selbst im Gefälle der technisierten Medizin stehen, und zwar jener Medizin, welche die humanen Probleme nicht imstande zu lösen ist, die mit einem hochtechnisierten Einsatz entstehen. Indem diese Organisationen in auswegloser Situation zum technischen Mittel der Lebensbeendigung raten, lösen sie die menschlichsten der Probleme nicht, nämlich die vielleicht doch größte Überforderung für den Menschen, den schwierigsten und definitivsten Akt zu setzen; das Problem der Isolation, in das Sterben hineinführt, und das nicht Technik, sondern menschliche Wärme und Nähe erfordert. Aus zahlreichen Erfahrungen in Londoner Hospizien und aus Untersuchungen in den Niederlanden geht deutlich hervor, daß der Wunsch eines Sterbenskranken, man möge etwas tun, damit alles ein Ende nehme, in der Regel einen Hilferuf bedeutet, nämlich den Ruf nach wirkungsvollerer Hilfe und vielleicht besserer Schmerzbekämpfung.[19] Es bedeutet aber offensichtlich kaum einmal den *direkten* Wunsch, getötet zu werden. Je besser die Betreuung der Kranken ist, desto seltener wird ein derartiger Wunsch geäußert.

Auf diesem Hintergrund ist es nicht verwunderlich, daß die Sterbehilfe-Gesellschaften das *Recht auf Selbstbestimmung* und das Recht auf einen menschenwürdigen Tod immer wieder in den Mittelpunkt ihrer Überlegungen stellen. Überblickt man die Schriften[20] dieser Gesellschaften, dann fällt eine erste definitorische Besonderheit von Selbstbestimmung auf. Selbstbestimmung wird als ein solitärer Akt beschrieben, weder in einen Verantwortungszusammenhang von näherer und weiterer Mitwelt, noch in ein umfassendes Lebenskontinuum eingebunden. Allein das auf sich selbst gerichtete Individuum entscheidet – gleichsam im Augenblick bilanzierend – ohne besondere Rechenschaftspflicht über den Eintritt des Todeszeitpunktes.

Hieraus ergibt sich eine zweite definitorische Besonderheit: Selbstbestimmung wird im Sinne eines Verfügungsrechtes beschrieben, unabhängig von der Umwelt (Familie, Ärzten, Pflegepersonal) frei über sein Leben verfügen zu können. Allein sich selbst verantwortlich erscheint der äußere Bezugsrahmen eines Menschen völlig ausgeblendet. Selbstbestimmung wird zum Höchstwert erklärt; das Leben eines Menschen wird als verfügbar angesehen, Todeszeitpunkt und Todesart sind frei wählbar. Auf der einen Seite soll damit insinuiert werden, daß sich das

---

[19] Belege bei: *M. v. Lutterotti*, Menschenwürdiges Sterben. Kann sich die Gesellschaft auf das Gewissen des Arztes verlassen?, Freiburg i. Br. 1987², 87; *Ders.*, Aktive Sterbehilfe oder Sterbebeistand?, in: *H.-H. Atrott/H. Pohlmeier* (Hrsg.), Sterbehilfe in der Gegenwart, Regensburg 1990, 87 - 103, hier 92f.

[20] Vgl. Sechs Jahre EXIT (dt. Schweiz). EXIT-Publikationen aus den ersten sechs Jahren, zusammengestellt und mit Begleittexten versehen v. *W. Baechi*, Aarburg 1988³; Broschüren von EXIT (1990 und 1993) und DGHS (1990 und 1993).

so verstandene Recht auf Selbstbestimmung in die Menschenrechtstradition einordne und eine logische Konsequenz darstelle; auf der anderen Seite jedoch erfährt die Menschenrechtstradition eine Umdefinition, in dem Sinne, als hier Selbstbestimmung nicht mehr als Schutzrecht des Menschen vor Übergriffen anderer auf das eigene Leben und den eigenen Lebensentwurf verstanden wird.[21]

Eine dritte definitorische Besonderheit des Begriffes Selbstbestimmung ergibt sich aus der Kontrollfunktion, welche die Sterbehilfe-Gesellschaften gegenüber der Selbstbestimmung ihrer Mitglieder einnimmt. Indem diese Gesellschaften die Selbstbestimmung durch «objektive Fakten»[22] abzustützen versuchen, d. h. Kataloge erstellen, nach deren Kriterien bestimmte Lebenssituationen als nicht menschenwürdig erklärt werden, handelt es sich hier dann allerdings doch wieder nur um eine fremdbestimmte Selbstbestimmung. *O. Tolmein* hat in diesem Zusammenhang den Verdacht geäußert, es handle sich hier lediglich um eine «Selbstbestimmungs-Rhetorik»[23], denn die Selbstbestimmung muß dann wohl paradoxerweise auf der Strecke bleiben, wenn nur vorausdefinierte Krankheitsfälle in Frage kommen. Letztendlich fließen dann doch Wertungen des Lebens einer Gruppe ein, die einer breiten gesellschaftlichen Diskussion und Abstützung entbehren.

Daß dadurch beträchtliche *Umdefinitionen* von Einstellungen zu Leben, Krankheit und Tod erfolgen, ist nicht von der Hand zu weisen. Wird in solchen Zusammenhängen, das Leben eines Krebspatienten im terminalen Stadium immer wieder genügend beschwerlich beschrieben, dann wird sich die subjektive Freiheit eines Tages nicht mehr dagegenstellen können. Denn sobald die Situation in verbindlich-definitorischer Absicht für menschenunwürdig erklärt wird, muß es dann als ein gebotener Akt der Humanität erscheinen, sich von diesem Elend zu erlösen.

Mit entsprechender innerer Logik entwickelt sich der zweite zentrale Begriff: *Recht auf den eigenen Tod*. Dieser Tod beinhaltet zunächst das Selbstbestimmungsrecht; darüberhinausgehend steht der menschenwürdige Tod jedem Menschen als Menschenrecht zu. Damit wird hier das Menschenrecht nicht mehr verstanden als Schutzrecht, sondern als Verfügungsrecht über das eigene Leben. Der Begriff wird hier in einem emphatischen und analogen Sinne gebraucht, denn er teilt in diesem Zusammenhang gerade ein wesentliches Merkmal nicht, nämlich das der Einklagbarkeit. Damit soll deutlich werden, daß einerseits nur der-

---

21 Vgl. *H. Grewel*, Recht auf Leben. Drängende Fragen christlicher Ethik, Göttingen 1990, 87f.

22 Ebd., 89.

23 Vgl. *O. Tolmein*, Geschätztes Leben. Die neue «Euthanasie»-Debatte, Hamburg 1990, 51.

jenige Tod als menschenwürdig[24] verstanden werden kann, der unabhängig von medizinischen Apparaturen und unabhängig von irgendwelcher äußerer Beeinflussung – gegebenenfalls auch durch Suizid – herbeigeführt werden kann; daß andererseits sich die Sterbehilfe-Organisationen konsequenterweise als Institutionen verstehen, welche sich für die Durchsetzung dieses Zieles einsetzen. In einem gewissen Sinne verstehen sie sich als eine Schutzmacht für den Menschen gegenüber der modernen Medizin. Doch sie ziehen gegen die totale «Medizinalisierung» aus, wollen aber diesen Kreis selbst nicht aufbrechen, denn diese Tendenz wird nicht verändert, sondern eskapistisch gemieden und auf einer anderen Ebene durch eine Art «Selbstmedizinalisierung» wieder aufgenommen. Einmal mehr zeigt sich hier, daß strukturell-technologische und systemische Probleme nicht über Individualentscheidungen zu lösen sind, wenn als Preis letztlich nicht der Mensch selbst verschwinden soll. Dies entbindet aber nicht davon, über würdige Lebensführung, Leidzumutung und Freiheitsentscheidung seriös nachzudenken.

---

24 *R. Kehl*, Sterbehilfe. Ethische und juristische Grundlagen, Bern 1989, der die Grundlagen im Sinne von EXIT erarbeitet hat, gibt ein äußerst fragwürdiges, aber sprechendes Beispiel für die Definition von Menschenwürdigkeit: «Von solchen Tatbeständen, die die Menschenwürde zu sehr tangieren, kann im einzelnen gesprochen werden: wenn der Patient Ekel erregt ...; oder geisteskrankes Gebaren, psychotische Zustände; oder entsetzliche Schmerzen, bei denen sich der Sterbende krümmt und windet» (S. 32).

V. Sport als wandelbares Kulturphänomen. Zur Ethik des Sports

A. Einleitung

In einem gewissen Sinne hat es sich heute eingebürgert, daß man Überlegungen, sobald man ihnen den erforderlichen Tiefgang verleihen will, einkleidet in Fragen nach der Ethik. Von ihr wird erwartet, daß sie in Bereichen, die uns fragwürdig vorkommen oder die uns zumindest mit Problemen beladen erscheinen, Orientierung vermittelt. Zustände und Entwicklungen sollen an Maßstäben gemessen werden, die uns sagen, was sein soll und was menschlich verantwortet werden kann. In der Tat ist die Ethik eine Wissenschaft oder eine methodisch geleitete Reflexion, welche Maßstäbe bereitzustellen versucht, um das Leben und seine Praxis nach seiner Gutheit und Richtigkeit zu befragen. Sie will Handlungsorientierungen darlegen und begründen, nach denen wir gut urteilen und richtig handeln können. Freilich klingt dies nun alles sehr anspruchsvoll, indem an die Ethik Erwartungen herangetragen werden, die so vielleicht doch nicht erfüllt werden können. Denn sie ist weder alleinige Krisenlöserin noch alleinige Schiedsrichterin in strittigen Fragen, noch kann sie Sachprobleme des konkreten Lebens aus einer privilegierten Perspektive heraus lösen. Ihr Anspruch ist viel bescheidener: Die Ethik versucht erstens Phänomene des Lebens, Standards der Moral, moralische Überzeugungen und moralische Verhaltensweisen unter Wertgesichtspunkten kritisch zu sichten – und beileibe auch hier ist man sich nicht immer einer Meinung; zweitens versucht sie, die hierfür erforderlichen Kriterien wie Grundhaltungen und Prinzipien, zu denen wir etwa Gerechtigkeit, Solidarität und Subsidiarität zählen, zu benennen und zu begründen.

Es bleibt dann das relativ mühsame Geschäft, die allgemeinen und abstrakten Grundsätze plausibel und nachvollziehbar auf die konkrete Realität anzuwenden. Genau diesen beiden Aufgaben entlang möchte ich im folgenden auf das Verhältnis Sport – Ethik eingehen.[1] In einem

---

[1] Vgl. *A. Holderegger*, Sport und Leistung, in: Sport und Kultur/sports et civilisation, hrsg./ed. *L. Burgener/U. Altermatt* u. a. (= Europäische Hochschulschriften Reihe XXXV, Vol. 5), Bern 1986, 96 - 101; *Ders.*, Sport und theologische Kritik, in: Sport und Kultur/ Sports et civilisations, Freiburg i. Ue. 1984c, hrsg./ed. *L. Burgener/O. Pfändler/M. Villet* (= Europäische Hochschulschriften Reihe XXXV, Vol. 10), Bern 1986, 24 - 30; *Ders.*, Sport und Umwelt: Ethische Rahmenbedingungen, in: Sind Sport und Umwelt vereinbar?

ersten Teil werde ich thesenartig nicht bloß in einem beschreibenden, sondern bereits bewertendem Sinne den Sport als Kultur-Phänomen in einem gewandelten gesellschaftlichen Umfeld eingehen. In einem zweiten Teil versuche ich ethische Grundperspektiven im Hinblick auf den Sport zu formulieren; und schließlich werde ich in einem dritten Teil das Sportphänomen in die Perspektive der theologischen Tradition einordnen und die Theologie nach ihrem sportkritischen Potential befragen.

B. Der Sport im gesellschaftlichen Wandel

Da der Sport kein urwüchsiges Natur-Phänomen ist, sondern ein Kulturprodukt, das von Menschen erdacht ist, von ihnen durchgesetzt und in den verschiedensten Formen praktiziert wird, partizipiert es ebenfalls an den gesellschaftlichen Veränderungen. Dieser Zusammenhang wird oft unterschätzt und infolgedessen werden Reichweite und Dramatik der Veränderungen des Sports und des ihn umgebenden Umfeldes teilweise unterbewertet.

1. Das Phänomen «Sport» an sich

Das Phänomen Sport in unserer westlichen Gesellschaft begegnet uns in mannigfaltiger Weise:

- als gemeinnütziges Angebot der organisierten Sportbewegung
- als Breiten- und Spitzensport
- als Konsum-Show in den Massenmedien
- als Dienstleistungsangebot von privaten Clubs
- als Erziehungsmittel
- als Wirtschaftsfaktor
- als Therapieprogramm und in vielen weiteren Facetten

Diese verwirrende Fülle an Formen und «Be-Deutungen» des Sports verweist auf die Vielgestaltigkeit und zugleich auf seinen hohen gesellschaftlichen Stellenwert. Nicht nur die Tatsache, daß beinahe jede und jeder Dritte in unseren Breitengraden Mitglied eines Sportvereins ist, sondern auch der sprunghafte Anstieg des Freizeitsportes in vereinsun-

---

(Bericht zum Forum 1989 «Sport und Umwelt»), hrsg. vom Schweiz. Landesverband für Sport, Bern 1990, 24 - 33; *Ders.* u. a., Broschüre: «Fairnünftig. Für einen fair-nünftigen Sport», Ittigen-Bern 1991, 39 S.

gebundenen Formen zeigt die hohe Anziehungskraft des Sports. Neben dem aktiven Sporttreiben kommt die «Versportlichung unserer Gesellschaft» auch in der volkswirtschaftlichen Bedeutung des Sports (z. B. Sportartikelindustrie, Tourismus, kommerzielle Sportangebote) oder auch in der Medienpräsenz zum Ausdruck.

Die stichwortartigen Hinweise zur Vielfalt und zur sozialen Bedeutung des Sportes zeigen ganz offensichtlich, daß der Sport zutiefst mit der Gesellschaft und deren Entwicklung verwurzelt ist. Deshalb kann er, wie die gesellschaftlichen Entwicklungen selbst, nicht dem Zufall überlassen werden. Auch wenn er als Ganzes nicht vorausgeplant werden kann, so kann er wohl aktiv mitgestaltet werden. Dazu gehört die Pflege von bewährten sportlichen Traditionen wie das Setzen von zeitgemäßen Erneuerungen. Dies geschieht naturgemäß nie ideologiefrei. Die ethische Reflexion, die sich immer auch als kulturkritische Instanz verstanden hat, versucht nun genau, diesen Prozeß der Bewahrung, Veränderung und Entwicklung kritisch zu begleiten.

Ob man nun den Sport in soziologischer Hinsicht als «Subsystem»[2] unserer Gesellschaft oder in anthropologischer Hinsicht als «Erscheinung des Spiels»[3] bezeichnet, immer haben Bewegung, Spiel und Sport den «Zeitgeist» in zweifacher Weise widergespiegelt: Zum einen sind sie Ausdruck des jeweils herrschenden Menschenbildes und zum anderen signalisieren sie auch die Auswirkungen von gesellschaftlichen Verhältnissen. Die ehemals relativ einheitliche Wertstruktur des Sports, die sich auf normierte Bewegungs- und Wettkampfaktivitäten bezogen hat, ist mit der «Versportlichung unserer Kultur» offener, aber auch unbestimmter geworden.

Die tiefgreifenden gesellschaftlichen Veränderungen tangieren Werte des gemeinsamen Lebens, der gesellschaftlichen und individuellen Identität. Bisher verläßliche Normen des lokalen Lebensraumes, der Arbeit und der Freizeit verlieren ihre regelnde und einbindende Funktion auch für den Sport. In diesem Zusammenhang ist daran zu erinnern, daß die Verlagerung der Arbeitsplätze vom Industriesektor in den Dienstleistungsbereich sowie die im Zuge der Automatisierung festzustellende Abnahme der Arbeitszeiten zu einer neuen Bewertung und Bedeutung der Freizeit geführt hat.

Ohne Zweifel hat der Sport in den industrialisierten Gesellschaften einen hohen Stellenwert erreicht, sowohl in seiner aktiv betriebenen wie auch in seiner passiv konsumierten Form. Die Tatsache, daß der Sport

---

[2] Vgl. z. B. *U. Schimank*, Die Entwicklung des Sports zum gesellschaftlichen Teilsystem, in: *R. Mayntz* u. a. (Hrsg.), Differenzierung und Verselbständigung. Zur Entwicklung gesellschaftlicher Teilsysteme, Köln 1988, 181 - 232.

[3] Vgl. *C. Diem*, Wesen und Lehre des Sports und der Leibeserziehung, Berlin 1964^{2}, 27.

nahezu alle Lebensbereiche durchdringt, eröffnet die Chance, den Bedürfnissen breitester und unterschiedlichster Kreise unserer Gesellschaft gerecht zu werden. Doch gerade auch diese Chance macht den Sport auch anfällig für sportfremde Modetrends und Dienstleistungen, indem er gleichsam als «Vehikel» anderer Botschaften fungiert.[4]

2. Der «postmoderne» Lebensstil[5]

Die achtziger Jahre lassen sich durch einen gewaltigen Schub der Individualisierung der Lebensstile charakterisieren. Die Menschen gestalten ihr Leben nicht mehr nach einem einheitlichen, durch Tradition und Überzeugung geprägten Entwurf.[6] Sie setzen die Gestalt ihres Lebens nach eigenem Gefühl und nach eigenem Interesse zusammen; die Sinnelemente für das persönliche Leben werden von den verschiedensten religiösen und nicht-religiösen Angeboten geborgt. Viele fragen nicht mehr vorrangig nach dem Gemeinschaftsbezug bestimmter Handlungen, sondern orientieren sich am individuellen Nutzen oder am Nennwert für die eigene Selbstverwirklichung. Hierfür wurden die Ausdrükke «utilitaristischer Individualismus» oder «expressiver Individualismus» (*R. N. Bellah*) geprägt. In der Tat scheinen dies die vorherrschenden Haltungen in der Gesellschaft zu sein, abgestuft allerdings je nach Altersgruppe. Es ist nicht zu leugnen, daß es eine Ausdünnung des Bezuges des einzelnen zur gesamtgesellschaftlichen Wirklichkeit gibt. Das zeigt sich allein schon daran, daß kollektive Gesamtvisionen schwieriger geworden sind, und daß die Befolgung gesamtgesellschaftlicher Ziele verwickelter geworden sind.

Im Sportverhalten hat sich diese Verschiebung offensichtlich unmittelbar als Trend niedergeschlagen. Solitäres Jogging oder Walking gelten als die Sportarten des Jahrzehnts; individuelles Working am eigenen Körper im Fitness-Studio steht ganz im Dienste des Out-fits des Individuums und wird so zum Mittel, die eigene Individualität expressiv zum Ausdruck bringen zu können. Die Individualisierung von Lebensstilen spiegelt sich auch im Bereich des Sports, allerdings auch mit dem Paradox, daß das, was für individuell-eigenkreativ gehalten wird, hun-

---

4 Damit hat sich ebenfalls beschäftigt: *W. Huber*, Die tägliche Gewalt. Gegen den Ausverkauf der Menschenwürde (Kap.: Die Würde des Menschen ist unantastbar. – Der Sport als Beispiel), Freiburg i. Br. 1993, 35 - 53.

5 Der Begriff «postmodern» wird hier nicht in einem fachspezifischen, sondern im erweiterten Sinne verwendet für die Bezeichnung: Pluralisierung der Lebensstile und ihrer Expressivität, Mischung von Stilelementen, Verfremdung überkommener kultureller Sinngrenzen und Denkformen.

6 Vgl. *G. Schulze*, Die Erlebnisgesellschaft. Kultursoziologie der Gegenwart, Frankfurt a. M. 1992.

dertfach nachgeahmt wird. Daß sich unter diesen Vorzeichen der Gruppen- und Gesellschaftssport schwerer tut, liegt geradezu auf der Hand.

3. Der Wandel der «öffentlichen Person»

Als «öffentliche Personen» bezeichnen wir diejenigen Personen, welche für unsere Gesellschaften eine leitende, normbildende und vorbildhafte Bedeutung haben. In den traditionellen Gesellschaften waren dies insbesondere Amtspersonen wie Politiker, weltliche und religiöse Würdenträger, kurz: Persönlichkeiten, die mit besonderen kontrollierbaren Funktionen betraut waren. Als «öffentlich» galten diese Personen schon allein deshalb, weil sie von Amtes wegen für das Gemeinwohl Verantwortung trugen, also für das, was eine Gesellschaft trägt und zusammenhält. Unzweifelhaft kam ihnen auch eine gewisse Vorbildfunktion zu, indem man von ihnen eine modellhafte Veranschaulichung des guten und richtigen Lebens eines Bürgers erwartete. Die patriarchale Gesellschaft dachte der Frau nur eine Nischenfunktion zu, indem sie jene Funktionen zu erfüllen hatte, welche nicht schon durch den vorbildlichen Bürger besetzt waren.

Und nun geht mit der Individualisierung der Lebensstile eine Subjektivierung der Person einher. Der postmoderne Mensch will sich nicht mehr von Amtspersonen mitteilen lassen, was dem Gemeinwohl dienlich und förderlich ist; es sind auch nicht die vorausdefinierten «Vorbilder», welche gleichsam das Modell eines gelingenden und gelungenen Lebens abgeben. Amtspersonen sind in einem gewissen Sinne austauschbar geworden; ihre Funktionen können auch von anderen erfüllt werden.

An die Stelle von amtlich bestellten Personen treten andere «öffentliche Personen» in den Vordergrund; und damit stoßen diejenigen auf ein besonderes Echo, die die Individualität des Menschen im besonderen Maße, in besonders ausdrücklicher und dichter Weise zum Ausdruck bringen. Zu diesen sind sicherlich Hochleistungssportler zu rechnen, denn sie repräsentieren eine durch körperliche Leistung gesteigerte Individualität, die andere vielleicht durch das Mittel einer besonderen Art der Emotionalität zum Ausdruck bringen. Insofern gibt es doch eine bestimmte Parallelität zwischen Steffi Graf und Ben Johnson auf der einen Seite, Michael Jackson und Madonna auf der anderen Seite. Sportstars und Stars der Unterhaltung scheinen heute mit zu den wichtigsten «öffentlichen Personen» zu gehören. Dabei vollzieht sich selbst auch im Sport eine Verschiebung, die man vielleicht folgendermaßen kennzeichnen könnte: Es gibt den Trend vom Vorbild zum Anfassen zum unnachahmlichen Individualisten. Dies wird noch dadurch gesteigert, daß die heutigen Stars oft noch mit einer quasi-religiösen Aura umgeben werden. Ihre öffentlichen Auftritte – man denke an ein Tennis-Match – erhalten in der Atmosphäre der Stille und der Aufmerksamkeit eine fast religiöse Weihe.

Die Rolle von Sporttreibenden als «öffentliche Personen» im eben geschilderten Sinne hat auch massive Rückwirkungen auf den Sport selbst. Der Hochleistungs- und Breitensport driften noch mehr auseinander. Nicht so sehr die Tatsache, daß die Rekorde schwindelerregende Marken erlangen, sondern daß diese Sportler und Sportlerinnen selbst zu Projektionsfiguren für die eigene gesteigerte, körperlich makellose Individualität werden, führt zur noch größeren Spaltung des Zuschauersportes und dem individuellen oder gruppenmäßigen Sporttreiben. An Attraktivität – mit der entsprechenden Investitionsbereitschaft – gewinnen jene Sportarten, welche den exklusiven Projektionsmustern am ehesten entgegenkommen. Unattraktive Breitensportarten, die mehr dem Gruppenspiel dienen, haben es in der Öffentlichkeit entsprechend schwerer, die nötigen Infrastrukturen zu finden.

4. Von der «Politik» zum «Kommerz»

In den letzten Jahrzehnten war der Leistungssport tief mit der Weltpolitik verstrickt.[7] In den nationalen Wettkämpfen haben sich nicht bloß die einzelnen Nationen zur Selbstdarstellung gebracht, sondern der Sport war auch ein Instrument im Kampf der politischen Systeme untereinander. In der Ära des sog. «kalten Krieges», in der Auseinandersetzung zwischen Ost und West, wurde der Sport ganz tüchtig als politisches Druckmittel eingesetzt. Wir erinnern uns an den Boykott der Moskauer Olympiade von 1980 durch die USA und einige andere Staaten. Der Ost/West-Gegensatz ist in dieser Form seit 1980 in sich zusammengebrochen. Dieser Zusammenbruch hat wohl die weitreichendste politische Umlagerung und Umschichtung eingeleitet, die wir seit dem Zweiten Weltkrieg erleben.

Entsprechend wird auch der Sport in die dadurch hervorgerufenen Veränderungen hineingerissen. Eine handfeste Konsequenz scheint mir darin zu liegen, daß nicht bloß die öffentlichen Finanzmittel umgeschichtet werden und entsprechend weniger Ressourcen zur Verfügung stehen, sondern daß der Leistungssport vermehrt nicht mehr so sehr in das Interessennetz der Weltpolitik, sondern vielmehr in die Interessen der Weltwirtschaft und des Kommerzes eingespannt wird. Damit will natürlich nicht gesagt sein, daß die Kommerzialisierung des Leistungs-

[7] Vgl. W. *Huber*, Die tägliche Gewalt, a. a. O.

sportes ein neues Phänomen ist, sondern daß sie sich lediglich steigert. Die Entscheidungen über die Austragungsorte von Olympischen Spielen – Seoul 1988, Barcelona 1992, Atlanta 1996 – wurden bzw. werden von wirtschaftlichen Interessen bestimmt und offensichtlich in einem ganz bedeutenden Umfang auch von wirtschaftlichen Machtzentren aus gesteuert. Internationale Verbände – und im übrigen auch Vereine – werden deshalb auch immer mehr nach den Regeln des Marketings und nach den Regeln der profitablen Unternehmensführung gestaltet.[8] Dies weckt wiederum die materiellen Begehrlichkeiten der Sportler und Sportlerinnen; denken wir nur an ihre wachsenden finanziellen Forderungen im internationalen Sport-Business.

Man mag diese Entwicklung beklagen, man mag sie gutheißen; auf jeden Fall müssen wir zur Kenntnis nehmen, daß dieser Teil des Sports wesentlich von Markt- und Medieninteressen geprägt ist. Im Vordergrund stehen materielle Interessen, die sich folgerichtig auch auf die Athleten und Athletinnen übertragen, wodurch eine Form der Konkurrenz entsteht, bei der nicht mehr die individuelle Leistung, sondern der gesellschaftliche Erfolg entscheidet. Dies bedeutet in concreto: Wer in einem noch so hochrangigen Rennen auf dem zweiten oder dritten Platz landet, wird nur noch nach einer plausiblen Erklärung seines Leistungstiefs gefragt; die Leistung als solche interessiert kaum. Da der Erfolg über das weitere Dabeisein entscheidet, nimmt die Neigung zur Leistungsmanipulation zu. Künstliche Leistungssteigerung wird in diesem System gerade zu einer immanenten Forderung. Wer sich darüber moralisch entrüstet, weil sowohl dem menschlichen Körper als auch der Wahrheit Gewalt angetan wird, muß sehen, daß dies auch die Folgen der marktmäßigen, auf dem Prinzip der Konkurrenz beruhenden Gestaltung des Sportes sind. Die Steigerungen der Wettbewerbsverzerrungen im internationalen Wettkampfsport, die wir derzeit erleben, dienen nun nicht mehr der Stützung des Selbstwertgefühles einer Nation, sondern eher der wirtschaftlichen Selbstdarstellung eines Volkes.

5. Sport und ambivalente Leistungskultur

Ich gehe hier von der These aus, daß sich der Sport und seine Symbolik nicht mehr so sehr im Rahmen der Leibeskultur bewegt, sondern vielmehr im Rahmen der Leistungskultur und ihrer Symbolwerte. Der Sport scheint, wie einige Philosophen und Soziologen nachdrücklich

---

[8] Für *P. de Coubertin* (Der olympische Gedanke, Schorndorf 1966), dem Vater der modernen olympischen Spiele, galt im Gegensatz dazu noch: «Die Olympischen Spiele feiern heißt, sich auf die Geschichte berufen» (S. 154).

einschärfen, im besonderen Maße an den Mehrdeutigkeiten der Leistungskultur zu partizipieren. So geht *J. Habermas* in einer frühen Diagnose davon aus, der Sport sei längst schon zu einer «Verdoppelung der Arbeitswelt» geworden mit rationellster Effizienzmaximierung, versehen mit marktgerechten Verkaufs- und Konsumtechniken.[9] *C. v. Krockow* formuliert ähnlich: «Der Sport bringt die Prinzipien der Industriegesellschaft weit besser zum Ausdruck als diese selbst.»[10]

Unübersehbar ist in solcher und ähnlicher Kritik, daß offensichtlich nicht nur der Leistungs- und Hochleistungssport mit der Leistungs- bzw. Industriekultur in Verbindung gebracht wird, sondern auch der ganze Bereich des Schul-, des Breiten- und Freizeitsports. Und in bestimmter Hinsicht müssen wohl auch andersartige Motive wie das Leitbild der Gesundheit, des Wohlbefindens und der Agilität, welche die leistungsorientierte Symbolik überlagern, letztlich nochmals unter dem Aspekt des Leistungsvermögens, seiner Erhaltung und Regeneration betrachtet werden. Natürlich gibt es gerade hier gegenläufige Tendenzen, welche die latente Verbindung von Fitnessprogrammen und Leistungserhaltung und Leistungsförderung aufzubrechen versuchen.

Wenn wir den Sport als gesellschaftliches Phänomen unter dem Gesichtspunkt der Leistungskultur betrachten, ist damit zunächst noch nichts Abwertendes gesagt.[11] Hiermit wird zuallererst nur behauptet, daß eine Betrachtung des Sportphänomens allein unter dem Gesichtspunkt der Leibeskultur zu kurz greift, und daß folglich das Sportphänomen als Repräsentation der Leistungskultur begriffen werden muß. Doch was meint hier Leistungskultur und worin besteht ihre Ambivalenz? Die Leistungskultur basiert auf dem sogenannten Leistungsprinzip, das in der Sozialstruktur der modernen Gesellschaft dominant zu sein scheint. Der Grundgedanke dieses Prinzips ist die «Rationalisierung der Lebensgestaltung» (*M. Weber*), das eine zunehmende Infragestellung zugeschriebener Bindungen des Menschen wie soziale Herkunft, Geschlecht, Religion mit sich bringt.[12] Dies wiederum provoziert die Idee der Gleichheit des natürlichen Ranges der Menschen. Diese an und für sich positive Grundidee gestattet jedem Individuum unabhängig von bestimmten zugeschriebenen Eigenschaften (wie Herkunft, Al-

---

9 Vgl. *J. Habermas*, Soziologische Notizen zum Verhältnis von Arbeit und Freizeit, in: *G. Funke* (Hrsg.), Konkrete Vernunft, Bonn 1958, 39f.

10 Vgl. *C. v. Krockow*, Sport und Industriegesellschaft, München 1972, 94 und 96f. Oder *H. Lenk*: Sport als Parademodell der «Leistungsgesellschaft»?, in: *Ders.*, Sozialphilosophie des Leistungshandelns, Stuttgart 1976.

11 So hat seinerzeit *H. Lenk* eines seiner Bücher unter den Titel gestellt: Eigenleistung. Plädoyer für eine positive Leistungskultur, Zürich 1983.

12 *G. Steinkamp*, Über einige Funktionen und Folgen des Leistungsprinzips in industriellen Gesellschaften, in: *G. Hartfield* (Hrsg.), Das Leistungsprinzip, Opladen 1977, 119 - 140.

ter, Geschlecht) die materielle Chance, sich aus ungefragten Bedingungen zu lösen und seine Fähigkeiten und Anlagen nach allen Seiten hin zu entwickeln. Allerdings entscheidet über den sozialen Aufstieg, über Berufsposition und gesellschaftlichen Erfolg die erbrachte, individuelle Leistung und nicht so sehr die eine Person auszeichnende moralische oder charakterliche Qualität. Der Tendenz nach entscheidet die individuell erbrachte Leistung die Lebenschancen und damit das soziale Schicksal. Die Auslese unter dem Gesichtspunkt der Fähigkeit und der damit zusammenhängenden Leistung erlaubt eine optimale Besetzung von unterschiedlichen Positionen, was wiederum zu sozialer Ungleichheit führt und im Grunde genommen genau das wieder ins Gegenteil verkehrt, was die Rationalisierung der Lebensgestaltung als Grundprinzip hervorbringt. Das bedeutet nun nichts anderes, als daß die Leistungskultur dem Versuch unterliegt, auch personal-menschliche Qualitäten quantifizierbar zu machen, damit sie selbst wiederum zu errechenbaren Kapazitäten werden. Um es etwas überspitzt zu formulieren, es taugt ein Mensch in der Leistungskultur so viel, wie sein Leistungsbild hergibt.

Diese Ambivalenz überträgt sich mehr unbewußt wirksam als bewußt durchschaut auf das Phänomen des Sports. Die Ambivalenz besteht hier primär darin, daß das der Leistung an sich positiv innewohnende Moment der Selbstdarstellung des Menschen zur Produktorientierung des Menschen pervertiert, insofern der Mensch an dem gemessen wird, was er an Meßbarem herstellt, statt daß er selbst als Maß dessen erscheint, was er an Leistung hervorbringt.[13] Sofern sich diese Überspitzung des Leistungsprinzips im Sport zeigt, sofern Erfolg und Leistung nicht mehr an dem orientiert sind, was dem Menschen weiterhilft, wird sportliche Leistung in ethischer Hinsicht fragwürdig. Die Entkoppelung der Leistung im Sport von der Selbstdarstellung, die Hervorstellung des Leistungsergebnisses losgelöst von der Person, die Leistung erbringt, scheint faktisch gegeben zu sein. Dies läßt sich schon an der Sprache der Sportberichterstattung ablesen, wenn nur von Torproduzenten die Rede ist, wenn man nur die Erfolge aufzählt und nicht auch die Art und Weise beschreibt, wie sie zustande gekommen sind. Die Kontrasterfahrung der Ambivalenz der Leistung verlangt eine Wiederherstellung des Zusammenhangs von Leib und Leistung und damit Werteinsichten, welche dem Sport als Gesellschaftsphänomen gerecht werden. Dies ist im gegenwärtigen Kontext nicht dadurch möglich, daß man den Sport wieder in die verklärte Zone der antiken Leibeskultur zurücknimmt, sondern dies ist nur dadurch möglich, daß man den

---

[13] Vgl. den immer noch lesenswerten Sammelband: Sinn und Unsinn des Leistungsprinzips. Ein Symposion, München 1974.

Sport erneut als autonomen Kultursachbereich zurückgewinnt und ihn zunächst einmal von der Verzweckung im Showgeschäft, vom wirtschaftlichen Profitstreben, vom Prestigedenken zu reinigen versucht. Dies ist gleichsam die Bedingung zur Rekonstituierung des ethischen Zusammenhangs von Leib und Leistung.

C. Der Mensch im Mittelpunkt des Sports: Ethische Grundperspektiven

Bis anhin haben wir uns noch nicht sehr ausdrücklich mit einer Sportethik beschäftigt. Wir haben das Phänomen Sport kritisch und in einem gewissen Sinne bereits wertend unter die Lupe genommen. Der Bezugspunkt aller Betrachtung und Kritik hat der allgemeine Grundsatz zu sein, daß der Sport – in welcher Spielart auch immer – im Dienste der menschlichen Selbstentfaltung und der menschlichen Gesundheit bzw. körperlichen Integrität stehen sollte. Selbstverständlich ist das ein Grundsatz, der nicht bloß für den Sport gilt, sondern der auf alle Lebensbereiche anwendbar ist. Der Sport hat denn auch keine besondere Ethik.[14] Die entscheidenden ethischen Maßstäbe, an denen sich Menschen orientiert haben und orientieren, sind nicht bloß auf den Sport beschränkt; sie sind zumeist nicht einmal im Sport und nur für den Sport entwickelt worden. Wer dies im Bewußtsein hat, muß zuallererst nach den allgemeinen ethischen Grundsätzen fragen, die auch für ihn gelten. Freilich müssen diese Grundsätze auf die besonderen Herausforderungen bezogen werden.

Im Jahre 1987 lud der Deutsche Sportbund zu einem aufwendigen Kongreß ein, der unter dem anspruchsvollen Titel stand: «Menschen im Sport 2000». An den dort gehaltenen Referaten[15] fällt auf, daß die ethische Fragestellung im Vordergrund stand, und zwar in der Weise, daß sie über die Frage nach dem Sinn des Sports gestellt wurde. *D. Kurz* hat zunächst mit Recht darauf hingewiesen, daß für die Definition des Sports keine kurze und handliche Formel mehr zu Verfügung steht. Wir

---

[14] Aus ethischer Perspektive hat man sich immer wieder intensiv mit dem Sport beschäftigt: Vgl. zuletzt: *E. Meinberg*, Die Moral im Sport, Aachen 1991; *G. Gebauer* (Hrsg.), Die Aktualität der Sportphilosophie, St. Augustin 1993; *H. Allmer/N. Schulz* (Hrsg.), Sport und Ethik: Grundpositionen, in: Brennpunkte der Sportwissenschaft 3 (1989) 1, St. Augustin. Unter dem Gesichtspunkt der Leistung hat sich immer wieder beschäftigt: *H. Lenk*, Leistungssport: Ideologie oder Mythos? Zur Leistungskritik und Sportphilosophie, Stuttgart 1974^2.

[15] Vgl. Deutscher Sportbund (Hrsg.), Die Zukunft des Sports. Materialien zum Kongreß «Menschen im Sport 2000», Schorndorf 1988.

würden Sport vielmehr am ehesten dann verstehen, wenn wir der Frage nachgingen, welchen Sinn Menschen mit dem Sporttreiben verbinden, was sie im Sport suchen.

Damit erhält bereits schon die Frage nach der Definition des Sports eine ethische Dimension: Sport an sich ist eine neutrale Tätigkeit; sie wird aber durch die Absichten und Intentionen ethisch und moralisch bedeutsam. Wir haben also davon auszugehen, daß der Sport als Leistung seine sittliche Bedeutsamkeit erst erhält im Hinblick auf die Förderung der menschlichen Person und der Erhaltung bzw. der Entfaltung der leiblichen Integrität. Sport läßt sich ethisch nur von den Absichten her begreifen, die Menschen mit ihm verbinden. Sport gibt es niemals unabhängig von den Intentionen, mit denen Menschen ihn betreiben. *D. Kurz* hat sechs solcher Absichten unterschieden, die ich wörtlich wiedergebe:

> «1. Menschen suchen im Sport besondere Körpererfahrungen, den körperlichen Ausgleich ..., das körperliche Wohlbefinden. Sie erwarten vom Sport eine positive Wirkung für ihre Gesundheit und Fitness.
> 2. Menschen suchen im Sport den Reiz, die Sensation, das Abenteuer, die Lust, die mit dem Bewegungshandeln selbst verbunden sein kann.
> 3. Menschen suchen in der sportlichen Bewegung eine Botschaft über sich selbst zu vermitteln; sie wollen durch Bewegung etwas ausdrücken; sie möchten, daß ihre Bewegungen gekonnt, kunstvoll, schön, ästhetisch erscheinen.
> 4. Menschen suchen im Sport eine Selbsterfahrung, indem man sich etwas vornimmt, sich etwas abverlangt, seine Möglichkeiten und Grenzen erkennt; man möchte auch die Anerkennung anderer erfahren und den eigenen Wert erleben.
> 5. Menschen suchen im Sport Situationen mit einem offenen Ausgang, der sie zwar in Spannung versetzt, aber nicht unbedingt bedroht. Sie suchen das Erlebnis von Risiko, die Lust des Ungewissen und das befreite Gefühl danach.
> 6. Menschen suchen im Sport das Beisammensein mit andern, eine besondere Form der Unterhaltung, die Erfahrungen von menschlicher Nähe, Geselligkeit und Gemeinschaft.»[16]

Nehmen wir all diese Funktionen zusammen, so läßt sich sagen, daß der Sport eine Chance für vertiefte Selbst-, Sozial- und Naturerfahrung ist. Ohne Zweifel kann die gezielte und systematische sportliche Aktivität entscheidend zur Erhaltung oder auch zur Verbesserung des körperlichen Wohlbefindens beitragen. Im Sport werden wir auf unseren Kör-

---

[16] Ebd. 128.

per aufmerksam, lernen seine Möglichkeiten und Grenzen besser kennen, erfahren, was ihm gut tut und was ihm schadet. Ein ganzheitlich verstandener Sport darf sich allerdings nicht als billige Reparatureinrichtung zur Behebung der Folgen des Bewegungsmangels anbieten; er muß die gesellschaftlichen Ursachen der gesundheitlichen Gefährdungen im Lebensalltag bekämpfen. Darüber hinaus lernen wir mit den Erfahrungen von Bewegung, Spiel und Sport nicht nur unseren Körper, sondern auch uns selbst besser kennen. Erfahrungen des Könnens und Nicht-Könnens, von Ermüdung und Erholung, von Spannung und Entspannung, von Sieg und Niederlage sind mit unaustauschbaren Einsichten und Einstellungen zu uns selbst, zum sportlichen Partner und zur Natur verbunden. Sport ist in diesem Sinne nicht bloß eine Sache des Körpers, sondern ein Anliegen des ganzen Menschen, auch eine Kategorie der persönlichen Lebenshaltung und Lebensgestaltung. Zudem gilt: Körper- und Bewegungserfahrungen sind stets auch mit Erfahrungen der sozialen Wirklichkeit verknüpft. Sich auseinandersetzen im Spiel, gemeinsam ein sportliches Ziel anstreben, sich den Regeln sportlicher Gemeinschaften unterziehen – dies alles sind soziale Orientierungen, die den Sporttreibenden helfen können, sich selbst in der Gemeinschaft zu finden. Die Identifikation mit der freiwillig erbrachten Leistung ist dann vor allem mit Bereicherungen verbunden, wenn sie persönlich verantwortet und ganzheitlich verarbeitet wird.

Diese Beschreibung der Dimensionen und der Motivationsbreite kann dazu anleiten, den Sport ganzheitlich zu verstehen. Sie hilft uns, die wichtigsten Wesens- und Sinndimensionen des Breiten- und Leistungssports, des Erholungssports und des Zuschauersports deutlich zu machen. Nicht nur dies. Wir würden spontan und intuitiv die darin enthaltenen Sinnrichtungen und Motive ethisch als rechtens bezeichnen; weil sie offensichtlich mit dem Wesen des Menschen – immer unter der Voraussetzung, daß sie im rechten Maße praktiziert werden – in Einklang zu bringen sind. Wir erahnen aber auch, daß Motive und Absichten, das Wesen des Sports und damit auch die Eigenart des Menschen verfremden können. Dies hat die einleitende Diagnose deutlich gemacht. Der Sport ist ein Kulturphänomen, mit dem wechselnde Interessen, Motive und Absichten verbunden werden; nicht zuletzt auch deswegen werden ständig neue Sportarten erfunden und kreiert; ethisch bedeutsam aber ist die Frage, wie weit sie mit dem Menschen, mit seinem Sein und Handeln selbst in Einklang stehen.

Vieles würden wir spontan als verwerflich bezeichnen: offen praktizierte Gewalt gegen den sportlichen Gegner, gewalttätige Formen der Leistungsmanipulation, offene Verbindungen des Sports mit nationalem Fanatismus und dergleichen mehr. Vieles würden wir aber auch als ethisch rechtens, wertvoll und unproblematisch bezeichnen: fairen

Mannschaftssport, Begeisterung und Entspannung, Teamgeist und Kameradschaft usw.

Es stellt sich aber auf einer etwas allgemeineren Ebene die Frage nach den ethischen Maßstäben, die anzeigen, was menschlich geht und was moralisch verwerflich ist. Es stellt sich die Frage nach den Kriterien, an denen Intentionen und Absichten gleichsam der Prüfung unterzogen werden können.[17] Wir können und dürfen ja nicht alles der einfachen, wertenden Intuition überlassen. Die Ethik ruft ja gerade nach der Objektivierung, der Versachlichung.

Hierzu greife ich auf Überlegungen zurück, die ganz allgemein für die menschliche Tätigkeit entwickelt worden sind.[18] Danach kann menschliches Handeln am ehesten in einem «Dreieck»[19] verstanden werden; dessen Eckpunkte bilden die *personale*, die *naturale* und die *soziale* Dimension menschlichen Lebens. Sie gelten auch für den Sport. In einem gewissen Sinne sind sie ideale Orientierungspunkte, an denen zwar menschliche Praxis gemessen werden muß, denen aber menschliche Praxis kaum je entspricht. Dies ist die «condition humaine». Und dennoch entläßt sie uns nicht aus der Pflicht, unser Handeln danach zu überprüfen.

1. Die personale Dimension oder die Ethik der Würde

Die grundlegende Maxime klingt so einfach wie trivial, ist aber in der Realität nur schwer zu verwirklichen. Der Sport sollte der Entfaltung personaler Würde dienen, sollte Ausdrucksform menschlicher Kreativität und Gestaltungskraft sein. Dies könnte man als *«Ethik der Würde»*[20]

---

[17] Der Sport ist ein Wert, der erst dadurch sittlich wird, daß er in einem Akt der Entscheidung verwirklicht und dementsprechend in eine bestimmte Vorzugsordnung gebracht wird. Ob und inwiefern ein Wert zum sittlichen Wert wird, hängt von der Stellungnahme (Gesinnung) und von der Realisierung (Akt) des Menschen ab. Diese Unterscheidung auf den Sport angewandt bedeutet, daß über ihn sittlich noch nichts entschieden ist, sondern erst im Umgang mit ihm und in der richtigen Einordnung in eine bestimmte Vorzugsordnung.

[18] Vgl. *E. Herms*, Sport. Partner der Kirche und Thema der Theologie, Hannover 1993. Treffend – gleichsam eine Begründung liefernd – meint Herms in unserem Sinne: «Denn ebenso wie der Sport Gewicht und Bedeutung erst im Zusammenhang der gesamten Lebensführung eines Menschen erhält, ebenso kann auch die Ethik des Sports Klarheit und Orientierungskraft nur im Horizont einer Ethik gewinnen, die das Ganze des menschlichen Lebens in den Blick faßt» (S. 84).

[19] Vgl. *A. Auer*, Autonome Moral und christlicher Glaube, Düsseldorf 1984^{2}, 22ff.; es versteht sich von selbst, daß diese drei Dimensionen «nur» anthropologische Konstitutiva menschlichen Seins («Bedingungskoeffizienten») sind, die in sich zwar selbst nicht normativ, aber doch höchst ethisch relevant sind.

[20] Den Ausdruck übernehme ich von *W. Huber*, a. a. O. 44f. Unschwer ist hier aber im Kern die Kantische Position der «Unverzwecklichkeit der Person» zu erkennen. Hierzu:

bezeichnen. Eine Ethik der Würde achtet darauf, daß man sich selbst und den anderen niemals nur als Instrument für ein Ziel einsetzt, sondern sie zielt darauf ab, daß der Mensch immer als Person geachtet und niemals bloß verzwecklicht wird. In der christlichen Tradition wird diese Würde in der Gottebenbildlichkeit gesehen. So heißt eine tiefe Einsicht des jüdischen und des christlichen Glaubens, daß der Mensch dadurch würdig gemacht worden ist, daß ihm von seiten Gottes Freiheit und Vernunft zur Gestaltung eines sinnvollen Lebens gegeben wurden. Freiheit und Vernunft sind ein Geschenk. Wir verdanken sie dem Schöpfer; darin besteht ihre letzte Dignität. Deswegen sind wir ihm verpflichtet.[21] Dieser Gedanke ist in einer säkularisierten Form in der Philosophie und in der Ethik der Menschenwürde aufgenommen worden und hat in viele demokratische Grundverfassungen Eingang gefunden, etwa in der gesetzlichen, aber immer auch auslegungsbedürftigen Form von der «Unantastbarkeit der menschlichen Würde».

Wie auch immer: Der Sport ist eine der intensivsten Formen, in denen sich Menschen für ein bestimmtes Ziel einsetzen, gleichsam als Mittel für einen bestimmten Zweck. Um so notwendiger ist es, gerade hier die Grenze zu beachten, die mit der Würde des Menschen gegeben ist. Und das heißt hier konkret: Niemals darf der Mensch sportlichen Zielen geopfert werden, die ihn entwürdigen, seine seelische und leibliche Integrität verletzen. Selbstverständlich schließt dies individuelle wie kollektive Interessen nicht aus. Die Ethik der Würde zielt nicht auf die Leugnung von Interessen ab; sie will Grenzen markieren, innerhalb derer sie legitim sind. Das heißt zunächst einmal, daß die sportliche Leistung[22] immer ein persönliches Maß ist, das seinerseits abhängig ist von den eigenen Kräften, von der körperlichen Konstitution, vom Motivationshintergrund. Leistung ist aber für den einzelnen zunächst nur ein Vorzug, dem man zwar mit Respekt begegnen kann, der aber kein Maßstab des Guten ist. Im Hinblick auf die Einzelperson wird die Leistung erst dann gut, wenn sie den Menschen in seiner Menschlichkeit erneuert und fördert. Die Rückbindung der Leistung einzig und allein an die körperliche Gesundheit würde hier zu kurz greifen. Wenn man ethisch den Zusammenhang von sportlicher Leistung und Leib fordert, dann kann dies nur unter dem Aspekt der Ganzheitlichkeit der Leibachtung geschehen. Der Sport erscheint dann als Medium, der vor allem die Leiblichkeit des Menschen in der Bewegung hervorhebt, also die dynamische und nicht statische Seite. Der Ausdruck in der Leiblich-

---

W. Wolbert, Der Mensch als Mittel und Zweck. Die Idee der Menschenwürde in normativer Ethik und Metaethik, Münster 1987.

21 Vgl. *Thomas von Aquin*, STh, Proömium zu I-II.

22 Vgl. *A. Wohlfarth*, Leistung und Ethos. Überlegungen zu Entstehung und Kritik der industriellen Gesellschaft, Paderborn 1984.

keit ist deshalb nie nur biologisch-funktionaler Ablauf, sondern offen für andere Sinngebungen wie Selbst- und Fremderfahrung. Fällt dieser Bezug aus, so verliert der Sport das menschliche Antlitz.

Diese Grenzen scheinen mir dagegen in derjenigen Position nicht genügend berücksichtigt, die wir als *«Ethik der Interessen»* bezeichnen könnten. In einer solchen Sicht entscheiden in ethischen Fragen die Präferenzen der beteiligten Personen. Wenn z. B. eine Sportlerin für sich selbst die Präferenz hat, sportliche Erfolge zu erzielen und dafür finanziell gut dotiert wird, gibt es keinen Maßstab mehr, an dem diese Präferenz überprüft werden könnte. Demnach wäre hier auch nichts dagegen einzuwenden, daß sie ihrer körperlichen Integrität nur eine geringe Präferenz bemißt. Als einzige, allgemein-übergreifende Regel würde nur noch das Prinzip der Fairness[23] gelten, das heißt: Die Spielregeln müssen allen Teilnehmern bekannt und von allen befolgt werden. Und die Meinung ist, daß das Gebot der Fairness die ethische Qualität des Sportgeschehens garantiert. Gewiß, wo dieses Gebot übertreten wird, ist der sportliche Wettkampf um seinen Sinn gebracht. Chancengleichheit ist eine notwendige, minimale Voraussetzung für jedes sportliche Tun, das wir als ethisch rechtens bezeichnen können. In einer Ethik der Interessen würde diese Regel allein genügen, so wird gesagt. Angenommen jedoch, die künstliche Leistungsmanipulation wäre allen offen und könnte offen praktiziert werden, so stünde es jedem frei, auch seinerseits zum Mittel des Dopings zu greifen. Die Entscheidung hinge einzig und allein von seinen individuellen Präferenzen ab, über deren moralische Qualität niemand und nichts mehr entscheidet.

Ein Kompromiß zwischen diesen beiden ethischen Grundorientierungen ist nicht möglich. Eine Entscheidung ist unausweichlich, und dennoch kann es nicht darum gehen, Interessen und Präferenzen auszuschalten. Es ist aber erforderlich, ihre Bedeutung ganz genau festzulegen. Ihre Befolgung ist aber nur solange legitim, als die Würde der anderen und die eigene Würde gewahrt bleiben. Zu dieser ethischen Grundorientierung gehört es – und dies ist sehr konsequenzenreich –, daß alle Menschen in ihren Entfaltungsmöglichkeiten gestützt werden, auch dann, wenn sie in ihrer Leistungsfähigkeit beeinträchtigt und in ihren Lebensmöglichkeiten eingeschränkt sind. In diesem Zusammenhang muß man auf eine etwas problematische Konstruktion aufmerksam machen. Es wird etwa gesagt, der Sport habe eine pädagogische Funktion für das Leben. Dies ist nur bedingt richtig. Wir können auf keinen Fall wollen, daß das Zusammenleben der Menschen ohne Ein-

---

23 Zum Prinzip der Fairness vgl. *J. Rawls*, Die Idee des politischen Liberalismus, Frankfurt a. M. 1992, 255. (Hier wird auch deutlich, aus welcher Debatte der Begriff stammt). Vgl. auch: *E. Herms*, Sport, a. a. O. 63ff.

schränkung als Wettkampf bzw. als Konkurrenz aufgefaßt wird. Das wäre unmenschlich und würde die grundsätzliche, konkurrenzunabhängige Gleichheit aller Menschen in Frage stellen. Gewiß sind wettkampfähnliche Situationen in der Lebenswelt notwendig und wünschenswert. Wir können sie aber aus ethischen Überlegungen nur insoweit wollen, als sie eine voraussehbare Verbesserung der Lebensbedingungen für alle zur Folge hat, insbesondere für diejenigen, die von Natur aus benachteiligt sind und für die sozial Schwächsten.

Wenn wir der Ethik der Würde folgen, können wir nicht einfach das Modell des fairen sportlichen Wettkampfes als Modell für das Leben verallgemeinern; wir haben hier vielmehr die Grenzen anzuerkennen.[24] Wir können dies plakativ vielleicht folgendermaßen veranschaulichen: Im einen Fall würde das Motto lauten: «Kämpfen müssen wir nun einmal, so ist das Leben; aber wir wollen wenigstens fair kämpfen.» Im anderen Fall würde das Motto lauten: «Es ist unfair, gegen jeden um den Sieg zu kämpfen; es ist dagegen fair, auch noch die Schwächsten, die nicht kämpfen können, in der Befriedigung der Grundbedürfnisse zu respektieren.» Mit anderen Worten: Eine romantische Verklärung des Sportethos' im Sinne der Übertragung auf das gesamte Leben ist gerade sinnwidrig. Die konkurrenzlose Gleichheit der Würde aller Menschen höbe sich so gerade auf; denn das ganze Leben stünde unter dem Paradigma des Kampfes. Unter diesem Aspekt ist der Ausspruch eines Fußball-Coaches bezeichnend: «Jedesmal, wenn wir verlieren, geben wir ein wenig vom Leben dran.» Es gehört also zu einer humanen Ethik, genau zu sehen, wie weit der pädagogische Wert des Sportes reicht.

2. *Die naturale und soziale Dimension*

D. Morris, der bekannte Verhaltensforscher, hat überzeugend nachgewiesen, daß die sportlichen Tätigkeiten ein stammesgeschichtliches Relikt des menschlichen Jagdverhaltens sind.[25] Allerdings ist der Sport mittlerweile stilisiert und kulturell überhöht worden. Die Beute ist zum Ball, die Erlegung der Beute zum Überschreiten der Ziellinie geworden. Die Mannschaften rivalisieren nicht mehr um die Beutetrophäe, sondern um den Pokal. *D. Morris* glaubt, damit die alte These widerlegt zu haben, daß der Sport aus stammesgeschichtlichen, kriegerischen Fehden herausgewachsen sei. Wie auch immer: Der stammesgeschichtliche Rest, der offensichtlich tief mit unserer Natur verbunden ist, vermag

---

[24] Vgl. *K.-O. Apel*, Die ethische Bedeutung des Sports in der Sicht einer universalistischen Diskursethik, in: *Ders.*, Diskurs und Verantwortung. Das Problem des Überganges zur postkonventionellen Moral, Frankfurt a. M. 1988, 217 - 246.

[25] Vgl. *D. Morris*, Der Vertrag mit den Tieren, München 1993.

auf der einen Seite sicherlich bis zu einem gewissen Grad die Faszination zu erklären, die nach wie vor vom Sport ausgeht; auf der anderen Seite ist es eine ethische Verpflichtung, mit diesen unbewußten Aspirationen, Energien und quasi angeborenen Verhaltensweisen vernünftig umzugehen. In dieser stammesgeschichtlichen Perspektive werden gewisse Verhaltensweisen vielleicht erklärlicher: Anfeuerung durch die Fans, Identifikation mit einer Gruppe, Siegestaumel und ähnliches. Sie erweisen aber ihren humanen Charakter dadurch, daß sie maßvoll in einen gesitteten Ablauf eingebettet werden. Sport wäre aber nicht mehr Sport, wenn wir ihn gleichsam nur noch chemisch rein hätten; unsere Stammesgeschichte macht uns offenbar darauf aufmerksam, daß zu seinem Wesen offensichtlich quasi-jagdliches Begleitverhalten gehört.

Was immer nun auch die Ziele sind, die durch den Sport verfolgt werden, immer ist es eine intensive Form, in denen Menschen von ihrer Natur bzw. von ihrer eigenen Leiblichkeit Gebrauch machen. Der rechte Gebrauch dieser Leiblichkeit erschließt sich uns nur, wenn wir die Endlichkeit und Verletzlichkeit, die zur menschlichen Konstitution gehören, wahrnehmen. Folglich ist nur jene Leistung human und vernünftig, welche sich aus den vorgegebenen Möglichkeiten eines Menschen ergeben und die sich letztlich nicht gegen seine Natur kehrt. Leistung, welche mit den Grenzen des eigenen Körpers nicht mehr produktiv und kreativ umgeht, sondern im Gegenteil, eventuell auch schwere Langzeit-Schädigungen in Kauf nimmt, steht gerade nicht mehr im Dienste der Entfaltung der Persönlichkeit. Von daher gesehen erscheint der kindliche Hochleistungssport mehr als fragwürdig, wenn und insofern er einseitig gewisse Fähigkeiten forciert und sie dadurch von der übrigen körperlichen und seelischen Entwicklung desintegriert. Der Begriff der sportlichen Leistung, der mit Grenzen rechnet, mit ihnen aber auch produktiv umgeht, kann die Erfolge von Behinderten genauso würdigen wie diejenigen von körperlich Versehrten. Er macht es möglich, Kinder, Jugendliche, Behinderte, Kräftige, Alte in dem ihnen gemäßen Leistungsrahmen Sport treiben zu lassen. Die Leistung des Hochleistungssportes darf nicht das einzige sein, was zählt.

Damit reichen diese Überlegungen bereits in die soziale Dimension des Sportes hinein. Viele beklagen den Rückgang der Mannschaftssportarten, beklagen auch den Strukturwandel des Sportvereins von der Gemeinschaft der Sporttreibenden zum Dienstleistungsbetrieb, stellen das steigende Interesse am kommerziell und anonym vermittelten Sportangebot fest. Dies alles mag nun auch mit dem Individualisierungsschub der achtziger Jahre zusammenhängen. Nun können wir aber Menschen Gemeinschaftserfahrungen nicht aufnötigen; wir können Sozialität nicht verordnen, Solidarität nicht erzwingen. Wer aber überzeugt ist, daß der Sport über die Grenzen des Alters, über die

Grenzen des Berufes, über die Grenzen der Stellung hinweg den Graben zwischen Individualismus und Gemeinschaftssinn überbrücken hilft, der wird nach neuen Ansatzpunkten suchen. Der Sport war unter anderem immer auch ein privilegierter Ort für die Einübung des Gemeinschaftssinnes. Gäbe es diesen Ort, der selbstverständlich immer auch von unguten Überwucherungen gereinigt werden muß, nicht mehr, so wäre die Gesellschaft um eine wesentliche Möglichkeit ärmer.

3. Sport und Umwelt[26]

Die Qualität der natürlichen Mitwelt und der ökologische Belastungsspielraum zählt zu den wichtigsten Bedingungen menschenwürdiger Existenz. Schon allein von daher müssen beide in ihrem Bestand erhalten und wenn möglich erweitert werden. Die primäre Mit-Welt mit ihren Hauptkomponenten Luftqualität, Wasserqualität, Lärmschutz und Landschaftswert muß nicht bloß gegen Schädigung, Verbrauch und Zerstörung geschützt werden. Es müssen auch Wunden geheilt werden, die vergangene Generationen der Natur geschlagen haben. Bereits deshalb kann es nicht darauf ankommen, einen bestimmten historisch vorgefundenen – oft genug beschädigten – Zustand der Mit-Welt bloß zu konservieren.

Die Mitwelt muß um ihrer selbst, aber auch um künftiger Generationen willen erhalten und in sanfter Kulturarbeit gestaltet werden. In dieser Hinsicht wird der Umstand, daß immer mehr Menschen Sport treiben oder an sportlichen Großanlässen teilnehmen, eine diesbezügliche, aggressive Belastung zunehmen. Es ist vorauszusehen, daß die Erstellung von Anlagen (z. B. von Tennisplätzen, Fitnessparcours, Radwegen), die Ausweitung an Hallenflächen aufgrund der gesteigerten Ansprüche des Wettspielbetriebs zunehmen, aber auch unweigerlich an der Qualität der natürlichen Mit-Welt zehren wird. Es macht den Anschein, als ob der infrastrukturelle Ausbau in den letzten Jahren zu sehr unter das Paradigma der wirtschaftlichen Expansion geraten ist. Es macht den Anschein, daß ähnlich wie Großtechnologien der Sport selbst in den Sog eines Expansiondruckes geraten ist. Unter dem Aspekt der Qualität der natürlichen Mit-Welt ergeben sich ganz erhebliche Anfragen.[27]

---

[26] Im folgenden werden in Anlehnung an *D. Birnbacher* (Verantwortung für zukünftige Generationen, Stuttgart 1988) einige «Praxisnormen» der ökologischen Ethik im Hinblick auf den Sport konkretisiert.

[27] In einer Studie des geographischen Institutes Bern (in: Thema, Heft 6, 1989) wird lapidar folgendes Ergebnis festgehalten: «Die Folgen der Benutzung der Bergwelt der durch Sport und Erholung suchenden Menschen macht die Landschaftsveränderungen

Nicht weniger bedeutsam als die Verpflichtung zur Erhaltung und Verbesserung der primären Umweltqualität ist die Erhaltung und Verbesserung der kulturellen Umwelt-Werte. Zu ihnen gehören die von Menschenhand pflegerisch angelegten oder geprägten Landschaften. Zumindest in Mitteleuropa ist die sog. freie Natur kaum weniger Kulturprodukt als ein Park oder eine städtische Grünanlage. Die Bedeutung dieser kulturellen Umwelt-Werte liegt viel weniger in ihrem materiellen als in ihrem ästhetischen und symbolischen Wert. Eine Gebirgslandschaft zu erhalten, bedeutet mehr als so und soviele Hektaren Alpweide zu erhalten. Einen bestimmten Typ von Landschaft (wie Hochmoore) zu erhalten, bedeutet mehr als die ökologischen und wirtschaftlichen Funktionen aufrecht zu erhalten. Vielmehr sind die sog. Naturobjekte – abgesehen von ihrem Eigenwert – auch bedeutsame Träger von ästhetischen Erlebniswerten. In der Tat wäre es ein unwiederbringlicher Erlebnisverlust, wenn wir uns überwiegend nur noch an Artefakten des Menschen, an Bauten und Anlagen erfreuen könnten. Die Zerstörung von Naturobjekten bedeutet in der Regel auch einen Verlust an Heimatlichkeit, an kultureller Kontinuität. Unsere Wirtschaftskultur hat

---

zur Landschaftszerstörung wie der Schneeball zur Lawine wird. Das Herrichten von ganzen Berggebieten zu Skipisten, der Bau von Beschneiungsanlagen sind nur die direkten Eingriffe in ein Ökosystem, die indirekten Folgen sind noch kaum abschätzbar.» Diese Feststellung entspricht einer folgenreichen Entwicklung in der Schweiz. Die gesamte Aufnahmekapazität der schweizerischen Skigebiete hat sich innerhalb von 30 Jahren mehr als verelffacht; seit 1955 wurden rund 1 300 Transportanlagen neu gebaut. Und seit Mitte der sechziger Jahre bis heute planierten die Seilbahngesellschaften schätzungsweise über 2 000 ha zur Erhöhung der Kapazität und zur Erschließung von ansonsten ungeeigneten Skigebieten. Laut dieser Studie werden sich die Skigebiete mit aller Wahrscheinlichkeit noch weiter ausdehnen. So kommt eine Studie des kantonalen Amtes für Raumplanung des Kantons Graubünden zum Schluß, daß in den nächsten 10 - 15 Jahren bis zu einer 14prozentigen Zunahme der Erschließung von Skigebieten zu rechnen ist, und daß sich die Anzahl der Sporttreibenden bis zu 18 % erhöhen wird. Die geschilderte Entwicklung bleibt nicht ohne Folgen. Der Bau von großflächigen Skipisten ist der direkteste Eingriff in das Gebirgsökosystem, denn Boden und Vegetation werden weitflächig zerstört. Die Anlage von Pistenflächen führt offensichtlich nicht bloß zu bleibenden Schäden, sondern wirkt infolge des Erosionsrisikos und der wasserhaushaltlichen Einflüsse destabilisierend im ökologischen Gefüge der alpinen Hänge. Indirekte Belastungen, die an und für sich für solche Eingriffe nicht spezifisch sind, entstehen durch Ortsveränderungen und Aufenthalt, indem insbesondere Luft und Gewässer belastet werden. Es ist für jedermann augenscheinlich, daß solche funktionalisierten «Kunstlandschaften» in Widerspruch zu den ökologischen Belangen treten. Vitale wirtschaftliche Interessen mögen in vielen Fällen den Ausschlag geben wie auch der Druck, der durch ein entsprechendes kollektives Freizeitverhalten entsteht. Inzwischen gilt die Integration ökologischer Prüfkriterien in alle bedeutsamen Entscheidungen von Wirtschaft und Verwaltung als allgemein anerkannt und als selbstverständliches Ziel. Jedenfalls gilt die Maxime, daß die planende Vorsorge der nachträglichen Zuordnung von Schäden an den Verursacher vorgeht. Es soll keine Besonderheit sein, wenn auf politischer und planerischer Ebene die gleiche Meßlatte auch an umweltverbrauchende und insbesondere auf Massen ausgerichtete Sportanlagen angelegt wird.

die Tendenz zu reduzieren und zu monotonisieren. Die kulturellen Umwelt-Werte symbolisieren dagegen Vielfalt, den Ausdruck von Leben überhaupt. Damit versinnbildlichen sie eine Grundbefindlichkeit alles Lebendigen.

Es ist für jedermann augenscheinlich, daß auf den Sport hin großflächig funktionalisierte «Kunstlandschaften» in Widerspruch zu den ökologischen Belangen treten. Vitale wirtschaftliche Interessen mögen in vielen Fällen den Ausschlag geben wie auch der Druck, der durch ein entsprechendes kollektives Freizeitverhalten entsteht. Inzwischen gilt die Integration ökologischer Prüfkriterien in alle bedeutsamen Entscheidungen von Wirtschaft und Verwaltung als allgemein anerkannt und als selbstverständliches Ziel. Jedenfalls gilt die Maxime, daß die planende Vorsorge der nachträglichen Zuordnung von Schäden an den Verursacher vorgeht. Es sollte keine Besonderheit sein, wenn auf politischer und planerischer Ebene die gleiche Meßlatte auch an umweltverbrauchende und insbesondere auf Massen ausgerichtete Sportanlagen angelegt wird.

Es gibt in der Umwelt-Ethik einen allgemein anerkannten Grundsatz, daß bei der Weitergabe von Risiken und Belastungen an die nachfolgenden Generationen besondere Vorsicht walten zu lassen ist. Ein Grund hierfür liegt darin, daß sich die Präferenzen hinsichtlich bestimmter Güter und Werte im Laufe der folgenden Generationen ändern können. Risiken, Veränderungen an unseren Landschaften usw. können – je einschneidender sie sind – in qualitativ neue Vorgaben transformiert werden, die folgende Generationen nicht mehr ändern können. Man kann z. B. nicht ohne weiteres annehmen, daß die Generation unserer Enkel weiterhin bereit sein wird, den Landschaftsverbrauch, der zu unumkehrbaren Veränderungen führt, zu akzeptieren. Solange Beeinträchtigungen reversibel sind, kann es den nachfolgenden Generationen selbst überlassen bleiben, sie auf sich zu nehmen oder nicht. Selbstverständlich ist unser gesamtes Handeln immer verändernd und in diesem Sinne hinterlassen wir künftigen Generationen qualitativ Verändertes. Je massiver die Eingriffe sind, desto geringer werden die Entscheidungsspielräume nachwachsender Generationen. In dieser Hinsicht mögen zwar Großanlagen einer momentanen Bedürfnislage entsprechen, schränken aber durch ihre Konzentration den Handlungsspielraum Nachgeborener ein, aber auch ihren Freiheitsraum.

Solidarität ist ein Hintergrundsprinzip der demokratischen Verfassungsstaaten. Dieses Prinzip, das in der gemeinsamen Menschenwürde gründet, schließt nicht bloß eine hierarchisch verfaßte Gesellschaftsform aus, sondern fordert positiv, daß alle – je nach Leistungsfähigkeit und je nach Ausstattung mit finanziellen Mitteln – an den Grundlasten eines Gemeinwesens zu beteiligen sind. In dieser Konzeption der Solidarität hat man davon auszugehen, daß dieser Grundsatz vom einzelnen oder von Interessengruppen Tribute abverlangen kann, die im Einzelfall höher sind als die Vorteile, die aus dem Gemeinwesen erwachsen. Und dies schließt nicht aus, sondern ein, daß durch die Solidarität im Gemeinwesen beträchtliche Opfer abverlangt werden können, wenn sie für ausgehandelte Ziele erforderlich sind. Wer es beispielsweise für richtig hält, daß Kinder künftig eine möglichst unverbrauchte Landschaft genießen sollen, kommt sehr schnell auch in die Rolle des Verzichtenden. Oder: Immissionsreiche Sportaktivitäten, umweltgebrauchende Aktivitäten wie Bootssport, Motorsport und dergleichen mehr können sehr bald an die Grenzen dieser Solidarität stoßen, weil eine Minderheit Vorteile genießt, die Mehrheit aber an den Folgelasten zu tragen hat. Die Selbstinteressen des Individuums wie auch das von Gruppen lassen sich aber grundsätzlich nur dann rechtfertigen, wenn sie sich in das Interesse einordnen lassen, das dem Gemeinwesen dienlich und förderlich ist. Diese Form der Solidarität, deren Verwirklichung schon enorme Schwierigkeiten mit sich bringt, umschließt erst die Menschen, die nach Wohlbefinden und in abgestufter Intensität nach einer intakten Umwelt trachten.

Wir müssen dieses Paradigma ausweiten im Sinne einer «ökologischen Solidarität». Nur am Menschen orientierte Solidarität fragt nach der Verträglichkeit eingreifender Aktivitäten mit der Umwelt. «Ökologische Solidarität» fragt nach dem Eigenwert der Mit-Welt und erst nachträglich nach der Zumutbarkeit von Beeinträchtigungen und Gebrauch. Dies sind unterschiedliche, ethische bzw. naturphilosophische Einstellungen, die auch zu unterschiedlichen Ergebnissen führen. Wir haben gelernt, die Natur als ein Problem der Güterabwägung zu behandeln und um der eigenen Bedürfnisse willen von ihr jeweils nur das übrig zu lassen, was bei einer solchen Abwägung im Augenblick noch ungeschoren davon kommt. Unter dem Druck der Erfahrung müssen wir nun lernen, daß das noch übrig Gebliebene und scheinbar Nutzlose auch zur Substanz des Menschen gehört.

Man darf sich keiner Illusion hingeben. Solche Einsichten teilen die meisten unserer Zeitgenossen, erreichen aber nur wenig die Praxis des Handelns. Ein Grund liegt darin, daß menschliche Sympathie und faktische Solidarität begrenzt sind. Die Aufforderung, an die jetzt lebenden oder an die zukünftigen Angehörigen «fremder» Gruppen zu denken, verliert erfahrungsgemäß an Kraft, je weniger man selbst davon betroffen ist. Will man daher etwas verändern, müßte die Unterstützung und Solidarität, ohne daß die Eigenverantwortung dadurch aufgehoben wird, direkt jenen zukommen, die ihrerseits bereit sind, Mit-Welt-Verantwortung zu übernehmen. In der Regel hängt die Fähigkeit zur Vorsorge von der Verfügungsmacht ab. Deshalb muß unsere ökologische Solidarität vornehmlich jenen gelten, die erkennen lassen, daß sie zur ökologischen Zukunftsvorsorge bereit sind, denen, die auch die Chance besitzen, Ziele zu erreichen.

D. Theologische Interpretation und Kritik

Ich habe bereits darauf hingewiesen, daß die potentielle Sinngebung und Symbolanreicherung der Artikulation der Leibeskräfte im Sport nicht beliebig sein kann, weil diese Artikulation selbst wieder an die Grundstruktur des Sportes (z. B. an das konkurrierende Miteinander, an die künstlich geschaffene Konkurrenzsituation, an die frei erfundenen, aus dem Alltag herausgehobenen Konfliktsituationen usw.) gebunden ist. Von daher wird denn auch die mögliche Sinngebung modifiziert. Die theologische Interpretation und Kritik hat nun im Laufe der Jahrhunderte nicht einfach beim Phänomen Sport als solchem angesetzt, sondern an dessen jeweiliger Aussagekraft und an dessen Inanspruchnahme für bestimmte Werte. Die Theologie hat für ihre Würdigung und ihre Kritik verschiedene Paradigmen (z. B. am Symbolgehalt, Leib, Menschenwürde, Leistung) entwickelt, um Sinnebenen und deren Ambivalenzen aufzudecken.

1. Sport im Kontext der Leiblichkeit

Die theologische Kritik der christlichen Frühzeit bezieht sich nicht auf die Selbstdarstellung des Menschen im Leib und der körperlichen Ertüchtigung, sondern auf die desintegrativen Elemente der Körperkultur. Wie sehr dies zutrifft, zeigt sich allein schon daran, daß in den neutestamentlichen Schriften, insbesondere bei Paulus, Metaphern und Vergleiche aus der Agonistik positiv aufgenommen werden, um die Situation des Wettkämpfers mit der des Christen schlechthin zu verdeutlichen.[28] Zielstrebigkeit im Kampf (1 Kor 9,26), geduldiger Einsatz aller Kräfte (Hebr 12,1), die Konkurrenz als anspornende Kraft (1 Kor 9,24), das Motiv des entscheidenden Augenblicks (Phil 3,12-14) werden zu Kennzeichen der christlichen Existenz herangezogen. Wenn es sich hier auch nicht um eine explizite Sportbewertung handelt, so bewegt sich die positive Aufnahme der Sportmetaphorik im größeren Kontext der

---

[28] *W. Kuchler*, Sportethos. Eine moraltheologische Untersuchung, München 1969, 201ff.

jüdisch-christlichen Tradition, wonach der Leib grundsätzlich die Repräsentanz des ganzen Menschen ist.[29] Wie grundlegend dieses Theologumenon der Leib-Geist-Einheit in der christlichen Tradition auch gilt, so bedroht erschien es zeitweilig durch die neuplatonische Überlagerung des Leib-Geist-Gegensatzes und der damit gegebenen Leibfeindlichkeit.

Die christliche Kritik an der desintegrierten Leiblichkeit in der Antike entzündete sich vor allem an zwei Extremen:[30] an der Übersteigerung des Leiblichen in den Formen der Schamlosigkeit der Schauspiele, der Verrohung der Arenaspiele, der Verwahrlosung der Zirkusspiele und am überspitzten Heroenkult sowie an der Instrumentalisierung des Leibes zu Zwecken der Idolatrie, da nach den frühen theologischen Schriftstellern solche «spectacula» in besonderer Nähe zum Götterkult waren. Die apollonische Übersteigerung wie die divinisierende Überhöhung des Leibes galt dem christlichen Denken als verwerflich, da sie zutiefst dem Menschen als «imago dei» widersprachen. So waren die Gladiatorenkämpfe für die christlichen Schriftsteller insofern unakzeptabel, als sie im rücksichtslosen Kampf das Leben des anderen riskierten. Der sportliche Wettkampf des Ringens wurde etwa von *Tertullian* und *Novatian* deshalb abgelehnt, weil er des öftern in rohe Gewalt ausartete. Und schließlich verurteilen fast alle Kirchenväter den Starkult der erfolgreichen Akteure, insofern Menschen eine ungebührlich schwärmerische Verehrung zukomme, und da die dafür eingesetzten Mittel angesichts der Bedürftigkeit und Armut vieler Mitmenschen eine krasse Verletzung des Gebotes der Mitmenschlichkeit bedeuteten.

Bei allem Rigorismus und bei aller Polemik macht sich hier die Tendenz bemerkbar, die Leiblichkeit zu entsakralisieren, sie in eine umfassende Anthropologie und in eine richtige Vorzugsordnung einzuordnen. Dies wird etwa daran erkennbar, daß z. B. *C. v. Alexandria*[31] die sportlichen Wettkämpfe im Anschluß an das klassische griechische Ideal positiv bewertet, aber vor Athletenkult warnt, zur Einfachheit mahnt und deutlich bemüht ist, in der körperlichen Ertüchtigung der Turnschulen einen positiven Sinn zu erkennen. Dagegen läßt sich insbesondere *Tertullian* zu recht herber Kritik am Wettkampf hinreißen, wenn er beispielsweise die athletische Völlerei anprangert, weil sie das gesetzte Maß der Körperfülle übersteige,[32] oder wenn er den Faust-

---

[29] Vgl. *A. Koch*, Die Leibesübungen im Urteil der antiken und frühchristlichen Anthropologie. Ein Beitrag zur Geschichte des Sports, Schorndorf 1965, 84f.

[30] Vgl. *W. Weismann*, Kirche und Schauspiele. Die Schauspiele im Urteil der lateinischen Kirchenväter unter besonderer Berücksichtigung von Augustin, Würzburg 1972, bes. 197ff.

[31] paed. III. 49 - 52; paed. III. 9 - 10.

[32] spect. 18,2.

kampf verurteilt, weil die Wunden des Faustkampfes nicht zu «Gottes Schöpfung gehören».[33] Man könnte die theologische Kritik der alten kirchlichen Schriftsteller auf die Formel bringen: *Die Körperkultur im Umfeld des sportlichen Agon stößt in ihren Exzessen und in ihren idolatrischen Komponenten auf Widerstand, da eine solche Desintegration des Leibes den richtigen Bezug zu sich selbst, zum Nächsten und zum Schöpfer entordnet.*

Grundsätzlich setzt die katholische Handbuchmoral der Neuzeit die Würdigung des Sports unter diesem Aspekt der Leibeskultur fort. Zum Beispiel beurteilt *F. Tillmann*[34] den Sport vom Standpunkt der Gesundheit aus, von den Wirkungen auf das ganze «seelische Leben» und von seiner Rolle für den Reifungsprozeß. Dazu entwirft *F. Tillmann* sportgemäße Richtlinien, die eine Einordnung ins Leibganze sichern sollen: Ziel muß die Förderung der leibgeistigen Gesundheit, die Durchformung des ganzen Menschen sein. Mit dem Sport als gesellschaftlichem Phänomen beginnt sich das Lehramt erst mit *Pius XI.* intensiv zu beschäftigen, indem hier vor allem die faschistische Ideologisierung wie auch die Verzweckung in der Propaganda gebrandmarkt wird.[35] Sind hier die Äußerungen noch wenig differenziert, so sollte sich dies allerdings unter *Pius XII.* ändern. Dies gelingt dadurch, daß eine Beziehung des Sports zu den traditionellen natürlichen Tugenden, der individuellen, einfachen Sittlichkeit hergestellt wird. Der ethische Bezugsrahmen stellt damit jene subjektive Sittlichkeit dar, die insgesamt auf die unmittelbare leibliche Ertüchtigung abzielt (Mäßigung, Beherrschung, Geduld, Verzicht usw.). Im Anschluß an die alten Klassiker (z. B. *Cicero*) gilt der Sport in der rechten Vorzugsordnung als «Schule der Tugend», die nun in religiöser Hinsicht nichts anderes ist als die natürliche Bereitung für das «exercitium religionis».[36] In Fortsetzung der altkirchlichen Tradition steht auch hier die Formel: Leibeskultur in der sportlichen Ertüchtigung ist in der richtigen Ordnung der Sittlichkeit zu rechtfertigen und zu fördern. Mit *Pius XII.* kommt die Betrachtung des Sports unter dem alleinigen Aspekt ihrer Leiblichkeit an ihr Ende, nicht nur weil hier die humanisierenden Möglichkeiten des Sports und das sich von daher ausbildende Sportethos überschätzt werden, sondern auch, weil der gesellschaftliche Prozeß das Sportphänomen in einen internationalen Kontext einreiht, in denjenigen der Leistungsgesellschaft mit den ihr eigentümlichen Prinzipien.

---

[33] spect. 23,7.

[34] Handbuch der katholischen Sittenlehre IV/2, Düsseldorf 1950^4, 70 - 130.

[35] Vgl. AAS 20 (1929) 19 - 86.

[36] Vgl. AAS 44 (1952) 876 (Ansprache an die Teilnehmer des nationalen wissenschaftlichen Kongresses für Sport und Leibeserziehung vom 08.11.51); AAS 47 (1955) 731 (Ansprache zur Zehnjahresfeier des Centro Sportivo Italiano vom 09.10.55).

Das *Vaticanum II.* verläßt eindeutig den Boden der individual-ethischen Betrachtung der Leiblichkeit, indem es Chancen der Internationalisierung des Sports benennt. Es hebt hervor, daß der Sport «zum physischen Gleichgewicht des einzelnen und der Gesellschaft sowie zur Anknüpfung brüderlicher Beziehungen zwischen Menschen aller Lebensverhältnisse, Nationen und Rassen beiträgt».[37] Aus der Perspektive der theologischen Würdigung und Kritik wird deutlich, daß die sittliche Bewertung des Sportphänomens unter dem alleinigen Aspekt der Leiblichkeit zu kurz greift. In zahlreichen Grundsatzerklärungen zum Verhältnis von Kirche und Sport[38] spielt denn auch der fördernde Charakter für den Frieden, die Sehnsucht nach einer brüderlichen Welt eine dominierende Rolle.

Wie sehr zwar die nationenübergreifende Kraft des Sports in den Vordergrund gehoben wird, so sehr wird auch die Diskrepanz zwischen der Idealvorstellung eines Völkerfriedens, wie er etwa *Baron de Coubertin* bei der Wiederbelebung der olympischen Idee vorschwebte, und den durch nationale Egoismen und Machtmißbräuche gefährdeten Wettspielen in der Praxis erkannt. Gewiß darf die positive Kraft, die von der Internationalisierung des Sports ausgeht, nicht überschätzt werden; aber dennoch gibt es kaum ein anderes Forum, in dem politische, kulturelle, ideologische und weltanschauliche Gegensätze teilweise außer Kraft gesetzt oder sogar zeitweise suspendiert werden können. Obwohl es zwar die Institution der Olympischen Spiele seit 1896 gibt, erfährt deren Gehalt und Absicht eine relativ späte Würdigung. Aber um so mehr scheinen kirchliche Arbeitskreise auf die Dringlichkeit der Olympischen Spiele hinzuweisen, gerade in dem Augenblick, wo sie gefährdet erscheinen, weil es bisher weder der Politik noch einer anderen Instanz gelungen ist, dem Traum der Menschheit nach Einheit näherzukommen. Wenn auf der einen Seite dieses Leitbild der Völkerverständigung in den Vordergrund rückt, so werden auf der anderen Seite die damit gegebenen Ambivalenzen nicht verdeckt. Mit aller Deutlichkeit wird darauf hingewiesen, daß die Achtung der Würde des Menschen und die Einhaltung ethischer Grundsätze im Sport unverzichtbar sind: Fairness, die Anerkennung des anderen in seiner Eigenart und

---

[37] Gaudium et spes, Nr. 61.

[38] Vgl. z. B. die Erklärung des Vorstandes des Arbeitskreises Kirche und Sport in der katholischen Kirche Deutschlands von 1980, in: *P. Jakobi/H.-E. Rösch* (Hrsg.), Sport ohne Ethos? Mainz 1979. Des weiteren wären die übrigen Bändchen der gleichen Schriftenreihe «Christliche Perspektiven im Sport», die von der wissenschaftlichen Kommission des Arbeitskreises «Kirche und Sport» betreut wird, zu konsultieren.

Individualität, das Recht auf Unversehrtheit der Person ebenso wie die Bereitschaft, auch den «Gegner» als Partner anzuerkennen, sind Grundwerte, die als ethischer Orientierungsrahmen zu gelten haben.

Man mußte erkennen, daß mit dem Leitbild der Einheitsstiftung Praktiken mittransportiert werden, die gerade dieser Grundidee zuwiderlaufen. Denn inzwischen sind Entwicklungen eingetreten, die die Freiheit der Sporttreibenden einschränken, ihre Gesundheit schädigen und ihre Würde als Menschen beeinträchtigen. So konnte auch nicht unerkannt bleiben, daß sie zu politischen und ideologischen Propagandazwecken verzweckt werden, wenn sportliche Wettkämpfe als Medium und zur Durchsetzung nationaler Zielsetzungen mißbraucht werden.

Kritisch wird auch darauf hingewiesen, daß bei der Kommerzialisierung des Sports und der Sporttreibenden die Menschen Gefahr laufen, nicht mehr in ihrer Eigenwürde ernst genommen, sondern als Tauschwert gehandelt zu werden. Sportler werden zu «lebendigen Werbeträgern», ohne daß die Betroffenen in der Selbstbestimmung darüber befinden könnten. Schwere Einwände werden auch gegen den Hochleistungssport von Kindern erhoben, wenn gesundheitliche Schäden nicht ausgeschlossen werden können, und wenn mit einer einseitigen, nur auf Leistung ausgerichteten Persönlichkeitsentwicklung gerechnet werden muß. Ebensosehr im Mittelpunkt der Kritik steht der Medikamentenmißbrauch zur Leistungssteigerung, der auf der einen Seite die Chancengleichheit unterläuft und auf der anderen Seite in vielen Fällen zu gesundheitlichen Dauerschäden führt. Aus ethischer Sicht werden hier Bedenken erhoben, weil die Risiken und tatsächlichen Folgen für Gesundheit und Leben besonders hoch erscheinen. Denn solche gesundheitlichen Riskierungen stehen nicht mehr in einem angemessenen Verhältnis zur Sorgepflicht der Integrität des Leibes. Sie werden aus dieser sittlichen Vorzugsordnung herausgehoben und dem Leitprinzip «Erfolg um jeden Preis» untergeordnet. Wachsende Unfairness, gesellschaftlicher Erwartungsdruck, wirtschaftliche und nationale Interessen stützen und fördern dieses Prinzip und begründen einen Regelkreis, aus dem nur schwer auszubrechen ist. Als ethisches Korrektiv wird in der Grundhaltung des «Fair play» jene Mindestanforderung gesehen, die nicht bloß die Achtung von sportlichen Grundregeln garantieren, sondern darüber hinaus die Achtung der Person und die Integrität des Gegners in den Mittelpunkt heben soll. Fairness gilt als ethische Grundkategorie, die vor Auswüchsen schützen soll.

Sieht man die theologischen und kirchlichen Stellungnahmen zu all diesen Problemen nach, so ergibt sich auch hier die Grundformel: Der Sport in der richtigen, sittlichen Vorzugsordnung trägt nicht bloß zur Entfaltung der individuellen Leiblichkeit bei, sondern erfüllt auch eine

Funktion in der Gemeinschaftsförderung und in der Völkerverständigung. Deshalb erfolgt die Kritik an den desintegrativen Momenten der Leiblichkeit im Zusammenhang gesellschaftlicher und internationaler Verständigung.

3. Der Sport im Kontext der Leistungsgesellschaft

Die ethische Bewertung des Sportphänomens unter dem Aspekt der Leiblichkeit und der gesellschaftlichen und internationalen Integration greift zu kurz. Der theologische Ethiker *D. Mieth* formuliert mit aller Deutlichkeit, daß die Sportwirklichkeit «über die Ambivalenz der Leistung angesprochen werden»[39] muß. Damit ist gemeint, daß nicht bloß der Hochleistungssport, sondern auch Sporterziehung, Breitensport und Freizeitsport unter dem Vorzeichen der Leistungskultur stehen. Zwar ist die Beobachtung nicht neu, daß das gesellschaftliche Leistungsethos seine symbolische Konzentration im (Leistungs-)Sport findet;[40] aber eher neu ist die Tatsache, daß der Sport in all seinen Spielarten über das Paradigma der Leistung bzw. der Leistungsgesellschaft eine theologische Bewertung erfährt. Damit ist allerdings nicht von vornherein etwas Abwertendes gemeint, sondern nur gesagt, «daß eine Betrachtung des Sportphänomens heute unter dem Gesichtspunkt der Leibeskultur in den Bereich der Romantizismen gehört, wenn man die Verknüpfung des Sports in die Repräsentanz der Leistungsgesellschaft nicht durchschaut».[41] Was ist damit gemeint?

Etwas überspitzt formuliert läßt sich als Hintergrundsprinzip der industriellen Zivilisation die Leistung, die individuell oder gemeinschaftlich erbracht wird, als entscheidendes Movens erkennen. Das Leistungsprinzip steht für die Möglichkeit, von «Natur» aus gegebene Ungleichheiten auszugleichen, eine soziale Ranghöhe zu erreichen, Qualitäten durch meßbare Quantitäten zu ersetzen. Die Ambivalenz dieses *Leistungsprinzips* besteht nun nicht darin, daß günstige Lebensbedingungen als Voraussetzung für Lebensqualität produziert werden, sondern daß der Mensch eben an dieser Produktivität gemessen wird, die ja grundsätzlich nur als ein Moment an seinem Sein erscheint. Diese gleiche Doppeldeutigkeit wird jedenfalls dort sichtbar, wo nur noch die Zahl, die abstrakte Leistung als Meßgröße gesehen wird und der Sporttreibende als Mensch, seine Leistung als Handlung im Rahmen seiner menschlichen Bedingungen vergessen wird. Hier zeigt sich eine Ten-

---

39 Vgl. *D. Mieth*, Leib und Leistung, in: Lebendiges Zeugnis 38 (1983) 25 - 42, hier 29; *Ders.*, Die neuen Tugenden, Düsseldorf 1984, 72ff.

40 Vgl. *H. Lenk*, Sozialphilosophie des Leistungshandelns, Stuttgart 1976, 47ff.

41 *D. Mieth*, a. a. O. 30.

denz zur Verdinglichung, symbolisiert in der einseitigen Betonung der Rekorde und der Auflistung von Medaillen, die den «Leistungsträger» sozusagen ausschaltet. In einer verfeinerten, aber nicht weniger wichtigen Form zeigt sich dies offensichtlich auch im Breiten- und Freizeitsport, wenn er sich zwar am Leitbild der Gesundheit orientiert, aber dennoch leicht unter den Aspekt der Förderung des Leistungsvermögens und der industriellen Kommerzialisierung gerät (z. B. Ausbau von Sportzentren, Hypertrophierung des Sporttourismus usw.).

Unter ethischer Rücksicht wird damit Leistung nicht nur kritisierbar auf den eventuellen Sinngehalt hin, inwieweit sie einen individuellen und sozialen Mehrwert an Selbstverwirklichung, Solidarität und Kommunikation erbringt, sondern auch auf die Tendenz hin, den sportlich tätigen Menschen nur in seinem Ergebnis zu definieren. Hier haben alle Überlegungen zu Menschenwürde und Menschenrecht ihre Berechtigung,[42] sofern sie auch an die Beobachtung zurückgebunden werden, daß die moderne Funktionalisierung und Instrumentalisierung des Menschen gerade hier ihren vorzüglichsten Ausdruck finden kann. Man braucht hier nur einmal die Gegenfrage zu stellen, inwieweit der nicht-verzweckbare Spielcharakter oder der lustbetonte Erlebnischarakter sportlicher Aktivität noch zum Zuge kommt. Unter theologischer Rücksicht läßt sich dann die These formulieren: *Je funktionaler und leistungsorientierter der Sport betrachtet wird, um so weniger erzeugt er Sinn, um so weniger bringt er Sinnlichkeit, Leiblichkeit und Solidarität zur Darstellung, die gerade in christlicher Sicht etwas mit der Gratuität der Schöpfung zu tun haben.*

Nach dem Durchgang unserer Überlegungen gilt es festzuhalten: Der Sport ist das, was wir aus ihm machen. Wir, das sind vorerst nicht die Vereine und Verbände oder die gesellschaftlichen und staatlichen Träger des Sports, sondern in erster Linie die Sporttreibenden und auch die Zuschauer selbst. Ihr persönliches Sportverständnis, ihre sportlichen Ziele und Interessen, ihr persönliches Engagement für einen fairen Sport für alle sind letztlich ausschlaggebend für die zukünftige Entwicklung. Eine grundlegende ethische Orientierung muß dabei wegleitend sein: *Im Zentrum eines humanen Sports steht der Mensch.* Und lebensbereichernd wird er dann, wenn er mit persönlichem Engagement mitgestaltet und nicht nur als oberflächliche Unterhaltung konsumiert wird.

---

[42] Vgl. *P. Jakobi/H.-E. Rösch* (Hrsg.), Sport und Menschenwürde, Mainz 1982. Diese Verknüpfung von Menschenwürde und Leistung scheint mir in den verschiedenen Beiträgen noch wenig beachtet zu werden.

VI. Der soziale Auftrag der Kirche. Der Dienst der Kirche am Menschen und ihre soziale Verantwortung

A. Einleitung

Was hat die Kirche mit sozialen, gesellschaftlichen und politischen Fragen zu tun?[1] Besitzt sie nicht eine ureigene religiöse Aufgabe und Sendung, nämlich den Menschen aller Rassen und den Völkern aller Kontinente das Evangelium zu verkünden, und das uns zugesprochene Heil zu vermitteln? Ist es nicht ein Rückfall in einen mittelalterlichen Großanspruch – so läßt sich fragen –, wenn die Kirche heute versucht, nicht bloß über die unmittelbare Nächstenhilfe, sondern auch vermittels der Soziallehre auf die Gestaltung der sozialen, gesellschaftlichen und politischen Wirklichkeit einzuwirken? Bei der Beantwortung dieser Fragen nach der sozialen Verantwortung der Kirche stoßen wir auf zwei extreme Positionen, die im Laufe der Geschichte immer wieder wirksam geworden sind.

Die eine ist dadurch gekennzeichnet, daß sie den Glauben ausschließlich als eine Angelegenheit des inneren Menschen betrachtet und so keine unmittelbare Beziehung zur sozialen und gesellschaftlichen Wirklichkeit zuläßt. Und folglich müsse sich auch die Kirche darauf beschränken, den inneren, geistlichen Menschen anzusprechen. Allenfalls bewirke der Glaube eine bestimmte Weltsicht, wobei die daraus zu ziehenden Konsequenzen ausschließlich Sache des einzelnen, nicht jedoch der Kirche als einer Gemeinschaft der Glaubenden sei. Ein Engagement, das über den Dienst an Wort und Sakrament hinausgehe, bedeute einen Übergriff in Bereiche, für die sie keine Zuständigkeit besitze. In dieser Perspektive müssen kirchliche Stellungnahmen zu gesellschaftlichen

---

1 Ähnliche Überlegungen finden sich in meinen Aufsätzen: Der soziale Auftrag der Kirche. Theologische Überlegungen zum Dienst der Kirche am Menschen und ihrer sozialen Verantwortung, in: Die christliche Soziallehre. Die neueren Herausforderungen. Beiträge des Kolloquiums «Hundert Jahre christliche Soziallehre (1891 - 1991)», hrsg. v. *N. Michel*, Freiburg i. Ue. 1992, 123 - 137. Und nochmals: Theologische Überlegungen zum Dienst der Kirche am Menschen, in: Informatio 37 (1992) 53 - 59.

Dieser letzte Beitrag des Bandes will nicht als eigentlich fachwissenschaftlich-ekklesiologischer Beitrag verstanden werden, denn im wesentlichen entstanden diese Reflexionen coram publico. Er möchte lediglich in den wichtigsten Linien die ekklesiologische Einordnung des sozialen Engagements für Leib und Leben, für die Gerechtigkeit und für die Würde der Entwürdigten nochmals verdeutlichen.

Entwicklungen, Sozialenzykliken, oder auch das konkrete Engagement von Lokalkirchen zur Beseitigung von Ungerechtigkeiten als Fehlentwicklungen bzw. Abwegigkeiten, welche vom ureigenen Auftrag ablenken, beurteilt werden. Wer diese Position mit der theologischen Diskussion der sechziger Jahre beendet glaubte, findet sie zum Teil wieder in der neuen Innerlichkeit, die in manchem die individualistischen Züge der New-Age-Bewegung widerspiegelt; dieses Verständnis findet sich schließlich auch in Parolen wie: Die Kirche gehört in die Sakristei, oder: Der Glaube hat nichts zu tun mit der Politik; und deshalb hat die Kirche sich hier herauszuhalten.

Neben dieser Auffassung, die einer sozialen Verantwortung der Kirche verständnislos gegenübersteht, gibt es eine andere, entgegengesetzte Richtung, welche sich entschieden und radikal des sozial-kritischen Potentials der Schrift bedient; diese entsprechenden Passagen werden gleichsam als starke Motivation angeeignet und in die innergesellschaftliche Entwicklung eingebracht. Danach muß die Kirche zur bewegenden Kraft in Gesellschaft und Staat werden, sich sozusagen an die Spitze der Entwicklung und Veränderung im Blick auf die Menschheitsprobleme stellen und den Prozeß der Humanisierung vorantreiben. Die soziale Verantwortung rückt hier ins Zentrum des kirchlichen Selbstverständnisses. Gottesdienst ist Menschendienst, oder: «Menschendienst ist Gottesdienst», so lautet etwa die Devise.

Beide Positionen wollen zunächst auf ihre Art auf Befürchtungen aufmerksam machen: Die These, wonach Glaube und Kirche als gesellschaftsgestaltende Mächte ihre Aufgabe zu erfüllen hätten, erwächst aus der Sorge, daß der Glaube lebens- und wirklichkeitsfremd werde, wenn er im Hier und Jetzt keine Bewandtnis habe; daß einer Kirche, die sich freiwillig in die Sakristei zurückzöge, mit Recht nachgesagt werden könne, sie vertröste auf das Jenseits, sie sei nur ein geistiger Überbau, der weder mit einer gerechten Welt noch mit menschenfreundlichen Ordnungen zu tun habe. Die Gegenthese, wonach der Glaube eine höchstpersönliche Entscheidung sei und das intime Innere eines jeden einzelnen betreffe, macht auf das Element aufmerksam, daß der Glaube zunächst etwas zu tun habe mit Umkehr, Gesinnungsausrichtung und Überzeugung. Damit ist vielleicht auch die Sorge formuliert, Erlösung könnte sich ausschließlich über die Verbesserung sozialer und gesellschaftlicher Strukturen und Institutionen ereignen, der Glaube könnte in einer Weltverbesserungslehre aufgehen, Kirche könnte zu einer Institution des sozialen Fortschritts werden.

Jeder vernünftige Christenmensch wird sagen, daß selbstverständlich beide Pole zu berücksichtigen sind: Weder dürfe der Glaube verinnerlicht und die Kirche von der Welt und von der Gesellschaft isoliert werden, noch dürfe der Glaube in eine rein innerweltliche Fortschrittslehre umgemünzt, noch die Kirche zu einer Institution des sozialen Fortschritts veräußerlicht werden. Wer den Glauben und die Kirche von der sozialen Verantwortung loslösen möchte, der übersieht, daß zu den Bedingungen, unter denen sich der Glaube entfaltet, die *gesellschaftlichen Verhältnisse* gehören. Es kann den Glaubenden nicht gleichgültig sein, ob in einer Gesellschaft nach den Grundsätzen der Humanität, der Solidarität und der Gerechtigkeit gehandelt wird. Spätestens hier müssen wir uns nach den tieferen Gründen fragen. Um der Beantwortung dieser Frage näher zu kommen, müssen wir ganz kurz auf das Paradigma der Schriften des Alten und des Neuen Testamentes zurückgreifen.

B. Biblische Fundierung

Zunächst einmal fällt auf, daß die Geschichten, die im AT von Jahwe erzählt werden, eine bezeichnende *Doppelstruktur* aufweisen.[2] Auf der einen Seite wird Gott als der treue und befreiende Wegbegleiter in einer bedrängenden Geschichte erfahren; auf der anderen Seite fordert diese seine befreiende Präsenz heraus, ebenso helfend und befreiend mit den Mitmenschen umzugehen. Die nicht ungefährliche Erinnerung des Volkes Israel an den Exodus ist Verpflichtung, sich und andere aus Anpassung, Verflachung und selbstverschuldeten Unrechtssituationen zu befreien. Schließlich machen die Prophetengeschichten darauf aufmerksam, daß der Glaube an Jahwe, daß sein Wort nur mit einer bestimmten sozialen und politischen Praxis vereinbar sind. Aus dem Zuspruch der Befreiung ergibt sich der Anspruch zum befreienden Handeln; aus der Beschreibung des engagierten Handelns Jahwes am Menschen ergibt sich der Imperativ zu einer befreienden sozialen und politischen Praxis. Eine entsprechende soziale Praxis ist gleichsam die menschliche Fortsetzung des Handelns Gottes an den Menschen. Erinnerung und Vergegenwärtigung der Taten Jahwes erfolgen in gemeinschaftlichen Gedächtnisfeiern; diese gehören notwendigerweise zur sozialen Tat; denn in ihnen wird Motiv und Grund sozialen Engagements immer wieder verdeutlicht. Von nicht unerheblicher Bedeutung ist, daß diese Verbindung Gott - Mensch über den Bund erfolgt, der nicht mit einzelnen Menschen oder einzelnen Stämmen geschlossen wird, sondern mit dem

2 Vgl. *J. Werbick*, Die nach Gerechtigkeit hungern und dürsten, in: *P. Eicher/N. Mette* (Hrsg.), Auf der Seite der Unterdrückten? Theologie der Befreiung im Kontext Europas 1989, 54 - 89; *O. Fuchs*, Heilen und befreien. Der Dienst am Nächsten als Ernstfall von Kirche und Pastoral, Düsseldorf 1990, 20ff.; *Ders.*, Kirche für andere: Identität der Kirche durch Diakonie, in: Conc. 24 (1988) 281 - 289.

ganzen Volk. Das Volk wird stets als Ganzes in die Verantwortung genommen. Weder ist der Jahweglaube eine rein private, individuelle Angelegenheit, noch ist das sog. gute Werk nur eine Angelegenheit des einzelnen. Das Glaubensengagement ist immer auch Sache der Koinonia, der Gemeinschaft; und Diakonia ist immer auch Sache der ganzen Koinonia.

Was so im AT beginnt, gewinnt im NT seine Fortsetzung, Intensität und Verwirklichung. Der eigentliche Interpret Gottes, Jesus von Nazareth, leistet sich keine Rede von Gott außerhalb konkreter, heilender und rettender Begegnung. Damit steht er in der Tradition der Propheten in Israel, die forderten, die Menschen müßten so handeln, wie Gott an ihnen gehandelt hat, indem sich der Mensch für die Gerechtigkeit aller und für die Barmherzigkeit allen gegenüber einsetzt. Er spricht vom Reich Gottes, wenn er in der Begegnung mit Armen, Stigmatisierten und Schwachen seine Heilsbotschaft *tut*. Die Wundergeschichten selbst sind «ein unbedingter Protest gegen konkretes, menschliches Leid, gegen das Leid der Kranken, der Verstümmelten und Isolierten» (*A. Suhl*). Die Wundererzählungen sind nicht in erster Linie da, um Jesu Autorität zu stützen, sondern sie sind primär eine Bestätigung und Gutheissung der radikalen Diakonie Jesu. Jesu Begegnungen mit Beschädigten sind demnach der bevorzugte Ort, wo sich Reich Gottes ereignet. Gott ist hier nicht eine Chiffre für Mitmenschlichkeit, sondern hier wird die Weggenossenschaft Gottes mit uns Menschen gelebt. Er wird als der real helfende und befreiende Partner bezeugt und als Anwalt hilfe- und befreiungsbedürftiger Menschen verkündet. Die Bezeugung dieses Gottes ermöglicht und trägt die Hinwendung zu den Benachteiligten.

Diese gleichsam normativen Vorgaben durch die Schrift führen zu einer ersten bedeutsamen Folgerung: Die Glaubwürdigkeit der kirchlichen Botschaft steht und fällt nicht zuerst durch die Qualität der Predigt, sondern durch die Diakonie, welche sie im Wort deutet. Denn das Wort mußte und wollte schon im AT und erst recht im NT Wirklichkeit werden durch die Tat, die heilt, Recht schafft, die Würde der Entwürdigten wieder herstellt. Der kirchliche soziale Dienst, die kirchliche Diakonie ist nach alledem eine Manifestation der Intention Jesu, insofern durch dieses Engagement Reich Gottes verkündet wird. Deshalb ist es falsch, die Diakonie dem Weltdienst der Kirche zuzuordnen – wie dies in einer bedenklichen Aufteilung von Heils- und Weltdienst geschieht.[3] Der weltliche, greifbare und soziale Dienst gehört zum Innersten der Kirche. Wer diesen als Anhängsel betrachtete, würde die christliche Botschaft selbst halbieren.

---

[3] Vgl. *J. Werbick*, Kirche. Ein ekklesiologischer Entwurf für Studium und Praxis, Freiburg i. Br. 1994, 324ff.

Die Diakonie gehört zum innersten Kreis der Kirche, dorthin also, wo die Verkündigung selbst auf dem Spiele steht. Indem die kirchliche Gemeinschaft ihren Kreis öffnet, direkt in Kommunikation mit Leidenden, Beschädigten, Armen tritt, wird sie zu dem, was sie sein soll, nämlich zum faßbaren Heils-Zeichen. Auf diesem theologischen Hintergrund haben die folgenden Worte auch heute noch ihre Gültigkeit:

> «Das Schicksal der Kirchen wird in der kommenden Zeit nicht von dem abhängen, was ihre Prälaten und führenden Instanzen an Klugheit, Gescheitheit, politischen Fähigkeiten aufweisen. Es wird abhängen von der Rückkehr der Kirchen in die Diakonie, in den Dienst an der Menschheit. Und zwar in einen Dienst, den die Not der Menschheit bestimmt, nicht unser Geschmack ... Der Menschensohn ist nicht gekommen, um sich bedienen zu lassen, sondern um zu dienen (Mk 10,15). Man muß nur die verschiedenen Realitäten kirchlicher Existenz einmal unter dieses Gesetz rufen und an dieser Aussage messen, und man weiß eigentlich genug ... Rückkehr in die Diakonie habe ich gesagt. Damit meine ich das Sich-Gesellen zum Menschen in all seinen Situationen mit der Absicht, sie ihm meistern zu helfen ... Damit meine ich das Nachgehen und Nachwandern auch in die äußersten Verlorenheiten und Verstiegenheiten des Menschen, um bei ihm zu sein, genau und gerade dann, wenn ihn Verlorenheit und Verstiegenheit umgeben.»[4]

Wer würde vermuten, daß diese Worte aus dem Jahre 1944 stammen, und zwar aus der Feder des Jesuiten *A. Delp*. Noch im Angesicht seines Todes beschäftigte es ihn, wie die Kirchen mit ihren Binnenproblemen beschäftigt waren, so daß sie darüber die Probleme und die Nöte ihrer Mitmenschen aus dem Auge verloren hatten. Den Menschen in ihrer Not zugewandt, ihnen helfend und dienend, das sind nach seiner Überzeugung die Attribute der Kirche.

Diakonie meint demnach, gleichsam den Kern der biblischen Botschaft treffend, mehr als nur ein Aufgabenfeld, das sich aus der Wesensbestimmung der Kirche herleitet. Sie bezeichnet nicht bloß gewissermaßen einen Sektor kirchlichen Handelns, etwa die Vergabe von Geldern und die Hilfe für Hilflose. Diakonie bedeutet zunächst und zutiefst «Dasein für andere». Das heißt: Man muß es der Kirche anmerken, daß sie den Gott im Rücken hat, der vorrangig für diejenigen Partei ergreift, die auf der Schattenseite des Lebens stehen. Fast zur selben Zeit konnte *D. Bonhoeffer* resümieren: «Die Kirche ist nur Kirche, wenn sie für andere da ist.»[5] Da sich die Kirche offensichtlich letztlich nur in der

---

[4] *A. Delp*, Gesammelte Schriften, Bd IV, hrsg. v. *R. Bleistein*, Frankfurt a. M. 1984, 318.
[5] Widerstand und Ergebung, München 1985^{3}, 414.

Pro-Existenz als wahre Kirche zeigt, ist es nicht erstaunlich, daß die altkirchlichen Quellen oft und mit einem besonderen Ernst von der Diakonie reden.

C. Die altkirchliche Gestaltgebung der Diakonie[6]

Wir wollen nun im folgenden auf einige typische Zeugnisse der Frühzeit der Kirche zurückgreifen, weil sie nicht bloß das biblische Erbe auf ihre eigene Weise verlebendigt hat, sondern weil dem *diakonischen und sozialen* Auftrag eigene Züge gegeben wurden. Die Diakonie gehörte im Bewußtsein der Frühzeit genau so zur Kirche wie die Predigt des Evangeliums. Vielmehr war es ein Weg, die Botschaft Jesu zu verkünden. Wenn nämlich die Christen als Gemeinde helfend und heilend dort aktiv wurden, wo menschliche Not war, dann galt dies als Predigt ohne Worte (vgl. 1 Petr 3,1f). Der Dienst der Nächstenhilfe war nicht bloß ein auffälliges und unübliches, wortloses Zeugnis des Glaubens, sondern für die Gemeindeglieder war dies eine Hereinnahme der Erlösung in das irdische Leben, indem Armut, Trauer und Not gewendet wurden. Was hat die damaligen Nicht-Christen so in Staunen versetzt? *Tertullian*[7] erzählt, daß die Christen ihr Geld ausgaben für Unterhalt und Begräbnis alter Leute, für Frühwaisen, für solche, die aus Unglück in Not gerieten, für Christen, die des Glaubens wegen in Zwangsarbeit und Verbannung gesteckt wurden.

In der Spätantike kannte man eine Art private Großzügigkeit und Wohltätigkeit; doch der Umstand, daß soziale Initiativen durch das Gebot der Nächstenliebe verbindlich gemacht wurden, war für die damalige Welt bis dahin unbekannt. Daß eine Gemeinschaft darauf bedacht war, durch soziale Initiativen einen gerechten Ausgleich zu schaffen, war neu. Soziales Engagement, Teilen und Helfen, erfolgte nicht nach Zufall, sondern aus einer grundsätzlichen Haltung heraus. Es galt geradezu: «Wir reden nicht von großen Dingen, wir tun sie.»[8] Diese selbstlose Aktivität der Frühkirche war ihr bester Trumpf, den sie gegenüber einer heidnischen Welt aufzuweisen hatte. In extremen Krisensituationen hoben sich die Christen noch einmal stärker von ihrer Umgebung

---

[6] Vgl. *P. Philippi*, Diakonie I. Geschichte der Diakonie, in: Theol. Realenz. Bd. VIII (1981) 621 - 644; *N. Brox*, Diakonie in der frühen Kirche. «Die Erde zum Himmel machen», in: Conc. 24 (1988) 277 - 281; *J. Colson*, La fonction diaconale aux origines de l'Eglise, Paris/Brügge 1960.

[7] Für die genauen Belege der Väterzitate vgl. *P. Philippi*, a. a. O. 621ff.

[8] Vgl. Minucius Felix 2. Jh.

ab, von einer Umgebung, die eben vergleichbare Pflichten nicht kannte. Ein anschauliches Beispiel ist der Bericht des Historikers *Euseb* über eine Hunger- und Pestkatastrophe. Auch wenn einige schöngefärbte Elemente in diesem Bericht in Abzug gebracht werden müssen, so ist dieses Zeugnis immer noch eindrucksvoll:

> «Der allseitige ernsthafte Eifer und die Frömmigkeit der Christen zeigte sich damals allen Heiden in deutlichen Zeichen. Denn sie waren die einzigen, die in einer solchen Katastrophe ihr Mitgefühl und ihre Menschenliebe durch unmittelbares Eingreifen bewiesen. Die einen waren rastlos tätig in der Pflege der Sterbenden und ihrer Bestattung – es gab Tausende, um die sich kein Mensch kümmerte –; andere brachten die vielen von Hunger Gequälten aus der ganzen Stadt an einer Stelle zusammen und verteilten ihnen Brot. Was sie taten, sprach sich bei allen Menschen herum, und man pries den Gott der Christen und bekannte, daß diese allein die wahrhaft Frommen und Gottesfürchtigen seien, da ihr Tun dies beweise.»[9]

Die Kirche hat ihren Dienst am Menschen in einem gewissen Sinne institutionalisiert, um ihn ständig auszuüben und nicht zu vergessen. Schon von Anfang an gab es eine uneingeschränkte Versorgung von verwitweten Frauen und Waisen, die zwar vornehmlich, aber nicht ausschließlich der Christengemeinde angehörten. «Im Prinzip kennt aber die Diakonie keine Grenze» (*N. Brox*), wohl aber die Klugheitsregel, die Bedürftigkeit dessen sei abzuklären, der bittet. Die Wichtigkeit der Diakonie scheint sich vom 2. Jh. her darin zu zeigen, daß der Bischof die Mittel selbst verwaltete, d. h. die Kasse und die Räume für die Naturalgaben. Mittels Spenden, Kollekten, Fastentagen waren vom Mittellosen bis zu den Begüterten alle mit einem Beitrag beteiligt. Aus der Perspektive des römischen Reiches wurde diese caritative Tätigkeit zu einer willkommenen, erwünschten und geförderten Sozialhilfe. Die Kirche behielt die Verfügungsgewalt über teils beträchtliche Mittel. So weiß man von *Basilius*, daß er eine größere Station zur Unterbringung von Kranken, Armen und Fremden baute und so auch – wie es ausdrücklich heißt – Arbeit beschaffte. Diese Diakonie ist aber in der Sicht der alten Kirche kein profanes Geschäft. Die Kirchenväter reden von den Armen als einem «Ort» der Gegenwart des Herrn und erklären damit die Diakonie an den Bedürftigen als Dienst am Herrn selbst. So heißt es bei *G. v. Nazianz*:

> «Solange noch Zeit ist, wollen wir Christus besuchen, Christus pflegen, Christus speisen ... Da der Allherrscher Erbarmen will und nicht Opfer, wollen wir ihm die Barmherzigkeit durch die

---

[9] Kirchengesch. IX 8,13f.

Armen überbringen und durch die, die heutzutage zu Boden geworfen sind.»[10]

In Fortführung der biblischen Tradition gilt die Überzeugung, die Diakonie an den Notleidenden führe unmittelbar zur Begegnung mit dem Herrn. Wir wissen aber auch, daß in der Frühzeit der Kirche nicht alles zum Besten bestellt war. Ein Schriftsteller (*Salvian*), der diese theologische Überzeugung zum Maßstab gemacht hat, kritisiert etwa die brutale Steuer- und Landenteignungspraxis, die asoziale Begünstigung der Reichen, die Interessenverflechtung von Klerus und Reichen, die horrende Höhe sinnloser öffentlicher Ausgaben, die den Armen nichts helfen.

Die altkirchlichen Zeugnisse zur Diakonie lesen sich streckenweise wie Elemente zu einer Befreiungstheologie.[11] Es erstaunt, wie offenbar selbstverständlich die christliche Pflicht und die Notwendigkeit der Diakonie mit der Option für die Armen verbunden wird. Und es scheint auch, daß hier die *Diakonie,* also der Dienst am Menschen, die entscheidende Option darstellt, von der her *Koinonia* (Gemeinschaft) und *Leiturgia* (Gebet) organisiert werden. Frühchristliche Schriftsteller warnen ausdrücklich davor, Diakonie nur von Fall zu Fall wahrzunehmen, da die Fähigkeit leicht verkomme, Not und Armut auch dort wahrzunehmen, wo sie sich nicht selber melden bzw. wo sie beschwichtigend überdeckt werden. Vielmehr müsse sie einer prinzipiellen Haltung und Anstrengung entsprechen, die sich auch nach innen auswirke. Das heißt: Nicht die Hilfsbedürftigen haben von Fall zu Fall zu beweisen, daß sie unsere Nächsten sind; sondern der prinzipielle Nächstendienst bedeutet, daß die Kirche und diejenigen, die zu ihr gehören, diesen Menschen gegenüber «von sich aus» die Nächsten zu sein haben.

Der Rekurs auf den biblischen Ursprung und die altkirchliche Tradition muß akzeptieren, daß die Rede von Gott prinzipiell ohne die Praxis der Diakonie nicht die Rede von Gott ist. Beide, die Gemeinschaft, die sich ihrer Herkunft erinnert und dies auch feiert, und die Gemeinschaft, die den selbstverständlichen Dienst am Menschen tut, gehören zusammen. Letzteres ist sehr wichtig; denn man braucht soziale und caritative Dienste nicht immer explizit an Evangelium und Kirche zurückzubinden und auch nicht immer hochtheologisch zu deuten, weil das Einstehen für die Würde der Entwürdigten schon in sich Heilsdienst ist. Denn es macht vom Reich Gottes her einen Sinn, Not und Unterdrückung zu bekämpfen, weil es gerade dadurch in den Lebenswelten der Menschen

---

[10] Zit. nach *N. Brox*, a. a. O. 280.

[11] Vgl. *H. Steinkamp*, Diakonie in der Kirche der Reichen und in der Kirche der Armen, in: Conc. 24 (1988) 295 - 301.

ansatzhaft real wird. Und eben diese von der Liebe getragene Realität hat Zukunft in das kommende Reich Gottes hinein. Und so hat der Satz seine Richtigkeit: Wer sich von der Not und der Schattenseite des Lebens treffen läßt, der wird das Evangelium nie anders als mit den Augen der Barmherzigkeit lesen und den entsprechenden Glauben entdekken. Es erstaunt eigentlich, daß über Jahrhunderte von einer Mehrheit der Exponenten der Kirche das Evangelium gelesen wurde, ohne daß es die entsprechende Betroffenheit erzeugte.

Es bedurfte in neuerer Zeit eines *Johannes XXIII.*, der zu Beginn des Konzils seinen Aufruf zur Erneuerung der Kirche unter die Perspektive einer «Kirche der Armen» stellte.[12] Damit war gemeint, die Kirche könne ihre Aufgabe nicht erfüllen, wenn sie als «Zentrum und als Ziel» nicht das «Geheimnis Christi in den Armen und ihrer Evangelisation» finde. Der Aufruf schlug sich zwar nicht in den vorbereitenden Dokumenten des Konzils nieder, doch wurden später verschiedene Elemente in die Kirchenkonstitution aufgenommen. Diese Perspektive wurde durch ein anderes Interesse überlagert; man könnte es kennzeichnen als das Interesse am Dialog mit der Welt, den Wissenschaften und mit den Menschen «guten Willens». Dieses Programm wurde unter dem Stichwort des «aggiornamento» einzulösen versucht, was zweifellos zu einem «modernen» Selbstverständnis der Kirche geführt hat. Dagegen hören sich einige Passagen des Konzils zur diakonalen Struktur der Kirche an wie Texte aus der Frühzeit der Kirche oder, wenn wir den etwas paternalistischen Ton übersehen, wie Texte aus der Befreiungstheologie:

> «... Die Kirche umgibt alle mit ihrer Liebe, die von menschlicher Schwachheit angefochten sind, ja in den Armen und Leidenden erkennt sie das Bild dessen, der sie gegründet hat und selbst ein armer und Leidender war. Sie müht sich, deren Not zu erleichtern, und sucht Christus in ihnen zu dienen.»[13]

Wir müssen heute konstatieren, daß nicht die okzidental-europäische, sondern die lateinamerikanische Kirche die noch zaghafte Intuition *Johannes XXIII.* aufgenommen und weiterreflektiert hat, indem sie ihre Funktion und ihre Aufgabe von der Devise her «Die Kirche besonders der Armen» zu verstehen sucht. Damit kommt hier wiederum jene Doppelstruktur zum Zuge, auf die wir vom Evangelium her verpflichtet sind. Und es tönt wie eine Verlebendigung der Intuition des Konzil-

---

[12] *L. Kaufmann/N. Klein*, Johannes XXIII. Prophetie im Vermächtnis, Freiburg i. Ue. 1990. Vgl. auch meinen Artikel: Armut, theologisch-ethisch, in: Lexikon für Theologie und Kirche, 3. völlig neu bearbeitete Auflage, hrsg. v. *W. Kasper*, Bd. 1, Freiburg i. Br./Basel/Rom/Wien 1993, 1010f.

[13] Lum. gen. 8,3.

Papstes und des Engagements der lateinamerikanischen Kirche, wenn 1991 die nordamerikanischen Bischöfe schreiben:

> «Überall in unserem Land und überall auf der Erde ist die Geschichte der sozialen Dienste der Kirche eine Geschichte wachsender Lebendigkeit ... Sie ist die alltägliche Aufgabe, obdachlosen und hungernden Menschen eine menschenwürdige Unterkunft und die erforderliche Hilfe zu bieten, schwangeren Frauen und ihren ungeborenen Kindern Leben ermöglichende Alternativen zu bieten, Flüchtlinge willkommen zu heißen und vieles andere mehr. Sie ist das öffentliche Eintreten von Gläubigen für das Leben von Menschen, wo immer es bedroht ist, für die Rechte der Arbeitnehmer und für die wirtschaftliche Gerechtigkeit, für Frieden und Gerechtigkeit für alle Menschen, die hier leben. Diese Geschichte der sozialen Dienste bedeutet, armen und versehrten Menschen zu helfen, ihr Leben in Würde verwirklichen zu können ... Es ist die Herausforderung, die von unserem Herrn Jesus Christus selbst ausgeht, der in seiner Bergpredigt dargelegt hat, wozu wir berufen sind.»[14]

D. Der schwierige Realisierungsprozeß

Wie theologisch eindeutig die Doppelstruktur der Kirche «Koinonia» und «Diakonia» zusammen gehören, und wie sehr eigentlich theologisch klar geworden ist, daß sich die kirchliche Gemeinschaft letztlich im Dienst am Menschen erfüllt, so schwierig ist es, in konkreto die soziale Verantwortung wahrzunehmen. Nicht bloß mit der Pro-Existenz, also der Existenz für die «anderen» hatte die Kirche immer wieder Mühe, sondern auch und insbesondere mit der Realisierung dieser Pro-Existenz. Hier ist nun die Beobachtung wichtig, daß sich die soziale Verantwortung der Kirche in zweierlei Richtungen ausdifferenziert hat, nämlich in eine *diakonal-caritative* und in eine *lehrmäßige*. Zweifellos gab und gibt es in der Kirche immer das, was wir Werke der Barmherzigkeit zu nennen pflegen, also die vielfältigen sozial-caritativen Einrichtungen. Im 19. Jh. haben sich die ersten Ansätze zu einer Soziallehre entwickelt, weil die caritative Organisation aufgrund gesamtgesellschaftlicher und vornehmlich struktureller Prozesse an ihre Grenzen

---

[14] Zit. nach *J. A. Coleman/G. Baum*, «Rerum novarum»: 100 Jahre später, in: Conc. 27 (1991) 347 - 350; im übrigen gibt die ganze Nummer einen guten Überblick, unter der Überschrift: «Rerum novarum»: 100 Jahre später. Eine Tradition, die gefeiert, kritisch hinterfragt und weiterentwickelt werden muß.

stieß.[15] Ohne Übertreibung läßt sich sagen, daß beginnend mit der ersten Sozialenzyklika «Rerum novarum», die Kirche sehr fruchtbar versucht hat, den innersten Kern des diakonalen Engagements in eine Art Kompendium von Grundsätzen, Grundsatzüberlegungen zu gießen. Wir nennen dieses zwar oft kritisierte, offene Gefüge von Grundsatzüberlegungen «kirchliche Soziallehre». Es ist in dem Augenblick entstanden, wo man aufgrund des äußeren Druckes realisiert hat, daß die soziale Verantwortung der Kirche nicht bloß die Nächstenhilfe betrifft, sondern auch die strukturelle und politische Gestaltung der Gesellschaft. Seither gehört zur sozialen Verantwortung der Kirche die Organisation der sozialen Dienste innerhalb der Gemeinden und innerhalb der übergemeindlichen Gremien *sowie* die doktrinale Orientierung.

Die sozialen Dienste schaffen eigene, schwierige Probleme: Probleme der Prioritätensetzung und der Subsidiarität, Probleme der Delegation an professionelle Institutionen, Probleme der Verhältnisbestimmung von Pastoral- und Sozialdiensten usw. Dies sind Gesichtspunkte, die eigens reflektiert werden müßten; hier sei nur soviel vermerkt: Die diakonal-caritativen Werke der Kirche können nicht – wie es einmal hieß – als gesellschaftspolitische, anachronistische Späterscheinung abqualifiziert werden. Wer so urteilt, übersieht wohl, daß auch der beste Sozialstaat weder die materielle noch die geistige Armut überwinden wird, der übersieht ganz schlicht, daß behördliche und staatliche Organisationen nie in der Lage sein werden, alle Notlagen aufzufangen. Vor allem aber wird eines übersehen: Der soziale Dienst an Kranken, Behinderten, Fremden, Ausgestoßenen ohne personale Mitmenschlichkeit und Nächstenliebe gleicht einer kalten Maschinerie. *Die Mobilisierung der sozial-caritativen Gesinnung ist ein Beitrag der Kirche zur Humanisierung unserer Gesellschaft.* Zur vollumfänglichen sozialen Verantwortung der Kirche gehört es, durch Einspruch, Aufmunterung, durch eigenes Beispiel und Kritik am Aufbau der menschlichen Gesellschaft teilzunehmen.

In der Übersetzung und der Fortführung des diakonalen Auftrages heißt dies: Ihre soziale Verantwortung ist in erster Linie dort herausgefordert, wo die gesellschaftlichen Handlungsweisen und Verhältnisse eindeutig als sündig und mit der Würde des Menschen für unvereinbar erkannt werden. Hier geht es um eine prophetische Kritik, wie sie bereits im AT und im NT vorgezeichnet ist. Die Begründung dieser sozialkritischen Funktion erwächst aus der Tatsache, daß der Glaube ohne das Handeln in Gerechtigkeit und Liebe tot ist. Wo Wert und Würde

---

15 Vgl. *G. Brakelmann*, Kirche und Sozialismus im 19. Jh., Witten 1966. Zum nicht unumstrittenen wissenschaftstheoretischen Status der Soziallehre vgl. *P. Hünermann*, Kirche, Gesellschaft, Kultur. Zur Theorie kath. Soziallehre, in: Christliche Sozialethik im Anspruch der Zukunft (= Studien zur theol. Ethik 43), hrsg. v. *D. Mieth*, Freiburg i. Ue. 1992, 39 - 76.

des Menschen verletzt, seine Rechte und Pflichten eingeschränkt oder ausgeschaltet werden, darf die Kirche nicht schweigen. Ob und wie die Kirche dieser unabweisbaren, sozialen Aufgabe gerecht wird, hängt einerseits von den Christen und Christinnen vor «Ort» ab, wie intensiv sie sich die «parteiliche» Lesart der Schrift zu eigen gemacht haben und andererseits von den kirchlichen Amtsträgern, wie sachkundig und evangeliumbetroffen sie überzeugen. Natürlich liegt hier auch die Crux: Ungerechtigkeit, gesellschaftliche Benachteiligung, soziale Hintansetzung, Armut, Fremdheit haben heute so unterschiedliche Namen, daß deren Ausbuchstabierung nicht nur schwierig, sondern vielfach auch umstritten ist und selbst unter Christen zu Meinungsverschiedenheiten führen kann.

Dies ist aber kein Grund, sich von der sozialen Verantwortung zu dispensieren. In diesem einen Punkt ist eine Wesenseinsicht der Soziallehre nicht aufzugeben: Die Kirche hat die Pflicht, sich hier einzumischen, freilich dadurch, daß sie selbst ein nachprüfbares Beispiel des Einstehens für Entrechtete gibt.[16] Diese Aufgabe beinhaltet aber auch, daß die Kirche nicht von sich aus wirtschaftliche, gesellschaftliche und politische Verhältnisse gestalten kann. Denn ein Konzept, das unmittelbar aus dem Glauben ein politisches Handlungsmodell abzuleiten versuchte, würde die notwendige Unterscheidung zwischen der Glaubensebene und der Eigenständigkeit der irdischen Kultursachbereiche aufheben.[17]

E. Welcher Maßstab?

Das Entscheidende ist der Maßstab. Diesen bildet das Wissen im Glauben um die in Gott verbürgte, gerecht gemachte Würde jedes einzelnen. Und diese besteht in der Gleichheit aller Menschen, in der Freiheit und sittlichen Verantwortung jedes einzelnen, in seiner Gesellschaftlichkeit und in der Notwendigkeit der Solidarität und Gerechtigkeit im Zusammenleben, von denen sowohl das soziale Handeln als auch die gesellschaftlichen Institutionen inspiriert sein müssen. Die Grundelemente dieser Anthropologie sind der Vernunft des Menschen zugänglich, und insofern gibt es eine echte Gesprächsbasis mit allen Menschen guten

---

[16] Vgl. hierzu: *W. Palaver*, Die Diskrepanz von Wort und Tat in der katholischen Soziallehre am Beispiel von Kirche und Demokratie, in: Centesimo anno. 100 Jahre katholische Soziallehre. Bilanz und Ausblick, hrsg. v. *W. Palaver*, Thaur 1991, 27 - 63.

[17] Vgl. hierzu die kritisch-wegweisenden Äußerungen von *M.-D. Chenu*, La doctrine de l'église comme idéologie, Paris 1979.

Willens. Die aus dem Wesen des Menschen erwachsenden Grundsätze der Gerechtigkeit und Solidarität ermöglichen nicht bloß eine Sozialkritik, sondern bieten auch erforderliche Wegmarken für das soziale Handeln und die gesellschaftliche Entwicklung. Sie geben die Richtung an, in der die Lösung konkreter Fragen und Probleme gesucht werden muß.[18] Grundsätze sind weder ein System noch ein Aktionsprogramm. Ebenso wie das Evangelium verkannt würde, wollte man aus ihm Programme für politisches und soziales Handeln gewinnen, ebensowenig kann die Kirche über eine Wundertüte verfügen, in der es fertige Lösungen gibt.

Grundsätze sind Orientierungshilfen, keine Handlungsanweisungen. Die Kirche muß beispielsweise angesichts einer drohenden Deregulierung der sozialen Sicherheit den Grundsatz der Solidarität betonen. Was konkret geschehen soll, das müssen die Beteiligten selbst unter Beachtung der Grundsätze erarbeiten und entscheiden. Ähnlich steht es bei der Frage nach einer gerechten Wirtschaftsordnung. Aus dem christlich inspirierten Menschenbild ergeben sich Richtwerte, so etwa, daß die Wirtschaft primär nicht Sache des Staates, sondern der wirtschaftenden Menschen ist, daß kein Mensch Objekt des Gütergeschehens sein darf, daß der wirtschaftliche Ertrag gerecht verteilt wird. Wie diese Orientierungen konkret in die Praxis umgesetzt werden können, dies kann weder direkt der Bibel noch unmittelbar einem christlichen Menschenverständnis entnommen werden. Dies hängt wiederum vom Sachverstand, von der Verantwortungsbereitschaft aller Beteiligten und von der grundsätzlichen Gutwilligkeit ab.

Weil Grundsätze keine Gebrauchsanweisungen sind, stecken sie zwar die Grenzen ab, innerhalb derer die konkrete Lösung der sozialen Probleme zu suchen ist; aber es bleibt in der Regel ein Spielraum für unterschiedliche Lösungen. Ich kann in diesem Zusammenhang nicht darauf eingehen, wie und welche weitere Kriterien die kirchliche Verkündigung etwa zur Gesellschaftsgestaltung, Demokratie, Arbeit und Kultur entwickelt hat. Eines hat sich aber im Anschluß an die Hundertjahrfeier von «Rerum novarum» gezeigt: Die frühere katholische Soziallehre hat die Gesellschaft, auch die moderne Gesellschaft, mehr oder weniger als organischen Aufbau gesehen.[19]

Dagegen geht sie in jüngster Zeit dazu über – wohl seit der Enzyklika «Laborem exercens» (1981) –, die moderne Gesellschaft als konfliktgeladenes und von gegensätzlichen Interessen gekennzeichnetes Gebilde zu sehen. Und dies aus dem Grunde, weil in ihr gewisse Sektoren, Arbeiter

---

[18] Vgl. W. *Korff*, Grundzüge einer künftigen Sozialethik, in: Jahrbuch für christl. Sozialwissenschaften 24 (1983) 29 - 50.

[19] Vgl. *P. Hünermann*, Kirche, Gesellschaft, Kultur, a. a. O. 48ff.

und Arme in der Regel strukturell benachteiligt seien, d. h. dessen beraubt sind, was ihnen von Rechts wegen zustehe. Eine der *Grundüberzeugungen* ist die, daß nur dann Gerechtigkeit in die Gesellschaft Einzug halten wird, wenn die benachteiligten Sektoren – vielleicht organisiert in sozialen Bewegungen – zu ihrem Recht kommen und zumindest mit der Unterstützung derer rechnen können, die am Neuaufbau der Gesellschaft arbeiten. Und so heißt es denn auch in der Enzyklika «Sollicitudo rei socialis» (1987):

> «Kraft ihres Auftrages aus dem Evangelium fühlt sich die Kirche an die Seite der Armen gerufen, um die Berechtigung ihrer Forderungen zu ermitteln oder zu deren Erfüllung beizutragen, ohne den Blick für das Wohl der einzelnen Gruppen im Rahmen des Gemeinwohles aller zu verlieren» (Nr. 39).

Indem hier an prominenter Stelle das Prinzip der Gerechtigkeit und der Solidarität vom Standpunkt dessen aus wahrgenommen und gelesen wird, der an der Unterseite der Geschichte steht, kommt hier auf der Ebene der Lehre wieder das zum Zuge, was wir in gewisser Weise im Wesen der Diakonie entdeckt haben.[20] Freilich steht sich die (Amts-) Kirche in dieser Vision auch selbst immer wieder im Wege, indem sie die grundlegenden Prinzipien der Gerechtigkeit und der Solidarität einmal von der Unterseite der Geschichte und einmal von der Siegerseite der Geschichte liest. Und dies müßte so nicht sein.

Die Lesart der Geschichte *von unten* bedeutet aber nicht das gleiche wie die marxistische Option für das Proletariat. Denn zu den Armen gehören nicht bloß die wirtschaftlich Armen. Zu den Armen gehören sowohl die ausgebeuteten Arbeitnehmer und Arbeitnehmerinnen als auch die Menschen, die der materiellen Mittel zum Wohlergehen entbehren, aber auch weitere benachteiligte Gruppen: Menschen, die unter ethnischer Diskriminierung leiden, die Invaliden, die geistig Behinderten und die alten Menschen, die hilflos geworden sind. Es darf wohl als Neuerung der katholischen Sozialtheorie gesehen, und als neue Akzentsetzung des sozialen Auftrages der Kirche verstanden werden, wenn zwar an der Sicht des Gemeinwohles für alle festgehalten wird, aber darin eine vorrangige Option (ein vorrangiges Engagement) für die Menschen an der Unterseite der Geschichte formuliert wird. Doch

---

[20] Vgl. *G. Baum*, Die Originalität der katholischen Soziallehre, in: Conc. 27 (1992) 387 - 392, 389: «In den achtziger Jahren gelangte die päpstliche Lehre dazu, die vorrangige Option für die Armen anzuerkennen ... Die Option für die Armen ist ein Engagement, das sich in zwei Richtungen erstreckt: in eine hermeneutische und in eine praktische. Sie fühlt sich verpflichtet, die Gesellschaft aus der Sicht der Armen, Schwachen und Benachteiligten zu sehen und zweitens den gemeinsamen Kampf um ihre Emanzipation öffentlich zu unterstützen.»

ist die Einlösung dieser Sicht beschwerlich; aber hier geht es um die authentischste Seite der christlichen Überlieferung.

Erstveröffentlichungsnachweise

Selbstbestimmung und Handeln aus dem Glauben. Eine Problemskizze aus moraltheologischer Sicht, in: R. Battegay/U. Rauchfleisch, Menschliche Autonomie, Göttingen 1990, 65 - 78 (bearbeitet).

Die Bedeutung der Eschatologie für einen sozialtherapeutischen Ansatz der Theologischen Ethik, in: FZPhTh 29 (1979) 505 - 524.

Ethische Perspektiven der Normabweichung, in: Christlicher Glaube in moderner Gesellschaft, Bd. 16, hrsg. v. F. Böckle/F.-X. Kaufmann/K. Rahner/B. Welte, Freiburg i. Br./Basel/Wien 1982, 39 - 49.

Gerechtigkeit und Menschenwürde, in: De dignitate hominis, ed. A. Holderegger/R. Imbach/R. Suarez (= Studien zur theol. Ethik Bd. 22), Freiburg i. Ue. 1987, 439 - 450.

Ethisches und Theologisches zur Sterbehilfe. Diskussionen, Positionen, Nachdenklichkeiten, in: Civitas 48 (1993) Heft 5/6, 104 - 114 (bearbeitet).

Der soziale Auftrag der Kirche. Theologische Überlegungen zum Dienst der Kirche am Menschen und zu ihrer sozialen Verantwortung, in: Die christliche Soziallehre. Die neueren Herausforderungen. Beiträge des Kolloquiums «Hundert Jahre christliche Soziallehre (1891 - 1991)» Universität Freiburg i. Ue., hrsg. v. N. Michel, Freiburg i. Ue. 1992, 123 - 137 (bearbeitet).

Studien zur theologischen Ethik
Etudes d'éthique chrétienne

Herausgegeben vom Moraltheologischen Institut
der Universität Freiburg Schweiz
unter der Leitung von
A. Holderegger (dt. Abteilung) und R. Berthouzoz (franz. Albeitung)

Neuere Bände:

30. *A. Bondolfi,* Ethik und Selbsterhaltung. Sozialethische Anstösse, 1990, 200 S.
31. Natur im ethischen Argument. Hrsg. von *B. Fraling,* 1990, 148 S.
32. *H. Ringeling,* Christliche Ethik im Dialog. Beiträge zur Fundamental- und Lebensethik II, 1991, XII–264 S.
33. Ethik der Medienkommunikation. Grundlagen. Hrsg. von *A. Holderegger,* 1991, 160 S.
34. *M. Schramm,* Prozeßtheologie und Bioethik. Reproduktionsmedizin und Gentechnik im Lichte der Philosophie A. N. Whiteheads, 1991, 332 S.
35. *D. Deckers,* Gerechtigkeit und Recht. Eine historisch-kritische Untersuchung der Gerechtigkeitslehre des Francisco de Vitoria (1483–1546), 1991, 432 S.
36. *J. Fuchs,* Für eine menschliche Moral. Grundfragen der theologischen Ethik. Band III: Die Spannung zwischen objektiver und subjektiver Moral, 1991, 139 S.
37. Novitas et veritas vitae. Aux sources du renouveau de la morale chrétienne. Mélanges offerts au professeur Servais Pinckaers à l'occasion de son 65ᵉ anniversaire. Ed. par *C.-J. Pinto de Oliveira,* 1991, XII–236 p.
38. *M.-J. Huguenin, OCD,* L'expérience de la miséricorde divine chez Thérèse d'Avila, 1991, 432 p.
39. *D. Witschen,* Gerechtigkeit und teleologische Ethik, 1992, 236 S.
40. *W. Ego,* Abschied von der Moral. Eine Rekonstruktion der Ethik Robert Musils, 1992, 392 S.
41. Christliche Sozialethik im Anspruch der Zukunft. Tübinger Beiträge zur Katholischen Soziallehre. Hrsg. von *D. Mieth,* 1992, 188 S.
42. *C.-J. Pinto de Oliveira,* Ethique chrétienne et dignité de l'homme, 1992, 382 p.
43. *R. Ammicht-Quinn,* Von Lissabon bis Auschwitz. Zum Paradigmawechsel in der Theodizeefrage, 1992, 382 S.
44. *W. Wolbert,* Vom Nutzen der Gerechtigkeit. Zur Diskussion um Utilitarismus und teleologische Theorie, 1992, 240 S.

45. *H. Hirschi,* Moralbegründung und christlicher Sinnhorizont. Eine Auseinandersetzung mit Alfons Auers moraltheologischem Konzept, 1992, 236 S.

46. Gerechtigkeit in Gesellschaft, Wirtschaft und Politik. Hrsg. von *W. Ernst,* 1992, 196 S.

47. *A. Lob-Hüdepohl,* Kommunikative Vernunft und theologische Ethik, 1993, 440 S.

48. *Ch. Kissling,* Gemeinwohl und Gerechtigkeit. Ein Vergleich von traditioneller Naturrechtsethik und kritischer Gesellschaftstheorie, 1993, 580 S.

49. *B. Bujo,* Die ethische Dimension der Gemeinschaft. Das afrikanische Modell im Nord-Süd-Dialog, 1993, 228 S.

50. *K. Demmer,* Gottes Anspruch denken. Die Gottesfrage in der Moraltheologie, 1993, 184 S.

51. *W. Göbel,* Der Wille zu Gott und das Handeln in der Welt. M. Luther – Johannes v. Kreuz – I. Kant, 1993, 216 S.

52. *J.-Cl. Wolf,* Utilitarismus, Pragmatismus und kollektive Verantwortung, 1993, 204 S.

53. Das Gewicht der Gebote und die Möglichkeit der Kunst. Krzystof Kieślowskis «Dekalog»-Filme als ethische Modelle. Hrsg. von *W. Lesch* und *M. Loretan,* 1993, ca. 240 S.

54. Das Ethos der Liberalität. Hermann Ringeling zum 65. Geburtstag. Hrsg. von *H.U. Germann, H.R. Schär, H. Kaiser* und *H. Leibundgut* 1994, 356 S.

55. *A. Holderegger,* Grundlagen der Moral und der Anspruch des Lebens. Themen der Lebensethik, 1995, 342 S.

56. *C.-J. Pinto de Oliveira.* Contemplation et libération. Thomas d'Aquin – Jean de la Croix – Barthélemy de Las Casas, 1993, 154 p.

57 *U. Zelinka,* Normativität der Natur – Natur der Normativität. Eine interdisziplinäre Studie zur Frage der Genese und Funktion von Normen, 1994, 244 S.

58. *H. Ringeling,* Freiheit und Liebe. Beiträge zur Fundamental- und Lebensethik III, 1994, 216 S.

59. *B. Fraling,* Vermittlung und Unmittelbarkeit. Beiträge zu einer existentialen Ethik, 1994, 452 S.

60. *J. Römelt,* Anthropozentrische Aporie und christliches Gewissen 1994, 156 S.

61. *W. Wolbert,* Moral in einer Kultur der Massenmedien, 1994, 112 S.

UNIVERSITÄTSVERLAG FREIBURG SCHWEIZ
VERLAG HERDER FREIBURG – WIEN